公認会計士試験

短答式試験
過去問題集

TAC公認会計士講座
「短答プロジェクト」チーム

TAC出版
TAC PUBLISHING Group

は じ め に

本書は，公認会計士法による「公認会計士試験・短答式試験」(直近３回分：令和６年第Ⅱ回・令和６年第Ⅰ回・令和５年第Ⅱ回)を収載したものです。

公認会計士試験は短答式試験・論文式試験の２段階で実施される試験です。平成20年からの「試験実施方法の改善」により短答式試験出題問数・短答式試験時間・試験日程等が変更され，さらに，平成22年度からは短答式試験が年２回(12月・５月)実施されています(令和３年短答式試験は年１回のみの実施となっています)。また，平成27年第Ⅰ回試験からは，従前は２時間で同時に実施されていた管理会計論・監査論について，１時間で単独実施されるようになりました。なお，試験制度自体は平成18年からの枠組みが維持されています。

短答式試験は，多くの受験生は「財務会計論」「管理会計論」「監査論」「企業法」の４科目を受験することになりますが，税理士試験の簿記論・財務諸表論合格者は「財務会計論」について，会計専門職大学院修了者は「財務会計論」「管理会計論」「監査論」について「短答式試験一部科目免除申請」をすることができます。論文式試験は，当該年の短答式試験に合格した者・免除された者が受験することができます。短答式試験に合格した年の論文式試験に不合格であったとしても，翌年・翌々年については「短答式試験免除申請」をすることができ，直接，論文式試験を受験することができます。

このように，まず短答式試験に合格することが公認会計士試験合格への第一条件となり，公認会計士試験対策上も重要なポイントとなるのです。論文式試験対策を意識しながら，短答式試験の出題傾向を認識し効果的な学習をするために本書をご利用ください。

受験生の皆様が公認会計士試験短答式試験合格，そして論文式試験合格の栄冠を勝ち取られんことを心から祈りつつ，本書が皆様の合格に少しでも寄与することを念じてやみません。

2024年６月21日　令和６年第Ⅱ回短答式試験合格発表の日に

TAC公認会計士講座「短答プロジェクト」チーム

本試験分析と本書の利用法

「公認会計士・監査審査会」によれば，短答式試験は「公認会計士になろうとする者に必要な専門的知識について，基本的な問題を幅広く出題することにより，論文式試験を受験するために必要な知識を体系的に理解しているか否かを客観的に判定する試験」である。合格基準は，「総点数の70％を基準として，公認会計士・監査審査会が相当と認めた得点比率とします。ただし，審査会は，１科目につき，その満点の40％を満たさず，かつ原則として答案提出者の下位から遡って33％の人数に当たる者と同一の得点比率に満たない者は，不合格とすることができます。」とされている。この表現は，特定科目の成績不良者を合格者から排除する目的をもち，特段の事情がない限り，基本的には適用されると考えておいたほうが良い。

平成25年試験以降，短答式試験合格率が上昇に転じたが，平成26年試験では合格率が前年と比較し，また，各回においても大きく変動した。これは論文式試験受験者数を考慮したためと推測される。平成27・28年試験の短答式試験合格率は平成25年以降の合格率上昇の流れを踏まえた上で各回の合格率も落ち着きを見せていたが，平成29年試験においては，年度内各回の合格率に大きな乖離が見られた。一方，平成27・28・29年の年間合格率は大きな変化をしていない。平成30年試験においては，第Ⅱ回試験合格率が大きく上昇し，第Ⅰ回試験合格率を初めて上回った。また，年間合格率も上昇している。平成31年(令和元年)・令和２年試験においては，平成27・28年試験同様，第Ⅱ回試験合格率が第Ⅰ回試験合格率を下回り，年間合格率も落ち着いた状況となっている。短答式試験が年１回となった令和３年試験では年間合格者数・合格率の観点から違和感のないものであった。令和４～６年試験においては，受験者数の増加により，合格率が低下し，いわゆる「ミスの許されない試験」となってきている。

近年，合格得点比率が「総点数の70％」を大きく超える場合もあるが，今後も，「総点数の70％」という基準が合格への１つの目安になる基調は変化しないと推測される。従来からみられる「問題の難易度」に応じて合格得点比率が変動する「競争試験」の要素は継続されるであろう。なお，従前より受験案内等に記載されていた「試験公平性の観点から，第Ⅰ回短答式試験と第Ⅱ回短答式試験の合格得点比率は，原則として同じ」という趣旨の文言は，平成28年試験以降の受験案内には記載されていない。

＜短答式試験　実施状況＞

	令和５年第Ⅰ回	令和５年第Ⅱ回	令和６年第Ⅰ回	令和６年第Ⅱ回
受験者数	11,401　人	10,429　人	12,100　人	11,003　人
合格者数	1,182　人	921　人	1,304　人	1,041　人
実質合格率	10.3　％	8.8　％	10.7　％	9.4　％
年間受験者数	13,660　人		14,513　人	
年間合格者数	2,103　人		2,345　人	
年間実質合格率	15.30　％		16.15　％	

短答式試験の出題数は「試験実施規則」によれば，財務会計論40問以内，管理会計論20問以内，監査論20問以内，企業法20問以内と，固定されているわけではない。

		財務会計論	管理会計論	監査論	企業法
令和5年 令和6年 第Ⅰ回 第Ⅱ回	試験時間	120分	60分	60分	60分
	出題数	28問	16問	20問	20問
	配点	4点×6問 8点×22問	5点×8問 7点×4問 8点×4問	5点×20問	5点×20問

短答式試験の合格水準と各問題難易度の関係は下表の通りである。本書収載の各問題には「難易度」を示しているので，「得点分布表」「データリサーチ（選択肢別解答率一覧）」とともに利用されたい。各科目で「基本的で必ず正解に達すべき問題（A）」を正解し，「通常の理解をしていれば正解となり得る問題（B）」の5割から7割程度を正解することにより，おおむね合格水準に達する。

	難易度	A	B	C
令和5年 第Ⅱ回	財務会計論	4点×3問 8点×13問	4点×0問 8点×6問	4点×3問 8点×3問
	管理会計論	5点×7問 7点×2問 8点×1問	5点×0問 7点×2問 8点×2問	5点×1問 7点×0問 8点×1問
	監査論	5点×12問	5点×6問	5点×2問
	企業法	5点×9問	5点×9問	5点×2問
	総合	55.6%	30.6%	13.8%
	合格得点比率	69%		
令和6年 第Ⅰ回	財務会計論	4点×4問 8点×14問	4点×2問 8点×6問	4点×0問 8点×2問
	管理会計論	5点×7問 7点×3問 8点×0問	5点×1問 7点×1問 8点×4問	5点×0問 7点×0問 8点×0問
	監査論	5点×11問	5点×8問	5点×1問
	企業法	5点×16問	5点×2問	5点×2問
	総合	63.8%	30.0%	6.2%
	合格得点比率	75%		
令和6年 第Ⅱ回	財務会計論	4点×5問 8点×18問	4点×1問 8点×3問	4点×0問 8点×1問
	管理会計論	5点×7問 7点×2問 8点×2問	5点×1問 7点×2問 8点×1問	5点×0問 7点×0問 8点×1問
	監査論	5点×11問	5点×5問	5点×4問
	企業法	5点×15問	5点×4問	5点×1問
	総合	71.8%	20.0%	8.2%
	合格得点比率	78%		

論文式試験にも言えることではあるが，短答式試験においては，

① 正確な基本的で体系的な知識をしっかりと身につけること

② 科目においても論点においても不得意な部分をつくらないこと

③ 問題を正確に読みとる力をつけること

④ 短時間でミスなく正解を導くこと

⑤ 本試験の実戦形式に慣れること

⑥ 正解が容易な問題と時間を費やすことが得策ではない問題とを即座に見抜くこと

が必要であろう。過去問題に触れることは⑤⑥に対応する力を養うことでもある。テキスト等で①②を，答案練習で③④に対応する力を養った後は本書で過去問題に慣れていただきたい。

短答式試験対策を行う際，単に正誤判断を求める文章の○×だけを追いかける学習は望ましくない。短答式試験の合格に求められるものは「正確な知識を伴った体系的理解」である。論文式試験を見据えて，全問題の全選択肢の個々について，なぜ正しいのか，なぜ誤りなのか，その理由が自分自身で説明できるまでじっくり解いてみることが必要である。全問題の全選択肢について正誤理由の説明ができるようになれば，短答式試験のみならず論文式試験においても十分に合格できる力が養える。

公認会計士試験短答式試験の合格を確実なものにするため，本書を存分に利用されることを期待する。

公 認 会 計 士 試 験 概 要

公認会計士試験は短答式試験・論文式試験の2段階で実施され，短答式試験に合格すると論文式試験を受験でき，論文式試験の合格により公認会計士試験の合格となります。また，年2回(12月・5月)実施される短答式試験に合格すると，その年の論文式試験に不合格となった場合でも，翌年および翌々年の短答式試験が免除となり，論文式試験から受験することができます。論文式試験では，全体で不合格となった場合でも一部の科目について基準以上の得点を得た者に対して以降2年間当該科目の受験が免除されます。

Ⅰ　短答式試験概要

短答式試験は，財務会計論・管理会計論・監査論・企業法の4科目が1日で行われます。財務会計論は，試験時間120分，問題数40問以内，200点満点で実施されます。その他の科目は，試験時間60分，問題数20問以内，100点満点で実施されます。公認会計士になろうとする者に必要な基本的知識を体系的に理解しているかを客観的に判定するために，幅広い分野から基本的な問題が多数出題されます。

◆受験資格

なし　誰でも受験できます

◆試験期日

毎年2回　12月中旬日曜日および5月下旬日曜日で実施予定

〈令和7年試験〉第Ⅰ回　　令和6年12月8日

〈令和7年試験〉第Ⅱ回　　令和7年5月25日

◆受 験 地

東京・大阪・札幌・仙台・名古屋・金沢・広島・高松・熊本・福岡・那覇

Ⅱ　論文式試験概要

論文式試験は，会計学・監査論・企業法・租税法・選択科目(経営学，経済学，民法，統計学から1科目選択)の5科目が，科目ごと3日間で行われます。会計学は，試験時間300分(2コマに分けて実施)，問題数大問5問，300点満点で実施されます。その他の科目は，試験時間120分，問題数大問2問，100点満点で実施されます。公認会計士になろうとする者に必要な学識および応用能力が備わっているかを，知識を有しているかの判定に偏することなく，実践的な思考力や判断力が備わっているかをより的確に判定できるよう応用問題も含めた出題等を行い，十分な時間をかけて解答できるように出題されます。

◆受験資格

短答式試験合格者，免除者

◆試験期日

毎年1回　8月下旬の金・土・日曜日で実施予定

〈令和7年試験〉令和7年8月22日～24日

◆受 験 地

東京・大阪・札幌・仙台・名古屋・金沢・広島・高松・熊本・福岡・那覇

CONTENTS

■令和5(2023)年第Ⅱ回短答式試験■

●問題編

●解答・解説編

'24

CERTIFIED PUBLIC
ACCOUNTANT

公認会計士
第Ⅱ回短答式試験

※解答に当たり適用すべき法令等は，2024年４月１日現在施行（適用）のものとする。

解　答　欄

得点	

問題番号	解　答　番　号
問題 1	1　2　3　4　5　6
問題 2	1　2　3　4　5　6
問題 3	1　2　3　4　5　6
問題 4	1　2　3　4　5　6
問題 5	1　2　3　4　5　6
問題 6	1　2　3　4　5　6
問題 7	1　2　3　4　5　6
問題 8	1　2　3　4　5　6
問題 9	1　2　3　4　5　6
問題10	1　2　3　4　5　6
問題11	1　2　3　4　5　6
問題12	1　2　3　4　5　6
問題13	1　2　3　4　5　6
問題14	1　2　3　4　5　6
問題15	1　2　3　4　5　6
問題16	1　2　3　4　5　6

問題番号	解　答　番　号
問題17	1　2　3　4　5　6
問題18	1　2　3　4　5　6
問題19	1　2　3　4　5　6
問題20	1　2　3　4　5　6
問題21	1　2　3　4　5　6
問題22	1　2　3　4　5　6
問題23	1　2　3　4　5　6
問題24	1　2　3　4　5　6
問題25	1　2　3　4　5　6
問題26	1　2　3　4　5　6
問題27	1　2　3　4　5　6
問題28	1　2　3　4　5　6
問題29	1　2　3　4　5　6
問題30	1　2　3　4　5　6
問題31	1　2　3　4　5　6
問題32	1　2　3　4　5　6

CERTIFIED PUBLIC ACCOUNTANT

'24

第Ⅱ回

問題編

令和6年試験
第 Ⅱ 回 短 答 式 試 験 問 題
企 業 法

注 意 事 項

1　受験上の注意事項

- 試験官からの注意事項の聞き漏らし／受験案内や試験室及び受験票その他に記載・掲示された注意事項の未確認等，これらを原因とした試験における不利益は自己責任になります。
- 携帯電話等の通信機器や携行品の取扱いについては，試験官の指示に従ってください。
- 試験開始の合図があるまで，配付物や筆記用具に触れないでください。
- 問題に関する質問には，応じません。

2　不正受験や迷惑行為の禁止

- 不正行為を行った場合／試験官の指示に従わない場合／周囲に迷惑をかける等，適正な試験実施に支障を来す行為を行った場合，**直ちに退室を命ずることがあります**。

3　試験問題

- 試験開始の合図後，直ちに頁数(全20頁)を調べ，不備等があれば黙って挙手し，試験官に申し出てください。

4　答案用紙

- 試験開始の合図後，不備等があれば黙って挙手し，試験官に申し出てください。
- 試験開始の合図後，直ちに①受験番号及び氏名を正しく記入し，かつ，②受験番号を正しくマークしてください。
  答案用紙への記載に当たっては，**B又はHBの黒鉛筆(シャープペンシルも可)を使用**してください。
  正しく記載されていない場合には，採点されないことがあります。
- 解答欄に**複数マークしている場合は，その問題は不正解になります**。

5　試験終了後

- 試験終了の合図後，直ちに筆記用具を置き，答案用紙は裏返して通路側に置いてください。
- 試験官が答案用紙を集め終わり指示するまで，絶対に席を立たないでください。
- 答案用紙が試験官に回収されずに手元に残っていた場合は，直ちに挙手し，試験官に申し出てください。
  試験官に回収されない場合，いかなる理由があっても答案は採点されません。

6　試験問題の持ち帰り

- 試験終了後，持ち帰ることができます。

満　点　100点(問題1～20各5点)
時　間　1時間

（この注意事項は出題時のものを載録しています）

問題１　個人商人及び会社の商号に関する次の記述のうち，正しいものの組合せとして最も適切な番号を一つ選びなさい。（５点）

ア．個人商人は，数個の営業を行う場合でも，１個の商号しか用いることができない。
イ．不正の目的をもって，他の個人商人又は会社と誤認されるおそれのある商号を使用することはできない。
ウ．個人商人(小商人を除く。)の営業の廃止に伴う商号の譲渡は，登記をしなければ，第三者に対抗することができない。
エ．個人商人(小商人を除く。)が，その氏又は氏名以外の名称を商号として選定した場合は，当該商号を登記しなければならない。

１．アイ　　２．アウ　　３．アエ　　４．イウ　　５．イエ　　６．ウエ

問題２　商人の報酬に関する次の記述のうち，正しいものの組合せとして最も適切な番号を一つ選びなさい。なお，商法の規定を変更し，又は排除する特約はないものとする。（５点）

ア．仲立人が，他人間の商行為の媒介による報酬を請求することができるときは，その報酬は，当該商行為の当事者双方が等しい割合で負担する。
イ．問屋が，取引所の相場がある物品の販売又は買入れの委託を受けた場合において，自ら売主又は買主となったときは，委託者に対して報酬を請求することができない。
ウ．商人がその営業の範囲内において他人のために行為をした場合であっても，当該他人との間の契約において報酬を定めていない限り，当該他人に報酬を請求することはできない。
エ．物品運送契約における荷受人は，運送品を受け取ったときは，未払の運送賃を支払う義務を負う。

１．アイ　　２．アウ　　３．アエ　　４．イウ　　５．イエ　　６．ウエ

問題３　株式会社の設立（会社法第二編「株式会社」第一章「設立」の規定によるものに限る。）に関する次の記述のうち，正しいものの組合せとして最も適切な番号を一つ選びなさい。なお，設立される株式会社は，監査役設置会社であるものとする。（５点）

ア．発起人は，株式会社の設立に際して，発起人が設立時発行株式と引換えに払い込む金銭の額を定めようとする場合には，当該事項について定款に定めがあるときを除き，発起人の全員の同意を得なければならない。

イ．その社員の半数以上が設立しようとする株式会社の設立時取締役又は設立時監査役である監査法人は，当該設立しようとする株式会社の現物出資財産等について定款に記載され，又は記録された価額が相当であることについて証明をすることはできない。

ウ．設立時監査役は，発起人が法令若しくは定款に違反する行為をし，又はこれらの行為をするおそれがある場合において，当該行為によって成立後の株式会社に著しい損害が生じるおそれがあるときは，会社法の規定に基づき，当該発起人に対し，当該行為をやめることを請求することができる。

エ．株式会社が成立しなかった場合には，発起人は，株式会社の設立に関してした行為につき，その職務を行うについて注意を怠らなかったことを証明したときを除き，連帯してその責任を負い，株式会社の設立に関して支出した費用を負担する。

１．アイ　　２．アウ　　３．アエ　　４．イウ　　５．イエ　　６．ウエ

問題４　株式会社の設立（会社法第二編「株式会社」第一章「設立」の規定によるものに限る。）に関する次の記述のうち，正しいものの組合せとして最も適切な番号を一つ選びなさい。なお，設立される株式会社は，種類株式発行会社又は監査等委員会設置会社のいずれでもなく，定款に累積投票を行わない旨の定めがあるものとする。（５点）

ア．発起人が，その引き受けた設立時発行株式につき，金銭以外の財産を出資の目的とする場合において，発起人の全員の同意があるときは，登記，登録その他権利の設定又は移転を第三者に対抗するために必要な行為は，株式会社の成立後にすることを妨げない。

イ．発起人がその引き受けた設立時発行株式につき，その出資に係る金銭の払込みを仮装した場合には，当該発起人以外の発起人であって，その出資の履行を仮装することに関与した者は，その職務を行うについて注意を怠らなかったことを証明したときであっても，成立後の株式会社に対し，払込みを仮装した出資に係る金銭の全額の支払をする義務を負う。

ウ．発起設立の場合において，発起人は，株式会社の成立の時までの間，公証人の認証を受けた定款で設立時取締役として定められ，出資の履行が完了した時に設立時取締役に選任されたものとみなされた者を解任することができる。

エ．募集設立の場合において，設立時取締役を選任する創立総会の決議は，当該創立総会において議決権を行使することができる設立時株主の議決権の過半数であって，出席した当該設立時株主の議決権の過半数をもって行う。

１．アイ　　２．アウ　　３．アエ　　４．イウ　　５．イエ　　６．ウエ

問題５　特別支配株主の株式等売渡請求に関する次の記述のうち，正しいものの組合せとして最も適切な番号を一つ選びなさい。（５点）

ア．特別支配株主が取得日において取得した売渡株式が譲渡制限株式である場合には，対象会社は，当該特別支配株主が当該売渡株式を取得したことについて，当該譲渡制限株式の取得に係る承認をしたものとみなされる。

イ．特別支配株主は，株式の売渡請求に併せて新株予約権の売渡請求を行う場合には，新株予約権者（対象会社及び当該特別支配株主を除く。）の全員に対して，その有する当該対象会社の新株予約権の全部を自己に売り渡すことを請求することを要しない。

ウ．特別支配株主は，株式の売渡請求に併せて新株予約権の売渡請求を行う場合には，新株予約権売渡請求における新株予約権の取得対価として交付する金銭の額が著しく不当であり，売渡新株予約権者（対象会社及び当該特別支配株主を除く。）が不利益を受けるおそれのあるときであっても，当該売渡新株予約権者は，当該特別支配株主に対し，売渡新株予約権の取得をやめることを請求することができない。

エ．特別支配株主が株式売渡請求により売渡株式の取得をした場合には，当該売渡株式を目的とする質権は，当該取得によって当該売渡株式の株主が受けることのできる金銭について存在する。

１．アイ　　２．アウ　　３．アエ　　４．イウ　　５．イエ　　６．ウエ

問題６　株主に株式の割当てを受ける権利を与えてする募集株式の発行に関する次の記述のうち，正しいものの組合せとして最も適切な番号を一つ選びなさい。なお，募集株式を発行する株式会社において，定款に別段の定めはないものとする。（５点）

ア．公開会社は，募集事項のほか，募集株式の割当てに係る基準日を定めることを要し，かつ，基準日の２週間前までに，当該基準日及び基準日株主が行使することができる権利の内容を公告しなければならない。
イ．公開会社が募集株式の引受けの申込みの期日の２週間前までに当該株主に対してする募集事項の通知は，公告に代えることができる。
ウ．公開会社でない取締役会設置会社は，募集株式の発行に際し，その募集事項を株主総会の特別決議によって定めなければならない。
エ．株主が募集株式の引受けの申込期日までに募集株式の引受けの申込みをしないときは，当該株主は，募集株式の割当てを受ける権利を失う。

１．アイ　　２．アウ　　３．アエ　　４．イウ　　５．イエ　　６．ウエ

問題７　「株主等の権利の行使に関する利益の供与」に関する次の記述のうち，正しいものの組合せとして最も適切な番号を一つ選びなさい。（５点）

ア．最高裁判所の判例の趣旨によれば，株式会社から見て好ましくないと判断される株主が議決権を行使することを回避する目的で，当該株式会社が，自己の計算において，当該株主から株式を譲り受けるための対価を何人かに対して供与する行為は，株主の権利の行使に関し利益を供与する行為に当たる。
イ．親会社を有する株式会社が，株主総会における議決権の行使に関し，当該親会社に対して無償で財産上の利益を供与したときは，当該株式会社は，株主の権利の行使に関し，財産上の利益を供与したものと推定される。
ウ．子会社を有する株式会社が，当該子会社の計算において，当該株式会社の株主総会における議決権の行使に関し，財産上の利益を供与することは禁止されていない。
エ．株主は，株式会社に対し，株主の権利の行使に関する財産上の利益の供与を受けた者から当該利益の返還を求める旨の責任追及等の訴えの提起を請求することはできない。

１．アイ　　２．アウ　　３．アエ　　４．イウ　　５．イエ　　６．ウエ

問題８　株式会社の機関設計に関する次の記述のうち，正しいものの組合せとして最も適切な番号を一つ選びなさい。（５点）

ア．公開会社でない大会社(監査等委員会設置会社及び指名委員会等設置会社を除く。)は，会計監査人を置かなくてもよい。
イ．監査等委員会設置会社の取締役会は，取締役(監査等委員である取締役を除く。)の中から代表取締役を選定しなければならない。
ウ．監査役会設置会社は，取締役会を置かなくてもよい。
エ．指名委員会等設置会社において，監査委員会の監査委員は，取締役の中から，取締役会の決議によって選定する。

１．アイ　　２．アウ　　３．アエ　　４．イウ　　５．イエ　　６．ウエ

問題９　株主総会に関する次の記述のうち，正しいものの組合せとして最も適切な番号を一つ選びなさい。なお，金融商品取引所に上場されている株式を発行している株式会社を除くものとする。（５点）

ア．取締役は，株主総会において株主から特定の事項について説明を求められた場合に，その説明をすることにより株主の共同の利益を著しく害することを理由として，説明を拒むことができる。
イ．株主(株主総会において決議をすることができる事項の全部につき議決権を行使することができない株主を除く。)の数が1000人以上である株式会社において，株主総会を招集する場合には，取締役会は，株主総会に出席しない株主が電磁的方法によって議決権を行使することができる旨を定めなければならない。
ウ．取締役が電磁的方法によって株主総会の招集通知を発することについて承諾した株主は，株主総会参考書類及び議決権行使書面に記載すべき事項が電磁的方法により提供された場合においても，株式会社に対し，これらの書類の交付を請求することができる。
エ．電子提供措置をとる旨の定款の定めがある株式会社に対して，ある事業年度の定時株主総会に係る電子提供措置事項を記載した書面の交付を請求した株主は，当該請求の日の半年後に臨時株主総会が開催される場合において，当該臨時株主総会に係る電子提供措置事項を記載した書面の交付を請求しなければ，その交付を受けることができない。

１．アイ　　２．アウ　　３．アエ　　４．イウ　　５．イエ　　６．ウエ

問題10　種類株式発行会社でない株式会社における株主総会の決議に関する次の記述のうち，正しいものの組合せとして最も適切な番号を一つ選びなさい。（5点）

ア．株式会社は，株主総会の特別決議における定足数の要件を排除する旨を定款で定めることができる。

イ．最高裁判所の判例の趣旨によれば，株主総会の招集権者による招集の手続を欠く場合において，株主全員が出席して決議をしたときは，株主によるその開催の同意の有無にかかわらず，当該決議は有効に成立する。

ウ．監査等委員会設置会社における監査等委員である取締役の解任は，一定の数以上の株主の賛成を要する旨その他の要件を付加する定款の定めがない限り，株主総会の特別決議によりなされる。

エ．株式会社が発行する全部の株式の内容として譲渡による当該株式の取得について当該株式会社の承認を要する旨の定款の定めを設ける定款の変更を行う場合には，その株主総会の決議は，当該株主総会において議決権を行使することができる株主の半数以上（これを上回る割合を定款で定めた場合にあっては，その割合以上）であって，当該株主の議決権の3分の2（これを上回る割合を定款で定めた場合にあっては，その割合）以上に当たる多数をもって行わなければならない。

1．アイ　　2．アウ　　3．アエ　　4．イウ　　5．イエ　　6．ウエ

問題11　取締役及び取締役会に関する次の記述のうち，正しいものの組合せとして最も適切な番号を一つ選びなさい。（５点）

ア．公開会社でない株式会社は，取締役が当該株式会社の株主でなければならない旨を定款で定めることができない。

イ．成年被後見人が取締役に就任するには，その成年後見人が，当該成年被後見人の同意（後見監督人がある場合にあっては，当該成年被後見人及び当該後見監督人の同意）を得た上で，当該成年被後見人に代わって就任の承諾をしなければならない。

ウ．株式会社の取締役は，当該株式会社の親会社である監査役設置会社の監査役を兼ねることができる。

エ．監査役設置会社の取締役会は，その取締役の数が６人以上であり，かつ当該取締役のうち１人以上が社外取締役である場合には，一定の事項に関する取締役会の決議について，特別取締役による議決をもって行うことができる旨を定めることができる。

１．アイ　２．アウ　３．アエ　４．イウ　５．イエ　６．ウエ

問題12　株式会社と取締役との間における補償契約に関する次の記述のうち，正しいものの組合せとして最も適切な番号を一つ選びなさい。以下，取締役が，その職務の執行に関し，法令の規定に違反したことが疑われ，又は責任の追及に係る請求を受けたことに対処するために支出する費用を「防御費用」という。（５点）

ア．株式会社は，防御費用のうち通常要する費用の額を超える部分を補償することができる旨を定めた補償契約に基づき，その超える部分を補償することができる。
イ．事業年度の末日において公開会社である株式会社が，取締役に対して補償契約に基づき防御費用を補償した場合において，当該株式会社が，当該事業年度において，当該取締役がその職務の執行に関し法令の規定に違反したこと又は責任を負うことを知ったときは，その旨を事業報告の内容に含めなければならない。
ウ．取締役に対して補償契約に基づき防御費用を補償した株式会社は，当該取締役が自己若しくは第三者の不正な利益を図り，又は当該株式会社に損害を加える目的でその職務を執行したことを知ったときは，当該取締役に対し，補償した金額に相当する金銭を返還することを請求することができる。
エ．株式会社は，補償契約を締結している場合であっても，取締役がその職務を行うにつき悪意又は重過失があるときは，当該取締役に対して補償契約に基づき防御費用を補償することができない。

１．アイ　　２．アウ　　３．アエ　　４．イウ　　５．イエ　　６．ウエ

問題13　会計参与に関する次の記述のうち，正しいものの組合せとして最も適切な番号を一つ選びなさい。（５点）

ア．取締役会設置会社以外の株式会社は，会計参与を設置することができない。
イ．税理士法人は，会計参与になることができない。
ウ．公開会社でない監査役設置会社においては，定款によって，会計参与の任期を選任後10年以内に終了する事業年度のうち最終のものに関する定時株主総会の終結の時まで伸長することができる。
エ．指名委員会等設置会社の場合には，会計参与の報酬等の内容は，報酬委員会が決定する。

１．アイ　２．アウ　３．アエ　４．イウ　５．イエ　６．ウエ

問題14　次の株式会社の行為のうち，当該行為により株主又は新株予約権者に対して交付する金銭等（当該株式会社の株式を除く。）の帳簿価額の総額が，当該行為がその効力を生ずる日における分配可能額を超えてはならないとされるものの組合せとして最も適切な番号を一つ選びなさい。（５点）

ア．譲渡制限株式の株主からの請求に基づく譲渡承認をしない旨の決定をした場合において，当該株主からの株式買取請求に応じて行う当該株式会社の株式の買取り
イ．単元未満株主がその有する単元未満株式の買取りを請求した場合において，当該株主からの請求に応じて行う単元未満株式の買取り
ウ．株式無償割当てに際して株主に対し交付しなければならない株式の数に一株に満たない端数がある場合において，その端数の処理のために行う，その端数の合計数に相当する数の当該株式会社の株式の買取り
エ．取得条項付新株予約権について，募集事項において取得の条件として定めた一定の事由が生じた場合において，その日に行う当該株式会社の新株予約権の取得

１．アイ　２．アウ　３．アエ　４．イウ　５．イエ　６．ウエ

問題15　持分会社に関する次の記述のうち，正しいものの組合せとして最も適切な番号を一つ選びなさい。（5点）

ア．業務を執行しない有限責任社員の持分の譲渡に伴い定款の変更を生ずるときは，定款に別段の定めがない限り，その持分の譲渡による定款の変更は，他の社員の全員の同意によらなければならない。
イ．持分会社は，社債を発行することができる。
ウ．持分会社は，その社員が死亡した場合において当該社員の相続人が当該社員の持分を承継する旨を定款で定めることができる。
エ．業務を執行する社員を定款で定めた場合において，業務を執行する社員が2人以上あるときは，定款に別段の定めがない限り，支配人の選任及び解任は，業務を執行する社員の過半数をもって決定する。

1．アイ　　2．アウ　　3．アエ　　4．イウ　　5．イエ　　6．ウエ

問題16　株式会社における社債に関する次の記述のうち，正しいものの組合せとして最も適切な番号を一つ選びなさい。（5点）

ア．指名委員会等設置会社が社債を発行する場合には，取締役会は，その決議によって，その発行する社債を引き受ける者の募集に関する事項の決定を執行役に委任することができる。
イ．社債権者集会は，会社法に規定する事項及び定款で定めた事項に限り，決議をすることができる。
ウ．社債権者集会において，当該社債の全部についてその支払の猶予に関する事項を可決するためには，議決権を行使することができる社債権者の半数以上が出席し，出席した議決権者の議決権の総額の3分の2以上の議決権を有する者の同意がなければならない。
エ．社債管理者は，その管理の委託を受けた社債につき，社債管理者としての権限を行使するために必要があるときは，裁判所の許可を得て，社債発行会社の業務及び財産の状況を調査することができる。

1．アイ　　2．アウ　　3．アエ　　4．イウ　　5．イエ　　6．ウエ

問題17　株式会社の組織変更に関する次の記述のうち，正しいものの組合せとして最も適切な番号を一つ選びなさい。（５点）

ア．社債を発行している株式会社が組織変更をする場合において，当該株式会社が社債管理者を定めていないときは，当該社債の各社債権者は，社債権者集会の決議によらずに，当該株式会社に対し，当該組織変更について異議を述べることができる。
イ．組織変更をする株式会社は，組織変更計画備置開始日から組織変更がその効力を生ずる日までの間，法定の事項を記載し，又は記録した書面又は電磁的記録をその本店に備え置かなければならない。
ウ．株式会社が組織変更をする場合には，当該組織変更計画の承認を受けるための株主総会に先立って当該組織変更に反対する旨を当該株式会社に対し通知し，かつ，当該株主総会において当該組織変更に反対した株主は，当該株式会社に対し，自己の有する株式を公正な価格で買い取ることを請求することができる。
エ．株式会社が組織変更をする場合には，組織変更をする株式会社の新株予約権の新株予約権者は，当該株式会社に対し，自己の有する新株予約権を公正な価格で買い取ることを請求することができる。

１．アイ　　２．アウ　　３．アエ　　４．イウ　　５．イエ　　６．ウエ

問題18　株式会社を設立する新設合併に関する次の記述のうち，正しいものの組合せとして最も適切な番号を一つ選びなさい。なお，新設合併消滅会社は株式会社とする。（５点）

ア．新設合併消滅会社の債権者は，当該新設合併消滅会社に対して，その営業時間内に，新設合併契約の内容が記載された書面の閲覧の請求をする場合には，当該新設合併消滅会社が定めた費用を支払わなければならない。
イ．新設合併設立会社が公開会社である場合において，当該新設合併設立会社の設立時に発行される株式の総数は，当該新設合併設立会社の定款に定める発行可能株式総数の４分の１を下ることができる。
ウ．新設合併の無効の訴えに係る請求を認容する確定判決は，第三者に対してもその効力を有する。
エ．新設合併の無効の訴えに係る請求を認容する判決が確定したときは，当該新設合併をした会社は，当該新設合併の効力が生じた日後に新設合併により設立する会社が負担した債務について，連帯して弁済する責任を負う。

１．アイ　　２．アウ　　３．アエ　　４．イウ　　５．イエ　　６．ウエ

問題19　次の株式会社の行為のうち，当該株式会社が内閣総理大臣に有価証券届出書の提出をしなければならない可能性のあるものの組合せとして最も適切な番号を一つ選びなさい。（5点）

ア．株式会社が，その有する他の株式会社の株式を，会社法の規定する特別支配株主の株式等売渡請求に基づいて当該特別支配株主に売り渡す行為
イ．株式会社が，他の株式会社との間において，当該株式会社を吸収合併存続株式会社とし，当該他の株式会社を吸収合併消滅株式会社とする吸収合併をする場合において，当該株式会社が当該他の株式会社の株主に当該株式会社の株式を新たに発行する行為
ウ．株式会社が，その発行する新株予約権の新株予約権者がその有する新株予約権を行使したことに応じて，当該新株予約権者に対して当該新株予約権の目的である株式を新たに発行する行為
エ．株式会社が，多数の者（適格機関投資家が含まれる場合であって，当該有価証券がその取得者である適格機関投資家から適格機関投資家以外の者に譲渡されるおそれが少ないものとして政令で定める場合に該当するときは，当該適格機関投資家を除く。）を相手方として，当該株式会社の有する当該株式会社以外の株式会社の株式の売付けの申込みの勧誘を行う行為（特定投資家のみを相手方とするものを除く。）

1．アイ　　2．アウ　　3．アエ　　4．イウ　　5．イエ　　6．ウエ

問題20　金融商品取引所に上場されている株券(以下,「上場株券」という。)の発行者である株式会社(以下,「上場会社」という。)における自己株券買付状況報告書に関する次の記述のうち,正しいものの組合せとして最も適切な番号を一つ選びなさい。(５点)

ア．上場会社は,その発行する上場株券の取得に関して株主総会の決議又は取締役会の決議があった場合には,内閣府令で定めるところにより,当該株主総会又は当該取締役会の終結した日の属する月から当該上場株券を取得することができる期間の満了する日の属する月までの各月ごとに,自己株券買付状況報告書を,当該各月の翌月15日までに,内閣総理大臣に提出しなければならない。

イ．上場会社は,株主総会の決議又は取締役会の決議に基づいて上場株券を取得した場合において,臨時報告書を内閣総理大臣に提出したときは,自己株券買付状況報告書を内閣総理大臣に提出することを要しない。

ウ．上場会社は,その発行する上場株券を金融商品取引法の定める公開買付けの方法により適法に買い付けた場合において,公開買付報告書を内閣総理大臣に提出したときは,自己株券買付状況報告書を内閣総理大臣に提出することを要しない。

エ．上場会社は,その提出した自己株券買付状況報告書の重要な事項について虚偽の記載があった場合には,当該自己株券買付状況報告書が公衆の縦覧に供されている間に,当該虚偽の記載を知って当該上場株券を募集又は売出しによらないで取得した者に対しては,これにより生じた損害を賠償する責任を負わない。

1．アイ　　2．アウ　　3．アエ　　4．イウ　　5．イエ　　6．ウエ

令和６年試験
第 Ⅱ 回 短 答 式 試 験 問 題
管理会計論

注 意 事 項

1　受験上の注意事項

・試験官からの注意事項の聞き漏らし／受験案内や試験室及び受験票その他に記載・掲示された注意事項の未確認等，これらを原因とした試験における不利益は自己責任になります。

・携帯電話等の通信機器や携行品の取扱いについては，試験官の指示に従ってください。

・試験開始の合図があるまで，配付物や筆記用具に触れないでください。

・問題に関する質問には，応じません。

2　不正受験や迷惑行為の禁止

・不正行為を行った場合／試験官の指示に従わない場合／周囲に迷惑をかける等，適正な試験実施に支障を来す行為を行った場合，**直ちに退室を命ずることがあります**。

3　試験問題

・試験開始の合図後，直ちに頁数（全18頁）を調べ，不備等があれば黙って挙手し，試験官に申し出てください。

4　答案用紙

・試験開始の合図後，不備等があれば黙って挙手し，試験官に申し出てください。

・試験開始の合図後，直ちに①受験番号及び氏名を正しく記入し，かつ，②受験番号を正しくマークしてください。
答案用紙への記載に当たっては，**B又はHBの黒鉛筆（シャープペンシルも可）を使用**してください。
正しく記載されていない場合には，採点されないことがあります。

・解答欄に**複数マークしている場合は，その問題は不正解になります**。

5　試験終了後

・試験終了の合図後，直ちに筆記用具を置き，答案用紙は裏返して通路側に置いてください。

・試験官が答案用紙を集め終わり指示するまで，絶対に席を立たないでください。

・答案用紙が試験官に回収されずに手元に残っていた場合は，直ちに挙手し，試験官に申し出てください。
試験官に回収されない場合，いかなる理由があっても答案は採点されません。

6　試験問題の持ち帰り

・試験終了後，持ち帰ることができます。

満　点　100点（問題１，３，５，７，９，11，13，14各５点
問題２，８，10，12各７点
問題４，６，15，16各８点）

時　間　１時間

（この注意事項は出題時のものを載録しています）

問題１　材料費の計算に関する次の記述のうち，我が国の「原価計算基準」に照らして，正しいものの組合せとして最も適切な番号を一つ選びなさい。（５点）

ア．材料の購入原価を計算する際に，購入代価に全ての材料副費を加算することが困難である場合，購入代価のみで購入原価を計算することが認められている。
イ．材料副費は送状価額に比例して発生するため，種類別配賦を行うよりも一括配賦の方が望ましい。
ウ．材料副費の一部を材料の購入原価に算入しない場合には，これを間接経費に属する項目とし又は材料費に配賦する。
エ．間接材料費であって，工場消耗品，消耗工具器具備品等，継続記録法又はたな卸計算法による出入記録を行なわないものの原価は，原則として当該原価計算期間における買入額をもって計算する。

１．アイ　　２．アウ　　３．アエ　　４．イウ　　５．イエ　　６．ウエ

問題２　当工場における次に示す〔資料〕に基づき，当月の原価計算の結果と月次損益計算に関する記述として最も適切なものの番号を一つ選びなさい。なお，原価差異については，月次で我が国の「原価計算基準」における原則的な処理を行っている。（７点）

〔資料〕

（単位：千円）

主要材料期首有高	5,000	直接労務費当期発生額	32,500
主要材料当期購入代価	42,500	減価償却費(製造関連)	12,500
主要材料当期引取費用	2,500	工場電力料・水道料	6,000
主要材料期末帳簿残高	7,500	その他の工場間接費	1,500
主要材料期末実際残高	7,250	間接労務費当期発生額	18,750
期首仕掛品有高	3,750	受取利息	1,250
期末仕掛品有高	6,250	製造間接費予定配賦額	46,250
期首製品有高	21,250	販売員給料	8,500
期末製品有高	12,500	広告費	5,000
減価償却費(本社関連)	8,750	その他の販売費	4,250
社長の役員報酬	3,750	売上高	200,750
その他の一般管理費	750	営業所長給料	1,500
補助材料当期消費高	8,000	支払利息	750

1．製造間接費実際発生額は46,750千円であり，売上原価は128,250千円である。
2．直接材料費は42,500千円であり，販売費及び一般管理費の合計は23,750千円である。
3．営業利益は40,750千円であり，製品製造原価は118,750千円である。
4．売上総利益は72,500千円であり，経常利益は41,250千円である。
5．製造間接費配賦差異は750千円の不利差異であり，営業利益は40,000千円である。

問題 3 製造間接費配賦計算に関する次の記述のうち，原価計算の理論および我が国の「原価計算基準」に照らして，正しいものの組合せとして最も適切な番号を一つ選びなさい。（5点）

ア．製造間接費を部門別に計算する主目的は，有効な原価管理を行うことおよび正確な製品原価の計算をすることである。これらの目的のために，原価部門を製造部門と補助部門に分ける。個別原価計算における間接費は，原則として部門間接費として予定配賦率をもって各指図書に配賦する。

イ．部門費の第1次集計では，部門個別費は原価部門における発生額を直接当該部門に賦課し，部門共通費は適切な配賦基準によって関係各部門に配賦する。部門費の第2次集計とは，補助部門費の製造部門への配賦を意味する。その場合に，補助部門費の配賦方法として，直接配賦法，階梯式配賦法，相互配賦法等がある。一部の補助部門費は，必要ある場合には，これを製造部門に配賦しないで製造指図書に賦課することができる。

ウ．補助部門費を固定費と変動費に分けて配賦する方法を複数基準配賦法という。固定費については固定費予算を計画消費量に基づいて配賦し，変動費については実績消費量に基づいて配賦する。これにより，他の用役消費部門の操業度の増減により補助部門費配賦額が変動することを避けることができる。

エ．製造部門別の製造間接費を管理するとき，部門別に実際発生額と予定配賦額の差額を予算差異と操業度差異に分解できる。責任会計の観点によれば，各製造部門の現場管理者にとって重要な差異は操業度差異である。

1．アイ　　2．アウ　　3．アエ　　4．イウ　　5．イエ　　6．ウエ

問題４　当工場では，製造間接費を部門別に集計しており，製造部門である切削部，組立部，補助部門である動力部，修繕部，工場事務部を有している。次の〔**資料**〕に基づき，補助部門の配賦を連立方程式法による相互配賦法にて行った後の切削部の部門費として正しいものの番号を一つ選びなさい。なお，計算過程で端数が生じる場合，計算途中では四捨五入せず，最終数値の円未満を四捨五入すること。（８点）

〔**資料**〕

(1)　部門費（部門個別費および部門共通費配賦額合計）

切削部	組立部	動力部	修繕部	工場事務部	合計
5,560,000円	4,200,000円	2,050,300円	1,549,500円	630,000円	13,989,800円

(2)　補助部門費の配賦基準

配賦基準	切削部	組立部	動力部	修繕部	工場事務部	合計
機械運転時間（時間）	7,000	5,600	2,800	1,400	—	16,800
修繕時間（時間）	1,200	840	360	120	—	2,520
従業員数（人）	64	48	32	16	14	174

【選択肢】

1．7,967,850円
2．7,968,500円
3．7,968,690円
4．7,970,526円
5．7,978,550円

問題5　総合原価計算に関する次の記述のうち，我が国の「原価計算基準」に照らして，正しいものの組合せとして最も適切な番号を一つ選びなさい。（5点）

ア．単一製品のみを連続生産する工場においては，すべての製造費用は当該単一製品の製造に関連していることが明らかであるため，部門別計算は必要とされない。

イ．実際原価の計算においては，製造原価は，原則としてその実際発生額を，まず費目別に計算し，次いで原価部門別に計算し，最後に製品別に集計する。総合原価計算においては，一般に，すべての製造原価要素を部門別に計算するが，加工費のみを部門別計算すればよいこともある。

ウ．製品別計算は，経営における生産形態の種類別に対応して，単純総合原価計算，等級別総合原価計算，組別総合原価計算，個別原価計算の類型に区分される。

エ．個別原価計算は製造指図書を原価集計の単位としているのに対して，総合原価計算は期間生産量を原価集計の単位としているため，総合原価計算の場合には製造指図書は発行されない。

1．アイ　　2．アウ　　3．アエ　　4．イウ　　5．イエ　　6．ウエ

問題6　当工場ではA製品を生産している。次の〔**資料**〕に基づき，A製品の第2工程完成品単位原価として正しいものの番号を一つ選びなさい。なお，計算過程で端数が生じる場合，計算途中では四捨五入せず，最終数値の円未満を四捨五入すること。（8点）

〔**資料**〕

1．当月の生産データ

(1)　第1工程

月初仕掛品	3,000個	（加工費進捗度20％）
当月投入	25,000個	
合計	28,000個	
仕損	1,800個	
月末仕掛品	1,200個	（加工費進捗度70％）
完成品	25,000個	

(2)　第2工程

月初仕掛品	2,000個	（加工費進捗度60％）
当月投入	25,000個	
合計	27,000個	
仕損	200個	
月末仕掛品	2,500個	（加工費進捗度30％）
完成品	24,300個	

2．当月の実際原価データ

(1)　第1工程

月初仕掛品：	原料費	63,000千円	加工費	18,600千円
当月製造費用：	原料費	550,000千円	加工費	811,200千円

(2)　第2工程

月初仕掛品：	前工程費	100,000千円	加工費	30,000千円
当月製造費用：	前工程費	各自計算千円	加工費	481,000千円

3．その他の計算条件

(1)　工程別総合原価計算（累加法）を採用している。

(2)　仕掛品の評価方法は先入先出法を採用している。

(3)　原料は第1工程始点で投入され，第1工程完成品は第2工程始点で投入される。

(4)　仕損はいずれも工程終点で発生している。

(5)　第1工程においては，製造ラインのトラブルの影響により，多数の仕損が生じている。原因分析の結果，当該仕損のすべてが，月初仕掛品の当月加工分から生じていることが判明した。第1工程で生じた仕損はすべて異常なものであり，原因分析を踏まえた理論的に適切な方法により処理する。

(6) 第2工程においては，当月投入量の0.8%相当が仕損として生じており，すべて正常なものである。正常仕損は，理論的に適切な方法により処理する。

(7) 仕損品の処分予定額は，ゼロである。

1．72,434円　2．72,639円　3．73,604円　4．73,156円　5．74,772円

問題７　標準原価計算に関する次の記述のうち，正しいものの組合せとして最も適切な番号を一つ選びなさい。（５点）

ア．製造間接費の差異を公式法変動予算の三分法によって分解する場合，能率差異は標準配賦率によって計算する方法と変動費率によって計算する方法がある。なお，前者の方法による場合の操業度差異は実際原価計算でも求められるが，後者の方法による操業度差異は実際原価計算では求めることができず，能率差異とともに標準原価計算固有の差異となる。

イ．我が国の「原価計算基準」では，標準原価として現実的標準原価，正常原価，予定原価，理想標準原価の四つをあげており，理想標準原価は制度としての標準原価ではないものの，いずれも原価管理に役立つことを目的としている点で共通している。なお，理想標準原価を除いては，原価管理のみならず，たな卸資産価額の算定と予算の編成にも等しく適するものとして用いられる点で共通している。

ウ．20世紀初頭の世界的な不況期において，販売量が減少し，製品在庫が増加しているにもかかわらず，営業利益が増加してしまうという実際原価計算の構造的欠陥が明らかとなった。そのため，実際生産量に応じて製品単位当たり原価が変動せず，売上高の増減と営業利益の増減が対応するように考案された計算方法が標準原価計算である。

エ．原価管理の体系としては，原価維持，原価改善，原価企画がある。このうち，標準原価計算による原価管理に相当するものが原価維持であり，それは量産段階にて実際原価を標準原価から乖離させないようにすることを目的としている。なお，原価改善も量産段階における取組であるが，それは標準原価自体の低減を目的としている。

１．アイ　　２．アウ　　３．アエ　　４．イウ　　５．イエ　　６．ウエ

問題８ 当工場では原料ａを工程の始点で投入して製品Ａを量産しており，パーシャル・プランによる標準原価計算制度を実施している。正常な状態の下では仕損は生じることなく，工程の終点で減損が発生し，良品に対する標準減損率は２％である。そして，直接労務費の差異については，賃率差異，労働歩留差異，労働能率差異に分割して把握している。次の〔**資料**〕に基づき，労働歩留差異として正しいものの番号を一つ選びなさい。なお，計算過程で端数が生じる場合，計算途中では四捨五入せず，最終数値の円未満を四捨五入すること。（７点）

〔**資料**〕

1．標準賃率　1,500円／時間

2．製品Ａの標準直接作業時間　１時間／kg

3．当月の生産データ

月初仕掛品	350kg	（加工費進捗度60％）
当月投入	1,650kg	
合計	2,000kg	
減損	50kg	
月末仕掛品	450kg	（加工費進捗度50％）
完成品	1,500kg	

4．当月実際直接作業時間　1,560時間

1．16,500円（不利）
2．15,000円（不利）
3．30,000円（不利）
4．　7,500円（有利）
5．22,500円（不利）

問題９　管理会計の基礎知識に関する次の記述のうち，正しいものの組合せとして最も適切な番号を一つ選びなさい。（５点）

ア．管理会計情報は，経営管理に役立つことが期待されているため，各種の経営意思決定に提供される管理会計情報には客観性や確実性が求められる。

イ．責任センターは，与えられた権限で管理可能な範囲の業績に基づいて評価されるべきである。したがって，インベストメント・センターは投資に関する一定の意思決定権限が与えられるが，外部からの資本調達の権限を有さないので，その業績評価に資本コスト額を考慮することはない。

ウ．業務的意思決定における代替案の選択において，ある意思決定に関連して増減する原価を関連原価と呼ぶ。関連原価には固定費が含まれる場合がある。

エ．ライフサイクル・コスティングが対象とするコストには，研究・開発から企画，製造，販売に至るまでの生産者側で発生するコストと，使用，保守，処分といった使用者側で発生するコストが含まれている。

１．アイ　２．アウ　３．アエ　４．イウ　５．イエ　６．ウエ

問題10　次の〔資料〕に基づき，（　ア　）と（　イ　）に当てはまる数値の組合せとして正しいものの番号を一つ選びなさい。なお，（　＊　）に当てはまる数値は各自推定すること。また，財務比率の計算過程で端数が生じる場合，計算途中では四捨五入せず，最終数値の小数点第４位を四捨五入すること。（７点）

〔資料〕

1．要約財務情報（単位：百万円）

	当期末		当期末
現金	2,853	買掛金	11,443
売掛金	26,692	短期借入金	（　ア　）
棚卸資産	20,455	未払税金	3,557
固定資産	45,000	純資産(自己資本)	（　＊　）
資産合計	95,000	負債・純資産合計	95,000

	当期
営業収益	122,732
営業費用	104,872
支払利息	（　＊　）
法人税等	（　＊　）
当期純利益	10,416

2．当期末の流動比率は125％であった。

3．当期のインタレスト・カバレッジ・レシオは35.72倍であった。なお，短期借入金は運転資金目的で借り入れており，当期を通じて残高に変動はなかった。

4．自己資本コスト率は８％であり，当期末の税引後加重平均資本コスト率は（　イ　）％であった。

5．当期の実効税率は40％とする。

	（　ア　）	（　イ　）
1．	25,000	5.137
2．	25,000	5.875
3．	25,000	6.125
4．	47,500	5.137
5．	47,500	5.875
6．	47,500	6.125

問題11　予算管理に関する次の記述のうち，正しいものの組合せとして最も適切な番号を一つ選びなさい。（５点）

ア．予算管理の役割には，計画機能，調整機能，統制機能の三つがあり，そのうち，調整機能と統制機能は予算統制プロセスにおいてのみその役割を果たすものである。
イ．予算による統制には，事前，期中，事後の三つの統制活動があり，各部門の予算と実績を比較し，それをもとに是正措置を取る活動は，事後統制に限られるものではない。
ウ．ボトム・アップ方式の予算編成においては，利益計画との整合性が欠けることがあるため，トップ・ダウン方式との折衷方式が採用されることがある。
エ．参加型予算管理では，各部門の予算管理者が予算編成に参加するので，予算スラックの発生を回避できる。

１．アイ　２．アウ　３．アエ　４．イウ　５．イエ　６．ウエ

問題12　単一の製品を生産している当社は，当期の実績データを前提に次期の利益計画を検討している。次の〔資料〕に基づき，当期と比較した場合の次期の営業利益増加額として正しいものの番号を一つ選びなさい。（7点）

〔資料〕

1．当期の実績データ
(1)　製品の販売価格は500円／個，販売数量は2,400千個であった。
(2)　固定費は240,000千円であった。
(3)　安全余裕率は50％であった。

2．次期の利益計画に関する情報
(1)　当期に比較して損益分岐点売上高は250,000千円増加する。
(2)　設備投資を実施するため，固定費が増加する。
(3)　貢献利益率と経営レバレッジ係数は当期と同じとする。

1．30,000千円	2．50,000千円	3．65,000千円
4．80,000千円	5．100,000千円	6．120,000千円

問題13　資金管理とキャッシュ・フロー管理に関する次の記述のうち，正しいものの組合せとして最も適切な番号を一つ選びなさい。（5点）

ア．前期と比較して，売上債権回転率が上昇し，棚卸資産回転率が変わらず，仕入債務回転率が低下すれば，キャッシュ・コンバージョン・サイクルの数値は前期より小さくなる。
イ．流動資産から流動負債を差し引いて求められる正味運転資本が増加すれば，現金と預金の合計額が増加するので，必ず短期的な支払能力は向上する。
ウ．フリー・キャッシュ・フローが，借入先や株主などの資金の出し手に自由に分配できる資金と定義されるとすると，フリー・キャッシュ・フローが増加したからといって，営業活動から得られたキャッシュ・フローが増加したとは限らない。
エ．手元流動性とは，設備投資や債務返済に充当できる流動性の著しく高い資金と定義され，貸借対照表の流動資産に計上される現金，預金，売上債権，有価証券，短期貸付金の合計額として算定される。

1．アイ　2．アウ　3．アエ　4．イウ　5．イエ　6．ウエ

問題14　分権化組織とグループ経営の管理会計に関する次の記述のうち，正しいものの組合せとして最も適切な番号を一つ選びなさい。（５点）

ア．事業部制組織において経営資源の有効活用を図る手段としては，社内又は企業グループの複数の組織で行われている経理や総務といった機能を集約したシェアード・サービス・センターの活用がある。

イ．ミニ・プロフィット・センターとは，事業部より小さな組織単位に比較的大きな権限を委譲し，独立性の高い利益管理単位（プロフィット・センター）として管理するマネジメント手法である。そのため，製造部門をミニ・プロフィット・センターにすることはできない。

ウ．管理可能利益で事業部長の業績評価を行う場合，本社費・共通費は事業部の運営に必要なコストであるから，事業部長の業績評価のためには本社費・共通費を各事業部に配賦する必要がある。

エ．事業部の業績を管理する目的で事業部別貸借対照表を作成している企業では，社内金利を事業部に課すことがある。社内金利の対象となりうる貸借対照表項目としては，社内借入金，社内資本金，留保利益がある。

1．アイ　　2．アウ　　3．アエ　　4．イウ　　5．イエ　　6．ウエ

問題15 当社は現在，製品Ｐを製造販売している。この度，Ａ社から特注品Ｑの製造依頼があった。特注品Ｑは製品Ｐの上位品であり，製品Ｐに追加加工を行うことで製造することができる。当社は製造キャパシティに余裕がないため，現状のまま製品Ｐのみを製造販売するか，製品Ｐの製造販売数量を減らし，Ａ社からの特注品Ｑの製造依頼に応じるかを検討することとした。次の〔**資料**〕に基づき，以下の文中の（　ア　）と（　イ　）の数値の組合せとして正しいものの番号を一つ選びなさい。（８点）

〔**資料**〕

1．製品Ｐの当期製造販売数量は15,000個である。

2．製品Ｐを15,000個製造する場合における単位当たり製造原価は，直接材料費35千円（変動費），直接労務費42千円（変動費），減価償却費63千円（固定費），減価償却費以外の製造間接費28千円（うち７千円は変動費，21千円は固定費）である。

3．製品Ｐの販売単価は215千円であり，製造販売数量にかかわらず一定である。

4．Ａ社から求められた特注品Ｑの数量は3,000個であり，全量を製造販売するものとする。この製造依頼に応じた場合，製品Ｐの製造販売数量を15,000個から35％削減しなければならない。

5．特注品Ｑは製品Ｐに比べて，単位当たり直接材料費が10％，単位当たり直接労務費が５％，単位当たり変動製造間接費が25％増加する。

6．特注品Ｑの製造原価は，上記５に記述したもの以外については，上記２から変動はないものとする。

7．Ａ社から提示された特注品Ｑの販売単価は300千円である。

8．製品Ｐ，特注品Ｑともに，期首と期末の棚卸資産は存在しない。

Ａ社から提示された特注品Ｑの販売単価300千円では，製品Ｐの製造販売数量を減らし，特注品Ｑの製造依頼に応じた場合の売上総利益は，現状のまま製品Ｐのみを製造販売した場合の売上総利益から（　ア　）千円減少する。また，特注品Ｑの製造依頼に応じた場合の売上総利益が製品Ｐのみを製造販売した場合の売上総利益を15,000千円上回るためには，特注品Ｑの販売単価を（　イ　）千円に設定する必要がある。

	（ア）	（イ）
1．	61,800	315.60
2．	61,800	320.85
3．	61,800	325.60
4．	77,550	315.60
5．	77,550	320.85
6．	77,550	325.60

問題16　当社では，プラスチック成型品の製造販売をしているが，現在稼働中の設備に替えて新規の設備を20X1年度期首に導入することを検討している。次の〔**資料**〕に基づき，以下の文中の（　ア　）と（　イ　）の数値と語句の組合せとして正しいものの番号を一つ選びなさい。なお，計算過程で端数が生じる場合，計算途中では四捨五入せず，最終数値の千円未満を四捨五入すること。（８点）

〔**資料**〕

１．現在稼働中の設備

⑴　20X1年度期首における帳簿価額24,000千円，残存耐用年数３年，残存価額ゼロ

⑵　20X1年度期首において予測される売却価額10,000千円

⑶　20X3年度末において予測される売却価額5,000千円

２．新規の設備

⑴　取得原価120,000千円，耐用年数３年，残存価額ゼロ

⑵　20X3年度末において予測される売却価額ゼロ

⑶　新規設備の使用による税引前現金支出節約額は20X1年度が40,000千円，20X2年度と20X3年度はそれぞれ55,000千円と予測される。これらは各年度の期末に生じる。

３．計算条件等

⑴　減価償却は定額法による。

⑵　当社は今後も黒字企業であると見込まれる。

⑶　設備の売却損益は課税所得計算上，全額損金または益金への算入が認められる。

⑷　法人税等の実効税率は40％とし，法人税等の支出は期末に行うものとする。

⑸　税引後加重平均資本コスト率は８％とする。計算に際しては次の現価係数を用いること。

	１年	２年	３年
８％	0.926	0.857	0.794

現在稼働中の設備を継続して使用する場合と比較して，新規設備へ取り替えた場合の正味現在価値は（　ア　）千円だけ（　イ　）する。

	（ア）	（イ）
1.	2,496	増加
2.	2,496	減少
3.	3,290	増加
4.	3,290	減少
5.	3,705	増加
6.	3,705	減少

令和6年試験
第Ⅱ回短答式試験問題
監　査　論

注　意　事　項

1　受験上の注意事項

・試験官からの注意事項の聞き漏らし／受験案内や試験室及び受験票その他に記載・掲示された注意事項の未確認等，これらを原因とした試験における不利益は自己責任になります。

・携帯電話等の通信機器や携行品の取扱いについては，試験官の指示に従ってください。

・試験開始の合図があるまで，配付物や筆記用具に触れないでください。

・問題に関する質問には，応じません。

2　不正受験や迷惑行為の禁止

・不正行為を行った場合／試験官の指示に従わない場合／周囲に迷惑をかける等，適正な試験実施に支障を来す行為を行った場合，**直ちに退室を命ずることがあります**。

3　試験問題

・試験開始の合図後，直ちに頁数(全20頁)を調べ，不備等があれば黙って挙手し，試験官に申し出てください。

4　答案用紙

・試験開始の合図後，不備等があれば黙って挙手し，試験官に申し出てください。

・試験開始の合図後，直ちに①受験番号及び氏名を正しく記入し，かつ，②受験番号を正しくマークしてください。

答案用紙への記載に当たっては，**B 又は HB の黒鉛筆(シャープペンシルも可)を使用**してください。

正しく記載されていない場合には，採点されないことがあります。

・解答欄に**複数マークしている場合は，その問題は不正解になります**。

5　試験終了後

・試験終了の合図後，直ちに筆記用具を置き，答案用紙は裏返して通路側に置いてください。

・試験官が答案用紙を集め終わり指示するまで，絶対に席を立たないでください。

・答案用紙が試験官に回収されずに手元に残っていた場合は，直ちに挙手し，試験官に申し出てください。

試験官に回収されない場合，いかなる理由があっても答案は採点されません。

6　試験問題の持ち帰り

・試験終了後，持ち帰ることができます。

満　点　100点(問題1～20各5点)
時　間　1時間

(この注意事項は出題時のものを載録しています)

問題１　我が国の公認会計士監査の歴史に関する次の記述のうち，正しいものの組合せとして最も適切な番号を一つ選びなさい。（５点）

ア．第２次世界大戦後，証券取引法及び公認会計士法が成立し，施行されたことにより，1950年代に上場会社に対する公認会計士による我が国初めての監査が実施され，会計・監査制度が徐々に整備されていった。

イ．1960年代に社会的影響の大きな粉飾決算事件が多発したことを受け，組織的な財務諸表監査の実施が求められたことから，公認会計士法が改正され，監査法人制度が新たに導入されるに至った。

ウ．我が国におけるバブル経済の崩壊後に発覚した粉飾決算について，監査人の責任問題に注目が集まったことを受け，監査人の責任を明確にするため，1990年代に有限責任監査法人の設立が認められることとなった。

エ．2000年代に入って，監査法人に対するガバナンスの強化等を目的として，公認会計士法により公認会計士・監査審査会が組織された。公認会計士・監査審査会はその調査結果に基づき，監査法人に対して解散命令等を出すことができる。

１．アイ　　２．アウ　　３．アエ　　４．イウ　　５．イエ　　６．ウエ

問題２　公認会計士による財務諸表監査に関する次の記述のうち，正しいものの組合せとして最も適切な番号を一つ選びなさい。（５点）

ア．財務諸表監査の目的は，財務諸表の適正性に対して，監査人が自らの意見を表明することにある。そのためには，監査人は，経営者が提示する財務諸表項目について立証すべき監査要点を設定し，監査要点ごとに監査手続を実施して監査証拠を入手し，その監査要点に関する立証事項を積み上げて統合化し，財務諸表全体の適正性に関する結論を得る。

イ．事業上のリスク等を重視したリスク・アプローチでは，リスク評価の対象を従来よりも拡大し，重要な虚偽表示のリスクにつながる要因を見逃さないために，監査人はあらゆる事業上のリスクを識別し，評価することが求められる。

ウ．監査人は，経営者による重大な違法行為を発見したとしても，それが財務諸表の適正性に影響を及ぼさないと判断したときは，当該事項について監査役等へ報告する必要はない。

エ．財務諸表の作成者である経営者とその監査人である公認会計士との間で，責任を分担することを意味する二重責任の原則は，利用者の意思決定に有用な財務諸表を提供し，財務諸表監査制度の社会的信頼を得るために必要不可欠な原則である。

１．アイ　　２．アウ　　３．アエ　　４．イウ　　５．イエ　　６．ウエ

問題3 公認会計士に求められる職業倫理に関する次の記述のうち，正しいものの組合せとして最も適切な番号を一つ選びなさい。（5点）

ア．監査人は，監査の開始に当たって，監査契約に係る予備的な活動の段階では，独立性を含む関連する職業倫理に関する規定の遵守状況の評価を実施する必要はないが，監査の基本的な方針を示す監査計画を策定する際には，当該状況の評価を実施する必要がある。

イ．財務諸表監査制度の社会的信頼を獲得し，個々の公認会計士が職業的専門家として高度な倫理観を保持することが必要不可欠であることから，企業会計審議会は，「監査基準」とは別に「倫理規則」を定め，公認会計士にその遵守を求めている。

ウ．財務諸表監査を実施した公認会計士は，監査報告書において，我が国における職業倫理に関する規定に従って，被監査会社から独立しており，また，監査人としてのその他の倫理上の責任を果たしている旨を記載しなければならない。

エ．監査人と被監査会社との間の信頼関係を重視する観点から，財務諸表監査を行う公認会計士に守秘義務が課されることは，職業倫理上当然必要なことである。

1．アイ　　2．アウ　　3．アエ　　4．イウ　　5．イエ　　6．ウエ

問題4 公認会計士法における登録上場会社等監査人に関する次の記述のうち，正しいものの組合せとして最も適切な番号を一つ選びなさい。（5点）

ア．公認会計士及び監査法人は，日本公認会計士協会が備えている上場会社等監査人名簿への登録を受けなければ，上場会社等の財務書類について監査証明を行うことができない。

イ．日本公認会計士協会は，上場会社等監査人名簿への登録の申請者が，無限責任監査法人又は有限責任監査法人のいずれであったとしても，その公認会計士の社員数が政令で定める数を満たしていなければ，登録を拒否しなければならない。

ウ．上場会社等監査人名簿への登録に係る申請書を提出した公認会計士は，当該申請書を提出した日から3か月を経過しても，登録の可否についての通知がなされない場合，当該登録を拒否されたものとして，日本公認会計士協会に対して，再審査の請求をすることができる。

エ．上場会社等監査人の登録が取り消された公認会計士又は監査法人は，その取消日前に締結された契約があったとしても，当該契約に係る監査証明を行うことはできない。

1．アイ　　2．アウ　　3．アエ　　4．イウ　　5．イエ　　6．ウエ

問題５　金融商品取引法監査に関する次の記述のうち，正しいものの組合せとして最も適切な番号を一つ選びなさい。（５点）

ア．公認会計士又は監査法人は，財務計算に関する書類の監査証明終了後，監査の従事者，監査日数その他当該監査に関する事項の概要を記載した概要書を，財務局長等に提出しなければならない。

イ．公認会計士又は監査法人は，財務計算に関する書類の監査証明を行うに当たって，被監査会社における重大な法令違反等事実を発見し，当該事実の内容等を被監査会社へ通知したときは，遅滞なく，当該事実に関する意見を内閣総理大臣に申し出なければならない。

ウ．被監査会社が提出する有価証券報告書の訂正報告書に訂正後の財務計算に関する書類が含まれる場合，当該書類は，公認会計士又は監査法人による監査証明の対象となる。

エ．公認会計士又は監査法人は，上場会社等の監査証明に際して，監査役等の責任には，財務報告プロセスを整備及び運用することに加えて，経営者の職務の執行を監視することが含まれる旨を，監査報告書に記載しなければならない。

１．アイ　２．アウ　３．アエ　４．イウ　５．イエ　６．ウエ

問題６　会計監査人に関する次の記述のうち，正しいものの組合せとして最も適切な番号を一つ選びなさい。（５点）

ア．会計監査人は，株主総会において，会計監査人の選任又は辞任について意見を述べることはできるが，会計監査人を解任された場合は，株主総会において意見を述べることはできない。

イ．会計監査人は，全ての監査役が会計監査人の職務の遂行に関する事項を既に知っている場合を除き，特定監査役に対して会計監査報告の内容を通知する際に，当該事項についても通知しなければならない。

ウ．会計監査人は，計算書類が法令又は定款に適合するかどうかについて，監査役と意見が異なるときは，定時株主総会における決議がなくても，定時株主総会に出席して意見を述べることができる。

エ．会計監査人に選任された監査法人は，その構成員から会計監査人の職務を行うべき者を選定し，これを被監査会社に通知しなければならない。このとき選定される者は，公認会計士でなければならないが，社員である必要はない。

１．アイ　２．アウ　３．アエ　４．イウ　５．イエ　６．ウエ

問題７　監査事務所の品質管理に関する次の記述のうち，正しいものの組合せとして最も適切な番号を一つ選びなさい。（５点）

ア．監査事務所の最高責任者以外の者が品質管理システムに関する最高責任者になった場合，監査事務所の品質管理システムに関する説明責任を含む最終的な責任は，当該品質管理システムに関する最高責任者が負う。

イ．監査事務所は，監査事務所の品質管理において達成すべき品質目標を設定しなければならない。その品質目標には，監査に関する品質管理基準が規定する品質管理システムの構成要素に関連する品質目標と，監査事務所が実施する業務の内容や監査事務所の状況に応じて，監査事務所が主体的に追加設定する品質目標が含まれる。

ウ．監査事務所は，品質管理システムの監視に係る手続を定めなければならない。その手続として完了した監査業務の検証を行う場合には，当該監査業務を担当した監査チームのメンバー又は当該監査業務の審査担当者が実施することは認められない。

エ．監査事務所は，法令等，職業倫理に関する規定及び職業専門家としての基準を遵守するため，審査に係る書類を適切に保存する期間を定めなければならないが，その期間は会社法上の会計帳簿に関する保存期間よりも短い期間であってはならない。

１．アイ　　２．アウ　　３．アエ　　４．イウ　　５．イエ　　６．ウエ

問題８　監査業務の品質管理に関する次の記述のうち，正しいものの組合せとして最も適切な番号を一つ選びなさい。（５点）

ア．監査責任者は，我が国における職業倫理に関する規定が遵守されていないことに気付いたときには，職業倫理に関する規定への違反に係る監査事務所の方針又は手続に従うことが求められている。その方針又は手続には，当該状況について規制当局又は専門家団体とコミュニケーションを行うことは含まれない。

イ．監査事務所が定めた品質管理システムに重大な不備が存在した場合でも，当該品質管理システムの下で行われた個々の監査業務が，職業的専門家としての基準及び適用される法令等を遵守して実施されなかったことを必ずしも意味するものではない。

ウ．監査業務の対象が公認会計士法上の大会社等である場合，監査責任者は，連続して担当する期間が合わせて７会計期間を超えないのであれば，翌会計期間に監査チームを外れて当該監査業務の審査担当者に就任することができる。

エ．監査における不正リスク対応基準が適用される監査業務であるか否かにかかわらず全ての監査業務において，監査責任者は，監査チームが実施した監査事務所間の引継の状況について，監査事務所の適切な部署又は者に報告されていることを確かめなければならない。

１．アイ　２．アウ　３．アエ　４．イウ　５．イエ　６．ウエ

問題９　内部統制監査に関する次の記述のうち，正しいものの組合せとして最も適切な番号を一つ選びなさい。（５点）

ア．監査人は，内部監査人等が行っている内部統制の有効性の評価に関する作業の品質及び有効性を検証した結果，それが適切であると判断したときは，当該作業を自己の検証そのものに代えて，経営者の評価に対する監査証拠として利用しなければならない。

イ．監査人は，内部統制の構築段階において，経営者との意見交換及び内部統制の構築に関する指摘を行ってはならない。

ウ．監査人は，経営者が重要な事業拠点における，企業の事業目的に大きく関わる勘定科目に至る業務プロセスを，原則として，全て評価対象としていることを確認する。

エ．監査人は，経営者がやむを得ない事情により，内部統制の一部について十分な評価手続を実施できなかったことにつき，正当な理由が認められるか否かについて慎重に検討しなければならない。

１．アイ　２．アウ　３．アエ　４．イウ　５．イエ　６．ウエ

問題10　保証業務に関する次の記述のうち，正しいものの組合せとして最も適切な番号を一つ選びなさい。（５点）

ア．財務情報等に係る保証業務に関する概念整理を行うことを主たる目的として定めた「財務情報等に係る保証業務の概念的枠組みに関する意見書」は，「監査基準」のように，特定の保証業務を前提として適用されることを意図していない。
イ．業務実施者は，保証業務について要請される要件及び保証業務の実施に関する基準に準拠して適切に業務を行わなかった場合には責任を負う。通常，限定的保証業務と合理的保証業務とでは，業務実施者の責任の対象となる範囲が異なる。
ウ．業務実施者は，証拠の量的な十分性及び目的適合性や信頼性等の質的な適切性を勘案して，必要とされる証拠を入手しなければならないが，より多くの証拠を入手することにより，証拠の質を補完することがある。
エ．業務実施者は，限定的保証業務であるレビューにおいて，主に分析的手続及び質問によって，十分かつ適切な証拠を得ることができる。そのため，当該業務においては，主題及び業務環境の理解を含む相互に関連性のある系統だった業務プロセスを必要としない。

１．アイ　　２．アウ　　３．アエ　　４．イウ　　５．イエ　　６．ウエ

問題11 監査基準改訂に関する次の記述のうち，正しいものの組合せとして最も適切な番号を一つ選びなさい。（5点）

ア．平成26年の改訂では，従来の適正性に関する意見表明の形式に加え，準拠性に関する意見表明の形式が導入された。適正性に関する意見表明において，監査人は，財務諸表の表示が利用者に理解されるために適切か否かの判断に当たり，財務諸表が全体として適切に表示されているか否かについての一歩離れての評価を行うが，準拠性に関する意見表明では，このような一歩離れての評価は行わないという違いがある。

イ．平成30年の改訂では，監査報告書における「監査上の主要な検討事項」の記載が導入された。この意義は，財務諸表利用者の監査や財務諸表に対する理解を深めるとともに，経営者との対話を促進することにあり，副次的な効果として，監査報告書の情報価値を高めることが期待されている。

ウ．令和元年の改訂では，守秘義務の対象に係る文言について，「業務上知り得た事項」が「業務上知り得た秘密」に改められた。これは，公認会計士法上の「業務上取り扱ったことについて知り得た秘密」との文言上の整合を図るため，秘密を対象にするものであることを明確にするという趣旨に基づいている。

エ．令和2年の改訂では，監査報告書において，「その他の記載内容」に係る記載が求められることとなった。監査人は，「その他の記載内容」の通読や検討に当たっては，あくまでも財務諸表監査の一環であることに留意することが求められるため，財務諸表や監査の過程で得た知識に関連しない内容についての重要な誤りの兆候に注意を払うことは求められていない。

1．アイ　2．アウ　3．アエ　4．イウ　5．イエ　6．ウエ

問題12　監査人の職業的懐疑心に関する次の記述のうち，正しいものの組合せとして最も適切な番号を一つ選びなさい。(５点)

ア．監査人は，独立性を保持することで，他の者からの不当な影響を受けることなく監査意見を形成することができる。しかしながら，独立性を保持することで，職業的懐疑心が保持される可能性が高まることはない。

イ．監査人は，監査の過程を通じて職業的懐疑心を保持することにより，監査手続の結果について十分な検討をせずに一般論に基づいて結論を導いてしまうリスクを抑えることができる。

ウ．監査人が，過去の経験に基づいて，経営者，取締役等及び監査役等は信頼が置ける，又は誠実であると認識している場合，それによって職業的懐疑心を保持する必要性が軽減されることがある。

エ．監査基準は財務諸表の重要な虚偽表示の原因となる不正を発見する姿勢の強化を図るため，職業的専門家としての懐疑心について規定しているが，監査人としての責任の遂行の基本は職業的専門家としての正当な注意を払うことにあり，職業的懐疑心を保持することは正当な注意義務の範囲に含まれる。

１．アイ　２．アウ　３．アエ　４．イウ　５．イエ　６．ウエ

問題13 監査調書に関する次の記述のうち，正しいものの組合せとして最も適切な番号を一つ選びなさい。（５点）

ア．監査調書の作成の目的に，法令等に基づき実施される外部による検査の実施を可能にすることは含まれない。

イ．監査人は，適時に監査調書を作成しなければならないが，その理由の一つとして，監査手続の実施から時間が経過した後で作成される監査調書は，手続実施時に適時に作成される監査調書に比べ正確でない場合があることがあげられる。

ウ．監査人は，重要な事項に関する結論を形成する過程において，矛盾した情報を識別した場合には，監査人がどのようにその矛盾した情報に対応したかを文書化しなければならないが，必ずしも不正確な文書や修正前の文書を残すことは求められていない。

エ．監査人は，例外的な状況において，監査報告書日後に，新たに若しくは追加的に監査手続を実施する場合又は新たな結論を導き出す場合，監査調書に追加・変更を実施した者及び実施日を文書化する必要があるが，それらを査閲した者及び査閲日についての文書化は求められていない。

1．アイ　2．アウ　3．アエ　4．イウ　5．イエ　6．ウエ

問題14 リスク評価に関する次の記述のうち，正しいものの組合せとして最も適切な番号を一つ選びなさい。（５点）

ア．監査人は，識別したアサーション・レベルの重要な虚偽表示リスクについて，虚偽表示の発生可能性と影響の度合いを評価することにより，発見リスクを評価しなければならない。

イ．監査人は，期中に，重要な虚偽表示リスクを評価するときに予期しなかった虚偽表示を発見した場合には，必ずリスク評価を変更しなければならない。

ウ．監査責任者と監査チームの主要メンバーは，財務諸表の重要な虚偽表示の生じやすさについて討議しなければならない。

エ．監査人は，関連するアサーションを識別していないが重要性のある取引種類，勘定残高又は注記事項に重要な虚偽表示リスクがないとした監査人の評価が引き続き適切であるかどうかを評価するため，実証手続を立案し実施しなければならない。

1．アイ　2．アウ　3．アエ　4．イウ　5．イエ　6．ウエ

問題15　監査上の重要性に関する次の記述のうち，正しいものの組合せとして最も適切な番号を一つ選びなさい。（5点）

ア．監査人は，従来，監査計画の策定時において重要性の基準値を当期の予想税引前利益を指標として決定している場合でも，市場環境の一時的な悪化によって大幅に税引前利益が減少する見込みとなるようなときは，過年度の数値を参考として算定した正常な税引前利益を基礎に重要性の基準値を決定することもある。

イ．監査人は，未修正の虚偽表示と未発見の虚偽表示の合計が重要性の基準値を上回る可能性を適切な低い水準に抑えるために，手続実施上の重要性を複数設定できるが，当該設定額を重要性の基準値と同額以下とすることがある。

ウ．監査の実施過程において，企業の実績が重要性の基準値を当初決定する際に使用した年度の業績予測から大幅に下方乖離する可能性が高まった場合には，監査人は重要性の基準値をより低い金額に改訂しなければならない。一方で，企業の実績が大幅に上方乖離する可能性が高まった場合には，監査人は重要性の基準値をより高い金額に改訂してはならない。

エ．監査人は，未修正の虚偽表示が重要性の基準値を上回っている場合でも，勘定科目等の分類に係る虚偽表示のように，全体としての財務諸表との関連で重要ではないと判断することがある。

1．アイ　2．アウ　3．アエ　4．イウ　5．イエ　6．ウエ

監査論

問題16　確認に関する次の記述のうち，正しいものの組合せとして最も適切な番号を一つ選びなさい。（5点）

ア．監査人は，確認依頼の送付に経営者が同意せず，代替的な監査手続を実施しても，十分かつ適切な監査証拠を入手できない場合には，監査が継続できないと判断することもある。

イ．監査人は，売掛金の残高確認の結果，確認金額と回答金額に著しい差異が生じている場合，当該差異が虚偽表示の兆候を示しているものとして，差異の調査を実施しなければならない。

ウ．監査人は，重要な虚偽表示リスクが高いと評価したアサーションを裏付けるための単独の実証手続として，消極的確認を利用してはならない。

エ．監査人は，電子的に受領した回答の改ざんリスクを，例えば，暗号化，電子署名などの電子的なプロセスに組み込まれた技術によって軽減することはできない。

1．アイ　2．アウ　3．アエ　4．イウ　5．イエ　6．ウエ

問題17　不正リスク対応に関する次の記述のうち，正しいものの組合せとして最も適切な番号を一つ選びなさい。（5点）

ア．監査人は，記録や証憑書類を真正なものとして受け入れることができるとされているが，監査の過程で真正性に疑いを抱いた場合には，それらを鑑定する技能を有する専門家を利用することができる。
イ．収益認識に関連する不正な財務報告による重要な虚偽表示は，収益の先行認識又は架空計上といった，収益の過大計上によるものを指すことから，収益の過少計上によるものは，不正による重要な虚偽表示リスクの識別対象にはならない。
ウ．監査人は，財務報告プロセスに関する内部統制の運用評価手続により内部統制が有効に機能していると判断した場合には，総勘定元帳に記録された仕訳入力の適切性を検証する手続を実施しないことがある。
エ．監査人は，識別した虚偽表示が経営者による不正に起因するものであれば，それが重要であるかどうかにかかわらず，従業員，経営者又は第三者による共謀の可能性を検討する場合がある。

1．アイ　　2．アウ　　3．アエ　　4．イウ　　5．イエ　　6．ウエ

問題18　継続企業の前提に関する次の記述のうち，正しいものの組合せとして最も適切な番号を一つ選びなさい。（５点）

ア．財務報告の枠組みに，経営者に対して継続企業の前提に関する評価を行うことを要求する明示的な規定がない場合，経営者は，財務諸表の作成に際して継続企業の前提について評価する必要はない。

イ．監査人は，継続企業の前提に重要な疑義を生じさせるような事象又は状況を識別した場合，継続企業の前提に関する重要な不確実性が認められるかどうかを判断するための十分かつ適切な監査証拠を入手するために，継続企業の前提の評価に関連する経営者の対応策の有効性及び実行可能性を検討しなければならない。

ウ．監査人は，経営者が継続企業を前提として財務諸表を作成することの適切性について十分かつ適切な監査証拠を入手していることから，監査報告書に継続企業の前提に関する重要な不確実性についての記載がなければ，財務諸表の利用者は，企業の将来にわたる事業活動の継続が保証されていると考えることができる。

エ．継続企業の前提に関する重要な不確実性に係る注記が適切に行われていない場合，監査人は，無限定意見を表明することはできず，監査報告書の監査意見の根拠区分に，継続企業の前提に関する重要な不確実性が認められる旨及び財務諸表に当該事項が適切に注記されていない旨を記載しなければならない。

１．アイ　　２．アウ　　３．アエ　　４．イウ　　５．イエ　　６．ウエ

問題19　特別目的の財務諸表に対する監査に関する次の記述のうち，正しいものの組合せとして最も適切な番号を一つ選びなさい。（5点）

ア．特別目的の財務諸表に対する監査の場合，監査人は，監査報告書に財務諸表の作成目的及び想定利用者を記載するか，又はこれらの情報について記載している特別目的の財務諸表の注記への参照を付さなければならない。

イ．特別目的の財務諸表に対する監査報告書においては，監査人は，その他の事項区分を設けて，財務諸表は特別目的の財務報告の枠組みに準拠して作成されており，他の目的には適合しないことがあることを説明しなければならない。

ウ．特別目的の財務諸表に対する監査報告書についても，法令により要求されている場合又は任意で契約条件により合意した場合には，一般目的の財務諸表に対する監査報告書の場合と同様に，監査上の主要な検討事項の区分が設けられる。

エ．監査人は，監査契約の締結に当たり，財務報告の枠組みの受入可能性の検討が必要になるが，この枠組みは認知されている会計基準設定主体により公表されることがある。このような枠組みであっても，当該設定主体が，確立された透明性のあるプロセスに従っていることのみで受入可能な枠組みであるとは推定できない。

1．アイ　2．アウ　3．アエ　4．イウ　5．イエ　6．ウエ

問題20　監査役等とのコミュニケーションに関する次の記述のうち，正しいものの組合せとして最も適切な番号を一つ選びなさい。（5点）

ア．会計監査人設置会社の監査人は，監査事務所の品質管理システムの整備・運用状況の概要を，監査役等に書面若しくは電磁的記録又は口頭で伝達しなければならない。

イ．監査人と監査役等との有効な双方向のコミュニケーションは，監査役等が財務報告プロセスの監視責任を果たし，財務諸表の重要な虚偽表示リスクを軽減する上で重要である。

ウ．監査人は，監査期間中に困難な状況に直面した場合には，その状況について監査役等とコミュニケーションを行わなければならない。

エ．監査人は，監査計画の内容について，監査役等とコミュニケーションを行う必要があるが，経営者に対しては，監査の有効性を阻害することになるため，その内容を知らせてはならない。

1．アイ　2．アウ　3．アエ　4．イウ　5．イエ　6．ウエ

令和６年試験
第 Ⅱ 回 短 答 式 試 験 問 題
財務会計論

注 意 事 項

1　受験上の注意事項

・試験官からの注意事項の聞き漏らし／受験案内や試験室及び受験票その他に記載・掲示された注意事項の未確認等，これらを原因とした試験における不利益は自己責任になります。

・携帯電話等の通信機器や携行品の取扱いについては，試験官の指示に従ってください。

・試験開始の合図があるまで，配付物や筆記用具に触れないでください。

・問題に関する質問には，応じません。

2　不正受験や迷惑行為の禁止

・不正行為を行った場合／試験官の指示に従わない場合／周囲に迷惑をかける等，適正な試験実施に支障を来す行為を行った場合，**直ちに退室を命ずることがあります**。

3　試験問題

・試験開始の合図後，直ちに頁数(全27頁)を調べ，不備等があれば黙って挙手し，試験官に申し出てください。

4　答案用紙

・試験開始の合図後，不備等があれば黙って挙手し，試験官に申し出てください。

・試験開始の合図後，直ちに①受験番号及び氏名を正しく記入し，かつ，②受験番号を正しくマークしてください。
答案用紙への記載に当たっては，**B又はHBの黒鉛筆(シャープペンシルも可)を使用**してください。
正しく記載されていない場合には，採点されないことがあります。

・解答欄に**複数マークしている場合は，その問題は不正解になります**。

5　試験終了後

・試験終了の合図後，直ちに筆記用具を置き，答案用紙は裏返して通路側に置いてください。

・試験官が答案用紙を集め終わり指示するまで，絶対に席を立たないでください。

・答案用紙が試験官に回収されずに手元に残っていた場合は，直ちに挙手し，試験官に申し出てください。
試験官に回収されない場合，いかなる理由があっても答案は採点されません。

6　試験問題の持ち帰り

・試験終了後，持ち帰ることができます。
なお，中途退出する場合には，持ち出しは認めません。必要な場合は，各自の席に置いておきますので，試験終了後，速やかに取りに来てください。

{満　点　200点（問題１～22各８点
　　　　　　　　問題23～28各４点）}
 時　間　２時間

（この注意事項は出題時のものを載録しています）

問題１ 討議資料「財務会計の概念フレームワーク」に関する次の記述のうち，正しいものの組合せとして最も適切な番号を一つ選びなさい。（8点）

ア．会計情報の比較可能性を確保するためには，形式が同様の取引には同一の会計処理が適用され，形式が異なる取引には異なる会計処理が適用されることにより，会計情報の利用者が，時系列比較や企業間比較に当たって，事実の同質性と異質性を峻別できるようにしなければならない。

イ．会計情報は，企業価値の推定に資することが期待されているが，企業価値それ自体を表現するものではない。企業価値を主体的に見積もるのは自らの意思で投資を行う投資家であり，会計情報には，その見積りに当たって必要となる予想形成に役立つ基礎を提供する役割が期待されている。

ウ．財務諸表の構成要素を特定し，それらに定義を与えることを通じて，財務報告が対象とすべき事象が明確となる。財務諸表の構成要素としての定義を満たす事象は，財務報告の目的に資することから，財務報告の対象に含められる。

エ．投資の成果がリスクから解放されるというのは，投資に当たって期待された成果が事実として確定することをいう。保有資産の値上がりを期待した売買目的の金融投資に生じる価値の変動は，そのまま期待に見合う事実が確定したとみなされ，リスクから解放された投資の成果に該当する。

１．アイ　　２．アウ　　３．アエ　　４．イウ　　５．イエ　　６．ウエ

問題2　当社は，本社会計から工場会計を独立させている。次の〔**資料Ⅰ**〕および〔**資料Ⅱ**〕に基づき，当期(X1年4月1日～X2年3月31日)の本社工場合併損益計算書の売上総利益の金額として正しいものの番号を一つ選びなさい。(8点)

〔**資料Ⅰ**〕

決算整理前残高試算表(一部)　(単位：千円)

勘定科目	本社	工場	勘定科目	本社	工場
材料	—	45,500[注1]	繰延内部利益	21,600[注2]	—
製品	—	90,000[注1]	本社	—	各自推計
工場	275,000	—	工場売上	各自推計	—
材料仕入	212,000	—	本社売上	—	各自推計
本社仕入	—	各自推計	売上	835,000	—
工場仕入	各自推計	—			
賃金	—	72,000			
給料	107,000	—			
製造間接費	—	108,000			

注1：材料および製品の金額は，期首棚卸高である。

注2：繰越内部利益の内訳は期首棚卸高に関係するものであり，材料に10,500千円，製品に11,100千円が含まれる。

〔**資料Ⅱ**〕

1．材料および製品は本社および工場の倉庫に保管することとしているが，当期については，期首および期末時点において本社の材料および製品の在庫はなかった。
2．材料は本社が購入し，仕入原価に対して30％増の振替価格で本社から工場に送付している。
3．製品は本社が販売している。工場から本社へ完成品原価の20％増の価格で振り替えている。
4．本社は工場へ原価12,000千円の材料を送付したが，工場には未達である。なお，未達事項は決算整理において整理する。
5．工場における期末の実地棚卸高は，材料が26,000千円(4．の未達材料を含まない。)，製品が103,000千円であった。製品原価には材料費部分が54,600千円ある。なお，実地棚卸高および製品原価には内部利益が含まれている。また，棚卸減耗は生じていない。
6．期首および期末の仕掛品は存在しない。
7．賃金，給料および製造間接費の未払および前払は生じていない。

8．工場の機械について，当期の減価償却費70,000千円を決算整理において計上する。

9．本社工場間の取引においては，出荷基準で収益を認識している。

1．215,200千円　　2．302,900千円　　3．318,500千円

4．365,900千円　　5．369,500千円　　6．381,500千円

問題３　次の〔**資料Ⅰ**〕および〔**資料Ⅱ**〕に基づき，当期(X1年４月１日～X2年３月31日)の損益計算書に計上される貸倒引当金繰入額の金額として正しいものの番号を一つ選びなさい。（８点）

〔**資料Ⅰ**〕　当社の決算整理前の各勘定残高(抜粋)は以下のとおりである。

現金預金	300,000千円
電子記録債権	100,000千円
受取手形	20,000千円
売掛金	500,000千円
貸付金	50,000千円
貸倒引当金	10,000千円
仮受金	1,000千円

注：電子記録債権は売上債権として生じたものである。

〔**資料Ⅱ**〕　決算整理事項(抜粋)

1．甲社に対する売掛金10,000千円について，当社は取引銀行を通じ電子債権記録機関に対して電子記録債権の発生記録を請求した。甲社は電子記録債権の発生記録の通知を受けて承諾したが，当社では未記帳であった。
2．乙社が倒産し，乙社に対して当期に掛売りした代金5,000千円が回収不能となったが，未記帳である。貸倒損失勘定で処理することとした。
3．かねて普通預金口座に振込みがあった1,000千円の詳細が不明であったため仮受金で処理していたが，丙社からの売掛金の回収と判明した。
4．売掛金のうち10,000千円は丁社に対するものであるが，丁社の経営状況が急速に悪化しているため，貸倒懸念先にすることとした。なお，丁社以外に貸倒懸念先は存在しない。
5．決算に当たり，一般の売上債権に対して，５％の貸倒れを見積もった。貸倒懸念先の売掛金10,000千円に対して，回収可能額を3,000千円と見積もった。また，貸倒引当金を設定すべきその他の債権に対して，２％の貸倒れを見積もった。差額補充法により貸倒引当金を設定する。

１．23,200千円　　２．28,200千円　　３．28,270千円
４．29,700千円　　５．31,380千円　　６．33,200千円

問題４ 「棚卸資産の評価に関する会計基準」に関する次の記述のうち，正しいものの組合せとして最も適切な番号を一つ選びなさい。（８点）

ア．棚卸資産の評価に収益性の低下を反映させる会計処理を適用するに当たって，製造業における原材料等のように再調達原価の方が把握しやすく，正味売却価額が当該再調達原価に歩調を合わせて動くと想定される場合には，再調達原価で評価しなければならない。

イ．棚卸資産の範囲に含まれる事務用消耗品については，価格の下落が必ずしも収益性の低下に結びつかないため，価格の下落が物理的な劣化または経済的な劣化に起因している場合であっても，通常の販売目的で保有する棚卸資産と同様の簿価切下げを行う必要はない。

ウ．通常の販売目的で保有する棚卸資産について，収益性の低下による簿価切下額は，重要性が乏しい場合を除き，注記による方法または売上原価等の内訳項目として独立掲記する方法により開示しなければならない。

エ．トレーディング目的で保有する棚卸資産については，時価をもって貸借対照表価額とし，帳簿価額との差額は，当期の損益として処理する。この損益は，原則として，純額で売上高に表示する。

１．アイ　　２．アウ　　３．アエ　　４．イウ　　５．イエ　　６．ウエ

問題5　〔資料〕に基づいて，X5年度(X5年4月1日～X6年3月31日)末の貸借対照表における無形固定資産の合計額として正しいものの番号を一つ選びなさい。なお，計算結果に端数が生じる場合，千円未満を四捨五入すること。(8点)

〔資料〕

1．無形固定資産の償却については，その記帳を年度決算において行い，定額法による償却費の算定には月割計算を用いる。
2．意匠権は，X1年10月1日に購入により取得し，取得年度より7年間にわたり定額法により償却を行っている。X5年度末における意匠権の決算整理前残高は46,200千円である。
3．鉱業権は，X2年10月1日に750,000千円で取得し，生産高比例法により償却を行っている。鉱山の推定埋蔵量は600,000トンであり，X2年度(鉱業権の取得日以降)は50,000トン，X3年度は100,000トン，X4年度からX6年度までは毎年150,000トンの採掘を見込んでいた。X4年度までは見込みどおりの採掘が行われた。その後，採掘環境等の変化によりX4年度末において採掘期間と採掘量の見直しを行い，X5年度からX7年度までの採掘見込みを毎年100,000トンに修正した。X5年度は，修正後の見込みどおりの採掘が行われた。なお，採掘期間と採掘量の見直しは会計上の見積りの変更に該当する。
4．当社は，X2年度に製品Pの特殊製法に関する研究開発を開始した。X3年12月に当該製法が完成し，特許申請を行ったところ，X4年4月1日に特許権として登録が認められた。当社がX2年度において当該研究開発に支出した額は100,000千円であり，X3年度は，当該研究開発に60,000千円，出願料に120千円，登録料に200千円支出した。また，特許権は，取得年度より8年間にわたり定額法により償却を行う。
5．当社は，X3年8月1日に連結グループ外のA社から事業の一部であるB事業を現金1,600,000千円を支払って取得した。B事業の取得日における資産の帳簿価額は3,190,000千円(時価は3,400,000千円)，負債の帳簿価額は2,400,000千円(時価は2,400,000千円)であった。B事業には事業取得日において識別可能な無形資産はない。B事業の取得により生じたのれんは，発生年度より5年間にわたり定額法により償却を行う。

1．453,865千円　　2．557,960千円　　3．563,240千円
4．573,865千円　　5．661,240千円　　6．683,240千円

財務会計論

問題 6 引当金に関する次の記述のうち，正しいものの組合せとして最も適切な番号を一つ選びなさい。（8 点）

ア．「企業会計原則注解」注18の引当金は，貸倒引当金といった評価性引当金と，賞与引当金，修繕引当金および損害補償損失引当金などの条件付債務としての負債性引当金とに分類される。

イ．製品の販売時に，製品の延長保証など，顧客にサービスを追加的に提供する旨の契約を結んだ場合，製品保証引当金を計上する。

ウ．当事業年度の職務に係る役員賞与を期末後に開催される株主総会の決議事項とする場合には，当該支給は株主総会の決議による承認が前提となるので，当該決議事項とする額またはその見込額(当事業年度の職務に係る額に限る。)を，原則として，引当金に計上する。

エ．債務保証損失引当金は，他社の債務保証を行った場合に常に計上されるわけではなく，保証先企業の資金繰りの悪化などによって，保証債務を履行し，その履行に伴う求償債権が回収不能となる可能性が高まり，その金額を合理的に見積もることができる場合に計上される。

1．アイ　　2．アウ　　3．アエ　　4．イウ　　5．イエ　　6．ウエ

問題7　次の〔**資料**〕に基づき，当期(X2年4月1日～X3年3月31日)末の貸借対照表に計上される社債の金額として正しいものの番号を一つ選びなさい。なお，計算過程で端数が生じる場合，計算途中では四捨五入せず，最終数値の千円未満を四捨五入すること。(8点)

〔**資料**〕

1．X1年4月1日に，新株予約権付社債(転換社債型新株予約権付社債以外の新株予約権付社債)を以下の条件で発行した。
   (1) 社債額面総額：1,000,000千円
   (2) 発行価額：額面100円につき，社債部分は85円，新株予約権部分は15円
   (3) 新株予約権の行使で新たに発行される株式数：10,000千株
   (4) 新株予約権の行使における1株当たりの払込価額：110円
   (5) 償還期日および権利行使期限：X6年3月31日
   (6) 約定利子率：年2.0％
   (7) 利払日：毎年3月31日
2．償却原価法の適用に当たっては，利息法(実効利子率：年5.514％)によるものとする。

1．903,738千円　　2．905,220千円　　3．910,000千円
4．943,738千円　　5．946,322千円　　6．950,000千円

問題８ 純資産に関する次の記述のうち，正しいものの組合せとして最も適切な番号を一つ選びなさい。（８点）

ア．個別貸借対照表の純資産の部は，株主資本，評価・換算差額等，株式引受権および新株予約権から構成される。ここでの評価・換算差額等には，その他有価証券評価差額金，繰延ヘッジ損益，圧縮積立金および土地再評価差額金等が含まれる。
イ．株主資本は，資本金，資本剰余金および利益剰余金に区分される。資本剰余金には，資本準備金，その他資本剰余金および自己株式が含まれる。
ウ．株主資本に含まれるその他利益剰余金または繰越利益剰余金の金額が負となる場合には，マイナス残高として表示する。
エ．取締役の報酬等として株式を無償交付する取引のうち，事後交付型に該当する場合は，報酬費用の相手勘定として株式引受権が計上される。

１．アイ　２．アウ　３．アエ　４．イウ　５．イエ　６．ウエ

問題９　財務諸表，連結財務諸表および計算関係書類に関する次の記述のうち，正しいものの組合せとして最も適切な番号を一つ選びなさい。（８点）

ア．株式会社は，最終事業年度の直後の事業年度に属する一定の日（以下「臨時決算日」という。）における当該株式会社の財産の状況を把握するため，臨時計算書類を作成することができる。この臨時計算書類は，臨時決算日における貸借対照表，臨時決算日の属する事業年度の初日から臨時決算日までの期間に係る損益計算書，キャッシュ・フロー計算書および株主資本等変動計算書からなる。

イ．包括利益とは，ある企業の特定期間の財務諸表において認識された純資産の変動額のうち，当該企業の純資産に対する持分所有者との直接的な取引によらない部分をいう。この純資産には，利益剰余金も含まれるため，会計方針の変更および誤謬の訂正に関する累積的影響額に係る期首の利益剰余金の修正額も，当期の包括利益に含まれる。

ウ．連結財務諸表において，包括利益は，当期純利益にその他の包括利益の内訳項目を加減して表示される。ここでいう当期純利益は，親会社株主に帰属する当期純利益ではない。

エ．財務諸表を修正すべき後発事象は，決算日後に発生した会計事象ではあるが，その実質的な原因が決算日現在において既に存在しており，決算日現在の状況に関連する会計上の判断ないし見積りをする上で，追加的ないしより客観的な証拠を提供するものとして考慮しなければならない会計事象である。

１．アイ　２．アウ　３．アエ　４．イウ　５．イエ　６．ウエ

問題10　次の〔資料〕に基づき，会計方針の変更により遡及適用を行う場合，当社の前期（X4年4月1日～X5年3月31日）の当期純利益に及ぼす影響額として正しいものの番号を一つ選びなさい。（8点）

〔資料〕

1．当社は，当期（X5年4月1日～X6年3月31日）より，通常の販売目的で保有する棚卸資産（商品）の評価方法を先入先出法から総平均法に変更した。

2．総平均法を過去の事業年度から遡及適用することは可能である。

3．前期の当該棚卸資産（商品）の増減について，総平均法を遡及適用した場合の金額と，従来の方法である先入先出法を適用した場合の金額は以下のとおりである。なお，払出高は全て販売に対応するものである。

（単位：百万円）

	前期 期首残高	前期 仕入高	前期 期末残高
先入先出法（従来の方法）を適用した場合	400	3,500	1,000
総平均法を遡及適用した場合	280	3,500	800

4．収益性の低下に基づく簿価切下げは考慮しない。

5．法定実効税率は30％である。遡及適用が行われた場合，税引前の遡及処理額に法定実効税率を乗じた額だけ法人税等調整額に影響を与えることを前提とする。

	当期純利益に及ぼす影響額
1．	△200百万円
2．	△120百万円
3．	△56百万円
4．	56百万円
5．	120百万円
6．	200百万円

（注）△はマイナスの影響額を表している。

問題11　「金融商品に関する会計基準」および「金融商品会計に関する実務指針」に関する次の記述のうち，正しいものの組合せとして最も適切な番号を一つ選びなさい。（８点）

ア．現物商品(コモディティ)に係るデリバティブ取引は，本来の金融商品とは異なる面を有するため，通常，差金決済により取引されるものから生じる正味の債権または債務であっても，「金融商品に関する会計基準」は適用されない。

イ．有価証券の範囲は，原則として，金融商品取引法に定義する有価証券に基づくが，それ以外のもので，金融商品取引法上の有価証券に類似し企業会計上の有価証券として取り扱うことが適当と認められるものについても有価証券の範囲に含める。これに対し，金融商品取引法上の有価証券であっても企業会計上の有価証券として取り扱うことが適当と認められないものについては，「金融商品に関する会計基準」上，有価証券としては取り扱わない。

ウ．その他有価証券は，時価をもって貸借対照表価額とする。評価差額は，洗い替え方式に基づき処理する。原則として，全部純資産直入法を適用するが，継続適用を条件として部分純資産直入法を適用することもできる。また，株式，債券等の有価証券の種類ごとに両方法を区分して適用することも認められる。

エ．社債を社債金額よりも低い価額または高い価額で発行した場合など，収入に基づく金額と債務額とが異なる場合には，償却原価法に基づいて算定された価額をもって，貸借対照表価額としなければならない。ただし，社債の時価が償却原価法に基づいて算定された価額を下回る場合には，時価をもって貸借対照表価額とすることができる。

１．アイ　　２．アウ　　３．アエ　　４．イウ　　５．イエ　　６．ウエ

問題12 当社(決算は年1回，決算日は3月31日)は，X1年6月の株主総会での決議に基づき，X1年7月1日付で従業員にストック・オプションを付与した。次の〔**資料Ⅰ**〕および〔**資料Ⅱ**〕に基づき，①X4年3月期の損益計算書に計上される株式報酬費用の金額および②X5年6月末日におけるストック・オプションの権利行使により計上される資本金の金額の組合せとして，正しいものの番号を一つ選びなさい。なお，期間按分計算は月割りによるものとする。(8点)

〔**資料Ⅰ**〕

1．従業員50名に対して1名当たり100個のストック・オプションを付与した。
2．権利行使により与えられる株式数は，ストック・オプション1個につき1株である。
3．権利行使のためには，行使時に従業員であることを要し，退職時に権利は失効する。
4．権利確定日はX3年6月末日，権利行使時の払込金額は40千円／株である。
5．権利行使可能期間は，X3年7月1日からX5年6月末日までである。
6．付与日におけるストック・オプションの公正な評価単価は5千円／個である。
7．付与日において，権利確定日までの従業員の退職者は0名と見込んでいる。
8．ストック・オプションの一部行使および他者への譲渡はできない。

〔**資料Ⅱ**〕

1．X2年3月末日およびX3年3月末日の各時点において，翌期以降の退職者見込みは0名であった。
2．権利確定日前の退職者は，X2年3月期0名，X3年3月期2名，X4年3月期2名であった。
3．権利確定日からX5年6月末日までの退職者は0名であった。
4．X2年6月の株主総会において，行使条件の一部を変更し，権利行使時の払込金額を40千円／株から20千円／株とした。
5．条件変更日のストック・オプションの公正な評価単価は6千円／個であった。
6．ストック・オプションの権利取得者のうち2名は権利を行使しなかったが，残る権利取得者全員がX5年6月末日に権利を行使し，払込みを行った。
7．権利行使による払込金額と行使された権利に対応する新株予約権の金額の合計額は，資本金として計上する。

	1.	2.	3.	4.	5.	6.
①	3,000千円	3,000千円	3,825千円	3,825千円	4,425千円	4,425千円
②	114,400千円	124,800千円	114,400千円	124,800千円	114,400千円	124,800千円

問題13　「リース取引に関する会計基準」および同適用指針に関する次の記述のうち，正しいものの組合せとして最も適切な番号を一つ選びなさい。（８点）

ア．ファイナンス・リース取引の定義の一部である「リース物件の使用に伴って生じるコストを実質的に負担すること」とは，固定資産を自己所有した場合と同様に，陳腐化リスクによるコストを除いた当該リース物件の取得価額相当額，維持管理費用などといったコストを負担することをいう。

イ．所有権移転外ファイナンス・リース取引において，借手がリース資産およびリース債務を計上する場合の価額は，借手において当該リース物件の貸手の購入価額等が明らかな場合は，リース料総額を割り引いた現在価値と貸手の購入価額等とのいずれか低い額とするが，借手において貸手の購入価額等が明らかでない場合は，リース料総額を割り引いた現在価値と見積現金購入価額とのいずれか低い額とする。

ウ．所有権移転ファイナンス・リース取引において，借手が計上したリース資産の減価償却費は，自己所有の固定資産に適用する減価償却方法と同一の方法により算定する。また，所有権移転外ファイナンス・リース取引において，借手が計上したリース資産の減価償却費は，原則として，リース資産の見積使用可能期間を耐用年数とし，残存価額をゼロとして算定する。

エ．リース資産については，原則として，有形固定資産，無形固定資産の別に，一括してリース資産として表示する。ただし，有形固定資産または無形固定資産に属する各科目に含めることもできる。

１．アイ　　２．アウ　　３．アエ　　４．イウ　　５．イエ　　６．ウエ

問題14　次の〔資料〕に基づき，当社の当期(X5年4月1日～X6年3月31日)の従業員Aに対する退職給付費用の金額として正しいものの番号を一つ選びなさい。ただし，計算結果に端数が生じる場合，円未満をその都度四捨五入して計算すること。(8点)

〔資料〕

1．従業員Aの入社は，X2年4月1日である。

2．従業員Aは，X7年3月31日に退職予定である。

3．当期首において見積もられる従業員Aの退職給付見込額は，504,700円である。

4．当期末に退職金規程の改訂があり，退職時に支給される金額が15%増加することとなった。

5．割引率は，年2.5%であり，期間定額基準に基づいて退職給付債務を算定している。

6．過去勤務費用は，15年間にわたり定額法で当期から費用処理する方法を採用している(月数に応じた額ではなく，年数で按分した額を費用処理する。)。

	退職給付費用
1．	99,628円
2．	101,745円
3．	102,417円
4．	102,516円
5．	109,623円
6．	109,722円

問題15 「収益認識に関する会計基準」に関する次の記述のうち，正しいものの組合せとして最も適切な番号を一つ選びなさい。（８点）

ア．顧客から受け取った，または受け取る対価の一部あるいは全部を顧客に返金すると見込む場合，受け取った，または受け取る対価の額のうち，企業が権利を得ると見込まない額について返金負債を認識する。返金負債の額は，財またはサービスを顧客に移転した時に見積もり，その後は収益の著しい減額が生じない限り見直さない。

イ．顧客との契約に重要な金利要素が含まれる場合，取引価格の算定に当たっては，約束した対価の額に含まれる金利相当分の影響を調整する。ただし，契約における取引開始日において，約束した財またはサービスを顧客に移転する時点と，顧客が支払いを行う時点の間が１年以内であると見込まれる場合には，重要な金利要素の影響について約束した対価の額を調整しないことができる。

ウ．契約における対価が現金以外の場合に取引価格を算定するに当たっては，当該対価を時価により算定する。現金以外の対価の時価を合理的に見積もることができない場合には，当該対価と交換に顧客に約束した財またはサービスの独立販売価格を基礎として，当該対価を算定する。

エ．顧客との約束に，顧客への対価の支払いが含まれるときは，それが顧客から受領する別個の財またはサービスと交換に支払われるものである場合を除き，取引価格から減額する。顧客に支払われる対価を取引価格から減額する場合には，関連する財またはサービスの移転に対する収益を認識する時，あるいは企業が対価を支払うかまたは支払いを約束する時の，いずれか早い方が発生した時点で収益を減額する。

１．アイ　　２．アウ　　３．アエ　　４．イウ　　５．イエ　　６．ウエ

問題16 建設業を営むＹ社は，X1年度において，顧客であるＺ社のためにビルを建設する契約を締結した。次の〔**資料Ⅰ**〕および〔**資料Ⅱ**〕に基づき，Ｙ社のX2年度末の貸借対照表に計上される工事損失引当金の金額として正しいものの番号を一つ選びなさい。ただし，計算結果に端数が生じる場合，百万円未満を四捨五入すること。（８点）

〔**資料Ⅰ**〕

1．契約で取り決められた工事収益総額は2,000百万円，契約時における工事原価総額の見積額は1,850百万円であった。

2．工期は３年(X1年度～X3年度)を予定している。

3．この契約によって生じる履行義務は，一定の期間にわたり充足される単一の履行義務として処理するものと判断された。

4．履行義務の充足に係る進捗度は，発生した原価を基礎としたインプット法に基づき，適切に見積もることができると判断された。

〔**資料Ⅱ**〕

1．X1年度に発生した工事原価は564百万円であり，X1年度末における工事原価総額の見積額は1,880百万円に増加した。

2．X2年度に発生した工事原価は1,116百万円であり，X2年度末における工事原価総額の見積額は2,100百万円に増加した。

3．工事契約金額(工事収益総額)の見直しが行われる見込みはない。

	工事損失引当金
1．	0百万円
2．	20百万円
3．	47百万円
4．	93百万円
5．	100百万円
6．	252百万円

問題17　連結財務諸表上の税効果会計に関する次の記述のうち，正しいものの組合せとして最も適切な番号を一つ選びなさい。（８点）

ア．個別財務諸表において，連結会社に対する債権に貸倒引当金を設定しているが，同繰入額が税務上損金として認められないときでも，当該繰入額に係る将来減算一時差異に対して繰延税金資産を計上しない場合がある。この場合の連結決算手続においては，債権と債務の相殺消去に伴う当該貸倒引当金の修正により生じる当該引当金に係る連結財務諸表固有の将来加算一時差異に対して，繰延税金負債を計上しない。

イ．連結決算手続において連結会社相互間の取引から生じる未実現利益を消去した場合，連結財務諸表固有の一時差異が生じる。この一時差異には，未実現利益が実現したときに当該利益に対して納付すると仮定した場合の税金相当額を税金費用として計上することにより，実際に資産が売却された時点において利益と税金費用が対応することから，税効果会計の方法として資産負債法が適用される。

ウ．連結財務諸表の作成上，子会社の留保利益について，親会社に対して配当される可能性が高くその金額を合理的に見積もることができる場合には，将来，親会社が子会社からの受取配当金について負担することになる税金の額を見積計上し，これに対応する金額を繰延税金負債として計上しなければならない。そして，当該繰延税金負債については，翌期以降に子会社が損失を計上し，過去に計上した留保利益を減少させた場合であっても，前期までに計上した繰延税金負債を修正してはならない。

エ．資本連結手続において子会社の資産および負債の時価評価により評価差額が生じた場合，評価対象となった子会社の資産および負債の連結貸借対照表上の価額と個別貸借対照表上の価額とに差異が生じる。この評価差額に係る一時差異について，子会社において税率が変更されたことによる繰延税金資産および繰延税金負債の修正差額は，相手勘定を評価差額ではなく，法人税等調整額として計上する。

１．アイ　　２．アウ　　３．アエ　　４．イウ　　５．イエ　　６．ウエ

問題18　次の〔**資料**〕に基づき，当社の保有する外貨建有価証券に係る当期における為替差益の金額として正しいものの番号を一つ選びなさい。（８点）

〔**資料**〕

銘柄	保有目的	取得原価	当期末時価
A社株式	売買目的	100千ドル	90千ドル
B社社債	満期保有目的	180千ドル	177千ドル
C社株式	子会社株式	300千ドル	130千ドル
D社社債	その他	150千ドル	152千ドル

１．当社は，四つの銘柄を全て当期の期首に取得した。

２．Ｂ社社債は，発行時に取得したもので，額面200千ドル，償還期間５年である。Ｂ社社債の取得原価と額面金額との差額は，全て金利の調整部分であると認められることから，償却原価法(定額法)によって処理する。

３．Ｃ社株式の時価に関して，回復する見込みがあるかは不明である。

４．Ｄ社社債は，発行時に取得したもので，額面150千ドル，償還期間６年であり，ドルによる時価の変動に係る換算差額は評価差額に含め，それ以外の差額を為替差損益として処理する。

５．税効果は考慮しない。

６．計算結果に端数が生じる場合，千円未満を四捨五入する。

７．換算に当たり使用する為替相場は次のとおりである。

期首(取得時)相場	期中平均相場	期末相場
110円／ドル	130円／ドル	140円／ドル

１．5,400千円　　２．5,440千円　　３．　5,960千円

４．9,900千円　　５．9,940千円　　６．10,000千円

問題19　持分法に関する次の記述のうち，正しいものの組合せとして最も適切な番号を一つ選びなさい。（８点）

ア．持分法の適用に当たっては，投資会社またはその連結子会社と持分法適用会社との間の取引に係る未実現損益を消去するための修正を行う。そのため，未実現損失についても，売手側の帳簿価額のうち回収不能と認められる部分については消去するが，その金額に重要性が乏しい場合には，これを消去しないことができる。

イ．持分法の適用対象となる非連結子会社および関連会社に対する投資の売却により，当該被投資会社が子会社および関連会社に該当しなくなった場合には，連結財務諸表上，残存する当該被投資会社に対する投資は，個別貸借対照表上の帳簿価額をもって評価する。

ウ．持分法適用関連会社が子会社を有する場合，当該子会社は持分法の適用範囲に含まれない。ただし，持分法適用関連会社による当該子会社に対する投資について持分法を適用して認識した損益または利益剰余金が連結財務諸表に重要な影響を与える場合には，当該損益を持分法適用会社の損益に含めて計算する。

エ．持分法適用会社や連結子会社の資産および負債の時価評価の範囲は，持分法適用関連会社や持分法適用非連結子会社の場合には，投資会社の持分に相当する部分にとどまるが，連結子会社の場合には，投資会社の持分だけでなく非支配株主の持分に相当する部分を含めて全てに及ぶことになる。

１．アイ　　２．アウ　　３．アエ　　４．イウ　　５．イエ　　６．ウエ

問題20 当社は，事業Ⅰと事業Ⅱを取得してのれんを計上していたが，これまで減損の兆候はなかった。しかし，当期の期末になって，のれんの帳簿価額の配分後の事業Ⅰに属する資産グループA，B，Cに初めて減損の兆候がみられた。なお，事業Ⅱには減損の兆候はみられなかった。次の〔**資料Ⅰ**〕および〔**資料Ⅱ**〕に基づき，当社の当期末における貸借対照表に計上されるのれんの金額として正しいものの番号を一つ選びなさい。（8点）

〔**資料Ⅰ**〕 事業Ⅰに属する資産グループとのれん

（単位：百万円）

	資産グループA	資産グループB	資産グループC
資産の帳簿価額（のれんの帳簿価額配分前）	200	400	240
のれんの帳簿価額配分額	（各自計算）	（各自計算）	（各自計算）
割引前将来キャッシュ・フロー	300	510	130
回収可能価額	280	480	125

〔**資料Ⅱ**〕

1．事業Ⅰと事業Ⅱは，内部管理上，独立した業績報告が行われている。

2．当期償却後ののれんの帳簿価額400百万円は，のれんが認識された時点の各事業の時価で按分する。当該時価は事業Ⅰが976百万円，事業Ⅱが1,464百万円であった。

3．当社は，のれんの帳簿価額を合理的な基準で各資産グループに配分した上で減損損失を認識するかどうかを判定する方法を採用している。事業Ⅰにおいて，その配分比率は，資産グループA，B，Cそれぞれについて，25%，55%，20%である。

4．計算結果に端数が生じる場合，百万円未満を四捨五入する。

1．128百万円　　2．253百万円　　3．285百万円
4．340百万円　　5．360百万円　　6．368百万円

問題21　次の〔**資料**〕に基づき，Ｐ社のX5年度の連結損益計算書に計上される法人税等調整額の金額として正しいものの番号を一つ選びなさい。なお，〔**資料**〕３．および選択肢に示されている「△」は，法人税等合計を減少させていることを意味する。（８点）

〔**資料**〕

1．Ｐ社およびＳ社の連結会計年度および事業年度は，いずれも３月31日を決算日とする１年であり，当期はX5年度（X5年４月１日～X6年３月31日）である。

2．Ｐ社はX3年度末にＳ社株式の70％を72,000千円で取得し，Ｓ社を子会社とした。なお，X3年度末時点でのＳ社の諸資産と諸負債の時価は，帳簿価額と同じであった。

3．X5年度の個別損益計算書に計上されている法人税等調整額の金額は，Ｐ社が△3,700千円であり，Ｓ社が△2,400千円であった。

4．Ｓ社の純資産の内訳は，X3年度末は資本金80,000千円，利益剰余金20,000千円，X4年度末は資本金80,000千円，利益剰余金は29,000千円，X5年度末は資本金80,000千円，利益剰余金は34,000千円であった。

5．Ｐ社のＳ社に対する商品販売額（全て現金取引）は，X5年度は22,000千円であった。

6．X4年度末時点およびX5年度末時点におけるＳ社の期末商品には，Ｐ社から仕入れた商品がそれぞれ2,320千円，2,800千円含まれていた。なお，Ｐ社の売上総利益率は毎期25％とする。

7．Ｓ社は，X5年度にＰ社に対して帳簿価額4,500千円の土地を4,600千円で売却し，代金は現金で受け取った。なお，Ｐ社は，この土地を当期末に所有している。

8．のれんは，発生した年度の翌年度から10年間にわたり定額法により償却する。

9．Ｐ社およびＳ社の法定実効税率は30％とし，税効果会計を適用する。

10．Ｐ社とＳ社との間には，上記以外の取引はない。

11．計算結果に端数が生じる場合，千円未満を四捨五入する。

1．△6,034千円	2．△6,094千円	3．△6,100千円
4．△6,106千円	5．△6,166千円	6．△6,226千円

問題22 「企業結合に関する会計基準」および「事業分離等に関する会計基準」に関する次の記述のうち，正しいものの組合せとして最も適切な番号を一つ選びなさい。（８点）

ア．連結財務諸表を作成するに当たり，取得とされた企業結合に直接要した支出額は，原則として発生した連結会計年度の費用として処理しなければならない。ただし，取得関連費用の中でも法律や会計などの外部アドバイザー等に支払った特定の報酬・手数料については，個別に取得した資産における付随費用と同様に取得原価に含めることも認められる。

イ．企業集団内における企業結合である共通支配下の取引において，個別財務諸表上の会計処理では，企業集団内を移転する資産および負債は，原則として，移転直前に付されていた適正な帳簿価額により計上し，その資産と負債の差額は純資産として処理する。なお，共通支配下の取引により子会社が法律上消滅する場合には，当該子会社に係る子会社株式の適正な帳簿価額とこれに対応する増加資本との差額は，親会社の資本剰余金とする。

ウ．現金等の財産のみを受取対価とする事業分離において，子会社へ事業分離する場合，分離元企業(親会社)は，個別財務諸表上では，共通支配下の取引として，分離元企業が受け取った現金等の財産は移転前に付された適正な帳簿価額で計上し，この当該帳簿価額と移転した事業に係る株主資本等との差額は，原則として移転損益として認識する。

エ．分離先企業の株式のみを受取対価とする事業分離において，事業分離前に分離元企業は分離先企業の株式を有していないが，事業分離により分離先企業が新たに分離元企業の子会社となる場合，分離元企業(親会社)は，個別財務諸表上，移転損益は認識せず，受け取った分離先企業(子会社)の株式の取得原価は，移転した事業に係る株主資本相当額に基づいて算定する。

１．アイ　　２．アウ　　３．アエ　　４．イウ　　５．イエ　　６．ウエ

問題23～28　P社の連結財務諸表の作成に関する次の〔**前提条件**〕および〔**資料Ⅰ**〕～〔**資料Ⅴ**〕に基づいて，以下の問題23～問題28に答えなさい。

〔**前提条件**〕

1．P社，S1社およびS2社の連結会計年度および事業年度は，12月末日を決算日とする1年である。

2．P社による支配獲得時点で，S1社およびS2社の資産および負債については，下記の〔**資料Ⅱ**〕，〔**資料Ⅲ**〕に示す土地およびその他有価証券を除き，時価と帳簿価額が一致している。

3．P社，S1社およびS2社の土地に関して，新規取得および売却はない。

4．のれんが生じる場合には，発生年度の翌年度から10年間にわたり定額法で償却する。

5．税金は考慮しない。

6．計算結果に端数が生じる場合，百万円未満を四捨五入する。

〔**資料Ⅰ**〕　**P社に関する事項**

1．P社の株主資本項目は，次のとおりであった。なお，P社は配当を行っておらず，利益剰余金の増加は全て当期純利益である。

（単位：百万円）

年度末	資本金	利益剰余金
X2年度末	55,000	18,000
X3年度末	55,000	22,550

2．P社は，X3年度中にその他有価証券を4,500百万円で取得した。その時価はX3年度末に5,600百万円であった。なお，P社は，X2年度末までその他有価証券を保有していない。

〔**資料Ⅱ**〕　**S1社に関する事項**

1．P社は，X1年度末にS1社の発行済株式総数の75％を20,500百万円で取得して支配を獲得した。

2．S1社の純資産項目の金額は，次のとおりであった。S1社は，その他有価証券をX1年度より保有しており，その後，新規取得および売却はない。

（単位：百万円）

年度末	資本金	利益剰余金	その他有価証券評価差額金
X1年度末	16,500	8,000	500
X2年度末	16,500	9,500	800
X3年度末	16,500	10,400	900

3．S1社は，X2年度まで配当を行っていない。X3年度において，300百万円の剰余金の配当を行った。X3年度末の利益剰余金の金額は，この剰余金の配当額と当期純利益を反映したものである。

4．S1社が保有する土地（帳簿価額3,200百万円）のX1年度末における時価は，3,800百万円であった。

〔資料Ⅲ〕 **S2社に関する事項**

1．Ｐ社は，X2年度末に米国にあるS2社の発行済株式総数の80％を210,000千ドルで取得して支配を獲得した。

2．S2社の株主資本項目は，次のとおりであった。なお，利益剰余金の増加は全て当期純利益であり，剰余金の配当は行われていない。

（単位：千ドル）

年度末	資本金	利益剰余金
X2年度末	120,000	80,000
X3年度末	120,000	90,000

3．S2社が保有する土地（帳簿価額21,000千ドル）の時価は，X2年度末に26,000千ドル，X3年度末に27,000千ドルであった。

4．為替相場の推移は次のとおりである。財務諸表項目の換算は「外貨建取引等会計処理基準」における原則的方法による。

年度	期中平均相場	期末相場
X2年度	125円／ドル	130円／ドル
X3年度	135円／ドル	140円／ドル

〔資料Ⅳ〕 **連結会社間の取引に関する事項**

1．S1社は，X2年度よりＰ社に商品を現金販売している。S1社のX3年度の売上高のうち，6,150百万円はＰ社に対するものである。Ｐ社のX3年度の商品棚卸高に占めるS1社からの仕入分は，次のとおりである。なお，S1社の売上総利益率は毎期20％である。

期首商品棚卸高900百万円　　　期末商品棚卸高1,200百万円

2．Ｐ社は，X3年度の期首にS1社に対して有形固定資産（Ｐ社の取得原価1,500百万円，定額法，耐用年数15年，残存価額ゼロとして償却し５年経過，減価償却累計額500百万円）を1,500百万円で売却している。S1社は，X3年度に，この資産について，定額法，耐用年数10年，残存価額ゼロとして減価償却を行っている。

〔**資料Ⅴ**〕 個別財務諸表

P社，S1社およびS2社のX3年度の個別貸借対照表と個別損益計算書は，次のとおりである。

貸借対照表

	P社(単位：百万円)	S1社(単位：百万円)	S2社(単位：千ドル)
資　　　産			
諸　資　産	101,400	42,100	234,000
土　　　地	25,000	3,200	21,000
資産合計	126,400	45,300	255,000
負債及び純資産			
諸　負　債	47,750	17,500	45,000
資　本　金	55,000	16,500	120,000
利益剰余金	22,550	10,400	90,000
その他有価証券評価差額金	1,100	900	—
負債及び純資産合計	126,400	45,300	255,000

損益計算書

	P社(単位：百万円)	S1社(単位：百万円)	S2社(単位：千ドル)
売　上　高	105,000	68,500	220,000
売上原価	86,550	58,000	176,000
売上総利益	18,450	10,500	44,000
販売費及び一般管理費	14,950	9,500	32,000
営業利益	3,500	1,000	12,000
営業外収益	450	250	1,000
営業外費用	50	100	2,800
経常利益	3,900	1,150	10,200
特別利益	700	100	—
特別損失	50	50	200
当期純利益	4,550	1,200	10,000

問題23　X2年度の連結貸借対照表におけるのれんの金額として正しいものの番号を一つ選びなさい。（4点）

1．1,170百万円　2．7,020百万円　3．7,150百万円
4．7,487百万円　5．7,655百万円　6．7,892百万円

問題24　X2年度の連結貸借対照表における非支配株主持分の金額として正しいものの番号を一つ選びなさい。（4点）

1．6,805百万円　2．12,060百万円　3．12,105百万円
4．12,120百万円　5．12,135百万円　6．12,180百万円

問題25　X2年度の連結貸借対照表における利益剰余金の金額として正しいものの番号を一つ選びなさい。（4点）

1．18,815百万円　2．18,860百万円　3．18,995百万円
4．29,155百万円　5．29,215百万円　6．29,260百万円

問題26　X3年度の連結損益計算書における売上原価の金額として正しいものの番号を一つ選びなさい。（4点）

1．161,980百万円　2．162,100百万円　3．162,160百万円
4．162,220百万円　5．162,400百万円　6．168,310百万円

問題27　X3年度の連結貸借対照表におけるその他の包括利益累計額の金額（その他有価証券評価差額金と為替換算調整勘定の合計金額）として正しいものの番号を一つ選びなさい。（4点）

1．3,035百万円　2．3,080百万円　3．3,090百万円
4．3,517百万円　5．3,540百万円　6．3,542百万円

問題28　X3年度の連結損益計算書における親会社株主に帰属する当期純利益の金額として正しいものの番号を一つ選びなさい。（4点）

1．4,959百万円　2．5,044百万円　3．5,059百万円
4．5,067百万円　5．5,082百万円　6．5,382百万円

CERTIFIED PUBLIC ACCOUNTANT

'24

第Ⅱ回

解答・解説編

令和６年第Ⅱ回　公認会計士短答式試験　正解一覧

科　目	問　題	正　解	難易度		問　題	正　解	難易度
企業法	1	4	A		11	5	A
	2	3	A		12	4	B
	3	1	A		13	6	A
	4	2	A		14	2	A
	5	3	B		15	4	A
	6	6	A		16	3	B
	7	1	A		17	5	A
	8	5	A		18	6	B
	9	2	A		19	5	C
	10	6	A		20	3	A
科　目	問　題	正　解	難易度		問　題	正　解	難易度
管理会計論	1	6	A		9	6	A
	2	5	B		10	2	A
	3	2	A		11	4	A
	4	2	A		12	5	B
	5	4	A		13	2	B
	6	2	C		14	3	A
	7	3	A		15	3	B
	8	3	A		16	1	A
科　目	問　題	正　解	難易度		問　題	正　解	難易度
監査論	1	1	C		11	2	A
	2	3	A		12	5	A
	3	6	A		13	4	A
	4	1	C		14	6	C
	5	2	A		15	3	A
	6	4	B		16	2	B
	7	4	A		17	3	A
	8	5	B		18	5	B
	9	6	A		19	2	B
	10	1	C		20	4	A
科　目	問　題	正　解	難易度		問　題	正　解	難易度
財務会計論	1	5	A		15	4	A
	2	6	C		16	2	A
	3	2	A		17	3	B
	4	6	A		18	5	A
	5	3	B		19	4	A
	6	6	A		20	6	A
	7	2	A		21	5	A
	8	6	A		22	6	A
	9	6	A		23	3	A
	10	3	A		24	5	A
	11	4	A		25	2	A
	12	1	A		26	4	A
	13	5	A		27	4	A
	14	5	B		28	3	B

難易度

A：基本的で必ず正解に達すべき問題
B：通常の理解をしていれば正解となり得る問題
C：細かい知識を要する難しい問題

2024年第Ⅱ回

データリサーチ(I)

科目	問題	正解	選択肢別解答率(%)					
			1	2	3	4	5	6
財務会計論	1	5	10%	1%	3%	15%	68%	0%
	2	6	4%	7%	48%	14%	10%	14%
	3	2	8%	73%	5%	8%	1%	3%
	4	6	2%	2%	3%	8%	16%	65%
	5	3	1%	3%	56%	2%	6%	29%
	6	6	3%	8%	12%	10%	10%	55%
	7	2	0%	90%	2%	2%	2%	0%
	8	6	1%	6%	22%	1%	2%	65%
	9	6	1%	5%	6%	7%	7%	71%
	10	3	1%	2%	82%	9%	2%	0%
	11	4	9%	2%	1%	71%	10%	4%
	12	1	73%	3%	11%	3%	5%	2%
	13	5	6%	2%	4%	16%	64%	4%
	14	5	5%	6%	30%	10%	38%	8%
	15	4	9%	8%	6%	58%	10%	7%
	16	2	2%	82%	4%	3%	6%	1%
	17	3	5%	5%	65%	3%	12%	8%
	18	5	1%	8%	5%	2%	75%	6%
	19	4	9%	2%	5%	44%	33%	5%
	20	6	4%	4%	1%	1%	4%	82%
	21	5	30%	4%	9%	6%	46%	2%
	22	6	2%	2%	5%	8%	12%	68%
	23	3	3%	2%	88%	2%	2%	0%
	24	5	1%	3%	4%	3%	69%	16%
	25	2	6%	67%	19%	3%	1%	1%
	26	4	1%	4%	7%	78%	4%	2%
	27	4	2%	5%	10%	73%	5%	2%
	28	3	5%	9%	71%	4%	5%	3%
管理会計論	1	6	0%	3%	6%	1%	1%	87%
	2	5	4%	4%	32%	17%	41%	0%
	3	2	54%	18%	12%	8%	6%	0%
	4	2	3%	80%	7%	5%	2%	0%
	5	4	1%	5%	0%	79%	4%	7%
	6	2	9%	38%	33%	9%	8%	0%
	7	3	2%	9%	62%	2%	4%	18%
	8	3	4%	6%	67%	9%	11%	0%
	9	6	1%	5%	7%	1%	2%	81%
	10	2	23%	44%	24%	3%	3%	1%
	11	4	1%	3%	1%	88%	2%	2%
	12	5	4%	7%	21%	8%	53%	5%
	13	2	1%	58%	6%	6%	0%	25%
	14	3	8%	7%	79%	1%	1%	1%
	15	3	4%	8%	67%	8%	9%	2%
	16	1	52%	6%	21%	6%	9%	3%

データリサーチ(Ⅱ)

科目	問題	正解	選択肢別解答率(%)					
			1	2	3	4	5	6
監査論	1	1	48%	10%	7%	20%	10%	3%
	2	3	7%	8%	78%	0%	3%	1%
	3	6	0%	0%	1%	5%	9%	81%
	4	1	30%	16%	41%	2%	5%	3%
	5	2	2%	72%	7%	4%	0%	11%
	6	4	1%	2%	1%	68%	13%	12%
	7	4	6%	3%	2%	75%	8%	3%
	8	5	2%	0%	1%	6%	87%	2%
	9	6	0%	1%	2%	1%	2%	90%
	10	1	46%	13%	2%	34%	1%	1%
	11	2	16%	61%	2%	15%	1%	2%
	12	5	4%	0%	4%	1%	89%	0%
	13	4	5%	2%	0%	86%	3%	2%
	14	6	1%	12%	7%	6%	4%	67%
	15	3	10%	3%	68%	2%	11%	3%
	16	2	37%	48%	5%	7%	1%	0%
	17	3	2%	15%	75%	0%	1%	4%
	18	5	9%	0%	2%	3%	82%	2%
	19	2	13%	32%	13%	16%	9%	15%
	20	4	12%	4%	1%	77%	3%	1%
企業法	1	4	3%	0%	0%	88%	6%	1%
	2	3	2%	2%	78%	1%	7%	7%
	3	1	47%	23%	16%	5%	2%	4%
	4	2	4%	73%	12%	2%	2%	3%
	5	3	9%	4%	66%	2%	10%	6%
	6	6	1%	1%	22%	1%	10%	62%
	7	1	82%	4%	3%	5%	2%	1%
	8	5	4%	0%	2%	5%	86%	1%
	9	2	5%	62%	23%	3%	1%	3%
	10	6	1%	2%	2%	10%	8%	74%
	11	5	2%	0%	2%	4%	86%	4%
	12	4	3%	13%	4%	38%	6%	33%
	13	6	0%	0%	1%	2%	2%	93%
	14	2	4%	31%	43%	3%	2%	14%
	15	4	7%	3%	2%	72%	11%	2%
	16	3	10%	8%	62%	3%	9%	6%
	17	5	3%	8%	8%	15%	50%	13%
	18	6	0%	7%	3%	3%	1%	83%
	19	5	5%	2%	10%	24%	42%	15%
	20	3	6%	23%	47%	6%	4%	11%

	配点	平均得点比率
財務会計論	200	48.1%
管理会計論	100	49.1%
監査論	100	57.4%
企業法	100	51.5%
総　合	500	51.3%

企　業　法

【科目別講評】

今回の令和６年第Ⅱ回短答式試験は，20問中A評価が15問，B評価が４問，C評価が１問である。「A」評価というのは「必ず正解に達すべき問題」，「B」評価は「通常の理解をしていれば正解となり得る問題」で，半分は正解する必要がある問題，「C」評価は「細かい知識を要する難問」で，落としても合否に影響しない問題である。よって，企業法の合格ラインは85点となる。

（本講評は，令和６年第Ⅱ回試験終了時のものです。）

	【配点】	【難易度】	【出題内容】
問題１	５点	A	個人商人及び会社の商号
問題２	５点	A	商人の報酬
問題３	５点	A	設立
問題４	５点	A	設立
問題５	５点	B	特別支配株主の株式等売渡請求
問題６	５点	A	株主割当ての方法による募集株式の発行
問題７	５点	A	株主等の権利行使に関する利益の供与
問題８	５点	A	機関設計
問題９	５点	A	株主総会
問題10	５点	A	株主総会
問題11	５点	A	取締役及び取締役会
問題12	５点	B	補償契約
問題13	５点	A	会計参与
問題14	５点	A	財源規制
問題15	５点	A	持分会社
問題16	５点	B	社債
問題17	５点	A	株式会社の組織変更
問題18	５点	B	株式会社を設立する新設合併
問題19	５点	C	有価証券届出書提出義務
問題20	５点	A	自己株券買付状況報告書

問題１　**正解**　4　**難易度**　A

★本問のポイント

個人商人及び会社の商号

解　　説

ア．**誤　り**。個人商人は，商号の登記をすることができる(商法11条２項)。そして，個人商人の場合，営業の種類が異なれば，営業の種類ごとに異なった商号を使用することができるので(商業登記法28条２項２号，43条１項３号)，複数の商号を登記することも可能である。

イ．**正しい**。何人も，不正の目的をもって，他の個人商人または他の会社であると誤認されるおそれのある名称・商号を使用することはできない(商法12条１項，会社法８条１項)。

ウ．**正しい**。個人商人の商号は「営業とともにする場合」，または「営業を廃止する場合」に限って譲渡することができる(商法15条１項)。そして，登記商号については，譲渡の登記をしなければ第三者(善意･悪意を問わず)に対抗できない(商法15条２項)。

エ．**誤　り**。会社は必ずその商号を登記しなければならないが(絶対的登記事項。会社法911条３項２号，912条２号，913条２号，914条２号)，個人商人には，そのような義務はない(商法11条２項は，商号の登記をすることが「できる」と規定する)。

以上より，正しいものはイとウであることから，正解は４となる。

問題2　正解　3　難易度　A

★本問のポイント

商人の報酬

解　説

ア．**正しい**。仲立人の媒介により契約が成立した場合には，仲立人の報酬は，当事者双方が等しい割合で負担する（商法550条2項）。

イ．**誤　り**。問屋は，取引所の相場がある物品の販売または買入れの委託を受けたときは，自ら買主または売主となることができる（＝問屋の介入権。商法555条1項前段）。この場合において，問屋が自ら買主または売主となった場合も，委託を実行したことになるから，問屋は委託者に対し報酬を請求することができる（商法555条2項）。

ウ．**誤　り**。民法によれば，受任者は，特約がなければ，委任者に対して報酬を請求することができない（民法648条1項，656条）。しかし，商法によれば，商人がその営業の範囲内において他人のために行為をしたときは，特約がなくとも相当な報酬を請求することができる（商法512条）。

エ．**正しい**。荷受人が運送品を受け取った場合は，荷受人は，運送人に対し，運送賃等を支払う義務を負う（商法581条3項）。

以上より，正しいものはアとエであることから，正解は3となる。

問題3　正解　1　難易度　A

★本問のポイント

設立

解　　説

ア．**正しい**。設立時発行株式に関する事項のうち，①発起人が割当てを受ける設立時発行株式の数，②設立時発行株式と引換えに発起人が払い込む金銭の額，③成立後の株式会社の資本金・資本準備金の額に関する事項は，定款に定めがある事項を除いて，発起人全員の同意で決めなければならない(32条1項)。

イ．**正しい**。現物出資財産について定款に定めた価額が相当であることについて弁護士等の証明(現物出資財産が不動産である場合にあっては，当該証明および不動産鑑定士の鑑定評価)を受けた場合には，検査役の調査は不要である(専門家の証明による特例。33条10項3号)。ただし，相当性の証明(弁護士等)および不動産の鑑定評価(不動産鑑定士)をする者に関しては，欠格事由が定められている(33条11項)。弁護士法人・監査法人・税理士法人であって，「その社員の半数以上」が設立時取締役または設立時監査役に該当するものについては，欠格事由とされている(33条11項3号5号)。

ウ．**誤　り**。設立時監査役は設立事項の調査機関である(46条1項，93条1項2項)。設立時監査役の調査事由には，株式会社の設立の手続が法令・定款に違反していないことが含まれている(46条1項4号，93条1項4号)が，会社成立後の監査役による取締役の違法行為差止請求のような規定(385条1項)は，発起人に対しては設けられていない。

エ．**誤　り**。株式会社が成立しなかったときは，発起人は，連帯して，株式会社の設立に関してした行為についてその責任を負い，株式会社の設立に関して支出した費用を負担する(56条)。当該責任は，注意を怠らなかったことを証明した場合でも，会社が不成立の場合は不可避の責任である。

以上より，正しいものはアとイであることから，正解は1となる。

問題4　正解 2　難易度 A

★本問のポイント

設立

解　説

ア．**正しい**。発起人が，その引受けた設立時発行株式につき，金銭以外の財産を出資の目的とする場合において，発起人全員の同意があるときは，登記，登録その他権利の設定又は移転を第三者に対抗するために必要な行為は，株式会社の成立後にすることができる(34条1項ただし書)。

イ．**誤　り**。発起人がその出資に係る金銭の払込みを仮装した場合，当該発起人以外の発起人は，その職務を行うについて注意を怠らなかったことを証明した場合，当該出資に係る金銭の支払の義務を負わない(52条の2第2項ただし書)。

ウ．**正しい**。発起人は，株式会社の成立の時までの間，その選任した設立時役員等(定款で設立時役員等として定められ，出資の履行が完了した時に設立時役員等に選任されたものとみなされたものを含む)を解任することができる(42条かっこ書)。

エ．**誤　り**。募集設立の場合の設立時取締役の選任は，創立総会の決議によって行わなければならない(88条1項)。創立総会の決議は，当該創立総会において議決権を行使することができる設立時株主の議決権の過半数であって，出席した当該設立時株主の議決権の3分の2以上に当たる多数をもって行う(73条)。

以上より，正しいものはアとウであることから，正解は2となる。

問題5 正解 3 難易度 B

★本問のポイント

特別支配株主の株式等売渡請求

解　説

ア．**正しい**。特別支配株主が取得した売渡株式が譲渡制限株式であるときは，対象会社は，当該譲渡制限株式の取得に係る承認をしたものとみなされる(179条の9第2項)。

イ．**誤　り**。特別支配株主が，株式の売渡請求に併せて新株予約権の売渡請求を行う場合，新株予約権者(対象会社及び当該特別支配株主を除く)の全員に対し，その有する対象会社の新株予約権の全部を当該特別支配株主に売り渡すことを請求することを要する(179条2項)。

ウ．**誤　り**。特別支配株主が，株式の売渡請求に併せて新株予約権の売渡請求を行う場合，その対価として交付する金銭の額が著しく不当であり，売渡新株予約権者が不利益を受けるおそれがあるときは，売渡新株予約権者は，特別支配株主に対し，株式等売渡請求に係る売渡株式等の全部の取得をやめることを請求することができる(179条の7第2項3号)。

エ．**正しい**。特別支配株主が株式売渡請求により売渡株式の取得をした場合には，売渡株式を目的とする質権は，当該取得によって当該売渡株式の株主が受けることのできる金銭について存在する(151条2項)。

以上より，正しいものはアとエであることから，正解は3となる。

問題6　正解　6　難易度　A

★本問のポイント

株主割当ての方法による募集株式の発行

解　説

ア．**誤　り**。株主割当ての方法により募集株式を発行する場合，募集株式の割当てに係る基準日を定めることを要しない(202条1項各号参照)。

イ．**誤　り**。株主割当ての方法により募集株式を発行する場合において，株主に対する募集事項の通知を公告に代えることはできない(202条4項，202条5項，201条4項)。

ウ．**正しい**。公開会社でない取締役会設置会社が，株主割当ての方法により募集株式を発行する場合，その募集事項は株主総会の特別決議により定めなければならない(202条3項4号，309条2項5号)。

エ．**正しい**。株主に株式の割当てを受ける権利を与えた場合において，株主が期日までに申込みをしないときは，当該株主は，募集株式の割当てを受ける権利を失う(204条4項)。

以上より，正しいものはウとエであることから，正解は6となる。

問題7　正解　1　難易度　A

★本問のポイント

株主等の権利行使に関する利益の供与

解　　説

ア．**正しい**。株主の議決権行使を排除するため，第三者に株式取得資金を提供した場合について，最判平18.4.10は，株主の議決権行使を回避するため，会社が自己の計算において，株式を譲り受けるための対価を何人かに供与する行為は，株主の権利行使に関し利益を供与する行為に当たるとしている。

イ．**正しい**。親会社も株主なので，親会社である特定の株主に無償で財産上の利益供与をした場合，株主の権利行使に関する財産上の利益供与をしたものと推定される(120条2項)。

ウ．**誤　り**。会社は何人に対しても，株主等の権利行使に関し，会社または子会社の計算において財産上の利益の供与をすることを禁止されている(120条1項)ので，子会社の計算においても財産上の利益を供与をすることは禁止される。

エ．**誤　り**。利益供与を受けた者に対し，財産上の利益の返還請求について株主による代表訴訟が認められ，会社に対し，その責任追及の訴えの提起を請求できる(847条1項)。

以上より，正しいものはアとイであることから，正解は1となる。

問題8　正解 5　難易度 A

★本問のポイント

機関設計

解　　説

ア．**誤　り**。大会社は公開会社・非公開会社を問わず，会計監査人を必ず置かなければならない(328条1項2項)。

イ．**正しい**。監査等委員会設置会社では，取締役会が監査等委員である取締役以外の取締役の中から代表取締役を選定する(399条の13第3項)。

ウ．**誤　り**。公開会社・委員会設置会社だけでなく，監査役会設置会社でも取締役会を置かなければならない(327条1項2号)。

エ．**正しい**。指名委員会等設置会社においては，各委員会の委員は，取締役の中から，取締役会の決議によって選定される(400条2項)。

以上より，正しいものはイとエであることから，正解は5となる。

問題 9　正解　2　難易度　A

★本問のポイント

株主総会

解　　説

ア．**正しい**。株主が株主総会において特定事項について説明を求めた場合，原則として取締役は説明義務を負うが，株主総会の目的事項でない場合や説明により株主の共同の利益を著しく害する場合には，説明を拒絶できる(314条)。

イ．**誤　り**。議決権を有する株主が1000人以上の会社は，書面によって議決権を行使することができる旨を定めなければならないが(298条 2 項)，電磁的方法によって議決権を行使することができる旨を定める必要はない。

ウ．**正しい**。電磁的方法によって株主総会の招集通知を発することを承諾した株主は，参考書類及び議決権行使書面に記載すべき事項が電磁的方法によって提供された場合でも，株式会社に対しこれらの書類の交付を請求できる(301条 2 項)。

エ．**誤　り**。電子提供措置をとる旨の定款の定めがある会社の株主は，会社に対し，電子提供措置事項(325条の 3 第 1 項各号の事項)を記載した書面の交付を請求できる(325条の 5 第 1 項 2 項)。書面交付請求が効力を失う場合(325条の 5 第 4 項 5 項)以外，一度された書面交付請求は，その後の株主総会についても効力を有する(325条の 5 第 1 項参照)ので，書面交付請求を株主総会毎にする必要はない。

以上より，正しいものはアとウであることから，正解は 2 となる。

問題10　正解　6　難易度　A

★本問のポイント

株主総会

解　説

ア．**誤　り**。株主総会の特別決議は，当該株主総会において議決権を行使することができる株主の議決権の過半数（３分の１以上の割合を定款で定めた場合にあっては，その割合以上）を有する株主が出席し，出席した当該株主の議決権の３分の２（これを上回る割合を定款で定めた場合にあっては，その割合）以上に当たる多数をもって行わなければならない（309条２項柱書）。定足数は定款で３分の１以上まで緩和できるが，排除することは認められない。

イ．**誤　り**。最判昭60.12.20は，招集権者による株主総会の招集の手続を欠く場合であっても，「株主全員がその開催に同意して出席したいわゆる全員出席総会において，株主総会の権限に属する事項につき決議をしたときには，右決議は有効に成立するものというべきである」としている。

ウ．**正しい**。取締役の解任は普通決議事項であるのに対し（339条１項，341条），監査等委員である取締役の解任は監査役の解任と同様に特別決議事項とされている（344条の２第３項，309条２項７号）。

エ．**正しい**。株式会社がその発行する全部の株式の内容として譲渡制限を設ける場合の定款変更については，当該株主総会において議決権を行使することができる株主の半数以上（これを上回る割合を定款で定めた場合にあっては，その割合以上）であって，当該株主の議決権の３分の２（これを上回る割合を定款で定めた場合にあっては，その割合）以上に当たる多数をもって行わなければならない（特殊決議。309条３項１号）。

以上より，正しいものはウとエであることから，正解は６となる。

問題11 正解 5 難易度 A

★本問のポイント

取締役及び取締役会

解 説

ア．**誤 り**。公開会社では，取締役が株主でなければならない旨を定款で定めることができない。しかし，非公開会社では，取締役の被選資格を株主に限定してもよい(331条2項)。

イ．**正しい**。成年被後見人も取締役に就任できる。そして，成年被後見人が取締役に就任するには，その成年後見人が，成年被後見人の同意を得た上で，成年被後見人に代わって就任の承諾をしなければならない(331条の2第1項)。

ウ．**誤 り**。監査役は，株式会社もしくはその子会社の取締役もしくは支配人その他の使用人または当該子会社の会計参与(会計参与が法人であるときは，その職務を行うべき社員)もしくは執行役を兼ねることができない(335条2項)。したがって，株式会社の取締役は親会社の監査役を兼ねることはできない。

エ．**正しい**。特別取締役を置くことのできる株式会社は，①取締役の数が6人以上であり，かつ，②取締役のうち1人以上が社外取締役である株式会社である(373条1項)。

以上より，正しいものはイとエであることから，正解は5となる。

問題12　**正解**　4　**難易度**　B

★本問のポイント

補償契約

解　説

ア．**誤　り**。株式会社は，たとえ補償契約を締結している場合でも，防御費用のうち通常要する費用の額を超える部分については，補償することができない(430条の2第2項1号)。

イ．**正しい**。株式会社が当該事業年度の末日において公開会社である場合には，当該株式会社が会社役員に対して補償契約に基づき防御費用を補償した場合において，当該株式会社が，当該事業年度において，当該会社役員がその職務の執行に関し法令の規定に違反したことまたは責任を負うことを知ったときは，その旨を事業報告の内容に含めなければならない(会社法施行規則119条2号，121条3号の3)。

ウ．**正しい**。補償契約に基づき防御費用を補償した株式会社が，事後に，当該役員等が自己もしくは第三者の不正な利益を図り，または当該会社に損害を加える目的で職務を執行したことを知ったときは，当該役員等に対して，補償した防御費用の金額に相当する金銭の返還を請求できる(430条の2第3項)。

エ．**誤　り**。株式会社は，たとえ補償契約を締結している場合でも，役員等がその職務を行うにつき悪意・重過失があったことにより第三者に対して賠償責任を負う場合における賠償金・和解金の全部については，補償することができない(430条の2第2項3号)。他方，防御費用については，このような規定はない。

以上より，正しいものはイとウであることから，正解は4となる。

問題13　正解　6　難易度　A

★本問のポイント

会計参与

解　説

ア．**誤　り**。すべての会社が会計参与を設置できる(326条２項)。

イ．**誤　り**。会計参与は，公認会計士もしくは監査法人または税理士もしくは税理士法人でなければならない(333条１項)。

ウ．**正しい**。公開会社でない会社の取締役の任期の伸長(332条２項)は会計参与にも準用される(334条１項)。

エ．**正しい**。指名委員会等設置会社では，執行役等(執行役，取締役及び会計参与)の報酬は，報酬委員会が決定する(404条２項１号，同条３項)。

以上より，正しいものはウとエであることから，正解は６となる。

問題14　正解　2　難易度　A

★本問のポイント

財源規制

解　説

ア．**正しい**。会社が譲渡制限株式の譲渡承認をしない場合に，株主の株式買取請求に応じて行う買取には財源規制がある(461条1項1号)。

イ．**誤　り**。単元未満株式の買取りには財源規制はない。株主の投下資本回収を保護するべきだからである。

ウ．**正しい**。端数処理においては，端数を合計した株式の競売に代えて，株式を競売以外の方法で売却をすることもできるが，この売却する株式の全部または一部を会社自らが買い取ることもできる(234条2項，4項)。この場合には財源規制がある(461条1項7号)。

エ．**誤　り**。取得条項付新株予約権の取得条項の発生による会社の取得については財源規制はない。新株予約権の取得は株式の取得ではない以上，自己株式の取得についての財源規制は及ばない。

以上より，正しいものはアとウであることから，正解は2となる。

問題15　正解　4　難易度　A

★本問のポイント

持分会社

解　説

ア．**誤　り**。業務を執行しない有限責任社員は，業務を執行する社員の全員の承諾があるときは，その持分の全部または一部を他人に譲渡することができる(585条２項)。社員全員の承諾は不要である。

イ．**正しい**。社債は持分会社を含め会社が発行できる(２条23号参照)。

ウ．**正しい**。社員の死亡は法定退社事由である(607条１項３号)が，相続人が当該社員の持分を承継する旨を定款で定めることができる(608条１項)。

エ．**誤　り**。業務を執行する社員を定款で定めた場合において，業務を執行する社員が二人以上あるときは，持分会社の業務は，定款に別段の定めがある場合を除き，業務を執行する社員の過半数をもって決定するのが原則である(591条１項)。しかし，支配人の選任及び解任は，社員の過半数をもって決定する(同条２項)。

以上より，正しいものはイとウであることから，正解は４となる。

問題16　正解　3　難易度　B

★本問のポイント

社債

解　　説

ア．**正しい**。指名委員会等設置会社では，募集社債に関する事項の全て(重要な事項も含めて)の決定を取締役会決議によって執行役に委任できる(416条 4 項本文)。

イ．**誤　り**。社債権者集会は「会社法に規定する事項」および「社債権者の利害に関する事項」について決議できる(716条)。

ウ．**誤　り**。社債権者集会において，当該社債の全部についてその支払の猶予に関する事項(706条 1 項 1 号)を可決するためには，議決権者の議決権の総額の 5 分の 1 以上で，かつ，出席した議決権者の議決権の総額の 3 分の 2 以上の議決権を有する者の同意がなければならない(特別決議。724条 2 項 1 号)。

エ．**正しい**。社債管理者は，その管理の委託を受けた社債につき，社債権者のために社債に係る債権の弁済を受け，または社債に係る債権の実現を保全するために必要な一切の裁判上または裁判外の行為をするなどの社債管理者としての権限を行使するために必要があるときは，裁判所の許可を得て，社債発行会社の業務及び財産の状況を調査することができる(705条 1 項 4 項)。

以上より，正しいものはアとエであることから，正解は 3 となる。

問題17　正解　5　難易度　A

★本問のポイント

株式会社の組織変更

解　　説

ア．**誤　り**。組織変更には常に債権者異議手続が要求される(779条)。ただ，同条により社債権者が異議を述べるには，社債権者集会の決議によらなければならない(740条１項)。

イ．**正しい**。組織変更をする株式会社は，組織変更計画備置開始日から組織変更がその効力を生ずる日までの間，組織変更計画の内容その他法定の事項を記載し，または記録した書面または電磁的記録をその本店に備え置かなければならない(775条１項)。

ウ．**誤　り**。株式会社→持分会社への組織変更においては，常に総株主の同意が要求されている関係で(776条１項)，反対株主は存在しないから，株式買取請求の制度はない。

エ．**正しい**。新株予約権は通常は組織変更計画のなかで買い取られるが(744条１項７号８号)，それに不満な新株予約権者には新株予約権買取請求権が認められる(777条１項)。

以上より，正しいものはイとエであることから，正解は５となる。

問題18　**正解** 6　**難易度** B

★本問のポイント

株式会社を設立する新設合併

解　　説

ア．**誤　り**。「交付」の請求に対しては費用の支払を請求できるが，「閲覧」の請求に対しては請求できない(803条3項柱書ただし書反対解釈)。

イ．**誤　り**。設立しようとする株式会社が公開会社である場合には，設立時発行株式総数は，発行可能株式総数の4分の1を下回ることができない(37条3項)。そして，37項3項は，新設合併における設立会社にも適用がある。

ウ．**正しい**。法律関係の画一的確定の要請から，認容判決には対世効がある(838条)。

エ．**正しい**。無効判決が確定すると，消滅会社(新設合併をした会社)は復活する。そして，設立会社が効力発生日後に負担した債務は，復活した消滅会社(新設合併をした会社)も連帯して弁済責任を負う(843条1項2号)。

以上より，正しいものはウとエであることから，正解は6となる。

問題19　正解　5　難易度　C

★本問のポイント

有価証券届出書提出義務

解　　説

ア．**誤　り**。株式会社が，その保有する他の会社の株式を，特別支配株主の株式等売渡請求に基づいて当該特別支配株主に売り渡す場合，当該特別支配株主は１人(１社)であるから，売出の要件(50名以上)を満たさず(金商法２条４項１号，同施行令１条の８)，当該株式の発行者が有価証券届出書の提出をしなければならない可能性はない。また，有価証券届出書提出義務を負うのは有価証券発行者であるから(金商法４条１項柱書)，本問において，株式を売り渡す株式会社が有価証券届出書の提出をしなければならない可能性もない。

イ．**正しい**。吸収合併存続会社が吸収合併消滅会社の株主に合併対価として吸収合併存続会社の株式を新たに発行する場合，たとえ吸収合併消滅会社の株主が50名未満でも，転売を通じて多数の者に譲渡されるおそれのある場合には，有価証券届出書の提出をしなければならない可能性がある(金商法４条１項２号ロ)。

ウ．**誤　り**。株式会社が，新株予約権者の新株予約権行使に応じて，当該新株予約権者に対し当該新株予約権の目的である株式を新たに発行する場合にも有価証券届出書提出義務を課すと，当該新株予約権発行時の規制と二重規制となるため，有価証券届出書の提出をしなければならない可能性はない(企業内容等開示ガイドライン２－４，２－11)。

エ．**正しい**。株式会社が，多数の者を相手方として当該株式会社の有する当該株式会社以外の株式の売付けの申込みの勧誘を行う場合，当該株式の発行者は，私売出し(金商法２条４項２号)に該当する場合を除き，原則として，有価証券届出書の提出をしなければならない(金商法２条４項１号，４条１項，同施行令１条の８)。

以上より，正しいものはイとエであることから，正解は５となる。

問題20　正解　3　難易度　A

★本問のポイント

自己株券買付状況報告書

解　　説

ア．**正しい**。上場会社は，その発行する上場株券等の取得に関して株主総会または取締役会の決議があった場合は，内閣府令に定めるところにより，当該株主総会または取締役会が終結した日の属する月から当該上場株券を取得する事ができる期間の満了する日の属する月までの各月ごとに，自己株券買付状況報告書を，当該各月の翌15日までに，内閣総理大臣に提出しなければならない(金商法24条の6第1項)。

イ．**誤　り**。自己株券買付状況報告書提出義務は，臨時報告書の提出によって免除されない(金商法24条の6参照)。

ウ．**誤　り**。自己株券買付状況報告書提出義務は，公開買付報告書の提出によって免除されない(金商法24条の6参照)。

エ．**正しい**。上場会社は，その提出した自己株券買付状況報告書の重要な記載について虚偽の記載があった場合には，当該自己株券買付状況報告書が公衆縦覧に供されている間に，当該虚偽の記載を知って当該上場株券を募集又は売出しによらないで取得した者に対しては，これにより生じた損害を賠償する責任を負わない(金商法24条の6第2項，22条1項)。

以上より，正しいものはアとエであることから，正解は3となる。

管理会計論

【科目別講評】

今回は，問題総数は16問，計算８問および理論８問であり，構成は前回と同様であった。計算は問題６以外については正答可能であるが,時間を要する問題が複数含まれているため,いくつか落としても問題ない。理論は正答可能な問題が多く，高得点が望まれる。何とか７割を確保したい。

（本講評は，令和６年第Ⅱ回試験終了時のものです。）

	【配点】	【難易度】	【出題内容】
問題１	５点	A	理論（正誤）　費目別計算
問題２	７点	B	計算　原価計算総論（財務諸表），費目別計算
問題３	５点	A	理論（正誤）　製造間接費の配賦計算，部門別計算
問題４	８点	A	計算　部門別計算（連立方程式法）
問題５	５点	A	理論（正誤）　個別原価計算，総合原価計算
問題６	８点	C	計算　総合原価計算（異常仕損費の処理，累加法）
問題７	５点	A	理論（正誤）　標準原価計算，直接原価計算，原価管理
問題８	７点	A	計算　標準原価計算（歩留能率分析）
問題９	５点	A	理論（正誤）　管理会計総論，原価管理，業務的意思決定，分権組織とグループ経営
問題10	７点	A	計算　財務情報分析（安全性），設備投資意思決定（資本コスト）
問題11	５点	A	理論（正誤）　予算管理
問題12	７点	B	計算　CVP分析（感度分析，固定費と経営リスク）
問題13	５点	B	理論（正誤）　財務情報分析，資金管理，分権組織とグループ経営
問題14	５点	A	理論（正誤）　分権組織とグループ経営
問題15	８点	B	計算　業務的意思決定（受注可否の意思決定）
問題16	８点	A	計算　設備投資意思決定（正味現在価値法，取替投資）

問題1　正解　6　難易度　A

★本問のポイント

理論(正誤)　費目別計算

解　説

ア．**誤　り。**

材料の購入原価を計算する際に，購入代価のみで購入原価を計算することは認められていない。(基準11(4))

イ．**誤　り。**

材料副費は必ずしも送状価額に比例して発生するとは限らない。

ウ．**正しい。**

(基準11(4))

エ．**正しい。**

(基準11(5))

以上より，正しい記述はウ，エであり，正解は6となる。

問題2　正解　5　難易度　B

★本問のポイント

計算　原価計算総論(財務諸表)，費目別計算

解　説

1．主要材料費の計算

主要材料

借方	貸方
期首有高 5,000千円	消費高(主要材料費) ∴　42,500千円　⟶ 直接材料費
当期購入原価 購入代価：　42,500千円 引取費用：　2,500千円 購入原価：　45,000千円	棚卸減耗費 ∴　250千円　⟶ 製造間接費
	期末実際残高 7,250千円

棚卸減耗費＋期末実際残高 ＝ 期末帳簿残高　7,500千円

2．原価の分類及び集計

本問においては，製造間接費の内訳を求める必要がないため，形態別に分類は行っていない。

減価償却費(本社関連)	一般管理費	その他の工場間接費	製造間接費
社長の役員報酬	一般管理費	間接労務費当期発生額	製造間接費
その他の一般管理費	一般管理費	販売員給料	販売費
補助材料当期消費高	製造間接費	広告費	販売費
直接労務費当期発生額	直接労務費	その他の販売費	販売費
減価償却費(製造関連)	製造間接費	営業所長給料	販売費
工場電力料・水道料	製造間接費	支払利息	営業外費用

(1)　製造間接費実際発生額

補助材料8,000千円＋減価償却費(製造関連)12,500千円
＋工場電力料・水道料6,000千円＋その他の工場間接費1,500千円
＋間接労務費18,750千円＋棚卸減耗費250千円＝47,000千円

(2)　販売費及び一般管理費

減価償却費(本社関連)8,750千円＋役員報酬3,750千円
＋その他の一般管理費750千円＋販売員給料8,500千円＋広告費5,000千円
＋その他の販売費4,250千円＋営業所長給料1,500千円＝32,500千円

3．原価差異の計算

〔**資料**〕より，原価差異は製造間接費のみから生じていると判断できる。

製造間接費配賦差異：

製造間接費予定配賦額46,250千円－製造間接費実際発生額47,000千円

＝**750千円（不利）**

4．月次財務諸表の作成（単位：千円）

問題文より，「原価差異については，月次で我が国の「原価計算基準」における原則的な処理を行っている」とあるため，製造間接費配賦差異は，売上原価に賦課する。

製造原価報告書

Ⅰ．直接材料費	42,500	
Ⅱ．直接労務費	32,500	
Ⅲ．製造間接費	＊1）46,250	＊1）製造間接費予定配賦額
当期総製造費用	121,250	
期首仕掛品棚卸高	3,750	
計	125,000	
期末仕掛品棚卸高	6,250	
当期製品製造原価	118,750	

損益計算書

Ⅰ．売上高		200,750	
Ⅱ．売上原価			
1．当期製品棚卸高	21,250		
2．当期製品製造原価	118,750		
計	140,000		
3．期末製品棚卸高	12,500		
差引	127,500		
4．原価差額	750	128,250	
売上総利益		72,500	
Ⅲ．販売費及び一般管理費		32,500	
営業利益		**40,000**	
Ⅳ．営業外収益		＊2）1,250	＊2）受取利息
Ⅴ．営業外費用		750	
経常利益		40,500	

5．正誤判断

1. **誤　り。**
製造間接費実際発生額は47,000千円であり，売上原価は128,250千円である。

2. **誤　り。**
直接材料費は42,500千円であり，販売費及び一般管理費の合計は32,500千円である。

3. **誤　り。**
営業利益は40,000千円であり，製品製造原価は118,750千円である。

4. **誤　り。**
売上総利益は72,500千円であり，経常利益は40,500千円である。

5. **正しい。**

問題3　正解 2　難易度 A

★本問のポイント

理論(正誤)　製造間接費の配賦計算，部門別計算

解　説

ア．**正しい。**

(基準33(1)(2))

イ．**誤　り。**

一部の補助部門費は，必要ある場合には，これを製造部門に配賦しないで製造指図書に配賦することができる。(基準18(2))

ウ．**正しい。**

エ．**誤　り。**

責任会計の観点によれば，各製造部門の現場管理者にとって重要な差異は予算差異である。

以上より，正しい記述はア，ウであり，正解は2となる。

問題4　正解　2　難易度　A

★本問のポイント

計算　部門別計算(連立方程式法)

解　説

工場事務部は，他の補助部門から用役提供を受けていないため，工場事務部費は630,000円で確定する。よって，動力部費と修繕部費についての連立方程式を考えれば良い。

相互に補助部門費を配賦し合った後の動力部費をD(円)，修繕部費をS(円)とすると，次のような関係図を示すことができる。

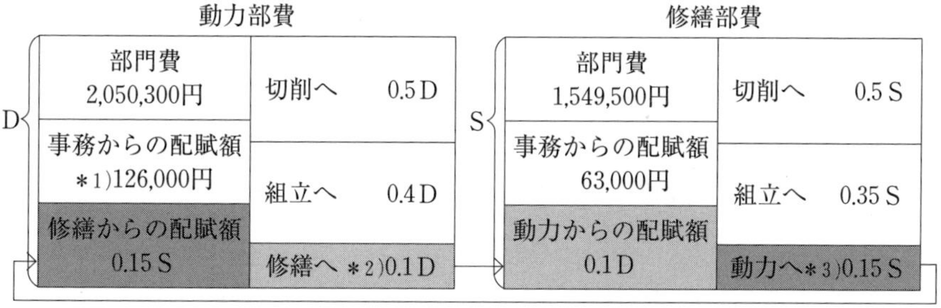

＊1)　$\text{工場事務部費630,000円} \times \dfrac{\text{動力32人}}{\text{切削64人}+\text{組立48人}+\text{動力32人}+\text{修繕16人}}$

＊2)　$\dfrac{\text{修繕1,400時間}}{\text{切削7,000時間}+\text{組立5,600時間}+\text{修繕1,400時間}}$

＊3)　$\dfrac{\text{動力360時間}}{\text{切削1,200時間}+\text{組立840時間}+\text{動力360時間}}$

関係図より，次の連立方程式を立てることができる。

$$\begin{cases} D = 2{,}050{,}300\text{円} + 126{,}000\text{円} + 0.15\,S \\ S = 1{,}549{,}500\text{円} + 63{,}000\text{円} + 0.1\,D \end{cases} \qquad \therefore \quad D = 2{,}455{,}000\text{円},\quad S = 1{,}858{,}000\text{円}$$

よって，補助部門費の配賦を行った後の切削部の部門費は，次のようになる。

部門費5,560,000円＋動力部費配賦額(0.5×2,455,000円)
＋修繕部費配賦額(0.5×1,858,000円)＋工場事務部費配賦額(＊4)0.4×630,000円)
＝**7,968,500円**

＊4)　$\dfrac{\text{切削64人}}{\text{切削64人}+\text{組立48人}+\text{動力32人}+\text{修繕16人}}$

問題5　正解　4　難易度　A

★本問のポイント

理論(正誤)　個別原価計算，総合原価計算

解　　説

ア．**誤　り。**

単一製品のみを連続生産する工場においても，部門別計算が必要とされることもある。

イ．**正しい。**

(基準7，26)

ウ．**正しい。**

(基準20)

エ．**誤　り。**

総合原価計算の場合でも製造指図書は発行される。

以上より，正しい記述はイ，ウであり，正解は4となる。

問題6　正解　2　難易度　C

★本問のポイント

計算　総合原価計算(異常仕損費の処理，累加法)

解　説

1．第1工程完成品原価の計算

月初仕掛品3,000個のうち1,800個が工程の終点において異常仕損となったことから，月初仕掛品原料費，月初仕掛品加工費および当期に発生した加工費のうち月初仕掛品の加工に係る金額を完成品と異常仕損品とに按分する必要がある。

原料費

月初　3,000個	完成　∴ 1,200個
63,000千円	25,200千円
(@21千円)	異損　1,800個
当月　25,000個	完成　23,800個
	523,600千円
550,000千円	
(@22千円)	
	月末　1,200個

加工費

月初　600個	完成　240個
18,600千円	7,440千円
(@31千円)	異損　360個
当月　27,040個	月初完成　＊1)960個
	28,800千円
811,200千円	月初異損＊2) 1,440個
(@30千円)	当月完成　23,800個
	714,000千円
	月末　840個

＊1)　月初仕掛品完成量1,200個×当月加工費進捗度(100％－20％)

＊2)　異常仕損量1,800個×当月加工費進捗度(100％－20％)

第1工程完成品原価：原料費(25,200千円＋523,600千円)

＋加工費(7,440千円＋28,800千円＋714,000千円)＝1,299,040千円

2．第2工程完成品単位原価の計算

正常仕損が工程の終点で発生していることから，完成品のみが正常仕損費を負担する。このとき，非度外視法と度外視法とで計算結果は一致する。解説は便宜上度外視法による。

前工程費

月初 2,000個 100,000千円	完成 24,300個 1,269,136千円 （差額）
当月 25,000個 1,299,040千円 （@51.9616千円）	正損 200個
	月末 2,500個 129,904千円

加工費

月初 1,200個 30,000千円	完成 24,300個 496,000千円 （差額）
当月 24,050個 481,000千円 （@20千円）	正損 200個
	月末 750個 15,000千円

第２工程完成品単位原価：（前工程費1,269,136千円＋加工費496,000千円）

÷完成品量24,300個＝72,639.3…円 → **72,639円**

問題7　正解　3　難易度　A

★本問のポイント

理論(正誤)　標準原価計算，直接原価計算，原価管理

解　　説

ア．**正しい**。

イ．**誤　り**。

「原価計算基準」では，正常原価は予算の編成に適するものとして用いられる旨は規定されていない。(基準4(1)2)

ウ．**誤　り**。

20世紀初頭の世界的な不況期において，販売量が減少し，製品在庫が増加しているにもかかわらず，営業利益が増加してしまうという全部原価計算の構造的欠陥が明らかとなった。そのため，実際生産量に応じて製品単位当たり原価が変動せず，売上高の増減と営業利益の増減が対応するように考案された計算方法が直接原価計算である。

エ．**正しい**。

以上より，正しい記述はア，エであり，正解は3となる。

問題8　正解　3　難易度　A

★本問のポイント

計算　標準原価計算(歩留能率分析)

解　説

1．実際加工量の算定

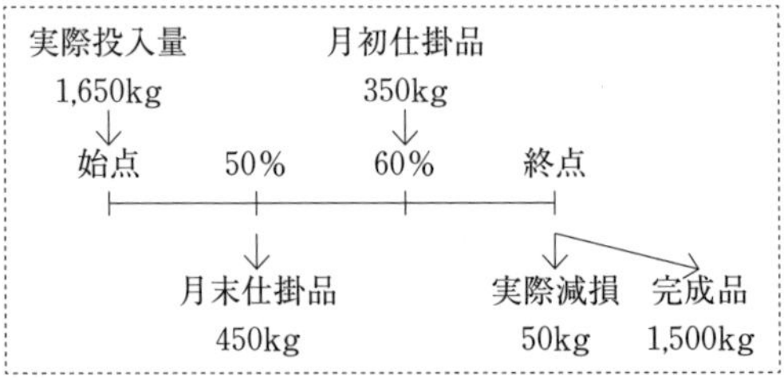

×加工進捗度

実際加工量

初*1)　210kg	完　1,500kg
実際加工量	実減　50kg
1,565kg	末*2)　225kg

*1) 350kg×60%
*2) 450kg×50%

2．標準加工量の算定

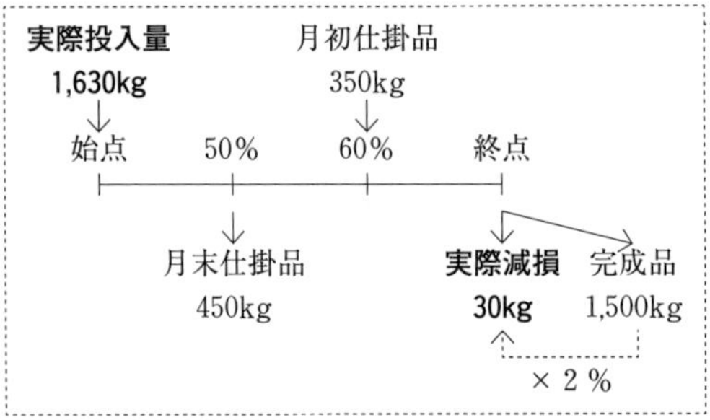

×加工進捗度

標準加工量

初　210kg	完　1,500kg
標準加工量	**標減**　30kg
1,545kg	末　225kg

3．労働歩留差異

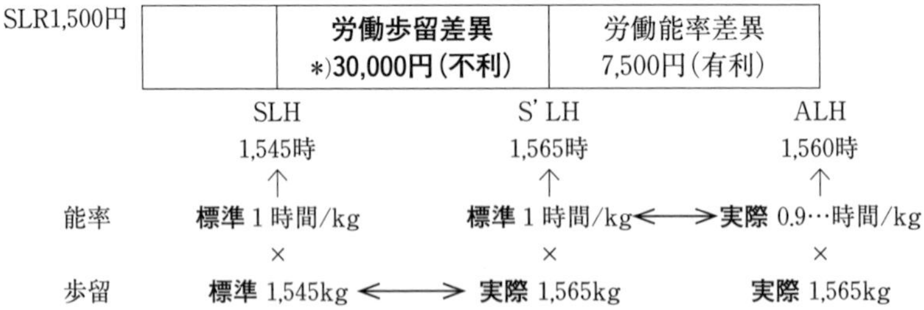

*) SLR1,500円×(SLH1,545時－S' LH1,565時)

問題9　正解　6　難易度　A

★本問のポイント

理論(正誤)　管理会計総論，原価管理，業務的意思決定，分権組織とグループ経営

解　　説

ア．**誤　り。**

管理会計情報は，経営管理に役立つことが期待されているため，各種の経営意思決定に提供される管理会計情報には目的適合性(有用性)や適時性が求められる。

イ．**誤　り。**

インベストメント・センターでは，その業績評価に資本コスト額を考慮することがある。

ウ．**正しい。**

エ．**正しい。**

以上より，正しい記述はウ，エであり，正解は6となる。

問題10　正解　2　難易度　A

★本問のポイント

計算　財務情報分析（安全性），設備投資意思決定（資本コスト）

解　説

1．**短期借入金**（金額単位：百万円，以下同様）

当期末の流動比率が125％のため，以下の式が成立する。

$$\frac{\text{資産合計}95{,}000-\text{固定資産}45{,}000}{\text{買掛金}11{,}443+\text{短期借入金}+\text{未払税金}3{,}557}\times100=\text{流動比率}125\%$$

∴ 短期借入金＝**25,000（ア）**

2．**純資産（自己資本）**

負債・純資産合計95,000－買掛金11,443－短期借入金25,000
－未払税金3,557＝55,000

3．**負債コスト率（借入利子率）**

⑴　**支払利息**

当期のインタレスト・カバレッジ・レシオが35.72倍のため，以下の式が成立する。

$$\frac{\text{営業収益}122{,}732-\text{営業費用}104{,}872}{\text{支払利息}}=35.72\text{倍}$$

∴ 支払利息＝500

⑵　**負債コスト率（借入利子率）**

$$\frac{\text{支払利息}500}{\text{短期借入金}25{,}000}\times100=2\%$$

4．**税引後加重平均資本コスト率**

買掛金と未払税金は無利子負債のため，税引後加重平均資本コスト率の計算に含めない。

$$\text{負債コスト率}2\%\times(1-\text{税率}40\%)\times\frac{\text{短期借入金}25{,}000}{\text{短期借入金}25{,}000+\text{自己資本}55{,}000}$$

$$+\text{自己資本コスト率}8\%\times\frac{\text{自己資本}55{,}000}{\text{短期借入金}25{,}000+\text{自己資本}55{,}000}=\mathbf{5.875\%}\text{（イ）}$$

問題11　正解　4　難易度　A

★本問のポイント

理論（正誤）　予算管理

解　説

ア．**誤　り。**

調整機能は予算編成プロセスにおいてその役割を果たす。

イ．**正しい。**

ウ．**正しい。**

エ．**誤　り。**

参加型予算管理では，各部門の予算管理者が予算編成に参加するので，予算スラックの発生を回避できない。

以上より，正しい記述はイ，ウであり，正解は4となる。

問題12　正解　5　難易度　B

★本問のポイント

計算　CVP分析（感度分析，固定費と経営リスク）

解　説

1．当期の営業利益

(1)　損益分岐点売上高

安全余裕率50％＝１－損益分岐点比率より，損益分岐点比率は50％であり，次式が成り立つ。

$$\frac{\text{損益分岐点売上高}}{\text{当期実績売上高*)1,200,000千円}}\times 100=50\%\quad \therefore \text{損益分岐点売上高}=600{,}000\text{千円}$$

*)　販売価格500円×販売数量2,400千個

(2)　貢献利益率

損益分岐点売上高を前提とし，貢献利益率を推定する。

損益分岐点売上高600,000千円×貢献利益率－固定費240,000千円

＝営業利益０千円

∴ 貢献利益率＝0.4

(3)　営業利益

貢献利益*)480,000千円－固定費240,000千円＝240,000千円

*)　当期実績売上高1,200,000千円×貢献利益率0.4

(4)　経営レバレッジ係数

$$\frac{\text{貢献利益480,000千円}}{\text{営業利益240,000千円}}=2$$

2．次期の営業利益

(1)　損益分岐点売上高および固定費

損益分岐点売上高を前提とし，固定費を推定する。

損益分岐点売上高*)850,000千円×貢献利益率0.4－固定費＝営業利益０千円

∴ 固定費＝340,000千円

*)　当期の損益分岐点売上高600,000千円＋増加250,000千円

(2) 営業利益

経営レバレッジ係数(＝貢献利益÷営業利益)は当期と同じ２であるため，次期の営業利益をX(千円)とおくと貢献利益は2X(千円)となり，次式が成り立つ。

2X－固定費340,000千円＝X　∴ X＝340,000千円

3．次期の営業利益増加額

次期の営業利益340,000千円－当期の営業利益240,000千円＝**100,000千円**

問題13　正解　2　難易度　B

★本問のポイント

理論(正誤)　財務情報分析，資金管理，分権組織とグループ経営

解　説

ア．正しい。

イ．誤　り。

流動資産から流動負債を差し引いて求められる正味運転資本が増加したとしても，現金と預金の合計額が増加するとは限らない。

ウ．正しい。

エ．誤　り。

手元流動性とは，設備投資や債務返済に充当できる流動性の著しく高い資金と定義され，貸借対照表の流動資産に計上される現金，預金，有価証券の合計額として算定される。

以上より，正しい記述はア，ウであり，正解は2となる。

問題14　正解 3　難易度 A

★本問のポイント

理論(正誤)　分権組織とグループ経営

解　説

ア．**正しい。**

イ．**誤　り。**

製造部門をミニ・プロフィット・センターにすることもできる。

ウ．**誤　り。**

事業部長の業績評価のためには本社費・共通費を各事業部に配賦する必要はない。

エ．**正しい。**

以上より，正しい記述はア，エであり，正解は3となる。

問題15　正解　3　難易度　B

本問のポイント

計算　業務的意思決定（受注可否の意思決定）

解　説

〔資料〕8.「製品P，特注品Qともに，期首と期末の棚卸資産は存在しない」より，固定費は全額損益計算書に計上される。また，〔資料〕6.「特注品Qの製造原価は，上記5に記述したもの以外については，上記2から変動はないものとする」より，固定費は埋没原価となる。したがって，特注品Qの製造依頼に応じた場合の売上総利益の増減は，貢献利益の増減と置き換えて考えればよい。

1．特注品Qの製造依頼に応じた場合の売上総利益の増減（ア）

(1)　製品Pの単位当たり貢献利益

販売単価215千円－@変動費*)84千円＝131千円

*)　@直接材料費35千円＋@直接労務費42千円＋@変動製造間接費7千円

(2)　特注品Qの単位当たり貢献利益

販売単価300千円－@変動費*)91.35千円＝208.65千円

*)　@直接材料費35千円×（1＋10％）＋@直接労務費42千円×（1＋5％）
＋@変動製造間接費7千円×（1＋25％）

(3)　特注品Qの製造依頼に応じた場合の売上総利益（貢献利益）の増減

特注品Q@208.65千円×3,000個－製品P@131千円×*)5,250個
＝**－61,800千円**

*)　〔資料〕4.「製造依頼に応じた場合，製品Pの製造販売量を15,000個から35％削減しなければならない」より，15,000個×35％

2．売上総利益（貢献利益）を15,000千円上回るための特注品Qの販売単価（イ）

特注品Qの製造依頼に応じた場合の売上総利益（貢献利益）の増加が15,000千円となる特注品Qの販売単価xを求めればよい。

特注品Q（販売単価x千円－@変動費91.35千円）×3,000個
－製品P@131千円×5,250個＝15,000千円
x＝**325.60千円**

問題16　正解　1　難易度　A

本問のポイント

計算　設備投資意思決定(正味現在価値法，取替投資)

解　　説

1．正味現在価値(金額単位：千円)

差額CF	20X1年度期首	20X1年度末	20X2年度末	20X3年度末
		旧・売却損の租税効果 ∗1)5,600		旧・売却益の租税効果 ∗4)2,000
	旧・売却価額 10,000	経済的効果 ∗2)36,800	経済的効果 ∗3)45,800	経済的効果 ∗3)45,800
	新・投資額 120,000			旧・売却価額 5,000
正味CF	−110,000	42,400	45,800	42,800
現価係数	1	0.926	0.857	0.794
現在価値	−110,000	39,262.4	39,250.6	33,983.2

正味現在価値：2,496.2 → **2,496**

∗1)　売却損14,000(＝帳簿価額24,000－売却価額10,000)×税率40％

∗2)　税引前現金支出節約額40,000×(１－税率40％)
　　＋タックス・シールド増加額∗5)12,800

∗3)　税引前現金支出節約額55,000×(１－税率40％)
　　＋タックス・シールド増加額∗5)12,800

∗4)　売却益5,000(＝売却価額5,000－残存価額０)×税率40％

∗5)　新タックス・シールド∗6)16,000－旧タックス・シールド∗7)3,200

∗6)　取得原価120,000÷耐用年数３年×税率40％

∗7)　帳簿価額24,000÷残存耐用年数３年×税率40％

2．穴埋め

現在稼働中の設備を継続して使用する場合と比較して，新規設備へ取り替えた場合の正味現在価値は(**ア：2,496**)千円だけ(**イ：増加**)する。

監　査　論

【科目別講評】

前回試験と比較すると，マイナーな規定からの出題が目立ち，かなり細かい知識を試す記述も見られる。さらに，正しい記述と意図されつつも誤っているように捉え得る記述や，反対に，誤っている記述と意図されつつも正しいように捉え得る記述もいくつか見られ，かなり苦悩した受験生も少なくなかったと思われる。もっとも典型論点の出題も一定程度は含まれていることからすれば，合格を目指す上では，14問程度は正答しておきたい。

（本講評は，令和６年第Ⅱ回試験終了時のものです。）

	【配点】	【難易度】	【出題内容】
問題１	５点	C	我が国の公認会計士監査の歴史
問題２	５点	A	公認会計士による財務諸表監査
問題３	５点	A	公認会計士に求められる職業倫理
問題４	５点	C	公認会計士法における登録上場会社等監査人
問題５	５点	A	金融商品取引法監査
問題６	５点	B	会計監査人
問題７	５点	A	監査事務所の品質管理
問題８	５点	B	監査業務の品質管理
問題９	５点	A	内部統制監査
問題10	５点	C	保証業務
問題11	５点	A	監査基準改訂
問題12	５点	A	監査人の職業的懐疑心
問題13	５点	A	監査調書
問題14	５点	C	リスク評価
問題15	５点	A	監査上の重要性
問題16	５点	B	確認
問題17	５点	A	不正リスク対応
問題18	５点	B	継続企業の前提
問題19	５点	B	特別目的の財務諸表に対する監査
問題20	５点	A	監査役等とのコミュニケーション

問題1　正解　1　難易度　C

★本問のポイント

我が国の公認会計士監査の歴史

解　　説

ア．**正しい。**

イ．**正しい。**

ウ．**誤　り。**

有限責任監査法人の設立が認められることとなったのは，公認会計士法の平成19(2007)年の改正においてであり，1990年代ではない。

エ．**誤　り。**

公認会計士・監査審査会は，その調査結果に基づき，行政処分について勧告することはできる(公認会計士法35条2項1号，2号参照)が，自ら直接に行政処分を行う権限を有しておらず，監査法人に対して解散命令等を出すことはできない。

以上より，正しい記述はア，イであり，正解は1となる。

問題2　正解　3　難易度　A

★本問のポイント

公認会計士による財務諸表監査

解　　説

ア．**正しい。**監査基準の平成17年改訂前文二5参照

イ．**誤　り。**監査基準報告書315「重要な虚偽表示リスクの識別と評価」A56項参照

全ての事業上のリスクが必ずしも重要な虚偽表示リスクとなるわけではないため，監査人はあらゆる事業上のリスクを識別し，評価することは求められない。

ウ．**誤　り。**同報告書250「財務諸表監査における法令の検討」22項参照

監査人は，識別された違法行為を，明らかに軽微である場合を除き，監査役等とコミュニケーションを行うことが求められ，経営者による重大な違法行為を発見した場合には，それが財務諸表の適正性に影響を及ぼさないと判断したときであっても，当該事項について監査役等へ報告する必要がある。

エ．**正しい。**

以上より，正しい記述はア，エであり，正解は3となる。

問題3 正解 6 難易度 A

★本問のポイント

公認会計士に求められる職業倫理

解　説

ア．**誤　り**。監査基準報告書300「監査計画」5項参照

監査人は，監査契約に係る予備的な活動として，独立性を含む関連する職業倫理に関する規定の順守状況の評価を実施する必要がある。

イ．**誤　り**。

「倫理規則」は，企業会計審議会ではなく，日本公認会計士協会が定めている。

ウ．**正しい**。同報告書700「財務諸表に対する意見の形成と監査報告」26項(3)参照

エ．**正しい**。

以上より，正しい記述はウ，エであり，正解は6となる。

問題４　**正解**　1　**難易度**　C

★本問のポイント

公認会計士法における登録上場会社等監査人

解　説

ア．**正しい。**公認会計士法34条の34の２参照

イ．**正しい。**同法34条の34の６第３号へ，同項４号イ参照

ウ．**誤　り。**同法34条の34の７第２項参照

この場合に再審査の請求をすることができるのは，日本公認会計士協会ではなく，内閣総理大臣に対してである。

エ．**誤　り。**同法34条の34の９第６項参照

上場会社等監査人の登録が取り消された公認会計士又は監査法人は，その取消日前に締結された契約に係る監査証明を行うことができる。

以上より，正しい記述はア，イであり，正解は１となる。

問題5　正解　2　難易度　A

★本問のポイント

金融商品取引法監査

解　説

ア．**正しい**。監査証明府令５条１項参照

イ．**誤　り**。金融商品取引法193条の３第２項参照

公認会計士又は監査法人が法令違反等事実に関する意見を内閣総理大臣に申し出なければならないのは，被監査会社へ通知して所定の期間を経過してなお適切な措置がとられない場合であり，被監査会社へ通知したときに遅滞なく申し出なければならないわけではない。

ウ．**正しい**。同令１条13号参照

エ．**誤　り**。同令４条８項２号参照

監査役等の責任としては，財務報告に係る過程を監視する責任があることを監査報告書に記載することが求められており，財務報告プロセスを整備及び運用することは，監査役等の責任に含まれず，監査役等の責任として記載されない。

なお，監査実務指針では，監査役等の責任として，財務報告プロセスの整備及び運用における取締役の職務の執行を監視する旨を記載することが求められている（監査基準報告書700「財務諸表に対する意見の形成と監査報告」32項参照）。

以上より，正しい記述はア，ウであり，正解は２となる。

問題６　**正解**　4　**難易度**　B

★本問のポイント

会計監査人

解　　説

ア．**誤　り**。会社法345条１項，５項参照

会計監査人は，解任された場合も，株主総会において意見を述べることができる。

イ．**正しい**。会社計算規則131条参照

ウ．**正しい**。同法398条１項，２項参照

エ．**誤　り**。同法337条２項参照

会計監査人に選任された監査法人は，その社員の中から会計監査人の職務を行うべき者を選定しなければならない。

以上より，正しい記述はイ，ウであり，正解は４となる。

問題7　正解　4　難易度　A

★本問のポイント

監査事務所の品質管理

解　説

ア．**誤　り**。監査に関する品質管理基準第二２，品質管理基準報告書第１号「監査事務所における品質管理」20-２JP項参照

監査事務所の最高責任者以外の者が品質管理システムに関する最高責任者になった場合においても，監査事務所の品質管理システムに関する説明責任を含む最終的な責任は，当該品質管理システムに関する最高責任者ではなく，監査事務所の最高責任者が負う。

イ．**正しい**。同基準第四２，同報告書24項参照

ウ．**正しい**。同報告書39項(2)参照

エ．**誤　り**。同報告書A85項参照

審査に係る調書を適切に保存する期間は，会社法上の会計帳簿に関する保存期間が参考となるとされるに過ぎず，それよりも短い期間であることは禁じられない。

以上より，正しい記述はイ，ウであり，正解は４となる。

問題 8　正解　5　難易度　B

★本問のポイント

監査業務の品質管理

解　説

ア．**誤　り**。監査基準報告書220「監査業務における品質管理」20項，A46項参照

職業倫理に関する規定への違反に係る監査事務所の方針又は手続には，規制当局又は専門家団体とコミュニケーションを行うことが含まれることがある。

イ．**正しい**。同報告書A112項参照

ウ．**誤　り**。品質管理基準報告書第 2 号「監査業務に係る審査」19項参照

監査業務の対象が公認会計士法上の大会社等である場合，監査責任者は，連続して担当する期間が合わせて 7 会計期間を超えないとしても，当該監査業務の審査担当者に就任するには 2 年間又は職業倫理に関する規定により要求されるそれより長い期間のクーリングオフ期間を設けなければならず，翌会計期間に就任することはできない。

エ．**正しい**。品質管理基準の令和 3 年改訂前文二 2⑽，監査基準報告書220第42- 2 JP項参照

以上より，正しい記述はイ，エであり，正解は 5 となる。

問題9　正解　6　難易度　A

★本問のポイント

内部統制監査

解　説

ア．**誤　り**。

監査人は，内部監査人等の作業を自己の検証そのものに代えて利用することはできない。

イ．**誤　り**。内部統制の基準の平成23年改訂前文二(1)参照

監査人が，内部統制の構築段階において，経営者との意見交換及び内部統制の構築に関する指摘を行うことは禁じられておらず，経営者からの相談に対しては，適切な指摘を行う必要がある。

ウ．**正しい**。

エ．**正しい**。同基準Ⅲ 3(2)参照

以上より，正しい記述はウ，エであり，正解は6となる。

問題10　**正解**　1　**難易度**　C

★本問のポイント

保証業務

解　　説

ア．**正しい**。財務情報等に係る保証業務の概念的枠組みに関する意見書一３(1)参照

イ．**正しい**。同意見書二３(3)参照

ウ．**誤　り**。同意見書七３(1)参照

同意見書上，単に証拠の量を増やすことにより質的な適切性を補うことはできないとされるため，「より多くの証拠を入手することにより，証拠の質を補完することがある」との記述は，誤りと意図されているものと考えられる。

エ．**誤　り**。同意見書七６(2)参照

限定的保証業務においても，主題及び業務環境の理解を含む相互に関連性のある系統だった業務プロセスは必要である。

以上より，正しい記述はア，イであり，正解は１となる。

問題11　正解　2　難易度　A

★本問のポイント

監査基準改訂

解　　説

ア．**正しい**。監査基準の平成26年改訂前文二１参照

イ．**誤　り**。同基準の平成30年改訂前文一参照

監査報告書における「監査上の主要な検討事項」の記載は，監査報告書の情報価値を高めることにその意義があり，これは副次的な効果として期待されているものではない。

ウ．**正しい**。同基準の令和元年改訂前文二２参照

エ．**誤　り**。同基準の令和２年改訂前文二１(2)参照

監査人は，財務諸表や監査の過程で得た知識に関連しない内容についても，重要な誤りの兆候に注意を払うことが求められている。

以上より，正しい記述はア，ウであり，正解は２となる。

問題12　正解　5　難易度　A

★本問のポイント

監査人の職業的懐疑心

解　　説

ア．**誤　り**。監査基準報告書200「財務諸表監査における総括的な目的」A15項参照

独立性を保持することで，職業的懐疑心が保持される可能性が高まることになる。

イ．**正しい**。同報告書A18項参照

ウ．**誤　り**。同報告書A21項参照

監査人が，過去の経験に基づいて，経営者，取締役等及び監査役等は信頼が置ける，又は誠実であると認識していたとしても，それによって職業的懐疑心を保持する必要性が軽減されることはない。

エ．**正しい**。監査基準の平成14年改訂前文三２(3)参照

以上より，正しい記述はイ，エであり，正解は５となる。

問題13　正解　4　難易度　A

★本問のポイント

監査調書

解　　説

ア．**誤　り**。監査基準報告書230「監査調書」３項(6)参照

監査調書の作成の目的には，法令等に基づき実施される外部による検査の実施を可能にすることが含まれる。

イ．**正しい**。同報告書６項，Ａ１項参照

ウ．**正しい**。同報告書10項，Ａ15項参照

エ．**誤　り**。同報告書12項(3)参照

この場合，監査調書を査閲した者及び査閲日についての文書化も求められている。

以上より，正しい記述はイ，ウであり，正解は４となる。

問題14　正解　6　難易度　C

★本問のポイント

リスク評価

解　説

ア．**誤　り**。監査基準報告書315「重要な虚偽表示リスクの識別と評価」30項参照

識別したアサーション・レベルの重要な虚偽表示リスクについて，虚偽表示の発生可能性と影響の度合いを評価することにより評価しなければならないのは，発見リスクではなく，固有リスクである。

イ．**誤　り**。同報告書330「評価したリスクに対応する監査人の手続」22項参照

監査人は，期中に，重要な虚偽表示リスクを評価するときに予期しなかった虚偽表示を発見した場合には，関連するリスク評価を変更する必要があるかどうかを評価しなければならないが，必ずリスク評価を変更することが求められているわけではない。

ウ．**正しい**。同報告書315第16項参照

エ．**正しい**。同報告書35項，同報告書330第17項参照

以上より，正しい記述はウ，エであり，正解は６となる。

問題15　正解　3　難易度　A

★本問のポイント

監査上の重要性

解　説

ア．**正しい。**監査基準報告書320「監査の計画及び実施における重要性」A5項参照

イ．**誤　り。**同報告書8項(3)参照

手続実施上の重要性は，重要性の基準値より低い金額として設定することになり，同額とすることはない。

ウ．**誤　り。**同報告書11項，A11項参照

企業の実績が大幅に上方乖離する可能性が高まった場合に，重要性の基準値をより高い金額に改訂することは禁じられない。

エ．**正しい。**同報告書450「監査の過程で識別した虚偽表示の評価」A19項参照

以上より，正しい記述はア，エであり，正解は3となる。

問題16　正解　2　難易度　B

★本問のポイント

確認

解　説

ア．**正しい**。監査基準報告書505「確認」8項参照

イ．**誤　り**。同報告書13項参照

差異の調査は，当該差異が虚偽表示の兆候を示しているか否かを判断するために実施されるものであり，確認金額と回答金額に著しい差異が生じている場合であっても，当該差異が虚偽表示の兆候を示しているものとして，差異の調査を実施することは求められていない。

ウ．**正しい**。同報告書14項参照

エ．**誤　り**。同報告書A12項参照

監査人は，暗号化，電子署名などの電子的なプロセスが信頼できる環境にある場合，電子的に受領した回答の改ざんリスクを軽減することができる。

以上より，正しい記述はア，ウであり，正解は2となる。

問題17　正解　3　難易度　A

★本問のポイント

不正リスク対応

解　　説

ア．**正しい**。監査基準報告書240「財務諸表監査における不正」12項，A８項参照

イ．**誤　り**。同報告書A26項参照

収益認識に関連する不正な財務報告による重要な虚偽表示は，多くの場合，収益の過大計上(例えば，収益の先行認識又は架空計上)による一方，収益の過少計上によることもあり，収益の過少計上によるものも，不正による重要な虚偽表示リスクの識別対象になる。

ウ．**誤　り**。同報告書31項⑴参照

監査人は，財務報告プロセスに関する内部統制の運用評価手続により内部統制が有効に機能していると判断した場合であっても，総勘定元帳に記録された仕訳入力の適切性を検証する手続を実施しなければならない。

エ．**正しい**。同報告書35項参照

以上より，正しい記述はア，エであり，正解は３となる。

問題18　正解　5　難易度　B

★本問のポイント

継続企業の前提

解　説

ア．**誤　り**。監査基準報告書570「継続企業」４項参照

財務報告の枠組みに，経営者に対して継続企業の前提に関する評価を行うことを要求する明示的な規定がない場合であっても，経営者は，財務諸表の作成に際して継続企業の前提について評価する必要がある。

イ．**正しい**。同報告書15項(2)参照

ウ．**誤　り**。同報告書７項参照

監査報告書に継続企業の前提に関する重要な不確実性についての記載がない場合であっても，企業の将来にわたる事業活動の継続が保証されていることにはならない。

エ．**正しい**。同報告書22項参照

以上より，正しい記述はイ，エであり，正解は５となる。

問題19　正解　2　難易度　B

★本問のポイント

特別目的の財務諸表に対する監査

解　説

ア．**正しい**。監査基準報告書800「特別目的の財務報告の枠組みに準拠して作成された財務諸表に対する監査」12項(1)参照

イ．**誤　り**。同報告書13項参照

財務諸表は特別目的の財務報告の枠組みに準拠して作成されており，他の目的には適合しないことがあることは，その他の事項区分ではなく，強調事項区分を設けて記載しなければならない。

ウ．**正しい**。同報告書Ａ16項参照

エ．**誤　り**。同報告書Ａ６項参照

財務報告の枠組みの設定主体が，確立された透明性のあるプロセスに従っているのであれば，受入可能な枠組みであると推定される。

以上より，正しい記述はア，ウであり，正解は２となる。

問題20　正解　4　難易度　A

★本問のポイント

監査役等とのコミュニケーション

解　説

ア．**誤　り**。監査基準報告書260「監査役等とのコミュニケーション」16項参照

会計監査人設置会社の監査人は，監査事務所の品質管理システムの整備・運用状況の概要を書面又は電磁的記録で監査役等に伝達しなければならず，口頭で伝達することは認められない。

イ．**正しい**。同報告書４項(3)参照

ウ．**正しい**。同報告書14項(2)参照

エ．**誤　り**。同報告書13項，同報告書300「監査計画」A３項参照

監査人は，監査の有効性を阻害しないための配慮が必要ではあるが，監査計画の内容を経営者に知らせることがあり，知らせることは禁じられない。

以上より，正しい記述はイ，ウであり，正解は４となる。

財務会計論

【科目別講評】

2024年第Ⅱ回短答式試験は，計算分野は８点の問題が11問，総合問題が１問(設問数６問)であった。理論分野は，８点の問題が11問であり，前回の短答式試験と比較して，理論問題が１問減少(計算問題が１問増加)した。計算分野は８点問題，総合問題ともに難易度の易しい問題が多く，前回から易化した。理論分野は，得点しやすい問題が依然として多く，概ね前回と同程度の難易度であった。計算分野で80％程度，理論分野で91％程度が目標であり，ケアレスミス等を考慮すると，全体で80％程度を目標としてもらいたい。

(本講評は，令和６年第Ⅱ回試験終了時のものです。)

	【配点】	【難易度】	【出題内容】
問題１	８点	A	【理論】財務会計の概念フレームワーク
問題２	８点	C	【計算】本社工場会計
問題３	８点	A	【計算】貸倒引当金
問題４	８点	A	【理論】棚卸資産の期末評価
問題５	８点	B	【計算】無形固定資産
問題６	８点	A	【理論】負債会計
問題７	８点	A	【計算】新株予約権付社債
問題８	８点	A	【理論】純資産－総論
問題９	８点	A	【理論】財務諸表の表示・包括利益の表示
問題10	８点	A	【計算】会計方針の変更
問題11	８点	A	【理論】金融商品会計
問題12	８点	A	【計算】ストック・オプション
問題13	８点	A	【理論】リース取引
問題14	８点	B	【計算】退職給付会計
問題15	８点	A	【理論】収益認識
問題16	８点	A	【計算】収益認識(工事契約)
問題17	８点	B	【理論】税効果会計
問題18	８点	A	【計算】外貨建有価証券
問題19	８点	A	【理論】持分法会計
問題20	８点	A	【計算】固定資産の減損
問題21	８点	A	【計算】連結財務諸表における税効果会計

問題22	8点	A	【理論】企業結合・事業分離等
問題23	4点	A	【計算】連結財務諸表(のれん)
問題24	4点	A	【計算】連結財務諸表(非支配株主持分)
問題25	4点	A	【計算】連結財務諸表(利益剰余金)
問題26	4点	A	【計算】連結財務諸表(売上原価)
問題27	4点	A	【計算】連結財務諸表(その他の包括利益累計額)
問題28	4点	B	【計算】連結財務諸表(親会社株主に帰属する当期純利益)

問題1　**正解**　5　**難易度**　A

★本問のポイント

財務会計の概念フレームワーク

解　説

ア．**誤　り**。討議資料「財務会計の概念フレームワーク」第2章11，20参照。

会計情報の比較可能性を確保するためには，実質が同様の取引には同一の会計処理が適用され，実質が異なる取引には異なる会計処理が適用されることにより，会計情報の利用者が，時系列比較や企業間比較に当たって，事実の同質性と異質性を峻別できるようにしなければならない。

イ．**正しい**。討議資料「財務会計の概念フレームワーク」第1章16参照。

ウ．**誤　り**。討議資料「財務会計の概念フレームワーク」第3章序文，3，17参照。

貸借対照表と損益計算書が投資のポジションとその成果を開示するという役割を担っているため，財務諸表の構成要素は，これらの役割を果たすものに限られる。そのため，財務諸表の構成要素としての定義は，財務報告の目的と財務諸表の役割に適合するかぎりで意味を持つのであり，そうした役割を果たさないものは，たとえ財務諸表の構成要素としての定義を満たしたとしても，財務報告の対象に含められない。

エ．**正しい**。討議資料「財務会計の概念フレームワーク」第4章57参照。

以上より，正しい記述はイ，エであり，正解は5となる。

問題２　正解　６　難易度　Ｃ

★本問のポイント

本社工場会計

解　　説（単位：千円）

Ⅰ．内部利益の算定

（注）「本社の材料および製品の在庫はなかった」と記載があるため，工場付加分の内部利益は考慮外とする。

１．期首棚卸高に含まれる内部利益（本社付加分）

材料（工場）：10,500

製品（工場）：11,100

２．期末棚卸高に含まれる内部利益（本社付加分）

（注）本社が購入した材料を，仕入原価に対して30％増の振替価格で工場に送付しているため，製品原価における材料費部分にのみ繰延内部利益が含まれている点に注意すること。

材料（工場）：　$9{,}600 \leftarrow 41{,}600(*1) \times \frac{0.3}{1.3}$

製品（工場）：$12{,}600 \leftarrow 54{,}600 \times \frac{0.3}{1.3}$

(＊1)　工場期末棚卸高（26,000＋未達15,600(＊2)）＝41,600

(＊2)　原価12,000×（１＋30％）＝振替価格15,600

３．棚卸資産（工場）に含まれる内部利益（まとめ）

	期　首	期　末
材　料	10,500	9,600
製　品	11,100	12,600

Ⅱ．解答数値の算定

製造原価報告書

Ⅰ　材　料　費		
1．期首材料棚卸高	35,000（＊3）	
2．当期材料仕入高	212,000（＊4）	
合　計	247,000	
3．期末材料棚卸高	32,000（＊5）	215,000
Ⅱ　労務費（賃金）		72,000
Ⅲ　製造間接費		178,000（＊6）
当期総製造費用		465,000
期首仕掛品棚卸高		0
合　計		465,000
期末仕掛品棚卸高		0
当期製品製造原価		465,000

損益計算書

Ⅰ　売　上　高		835,000（＊4）
Ⅱ　売上原価		
1．期首製品棚卸高	78,900（＊7）	
2．当期製品製造原価	465,000	
合　計	543,900	
3．期末製品棚卸高	90,400（＊8）	453,500
売上総利益		**381,500**
Ⅲ　販売費及び一般管理費		
1．給　料		107,000

（＊3）本社０＋工場期首棚卸高45,500－期首繰延内部利益10,500＝35,000

（＊4）本社前T/Bより

（＊5）本社０＋工場期末棚卸高41,600（＊1）－期末繰延内部利益9,600＝32,000

（＊6）工場前T/B108,000＋減価償却費70,000＝178,000

（＊7）本社０＋工場期首棚卸高90,000－期首繰延内部利益11,100＝78,900

（＊8）本社０＋工場期末棚卸高103,000－期末繰延内部利益12,600＝90,400

問題3　正解　2　難易度　A

★本問のポイント

貸倒引当金

解　説（単位：千円）

Ⅰ．仕訳処理（貸倒引当金の計上を除く）

1．電子記録債権の発生（未処理）

（借）	電子記録債権	10,000	（貸）	売掛金	10,000

2．当期発生債権の当期貸倒れ（未処理）

（借）	貸倒損失	5,000	（貸）	売掛金	5,000

3．仮受金の内容確定時

（借）	仮受金	1,000	（貸）	売掛金	1,000

Ⅱ．貸倒引当金の設定

1．貸倒引当金の要設定額

(1)　一般の売上債権

期末残高604,000(＊1)×5％＝30,200

(＊1)　電子記録債権110,000(＊2)＋受取手形20,000＋売掛金474,000(＊3)＝604,000

(＊2)　前T/B電子記録債権100,000＋電子記録債権の発生10,000＝110,000

(＊3)　前T/B売掛金500,000－電子記録債権の発生10,000－貸倒れ5,000
－仮受金の内容確定1,000－貸倒懸念債権分10,000＝474,000

(2)　貸倒懸念債権

10,000－回収可能額3,000＝7,000

(3)　その他の債権（貸付金）

期末残高50,000×2％＝1,000

2．貸倒引当金繰入額の当期計上額（解答数値の算定）

要設定額（一般の売上債権30,200＋貸倒懸念債権7,000＋その他の債権1,000）
－前T/B貸倒引当金10,000＝**28,200**

3．仕訳処理（参考）

（借）	**貸倒引当金繰入額**	**28,200**	（貸）	貸倒引当金	28,200

問題4　正解　6　難易度　A

★本問のポイント

棚卸資産の期末評価

解　説

ア．**誤　り**。「棚卸資産の評価に関する会計基準」10参照。

棚卸資産の評価に収益性の低下を反映させる会計処理を適用するに当たって，製造業における原材料等のように再調達原価の方が把握しやすく，正味売却価額が当該再調達原価に歩調を合わせて動くと想定される場合には，再調達原価で評価することができる。

イ．**誤　り**。「棚卸資産の評価に関する会計基準」47参照。

棚卸資産の範囲に含まれる事務用消耗品については，価格の下落が必ずしも収益性の低下に結びつかないと考えられるが，価格の下落が物理的な劣化または経済的な劣化に起因している場合，通常の販売目的で保有する棚卸資産と同様の簿価切下げを行う必要がある。

ウ．**正しい**。「棚卸資産の評価に関する会計基準」18参照。

エ．**正しい**。「棚卸資産の評価に関する会計基準」15，19参照。

以上より，正しい記述はウ，エであり，正解は6となる。

問題5　正解　3　難易度　B

★本問のポイント

無形固定資産，研究開発費，事業譲受

解　説（単位：千円）

Ⅰ．無形固定資産として計上する金額

1．意匠権：**33,000**(＊1)

(＊1)　前T/B意匠権46,200－当期償却額13,200(＊2)＝33,000

又は，$\text{前T/B意匠権}46{,}200\times\dfrac{30\text{ヶ月}(\text{X}6.4\sim\text{X}8.9)}{42\text{ヶ月}(\text{X}5.4\sim\text{X}8.9)}=33{,}000$

(＊2)　$\text{前T/B意匠権}46{,}200\times\dfrac{12\text{ヶ月}(\text{X}5.4\sim\text{X}6.3)}{42\text{ヶ月}(\text{X}5.4\sim\text{X}8.9)}=13{,}200$

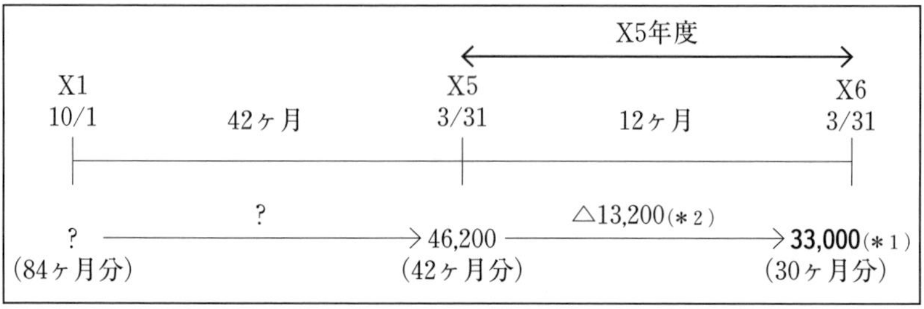

(注)上記「？」について，決算整理前残高試算表の金額より逆算することが可能であるが，解答上不要のため，「？」としている。

2．鉱業権：**250,000**(＊1)

(注)鉱業権の償却方法については生産高比例法によることも認められている。

(＊1)　前期末残高375,000(＊2)－当期償却額125,000(＊3)＝250,000

又は，前期末残高375,000(＊2)

$$\times\frac{200{,}000\text{トン}(＊4)}{\text{X4年度末における変更後の推定埋蔵量}300{,}000\text{トン}(＊5)}=250{,}000$$

(＊2)　取得原価750,000－償却額累計375,000(＊6)＝375,000

又は，取得原価750,000

$$\times\frac{300{,}000\text{トン}(＊7)}{\text{X4年度末における変更前の推定埋蔵量}600{,}000\text{トン}}=375{,}000$$

(＊3)　$\text{前期末残高}375{,}000(＊2)\times\dfrac{\text{X5年度の実績採掘量}100{,}000\text{トン}}{\text{X4年度末における変更後の推定埋蔵量}300{,}000\text{トン}(＊5)}$

$=125{,}000$

（＊４） X4年度末における変更後の推定埋蔵量300,000トン（＊５）
－X5年度の実績採掘量100,000トン＝200,000トン

（＊５） 100,000トン×３年（X5年度～X7年度）＝300,000トン

（＊６） $\text{取得原価750,000} \times \frac{\text{300,000トン（＊８）}}{\text{X4年度末における変更前の推定埋蔵量600,000トン}} = 375{,}000$

（＊７） X4年度末における変更前の推定埋蔵量600,000トン－300,000トン（＊８）
＝300,000トン

（＊８） X2年度50,000トン＋X3年度100,000トン＋X4年度150,000トン
＝採掘量の累計300,000トン

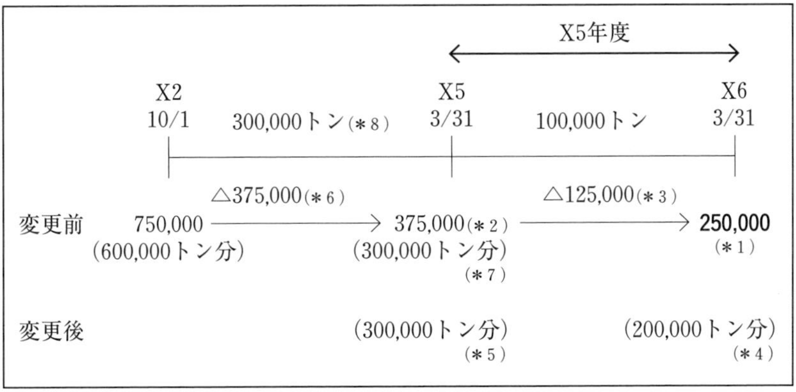

３．特許権：**240**（＊１）

（＊１） 前期末残高280（＊２）－当期償却額40（＊３）＝240

又は，$\text{前期末残高280（＊２）} \times \frac{\text{72ヶ月（X6.4～X12.3）}}{\text{84ヶ月（X5.4～X12.3）}} = 240$

又は，$\text{取得原価320（＊４）} \times \frac{\text{72ヶ月（X6.4～X12.3）}}{\text{96ヶ月（X4.4～X12.3）}} = 240$

（＊２） 取得原価320（＊４）－償却額累計40（＊５）＝280

又は，$\text{取得原価320（＊４）} \times \frac{\text{84ヶ月（X5.4～X12.3）}}{\text{96ヶ月（X4.4～X12.3）}} = 280$

（＊３） $\text{前期末残高280（＊２）} \times \frac{\text{12ヶ月（X5.4～X6.3）}}{\text{84ヶ月（X5.4～X12.3）}} = 40$

又は，取得原価320（＊４）÷８年＝40

（＊４） 出願料120＋登録料200＝320

（注）自社で研究開発を行って取得した特許権について，研究開発に要した支出はすべてその期の研究開発費として処理する。

（注）出願料と登録料は付随費用として取得原価に含める。

(＊5) 取得原価320(＊4)$\times\dfrac{12\text{ヶ月}(X4.4\sim X5.3)}{96\text{ヶ月}(X4.4\sim X12.3)}=40$

又は，取得原価320(＊4)÷ 8 年＝40

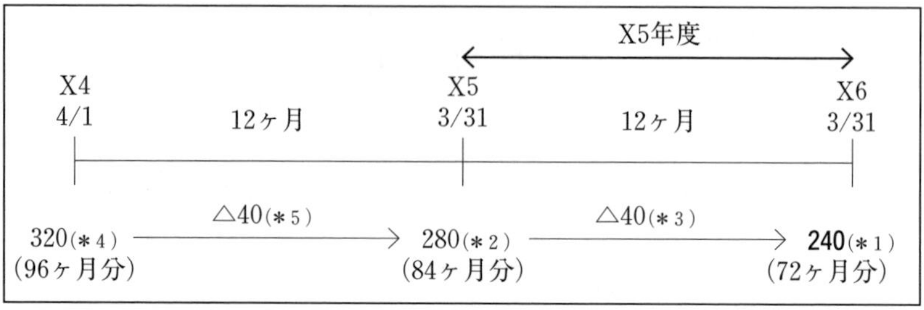

4．のれん：**280,000**(＊1)

(＊1) 前期末残高400,000(＊2)－当期償却額120,000(＊3)＝280,000

又は，前期末残高400,000(＊2)$\times\dfrac{28\text{ヶ月}(X6.4\sim X8.7)}{40\text{ヶ月}(X5.4\sim X8.7)}=280{,}000$

又は，取得原価600,000(＊4)$\times\dfrac{28\text{ヶ月}(X6.4\sim X8.7)}{60\text{ヶ月}(X3.8\sim X8.7)}=280{,}000$

(＊2) 取得原価600,000(＊4)－償却額累計200,000(＊5)＝400,000

又は，取得原価600,000(＊4)$\times\dfrac{40\text{ヶ月}(X5.4\sim X8.7)}{60\text{ヶ月}(X3.8\sim X8.7)}=400{,}000$

(＊3) 前期末残高400,000(＊2)$\times\dfrac{12\text{ヶ月}(X5.4\sim X6.3)}{40\text{ヶ月}(X5.4\sim X8.7)}=120{,}000$

又は，取得原価600,000(＊4)÷ 5 年＝120,000

(＊4) B事業取得原価1,600,000－取得原価の配分額1,000,000(＊6)＝600,000

(＊5) 取得原価600,000(＊4)$\times\dfrac{20\text{ヶ月}(X3.8\sim X5.3)}{60\text{ヶ月}(X3.8\sim X8.7)}=200{,}000$

(＊6) 事業の譲受日における資産の時価3,400,000

－事業の譲受日における負債の時価2,400,000＝1,000,000

(注)X3年 8 月 1 日におけるB事業の取得時に下記の仕訳を行っている。

(借) 諸 資 産	3,400,000	(貸) 諸 負 債	2,400,000
の れ ん	600,000(＊4)	現 金	1,600,000

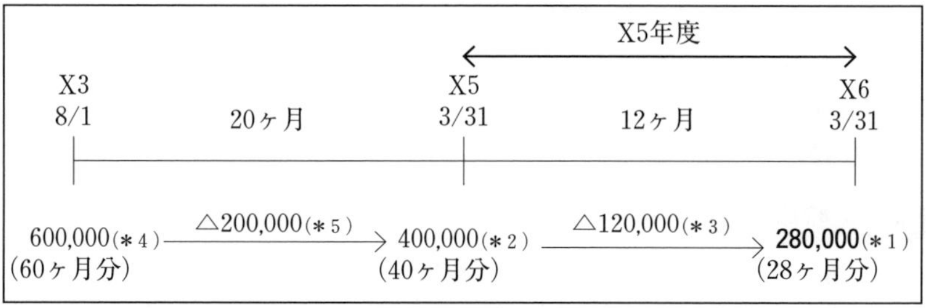

Ⅱ．解答数値の算定

意匠権33,000＋鉱業権250,000＋特許権240＋のれん280,000＝**563,240**

問題6 正解 6 難易度 A

★本問のポイント

負債会計

解　説

ア．**誤　り**。「企業会計原則」注18参照。

修繕引当金および損害補償損失引当金は非債務性の負債性引当金に分類される。

イ．**誤　り**。「企業会計原則」注18,「収益認識に関する会計基準の適用指針」34～38参照。

製品の販売時に，製品の延長保証など，顧客にサービスを追加的に提供する旨の契約を結んだ場合，当該保証サービスは履行義務であり，取引価格を製品および当該保証サービスに配分する。

なお，製品の保証が当該製品が合意された仕様に従っているという保証のみである場合，当該保証について，製品保証引当金として処理する。

ウ．**正しい**。「役員賞与に関する会計基準」13参照。

エ．**正しい**。「企業会計原則」注18,「債務保証及び保証類似行為の会計処理及び表示に関する監査上の取扱い」4(1)

以上より，正しい記述はウ，エであり，正解は6となる。

問題７　**正解**　**２**　**難易度**　**Ａ**

★本問のポイント

新株予約権付社債(区分法・利息法)

解　　説(単位：千円)

Ⅰ．解答数値の算定

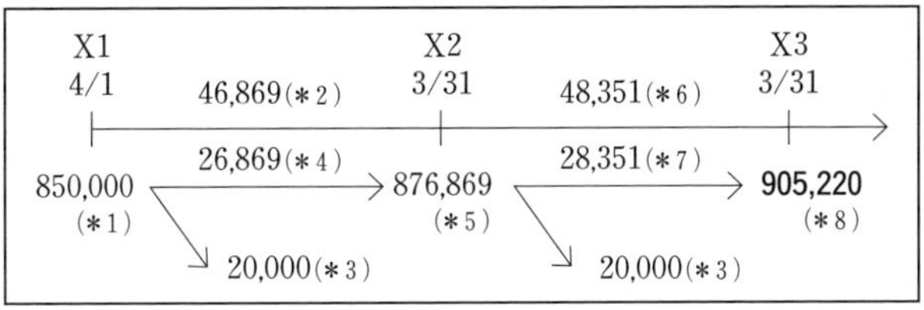

(＊1)　額面総額1,000,000 × $\frac{\text{社債部分@85円}}{\text{額面@100円}}$ = 850,000

(注)転換社債型新株予約権付社債以外の新株予約権付社債であるため，区分法で会計処理をしていると判断する。

(＊2)　850,000(＊1)×実効利子率5.514％＝46,869

(＊3)　額面総額1,000,000×約定利子率2.0％＝20,000

(＊4)　46,869(＊2)－20,000(＊3)＝26,869

(＊5)　850,000(＊1)＋26,869(＊4)＝876,869

(＊6)　876,869(＊5)×実効利子率5.514％＝48,350.556… → 48,351(四捨五入)

(＊7)　48,351(＊6)－20,000(＊3)＝28,351

(＊8)　876,869(＊5)＋28,351(＊7)＝905,220

Ⅱ．仕訳処理(参考)

１．社債発行日(X1年４月１日)

(借)	現金預金	1,000,000	(貸)	社債	850,000(＊1)
				新株予約権	150,000(＊9)

(＊9)　額面総額1,000,000 × $\frac{\text{新株予約権部分@15円}}{\text{額面@100円}}$ = 150,000

２．利払日(X2年３月31日)

(借)	社債利息	46,869(＊2)	(貸)	現金預金	20,000(＊3)
				社債	26,869(＊4)

３．利払日(X3年３月31日)

(借)	社債利息	48,351(＊6)	(貸)	現金預金	20,000(＊3)
				社債	28,351(＊7)

問題8　正解　6　難易度　A

★本問のポイント

純資産－総論

解　説

ア．**誤　り**。「貸借対照表の純資産の部の表示に関する会計基準」4～8参照。

評価・換算差額等には，その他有価証券評価差額金，繰延ヘッジ損益および土地再評価差額金等が含まれるが，圧縮積立金は含まれない。

イ．**誤　り**。「貸借対照表の純資産の部の表示に関する会計基準」6参照。

資本剰余金には，資本準備金およびその他資本剰余金が含まれるが，自己株式は含まれない。

ウ．**正しい**。「貸借対照表の純資産の部の表示に関する会計基準」35参照。

エ．**正しい**。「取締役の報酬等として株式を無償交付する取引に関する取扱い」15，17参照。

以上より，正しい記述はウ，エであり，正解は6となる。

問題９　正解　６　難易度　A

★本問のポイント

財務諸表の表示・包括利益の表示

解　説

ア．**誤　り**。「会社法」第441条１項参照。

臨時計算書類は，臨時決算日における貸借対照表および臨時決算日の属する事業年度の初日から臨時決算日までの期間に係る損益計算書からなり，臨時決算日の属する事業年度の初日から臨時決算日までの期間に係るキャッシュ・フロー計算書および株主資本等変動計算書は含まれない。

イ．**誤　り**。「包括利益の表示に関する会計基準」４，26参照。

会計方針の変更および誤謬の訂正に関する累積的影響額に係る期首の利益剰余金の修正額は，前期以前に帰属する純資産の変動額を当期に表示しているに過ぎないため，当期の包括利益には含まれない。

ウ．**正しい**。「包括利益の表示に関する会計基準」４～６参照。

エ．**正しい**。「後発事象に関する監査上の取扱い」3(1)参照。

以上より，正しい記述はウ，エであり，正解は６となる。

問題10　正解　3　難易度　A

★本問のポイント

会計方針の変更

解　説(単位：百万円)

Ⅰ．売上原価の算定

	前期 期首残高	前期 仕入高	前期 期末残高	前期 売上原価
先入先出法(従来の方法)を適用した場合	400	3,500	1,000	2,900(＊1)
総平均法を遡及適用した場合	280	3,500	800	2,980(＊2)

(＊1) 期首残高400＋仕入高3,500－期末残高1,000＝2,900

(＊2) 期首残高280＋仕入高3,500－期末残高800＝2,980

Ⅱ．前期(X4年度)財務諸表の修正に関する遡及適用仕訳

前期の帳簿は既に締め切られているため，以下の仕訳は前期の財務諸表を修正するための仕訳として，帳簿外(通常，精算表)で行われる。

1．商品の評価方法の変更による遡及適用

(借)	**売上原価**	**80**(＊3)	(貸) 商品	200(＊4)
	繰越利益剰余金 (会計方針の変更による累積的影響額)	120(＊5)		

(＊3) 前期売上原価(総平均法2,980(＊2)－先入先出法2,900(＊1))＝80

(＊4) 前期期末残高(総平均法800－先入先出法1,000)＝△200

(＊5) 前期期首残高(総平均法280－先入先出法400)＝△120

2．遡及適用に係る税効果会計

(借)	繰延税金資産	60(＊7)	(貸) **法人税等調整額**	**24**(＊6)
			繰越利益剰余金 (会計方針の変更による累積的影響額)	36(＊8)

(＊6) 80(＊3)×実効税率30％＝24

(＊7) 200(＊4)×実効税率30％＝60

(＊8) 120(＊5)×実効税率30％＝36

Ⅲ．解答数値の算定

前期の当期純利益に及ぼす影響額：△**56**(＊9)

(＊9) 売上原価△80(＊3)＋法人税等調整額24(＊6)＝△56

問題11　**正解**　4　**難易度**　A

★本問のポイント

金融商品会計

解　説

ア．**誤　り**。「金融商品に関する会計基準」注１，53参照。

現物商品（コモディティ）に係るデリバティブ取引のうち，通常差金決済により取引されるものから生じる正味の債権または債務についても，「金融商品に関する会計基準」が適用される。

イ．**正しい**。「金融商品に関する会計基準」注１－２参照。

ウ．**正しい**。「金融商品に関する会計基準」18，「金融商品会計に関する実務指針」73参照。

エ．**誤　り**。「金融商品に関する会計基準」26，67参照。

社債の時価が償却原価法に基づいて算定された額を下回る場合であっても，時価をもって貸借対照表価額とすることはできない。

以上より，正しい記述はイ，ウであり，正解は４となる。

問題12　正解 **1**　難易度 **A**

★本問のポイント

ストック・オプション(公正な評価単価に影響を及ぼす条件変更)

解　説 (単位：千円)

I．仕訳処理等

(注)解説の便宜上，解答数値の算定に必要なもののみ示す。

1．X2年3月31日(決算整理)

(借) 株式報酬費用	9,375(*1)	(貸) 新株予約権	9,375

(*1)　$$@5\times 100\text{個}\times 50\text{名}\times\frac{9\text{ヶ月}(\text{X1.7}\sim\text{X2.3})}{24\text{ヶ月}(\text{X1.7}\sim\text{X3.6})}=9{,}375$$

2．X3年3月31日(決算整理)

(借) 株式報酬費用	15,225(*2)	(貸) 新株予約権	15,225

(*2)　付与分11,625(*3)＋条件変更による価値増加分3,600(*4)＝15,225

(注)条件変更日のストック・オプションの公正な評価単価(6千円／個)は，付与日のストック・オプションの公正な評価単価(5千円／個)を上回っているため，ストック・オプションの公正な評価額の増加額につき，追加的に費用計上を行う。

(*3)　21,000(*5)－既計上額9,375(*1)＝11,625

(*4)　(条件変更日の公正な評価単価@6－@5)×100個×(50名－2名)

$$\times\frac{9\text{ヶ月}(\text{X2.7}\sim\text{X3.3})}{\text{条件変更後対象勤務期間}12\text{ヶ月}(\text{X2.7}\sim\text{X3.6})}=3{,}600$$

(注)X3年3月末日において，翌期以降の退職者の見込みは0名であるが，X3年3月期において2名が退職しているため，退職実績2名を用いて費用計上額の算定を行う。

(*5)　$$@5\times 100\text{個}\times(50\text{名}-2\text{名})\times\frac{21\text{ヶ月}(\text{X1.7}\sim\text{X3.3})}{24\text{ヶ月}(\text{X1.7}\sim\text{X3.6})}=21{,}000$$

3．X3年6月30日(権利確定日)

(借) **株式報酬費用**	**3,000**(*6)	(貸) 新株予約権	3,000

(*6)　付与分2,000(*7)＋条件変更による価値増加分1,000(*8)＝3,000

(*7)　23,000(*9)－既計上額21,000(*5)＝2,000

(*8)　4,600(*10)－既計上額3,600(*4)＝1,000

(*9)　$$@5\times 100\text{個}\times(50\text{名}-4\text{名}(*11))\times\frac{24\text{ヶ月}(\text{X1.7}\sim\text{X3.6})}{24\text{ヶ月}(\text{X1.7}\sim\text{X3.6})}=23{,}000$$

(*10)　(条件変更日の公正な評価単価@6 −@5)×100個×(50名−4名(*11))

$$\times \frac{12\text{ヶ月}(X2.7\sim X3.6)}{\text{条件変更後対象勤務期間}12\text{ヶ月}(X2.7\sim X3.6)} = 4,600$$

(*11)　X3年3月期2名＋X4年3月期2名＝実際累計退職者数4名

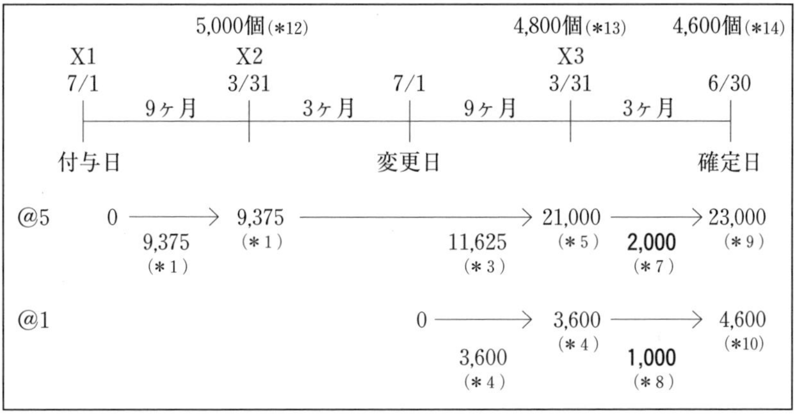

(*12)　100個×50名＝5,000個

(*13)　100個×(50名−実際退職者2名)＝4,800個

(*14)　100個×(50名−実際累計退職者数4名(*11))＝4,600個

4．X5年6月30日(権利行使日)

(借)	現金預金	88,000(*15)	(貸)	**資本金**	**114,400**
	新株予約権	26,400(*16)			

(*15)　条件変更後の払込金額@20×100個×@1株
×(50名−実際累計退職者数4名(*11)−権利未行使2名)＝88,000

(*16)　条件変更日の公正な評価単価@6×100個
×(50名−実際累計退職者数4名(*11)−権利未行使2名)＝26,400

問題13 正解 5 難易度 A

★本問のポイント

リース取引

解　説

ア．**誤　り**。「リース取引に関する会計基準」36参照。

「リース物件の使用に伴って生じるコストを実質的に負担すること」とは，当該リース物件の取得価額相当額，維持管理費用，陳腐化リスク等のほとんどすべてのコストを負担することをいう。

イ．**正しい**。「リース取引に関する会計基準の適用指針」22参照。

ウ．**誤　り**。「リース取引に関する会計基準」12参照。

所有権移転外ファイナンス・リース取引において，借手が計上したリース資産の減価償却費は，原則として，リース期間を耐用年数とし，残存価額をゼロとして算定する。

エ．**正しい**。「リース取引に関する会計基準」16参照。

以上より，正しい記述はイ，エであり，正解は5となる。

問題14　**正解**　5　**難易度**　B

★本問のポイント

退職給付会計(退職給付費用の算定，過去勤務費用)

解　　説 (単位：円)

Ⅰ．ワークシート(解答数値の算定)

	実際 X5年 3月31日	退職給付費用	改訂前予測 X6年 3月31日	過去勤務費用	改訂後予測 X6年 3月31日	実際 X6年 3月31日
退職給付債務	(288,228) (＊1)	S (98,478) (＊2) I (7,206) (＊3)	(393,912) (＊4)	(59,087) (＊5)	(452,999) (＊6)	(452,999)
未積立退職給付債務	(288,228)				(452,999)	(452,999)
未認識過去勤務費用		A (3,939) (＊7)		59,087	55,148	55,148
退職給付引当金	(288,228)	**(109,623)**		0	(397,851)	(397,851)

(注) S：勤務費用　I：利息費用　A：過去勤務費用の費用処理額

(＊1) 302,820(＊8) ÷ 1.025^2 = 288,228.435… → 288,228(四捨五入)

(＊2) 100,940(＊9) ÷ 1.025 = 98,478.048… → 98,478(四捨五入)

(＊3) 288,228(＊1) × 割引率2.5% = 7,205.7 → 7,206(四捨五入)

(注)本問では，当期末に過去勤務費用が発生しているため，利息費用は，期首の退職給付債務に割引率を乗じて算定する。

(＊4) 403,760(＊10) ÷ 1.025 = 393,912.195… → 393,912(四捨五入)

(＊5) 452,999(＊6) − 393,912(＊4) = 59,087

又は，393,912(＊4) × 15% = 59,086.8 → 59,087(四捨五入)

(＊6) 464,324(＊11) ÷ 1.025 = 452,999.024… → 452,999(四捨五入)

(＊7) 未認識過去勤務費用の当期発生額59,087(＊5) ÷ 15年 = 3,939.133…

→ 3,939(四捨五入)

(注)当期に発生した過去勤務費用は，退職給付水準を従来よりも引き上げた事により生じた差異であり，退職給付債務が増加するため，借方差異と判断する。

(注)未認識過去勤務費用は，発生年度より費用処理を開始する点に注意すること。

(＊8) 改訂前退職給付見込額504,700 × $\frac{3\text{年}(X2.4\sim X5.3)}{5\text{年}(X2.4\sim X7.3)}$ = 302,820

(＊9) 改訂前退職給付見込額504,700÷５年(X2.4〜X7.3)＝100,940

(＊10) 改訂前退職給付見込額504,700 $\times \dfrac{\text{4年(X2.4〜X6.3)}}{\text{5年(X2.4〜X7.3)}}$ ＝403,760

(＊11) 改訂後退職給付見込額580,405(＊12) $\times \dfrac{\text{4年(X2.4〜X6.3)}}{\text{5年(X2.4〜X7.3)}}$ ＝464,324

(＊12) 改訂前退職給付見込額504,700×（１＋15％）＝580,405

(参考)退職金規定改訂前の状況

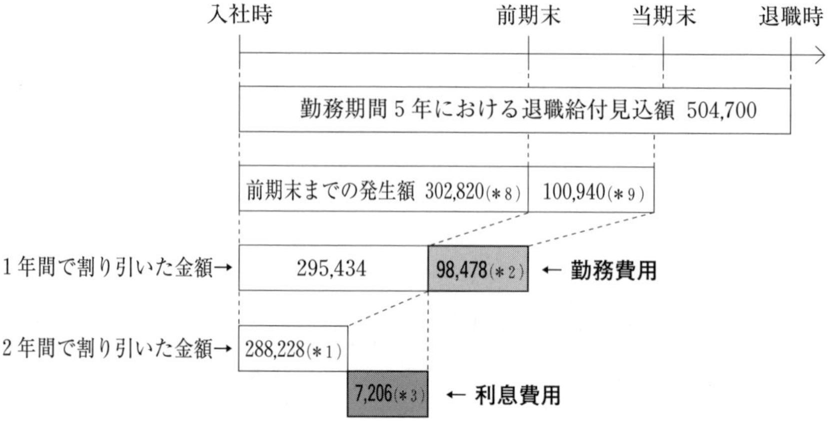

退職給付債務

期末残高 393,912 (＊4)	期 首 残 高 288,228(＊1)	295,434
	利 息 費 用 7,206(＊3)	
	勤 務 費 用 98,478(＊2)	

（参考）過去勤務費用

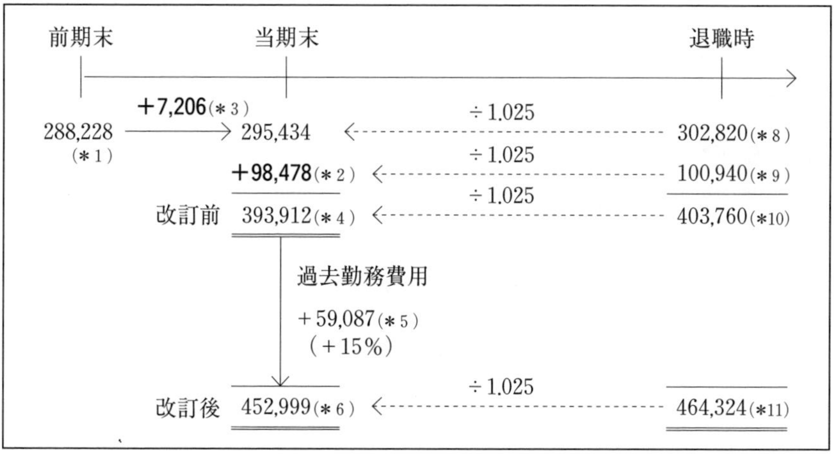

Ⅱ．仕訳処理（参考）

1．退職給付費用（過去勤務費用の費用処理を除く）

（借）退職給付費用	105,684(＊13)	（貸）退職給付引当金	105,684

(＊13)　勤務費用98,478(＊2)＋利息費用7,206(＊3)＝105,684

2．過去勤務費用の発生

仕　訳　な　し

3．過去勤務費用の費用処理

（借）退職給付費用	3,939(＊7)	（貸）退職給付引当金	3,939

問題15　正解　4　難易度　A

★本問のポイント

収益認識

解　説

ア．**誤　り**。「収益認識に関する会計基準」53参照。
返金負債の額は，各決算日に見直す。

イ．**正しい**。「収益認識に関する会計基準」57，58参照。

ウ．**正しい**。「収益認識に関する会計基準」59，60参照。

エ．**誤　り**。「収益認識に関する会計基準」63，64参照。
顧客に支払われる対価を取引価格から減額する場合には，関連する財またはサービスの移転に対する収益を認識する時，あるいは企業が対価を支払うかまたは支払を約束する時の，いずれか遅い方が発生した時点で(または発生するにつれて)，収益を減額する。

以上より，正しい記述はイ，ウであり，正解は4となる。

問題16　**正解** 2　**難易度** A

★本問のポイント

収益認識(工事契約，履行義務の充足に係る進捗度を合理的に見積もることができる場合，見積りの変更，工事損失引当金)

解　　説(単位：百万円)

Ⅰ．解答数値の算定

		X1年度		X2年度	
工事進捗度	0		0.3(＊1)		0.8(＊5)
工事収益	0	∴600(＊2) →	600	∴1,000(＊6) →	1,600
工事原価	0	△ 564(＊3) →	△ 564	△1,116(＊3) →	△1,680
工事原価 (工事損失引当金)	0		0	△ 20(＊7) →	△ 20
工事利益		36(＊4)	36	△ 136	△ 100(＊8)

(＊1) $$\frac{\text{X1年度実際工事原価564}}{\text{X1年度末工事原価総額の見積額1,880}}=0.3$$

(＊2) 工事収益総額2,000×X1年度工事進捗度0.3(＊1)＝600

(＊3) 実際工事原価

(＊4) 工事収益600(＊2)－工事原価564(＊3)＝X1年度工事利益36

(＊5) $$\frac{\text{実際工事原価累計額(X1年度564+X2年度1,116)}}{\text{X2年度末工事原価総額の見積額2,100}}=0.8$$

(＊6) 工事収益総額2,000×X2年度工事進捗度0.8(＊5)－600(＊2)＝1,000

(＊7) 見積工事損失△100(＊8)－計上損益累計額(36(＊4)－116(＊9))＝△20
又は，X3年度見積工事損失(工事収益400(＊10)－工事原価420(＊11))
＝△20又は，△100(＊8)×(1－0.8(＊8))＝△20

(注)工事契約について，工事原価総額等が工事収益総額を超過する可能性が高く，かつ，その金額を合理的に見積ることができる場合には，その超過すると見込まれる額(工事損失)のうち，当該工事契約に関して既に計上された損益の額を控除した残額を，工事損失が見込まれた期の損失として処理し，工事損失引当金を計上する。

(＊8) 工事収益総額2,000－X2年度末工事原価総額の見積額2,100＝△100

(＊9) 工事収益1,000(＊6)－工事原価1,116(＊3)＝X2年度工事損失116

(＊10) 工事収益総額2,000－工事収益累計額(600(＊2)＋1,000(＊6))＝400

(＊11) X2年度末工事原価総額の見積額2,100
－工事原価累計額(564(＊3)＋1,116(＊3))＝420

問題17　正解　3　難易度　B

★本問のポイント

税効果会計

解　説

ア．**正しい**。「税効果会計に係る会計基準の適用指針」32参照。

イ．**誤　り**。「税効果会計に係る会計基準の適用指針」34，126～136参照。

本問の一時差異には，未実現利益を消去するときに当該利益に対して納付した税金相当額を繰延税金資産として計上し税金費用を消去することにより，実際に税金を納付した時点において利益と税金費用が対応することから，税効果会計の方法として繰延法が適用される。

ウ．**誤　り**。「税効果会計に係る会計基準の適用指針」24，112参照。

本問の繰延税金負債については，翌期以降に子会社が損失を計上し，過去に計上した留保利益を減少させた場合，前期までに計上した繰延税金負債のうち当該減少に対応する部分を修正する必要がある。

エ．**正しい**。「税効果会計に係る会計基準の適用指針」52参照。

以上より，正しい記述はア，エであり，正解は3となる。

問題18　正解　5　難易度　A

★本問のポイント

外貨建有価証券(売買目的有価証券，満期保有目的の債券，子会社株式，その他有価証券(容認))

解　説(単位：千円)

Ⅰ．仕訳処理(解答上，必要な仕訳のみ示す)

1．B社社債(満期保有目的の債券)

(借)	投資有価証券	520	(貸)	有価証券利息	520(＊1)
(借)	投資有価証券	5,440	(貸)	**為替差損益**	**5,440**(＊2)

(＊1)　償却額４千ドル(＊3)×AR130円／ドル＝520

(＊2)　償却原価184千ドル(＊4)×CR140円／ドル
－(HC180千ドル×HR110円／ドル＋520(＊1))＝5,440

(＊3)　(額面200千ドル－HC180千ドル)÷５年＝償却額４千ドル

(＊4)　HC180千ドル＋償却額４千ドル(＊3)＝償却原価184千ドル

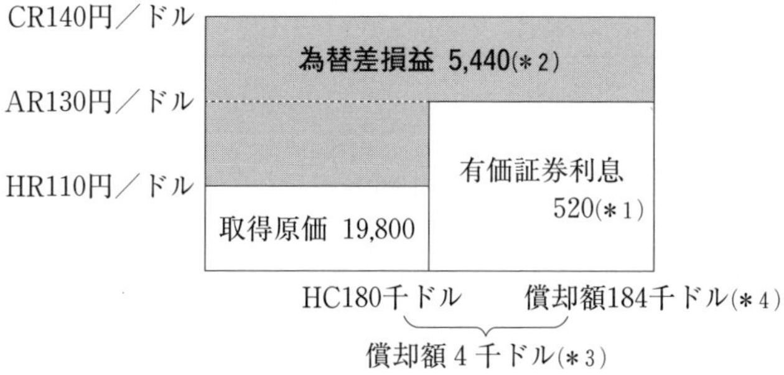

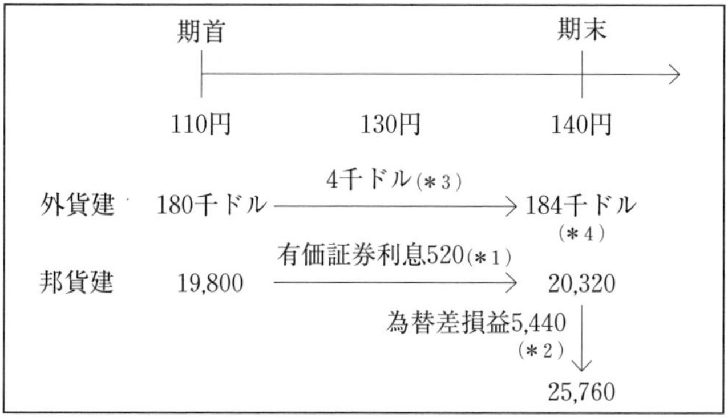

2．D社社債(その他有価証券，容認)

(借) 投 資 有 価 証 券	4,780	(貸) その他有価証券評価差額金	280(＊1)
		為 替 差 損 益	**4,500**(＊2)

(＊1) (CC152千ドル－HC150千ドル)×CR140円／ドル＝280

(＊2) HC150千ドル×CR140円／ドル－HC150千ドル×HR110円／ドル＝4,500

(注)その他有価証券に区分される外貨建債券については，金銭債権との類似性を考慮して，外国通貨による時価を決算時の為替相場(CR)で換算した金額のうち，外国通貨による時価の変動に係る換算差額(外貨ベースの評価差額を決算時の為替相場で換算した金額)を評価差額とし，それ以外の換算差額(外貨による償却原価に係る換算差額)については「為替差損益」として処理することができる。

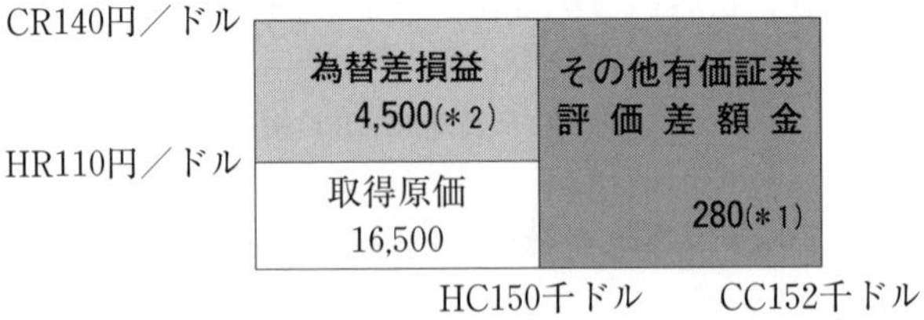

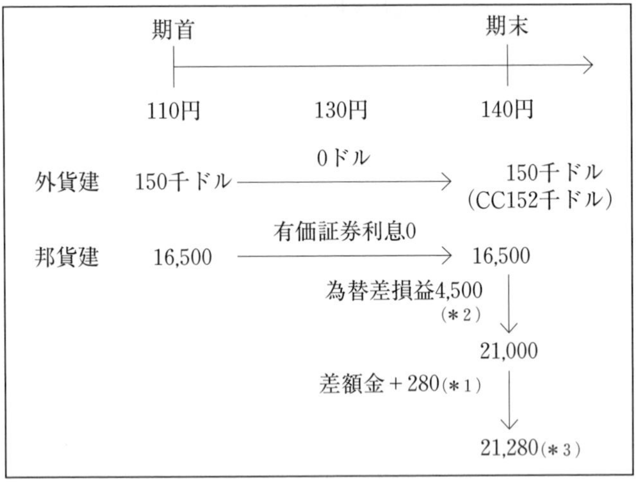

(＊3) CC152千ドル×CR140円／ドル＝21,280

Ⅱ．解答数値の算定

B社社債5,440＋D社社債4,500＝**9,940**

Ⅲ．参　考

本問では，当期における「為替差益」について問われており，「為替差損益」が計上されるものはＢ社社債及びＤ社社債であるため，残りのＡ社株式及びＣ社株式については，参考として示す。

１．Ａ社株式(売買目的有価証券)

(借)	有　価　証　券	1,600	(貸) 有価証券評価損益	1,600(＊1)

(＊1) CC90千ドル×CR140円／ドル－HC100千ドル×HR110円／ドル＝1,600

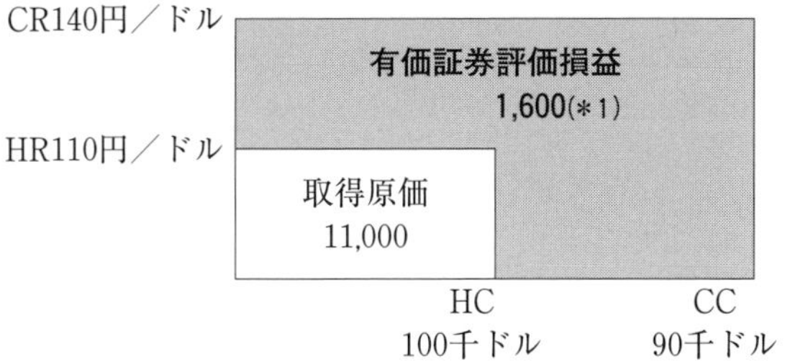

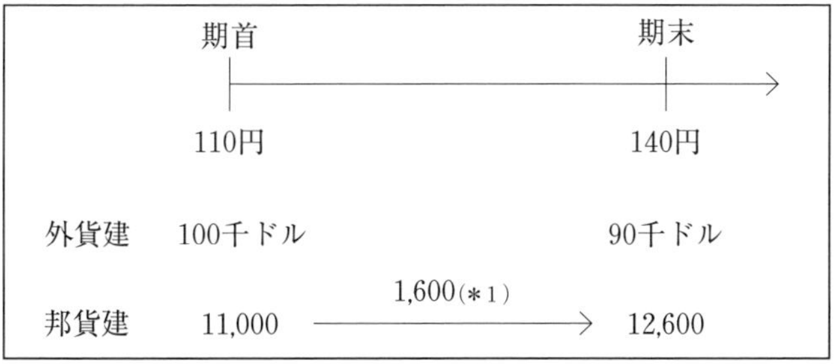

２．Ｃ社株式(子会社株式，減損処理)

(借)	関係会社株式評価損	14,800	(貸) 関　係　会　社　株　式	14,800(＊1)

(＊1) HC300千ドル×$\frac{1}{2}$＝150千ドル ＞ CC130千ドル → 減損処理

∴ HC300千ドル×HR110円／ドル－CC130千ドル×CR140円／ドル
＝14,800

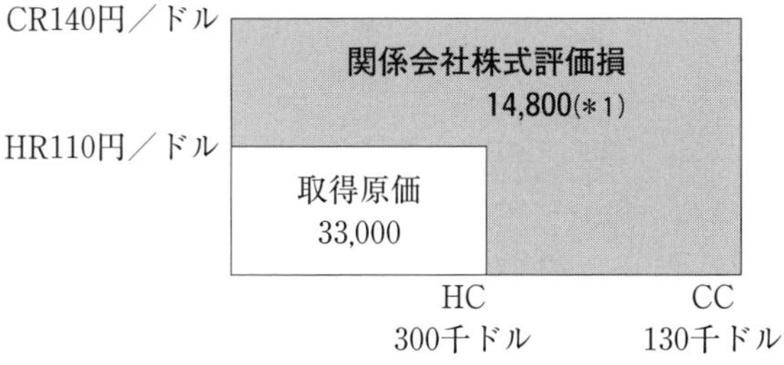

	期首		期末
	110円		140円
外貨建	300千ドル		130千ドル
邦貨建	33,000	△14,800(＊1) →	18,200

問題19　正解　4　難易度　A

★本問のポイント

持分法会計

解　説

ア．**誤　り**。「持分法会計に関する実務指針」11参照。

未実現損失について，売手側の帳簿価額のうち回収不能と認められる部分は消去しない。

イ．**正しい**。「持分法に関する会計基準」15参照。

ウ．**正しい**。「持分法会計に関する実務指針」3参照。

エ．**誤　り**。「持分法会計に関する実務指針」2-2，6参照。

持分法適用非連結子会社の資産及び負債の時価評価の範囲は，連結子会社の場合と同様に，投資会社の持分だけでなく非支配株主の持分に相当する部分を含めて全てに及ぶ(全面時価評価法による)ことになる。

以上より，正しい記述はイ，ウであり，正解は4となる。

問題20 正解 6 難易度 A

★本問のポイント

固定資産の減損(のれんの取扱い(容認))

解　　説(単位：百万円)

Ⅰ．のれんの分割

事業Ⅰ：$400 \times \frac{976}{2{,}440(*1)} = 160$

事業Ⅱ：$400 \times \frac{1{,}464}{2{,}440(*1)} = 240$

(＊1) 事業Ⅰ時価976＋事業Ⅱ時価1,464＝2,440

Ⅱ．事業Ⅰに属するのれん配分後の各資産グループの帳簿価額

配分後の資産グループA：200＋160×25％＝240

配分後の資産グループB：400＋160×55％＝488

配分後の資産グループC：240＋160×20％＝272

Ⅲ．配分後の各資産グループごとの減損損失の認識の判定及び測定

1．減損損失の認識の判定

(1) 配分後の資産グループA

割引前将来CF300 ＞ 配分後の帳簿価額240 → 減損処理を行わない

(2) 配分後の資産グループB

割引前将来CF510 ＞ 配分後の帳簿価額488 → 減損処理を行わない

(3) 配分後の資産グループC

割引前将来CF130 ＜ 配分後の帳簿価額272 → 減損処理を行う

2．配分後の資産グループCに係る減損損失の測定

配分後の帳簿価額272－回収可能価額125＝減損損失147

Ⅳ．配分後の資産グループCに係る減損損失の配分

減損損失147 ＞ のれん配分額32(＊2)

(＊2) 160×20％＝32

の　れ　ん：32

資産グループC：147－32＝115

(注)各資産グループについて認識された減損損失は，のれんに優先的に配分する。

Ⅴ．解答数値の算定

事業Ⅰ(160－32)＋事業Ⅱ240＝**368**

又は，400－32＝**368**

(注)事業Ⅰに係るのれんは128(160－32)となるが，貸借対照表に計上されるのれんは事業Ⅱに係るのれん240と合わせて368である点に注意すること。

問題21　正解　5　難易度　A

★本問のポイント

連結財務諸表における税効果会計(未実現損益)

解　説 (単位：千円)

(注)解答数値の算定に不要な資本連結に関する処理を省略している。

Ⅰ．X5年度に係る連結修正仕訳

1．売上高と仕入高の相殺消去

(借)	売上高	22,000	(貸)	売上原価	22,000

2．商品に係る未実現損益の調整(ダウン・ストリーム)

(1)　期首商品

(借)	利益剰余金当期首残高	580	(貸)	売上原価	580(*1)
(借)	**法人税等調整額**	**174**(*2)	(貸)	利益剰余金当期首残高	174

(*1)　X4年度末2,320×売上総利益率25％＝580

(*2)　580(*1)×法定実効税率30％＝174

(2)　期末商品

(借)	売上原価	700(*3)	(貸)	商品	700
(借)	繰延税金資産(P社)	210	(貸)	**法人税等調整額**	**210**(*4)

(*3)　X5年度末2,800×売上総利益率25％＝700

(*4)　700(*3)×法定実効税率30％＝210

3．土地に係る未実現損益の調整(アップ・ストリーム)

(借)	土地売却益	100(*5)	(貸)	土地	100
(借)	繰延税金資産(S社)	30	(貸)	**法人税等調整額**	**30**(*6)
(借)	非支配株主持分当期変動額	21	(貸)	非支配株主に帰属する当期純損益	21(*7)

(*5)　4,600－帳簿価額4,500＝100

(*6)　100(*5)×法定実効税率30％＝30

(*7)　(100(*5)－30(*6))×非支配株主持分比率30％＝21

Ⅱ．解答数値の算定

P社個別△3,700＋S社個別△2,400＋商品(期首174(*2)＋期末△210(*4))
＋土地△30(*6)＝△**6,166**

(注)問題文の指示より，「△」は法人税等合計を減少させていることを意味している。したがって，連結修正仕訳による法人税等調整額の借方を「＋」，貸方を「△」としている。

問題22　正解　6　難易度　A

★本問のポイント

企業結合・事業分離等

解　説

ア．**誤　り**。「企業結合に関する会計基準」26，94参照。

取得関連費用（外部のアドバイザー等に支払った特定の報酬・手数料等）は，発生した事業年度の費用として処理する。

イ．**誤　り**。「企業結合に関する会計基準」41，42，注10参照。

共通支配下の取引により子会社が法律上消滅する場合には，当該子会社に係る子会社株式（抱合せ株式）の適正な帳簿価額とこれに対応する増加資本との差額は，親会社の損益とする。

ウ．**正しい**。「事業分離等に関する会計基準」14参照。

エ．**正しい**。「事業分離等に関する会計基準」17参照。

以上より，正しい記述はウ，エであり，正解は６となる。

問題23　正解　3　難易度　A

問題24　正解　5　難易度　A

問題25　正解　2　難易度　A

問題26　正解　4　難易度　A

問題27　正解　4　難易度　A

問題28　正解　3　難易度　B

★本問のポイント

連結財務諸表(評価差額，未実現損益(ダウン・ストリーム，アップ・ストリーム)，子会社におけるその他有価証券評価差額金，在外子会社)

解　説(単位：百万円)

Ⅰ．X2年度

1．S1社

(1)　評価差額の計上

(借) 土　　地	600(＊1)	(貸) 評　価　差　額	600

(＊1)　X1年度末(時価3,800－簿価3,200)＝600

(2)　タイム・テーブル

	X1年度末		X2年度末
	＋75%	75%	
資本金	16,500		16,500
利益剰余金	8,000	1,125 / 375 →	9,500
その他有価証券評価差額金	500	225 / 75 →	800
評価差額	600(＊1)		600(＊1)
合計	25,600		27,400
取得持分	19,200		
取得原価	20,500		
のれん	1,300	△130	1,170

(3)　開始仕訳(投資と資本の相殺消去)

(借) 資本金	16,500	(貸) 諸資産(S1社株式)	20,500
利益剰余金	8,000	非支配株主持分	6,400(＊2)
その他有価証券評価差額金	500		
評価差額	600(＊1)		
のれん	1,300		

(＊2)　T/T資本合計25,600×非支配株主持分比率25%＝6,400

(4)　当期純利益の按分

(借) 非支配株主に帰属する当期純損益	375	(貸) 非支配株主持分	375

(5)　のれんの償却

(借) 販売費及び一般管理費(のれん償却額)	130	(貸) のれん	130

(6) その他有価証券評価差額金の按分

(借)	その他有価証券評価差額金	75	(貸)	非支配株主持分	75

(7) 成果連結(商品売買，S1社→P社，アップ・ストリーム)

① 売上高と仕入高の相殺消去

(借)	売上高	×××	(貸)	売上原価	×××

(注)X2年度におけるS1社からP社への売上高は不明であるため，×××としている。

② 未実現損益の調整

(借)	売上原価	180(＊3)	(貸)	諸資産 (商品)	180
(借)	非支配株主持分	45	(貸)	非支配株主に帰属する当期純損益	45(＊4)

(＊3) X3年度期首の商品棚卸高に占めるS1社からの仕入分900×売上総利益率20％＝180

(＊4) 未実現損益180(＊3)×非支配株主持分比率25％＝45

(参考)アップ・ストリームにおける未実現損益をT/Tに反映させた場合

アップ・ストリームにおいて，①未実現損益を全額消去し，②非支配株主持分比率分だけ非支配株主に按分する連結修正仕訳を行っていたが，当該②の非支配株主に按分する仕訳を行わず，T/Tに直接反映させることも可能である。この場合，未実現損益の調整の連結修正仕訳は①全額消去のみ行えばよい。

(1) 成果連結(商品売買，S1社→P社，アップ・ストリーム)

① 売上高と仕入高の相殺消去

(借)	売上高	×××	(貸)	売上原価	×××

② 未実現損益の調整

(借)	売上原価	180(＊3)	(貸)	諸資産 (商品)	180

(2)　タイム・テーブル

	X1年度末	75%	X2年度末
	+75%		
資本金	16,500		16,500
利益剰余金	8,000	1,125 / 375 →	9,500
その他有価証券評価差額金	500	225 / 75 →	800
評価差額	600(＊1)		600(＊1)
商品売買	—	△135(＊5) / △45(＊4) →	△180(＊3)
合計	25,600		27,220
取得持分	19,200		
取得原価	20,500		
のれん	1,300	△130	1,170

(＊5)　未実現損益180(＊3)×P社持分比率75%＝135

2．S2社

(1)　評価差額の計上

(借)	土地	650(＊1)	(貸)	評価差額	650(＊2)

(＊1)　5,000千ドル(＊3)×X2年度CR130円／ドル＝650

(＊2)　5,000千ドル(＊3)×支配獲得時為替相場130円／ドル＝650

(＊3)　X2年度末(時価26,000千ドル－簿価21,000千ドル)＝5,000千ドル

(2) タイム・テーブル

	X2 年度末
	130円
	+80%
資　本　金	15,600
利益剰余金	10,400
評　価　差　額	650(＊2)
為替換算調整勘定	—
合　計	26,650(＊4)
取　得　持　分	21,320
取　得　原　価	27,300(＊5)
の　れ　ん	5,980(＊6)
(外貨建のれん)	(46,000千ドル(＊7))

(＊4) (資本金120,000千ドル+利益剰余金80,000千ドル+評価差額5,000千ドル(＊3))
×X2年度CR130円/ドル=26,650

(＊5) 210,000千ドル×支配獲得時為替相場130円/ドル=27,300

(＊6) 外貨建のれん46,000千ドル(＊7)×X2年度CR130円/ドル=5,980

(＊7) 210,000千ドル−(資本金120,000千ドル+利益剰余金80,000千ドル
+評価差額5,000千ドル(＊3))×P社取得比率80%=46,000千ドル

(3) 投資と資本の相殺消去

(借)	資　本　金	15,600	(貸)	諸　資　産 (S2社株式)	27,300(＊5)
	利益剰余金	10,400		非支配株主持分	5,330(＊8)
	評　価　差　額	650(＊2)			
	の　れ　ん	5,980(＊6)			

(＊8) T/T資本合計26,650(＊4)×非支配株主持分比率20%=5,330

3. 解答数値の算定

◎ X2年度連結B/Sのれん(問題23の解答):**7,150**(＊1)

(＊1) S1社T/T1,170+S2社T/T5,980=7,150

◎ X2年度連結B/S 非支配株主持分(問題24の解答):**12,135**(＊2)

(＊2) S1社T/T資本合計27,400×S1社非支配株主持分比率25%
+S2社T/T資本合計26,650×S2社非支配株主持分比率20%
−成果連結45=12,135

又は, S1社アップT/T資本合計27,220×S1社非支配株主持分比率25%
+S2社T/T資本合計26,650×S2社非支配株主持分比率20%=12,135

◎　X2年度連結B/S利益剰余金（問題25の解答）：**18,860**（＊３）

（＊３）　P社個別18,000＋S1社T/T（1,125－130）
＋成果連結{商品売買（△180＋45）}＝18,860
又は，P社個別18,000＋S1社アップT/T（1,125－130－商品売買135）＝18,860

Ⅱ．X3年度

１．S1社

（1）　評価差額の計上

（借）	土　　　地	600	（貸）	評　価　差　額	600

（2）　タイム・テーブル

	X1年度末		X2年度末		X3年度末
		75%		75%	
	+75%				
資　本　金	16,500		16,500		16,500
利益剰余金	8,000	1,125 → 375	9,500	900 △225 → 300 △ 75	10,400
その他有価証券評価差額金	500	225 → 75	800	75 → 25	900
評価差額	600		600		600
合　計	25,600		27,400		28,400
取得持分	19,200				
取得原価	20,500				
の　れ　ん	1,300	△130	1,170	△130	1,040

（3）　開始仕訳

（借）	資　本　金	16,500	（貸）	諸　資　産 （S１社株式）	20,500
	利益剰余金	8,505（＊１）		非支配株主持分	6,850（＊３）
	その他有価証券評価差額金	575（＊２）			
	評価差額	600			
	の　れ　ん	1,170			

（＊１）　T/Tより，8,000＋375＋130＝8,505　又は，9,500－（1,125－130）＝8,505
（＊２）　T/Tより，500＋75＝575　又は，800－225＝575
（＊３）　T/T資本合計27,400×非支配株主持分比率25％＝6,850

（4）　当期純利益の按分

（借）	非支配株主に帰属する当期純損益	300	（貸）	非支配株主持分	300

(5)　のれんの償却

(借) 販売費及び一般管理費 (のれん償却額)	130	(貸) のれん	130

(6)　剰余金の配当

(借) 営業外収益 (受取配当金)	225(＊4)	(貸) 利益剰余金	300
非支配株主持分	75(＊5)		

(＊4)　300×P社持分比率75％＝225

(＊5)　300×非支配株主持分比率25％＝75

(7)　その他有価証券評価差額金の按分

(借) その他有価証券評価差額金	25	(貸) 非支配株主持分	25

(8)　成果連結

①　商品売買(S1社→P社，アップ・ストリーム)

i　売上高と仕入高の相殺消去

(借) 売上高	6,150	(貸) 売上原価	6,150

ii　未実現損益の調整

a　期首商品

(借) 利益剰余金	180(＊6)	(貸) 売上原価	180
(借) 非支配株主持分	45	(貸) 利益剰余金	45(＊7)
(借) 非支配株主に帰属する当期純損益	45(＊7)	(貸) 非支配株主持分	45

(＊6)　X3年度期首の商品棚卸高に占めるS1社からの仕入分900×売上総利益率20％＝180

(＊7)　未実現損益18(＊6)×非支配株主持分比率25％＝45

b　期末商品

(借) 売上原価	240(＊8)	(貸) 諸資産 (商品)	240
(借) 非支配株主持分	60	(貸) 非支配株主に帰属する当期純損益	60(＊9)

(＊8)　X3年度期末の商品棚卸高に占めるS1社からの仕入分1,200×売上総利益率20％＝240

(＊9)　未実現損益240(＊8)×非支配株主持分比率25％＝60

②　有形固定資産(P社→S1社，ダウン・ストリーム)

(借) 特別利益 (有形固定資産売却益)	500(＊10)	(貸) 諸資産 (有形固定資産)	500
(借) 諸資産 (有形固定資産)	50	(貸) 販売費及び一般管理費 (減価償却費)	50(＊11)

(*10)　売却価額1,500－Ｐ社個別上の帳簿価額(取得原価1,500
－減価償却累計額500)＝500

(*11)　未実現損益500(*10)÷10年＝50

(参考)未実現損益をT/Tに反映させた場合

アップ・ストリームにおいて非支配株主に按分する仕訳を行わず，T/T に直接反映させることが可能であるのと同様に，ダウン・ストリームにおいてＰ社の利益剰余金に関するT/Tを作成することもできる。

(1)　成果連結

①　商品売買(S1社→Ｐ社，アップ・ストリーム)

ⅰ　売上高と仕入高の相殺消去

(借)	売上高	6,150	(貸)	売上原価	6,150

ⅱ　未実現損益の調整

a　期首商品

(借)	利益剰余金	180(*６)	(貸)	売上原価	180

b　期末商品

(借)	売上原価	240(*８)	(貸)	諸資産 (商品)	240

②　有形固定資産(Ｐ社→S1社，ダウン・ストリーム)

(借)	特別利益 (有形固定資産売却益)	500(*10)	(貸)	諸資産 (有形固定資産)	500
(借)	諸資産 (有形固定資産)	50	(貸)	販売費及び一般管理費 (減価償却費)	50(*11)

(2)　タイム・テーブル

①　Ｐ社(利益剰余金及びその他有価証券評価差額金)

	X1 年度末		X2 年度末		X3 年度末
		100%		100%	
利益剰余金	×××	××× →	18,000	4,550 →	22,550
有形固定資産	—		—	△450 →	△450 (*12)
利益剰余金合計	×××		18,000		22,100
その他有価証券評価差額金	—		—	1,100 →	1,100
合計	×××		18,000		23,200

(*12)　△500(*10)＋50(*11)＝△450

② S1社

	X1年度末	75%	X2年度末	75%	X3年度末
	+75%				
資本金	16,500		16,500		16,500
利益剰余金	8,000	1,125 → 375	9,500	900 △225 → 300 △ 75	10,400
その他有価証券評価差額金	500	225 → 75	800	75 → 25	900
評価差額	600		600		600
商品売買	—	△135 → △ 45(*7)	△180(*6)	△ 45(*14) → △ 15(*13)	△240(*8)
合計	25,600		27,220		28,160
取得持分	19,200				
取得原価	20,500				
のれん	1,300	△130	1,170	△130	1,040

(*13) (△240(*8)－△180(*6))×非支配株主持分比率25%＝△15
又は，45(*7)－60(*9)＝△15

(*14) (△240(*8)－△180(*6))×P社持分比率75%＝△45

2．S2社

(1) 在外子会社の財務諸表の換算

損益計算書

X3年1月1日～X3年12月31日

借方項目	外貨(千ドル)	為替相場(円／ドル)	円貨(百万円)	貸方項目	外貨(千ドル)	為替相場(円／ドル)	円貨(百万円)
売上原価	176,000	135(*1)	23,760	売上高	220,000	135(*1)	29,700
販売費及び一般管理費	32,000	135(*1)	4,320	営業外収益	1,000	135(*1)	135
営業外費用	2,800	135(*1)	378				
特別損失	200	135(*1)	27				
当期純利益	10,000	135(*1)	1,350				
合計	221,000	135(*1)	29,835	合計	221,000	135(*1)	29,835

(*1) X3年度AR

株主資本等変動計算書

X3年1月1日～X3年12月31日

借方項目	外貨（千ドル）	為替相場（円／ドル）	円貨（百万円）	貸方項目	外貨（千ドル）	為替相場（円／ドル）	円貨（百万円）
資本金当期末残高	120,000	130(＊2)	15,600	資本金当期首残高	120,000	130(＊2)	15,600
利益剰余金当期末残高	90,000	—	11,750	利益剰余金当期首残高	80,000	130(＊2)	10,400
				当期純利益	10,000	135(＊1)	1,350
為替換算調整勘定当期末残高	—	—	2,050 (＊4)	為替換算調整勘定当期首残高	—	—	—
				為替換算調整勘定当期変動額	—	—	∴ 2,050
合計	210,000	140(＊3)	29,400	合計	210,000	140(＊3)	29,400

(＊2)　支配獲得時為替相場

(＊3)　X3年度CR

(＊4)　(資本金120,000千ドル＋利益剰余金90,000千ドル)×X3年度CR140円／ドル
－(資本金15,600＋利益剰余金11,750)＝2,050

貸借対照表

X3年12月31日

借方項目	外貨（千ドル）	為替相場（円／ドル）	円貨（百万円）	貸方項目	外貨（千ドル）	為替相場（円／ドル）	円貨（百万円）
諸資産	234,000	140(＊3)	32,760	諸負債	45,000	140(＊3)	6,300
土地	21,000	140(＊3)	2,940	資本金	120,000	130(＊2)	15,600
				利益剰余金	90,000	—	11,750
				為替換算調整勘定	—	—	2,050 (＊4)
合計	255,000	140(＊3)	35,700	合計	255,000	140(＊3)	35,700

(2)　評価差額の計上

(借)	土地	700(＊5)	(貸)	評価差額	650(＊6)
				為替換算調整勘定	50(＊7)

(＊5)　5,000千ドル(＊8)×X3年度CR140円／ドル＝700

(＊6)　5,000千ドル(＊8)×支配獲得時為替相場130円／ドル＝650

(注)子会社の資産及び負債の時価評価を「支配獲得時」に一度だけ行うため，評価差額は「支配獲得時の為替相場」で換算される。

(＊7)　5,000千ドル(＊8)×(X3年度CR140円／ドル
－支配獲得時為替相場130円／ドル)＝50

(＊8)　X2年度末(時価26,000千ドル－簿価21,000千ドル)＝5,000千ドル

(3) タイム・テーブル

	X2年度末		X3年度末
		80% →	
	130円 ＋80%	AR135円	140円
資本金	15,600		15,600
利益剰余金	10,400	1,080 → 270	11,750
評価差額	650 (*6)		650 (*6)
為替換算調整勘定	—	1,680 → 420	2,100 (*9)
合計	26,650		30,100 (*10)
取得持分	21,320		
取得原価	27,300		
CR換算前のれん (外貨建のれん償却額)	5,980	△ 621(*11) (△4,600千ドル)	5,359
為替換算調整勘定	—	△ 437(*13) →	437 (*13)
のれん (外貨建のれん)	5,980 (46,000千ドル)		5,796 (*12) (41,400千ドル)

(*9) (資本金120,000千ドル＋利益剰余金90,000千ドル＋評価差額5,000千ドル(*8))×X3年度CR140円／ドル－(資本金15,600＋利益剰余金11,750＋評価差額650(*6))＝2,100

(*10) (資本金120,000千ドル＋利益剰余金90,000千ドル＋評価差額5,000千ドル(*8))×X3年度CR140円／ドル＝30,100

(*11) 外貨建のれん償却額4,600千ドル×X3年度AR135円／ドル＝621

(*12) 外貨建のれん当期末残高41,400千ドル×X3年度CR140円／ドル＝5,796

(*13) 5,796(*12)－(5,980－621(*11))＝437

(4) 開始仕訳(投資と資本の相殺消去)

(借)	資本金	15,600	(貸)	諸資産 (S2社株式)	27,300
	利益剰余金	10,400		非支配株主持分	5,330(*14)
	評価差額	650(*6)			
	のれん	5,980			

(*14) T/T資本合計26,650×非支配株主持分比率20%＝5,330

(5)　当期純利益の按分

(借)	非支配株主に帰属する当期純損益	270(*15)	(貸)	非支配株主持分	270

(*15)　10,000千ドル×X3年度AR135円／ドル×非支配株主持分比率20％＝270

(6)　のれんの償却

(借)	販売費及び一般管理費 (のれん償却額)	621(*11)	(貸)	のれん	621

(7)　のれんに係る為替換算調整勘定

(借)	のれん	437(*13)	(貸)	為替換算調整勘定	437

(8)　資本合計に係る為替換算調整勘定の按分

(借)	為替換算調整勘定	420(*16)	(貸)	非支配株主持分	420

(*16)　(2,100(*９)－０)×非支配株主持分比率20％＝420

3．Ｐ社連結財務諸表(問題26～問題28の解答)

(1) 貸借対照表

	連結
資　　　産	
諸　資　産	127,770
土　　　地	32,440
の　れ　ん	6,836
資 産 合 計	167,046
負債及び純資産	
諸　負　債	71,550
資　本　金	55,000
利 益 剰 余 金	23,919(＊1)
その他有価証券評価差額金	1,400(＊2)
為替換算調整勘定	2,117(＊3)
非支配株主持分	13,060
負債及び純資産合計	167,046

(＊1) Ｐ社個別22,550＋S1社T/T(1,125＋900－225－130×２年)
＋S2社T/T(1,080－621)＋成果連結(△240＋60－500＋50)＝23,919

又は，

Ｐ社T/T利益剰余金合計22,100＋S1社アップT/T{1,125＋900－225－130
×２年＋商品売買(△135＋△45)}＋S2社T/T(1,080－621)＝23,919

(＊2) Ｐ社個別1,100＋S1社T/T(225＋75)＝1,400

(＊3) S2社T/T(1,680＋437)＝2,117

◎　X3年度連結B/Sその他の包括利益累計額(問題27の解答)：**3,517**(＊4)

(＊4) その他有価証券評価差額金1,400(＊2)＋為替換算調整勘定2,117(＊3)＝3,517

(注)その他の包括利益累計額は，親会社株主に係る分のみを集計する点に注意すること。

(2)　損益計算書

	連結
売上高	197,050
売上原価	**162,220**(＊5)
売上総利益	34,830
販売費及び一般管理費	29,471
営業利益	5,359
営業外収益	610
営業外費用	528
経常利益	5,441
特別利益	300
特別損失	127
当期純利益	5,614
非支配株主に帰属する当期純利益	555
親会社株主に帰属する当期純利益	**5,059**(＊6)

(＊5)　個別合計（P社86,550＋S1社58,000＋S2社23,760）
＋成果連結（△6,150－180＋240）＝162,220

(＊6)　P社個別4,550＋S1社T/T（900－225－130）＋S2社T/T（1,080－621）
＋成果連結{商品売買(180－45－240＋60)＋有形固定資産(△500＋50)}＝5,059
又は，
P社T/T(4,550－有形固定資産450)＋S1社アップT/T(900－225－130－商品売買45)
＋S2社T/T(1,080－621)＝5,059

’24

CERTIFIED PUBLIC ACCOUNTANT

公認会計士
第Ⅰ回短答式試験

※解答に当たり適用すべき法令等は，2023年４月１日現在施行（適用）のものとする。

解 答 欄

得点	

問題番号	解答番号					
問題 1	1	2	3	4	5	6
問題 2	1	2	3	4	5	6
問題 3	1	2	3	4	5	6
問題 4	1	2	3	4	5	6
問題 5	1	2	3	4	5	6
問題 6	1	2	3	4	5	6
問題 7	1	2	3	4	5	6
問題 8	1	2	3	4	5	6
問題 9	1	2	3	4	5	6
問題10	1	2	3	4	5	6
問題11	1	2	3	4	5	6
問題12	1	2	3	4	5	6
問題13	1	2	3	4	5	6
問題14	1	2	3	4	5	6
問題15	1	2	3	4	5	6
問題16	1	2	3	4	5	6

問題番号	解答番号					
問題17	1	2	3	4	5	6
問題18	1	2	3	4	5	6
問題19	1	2	3	4	5	6
問題20	1	2	3	4	5	6
問題21	1	2	3	4	5	6
問題22	1	2	3	4	5	6
問題23	1	2	3	4	5	6
問題24	1	2	3	4	5	6
問題25	1	2	3	4	5	6
問題26	1	2	3	4	5	6
問題27	1	2	3	4	5	6
問題28	1	2	3	4	5	6
問題29	1	2	3	4	5	6
問題30	1	2	3	4	5	6
問題31	1	2	3	4	5	6
問題32	1	2	3	4	5	6

CERTIFIED PUBLIC ACCOUNTANT

'24

第Ⅰ回

問題編

令和６年試験
第 I 回 短 答 式 試 験 問 題
企 業 法

注 意 事 項

1　受験上の注意事項

・試験官からの注意事項の聞き漏らし／受験案内や試験室及び受験票その他に記載・掲示された注意事項の未確認等，これらを原因とした試験における不利益は自己責任になります。

・携帯電話等の通信機器や携行品の取扱いについては，試験官の指示に従ってください。

・試験開始の合図があるまで，配付物や筆記用具に触れないでください。

・問題に関する質問には，応じません。

2　不正受験や迷惑行為の禁止

・不正行為を行った場合／試験官の指示に従わない場合／周囲に迷惑をかける等，適正な試験実施に支障を来す行為を行った場合，**直ちに退室を命ずることがあります**。

3　試験問題

・試験開始の合図後，直ちに頁数(全20頁)を調べ，不備等があれば黙って挙手し，試験官に申し出てください。

4　答案用紙

・試験開始の合図後，不備等があれば黙って挙手し，試験官に申し出てください。

・試験開始の合図後，直ちに①受験番号及び氏名を正しく記入し，かつ，②受験番号を正しくマークしてください。
答案用紙への記載に当たっては，**B又はHBの黒鉛筆(シャープペンシルも可)を使用**してください。
正しく記載されていない場合には，採点されないことがあります。

・解答欄に**複数マークしている場合は，その問題は不正解になります**。

5　試験終了後

・試験終了の合図後，直ちに筆記用具を置き，答案用紙は裏返して通路側に置いてください。

・試験官が答案用紙を集め終わり指示するまで，絶対に席を立たないでください。

・答案用紙が試験官に回収されずに手元に残っていた場合は，直ちに挙手し，試験官に申し出てください。
試験官に回収されない場合，いかなる理由があっても答案は採点されません。

6　試験問題の持ち帰り

・試験終了後，持ち帰ることができます。

満　点　100点(問題１～20各５点)
時　間　１時間

(この注意事項は出題時のものを載録しています)

問題１　商人(小商人を除く。)に関する次の記述のうち，正しいものの組合せとして最も適切な番号を一つ選びなさい。(５点)

ア．商人は，支配人を選任したときは，その登記をしなければならないが，当該支配人の代理権の消滅については，その登記をすることを要しない。
イ．商人の行為は，その営業のためにするものと推定される。
ウ．営業を譲り受けた商人が譲渡人の商号を引き続き使用する場合には，当該譲渡人の営業によって生じた債権について，当該商人にした弁済は，弁済者が善意であり，かつ重大な過失がないときは，その効力を有する。
エ．鉱業を営む者が，商行為を行うことを業としない場合には，商人とみなされない。

１．アイ　２．アウ　３．アエ　４．イウ　５．イエ　６．ウエ

問題２　商行為に関する次の記述のうち，正しいものの組合せとして最も適切な番号を一つ選びなさい。なお，商法の規定を変更し，又は排除する特約はないものとする。(５点)

ア．商人が，その営業の部類に属する契約の申込みを受けた場合において，その申込みとともに受け取った物品があるときは，その申込みを拒絶したときであっても，当該商人の費用をもってその物品を保管しなければならない。
イ．最高裁判所の判例の趣旨によれば，商行為の代理人が本人のためにすることを示さないで代理行為をした場合において，相手方が，代理人が本人のためにすることを過失なく知らなかったときは，相手方は，本人との法律関係を主張するか，代理人との法律関係を主張するかを選択することができる。
ウ．商人がその営業の範囲内において他人のために行為をした場合であっても，当該商人と当該他人との契約において報酬について定めていない限り，当該他人に報酬を請求することはできない。
エ．商人間の売買において，売買の性質により，特定の日時又は一定の期間内に履行をしなければ契約をした目的を達することができない場合において，当事者の一方が履行をしないでその時期を経過したときは，相手方は，直ちにその履行を請求した場合を除き，契約の解除をしたものとみなされる。

１．アイ　２．アウ　３．アエ　４．イウ　５．イエ　６．ウエ

問題３　株式会社の設立（会社法第二編「株式会社」第一章「設立」の規定によるものに限る。）に関する次の記述のうち，正しいものの組合せとして最も適切な番号を一つ選びなさい。（５点）

ア．募集設立の場合において，発起人は，設立時発行株式と引換えにする金銭の払込みの取扱いをする銀行等を変更するときは，裁判所の許可を得なければならない。

イ．発起人が，出資の履行をしていない発起人に対して，一定の期日までに当該出資の履行をしなければならない旨の通知を法定の期間に行った場合において，当該通知を受けた発起人が，当該一定の期日までに出資の履行をしないときには，他の発起人は，共同して当該出資の履行を引き受けなければならない。

ウ．設立時募集株式を引き受けようとする者が，その総数の引受けを行う契約を締結する場合には，発起人は，その者に対し，設立時募集株式に関する事項等を通知することを要しない。

エ．発起人が，株式会社の設立についてその任務を怠ったことにより当該株式会社に生じた損害を賠償する責任を負う場合において，発起人の負う当該責任は，総株主の同意がなければ免除することができない。

１．アイ　　２．アウ　　３．アエ　　４．イウ　　５．イエ　　６．ウエ

問題４　株式会社の設立(会社法第二編「株式会社」第一章「設立」の規定によるものに限る。)に関する次の記述のうち，正しいものの組合せとして最も適切な番号を一つ選びなさい。（５点）

ア．募集設立の場合において，設立時募集株式の数を超える引受けの申込みがあるときは，発起人は，各申込者に対し，申込みに係る数に応じて，設立時募集株式を割り当てなければならない。

イ．募集設立の場合において，設立時株主は，設立時取締役に対し，発行可能株式総数の変更を創立総会の目的とすることを請求することができる。

ウ．発起設立の場合において，定款について公証人の認証を受けた後，発起人から，金銭の出資に代えて自己が所有する不動産を出資したい旨の申出があったときに，発起人の全員の同意をもって当該定款を変更して，当該発起人の出資の目的を金銭ではなく当該不動産にすることはできない。

エ．設立しようとする会社が種類株式発行会社である場合において，当該会社の設立中に定款を変更して，ある種類の株式の種類株主に損害を及ぼすおそれがある株式交換をするときであっても，当該種類株主による種類株主総会の決議を要しない旨の定款の定めを設けようとするときは，当該種類の設立時発行株式の設立時種類株主全員の同意を要する。

１．アイ　　２．アウ　　３．アエ　　４．イウ　　５．イエ　　６．ウエ

問題５　会社法上の種類株式の規律に関する次の記述のうち，正しいものの組合せとして最も適切な番号を一つ選びなさい。（５点）

ア．株式会社は，会計参与の選任につき株主総会決議のほか，ある種類の株式の種類株主を構成員とする種類株主総会の決議を必要とする旨を定款で定めることができない。

イ．株式会社は，ある種類の株式の種類株主を構成員とする種類株主総会において会計参与を選任する旨を定款で定めることができない。

ウ．公開会社でない株式会社は，株主総会における議決権に関する事項について，株主ごとに異なる取扱いを定款で定めることができる。

エ．株式会社は，種類株式の内容として，剰余金の配当について優先的に扱う旨を定款で定めたときは，株主総会におけるすべての事項について議決権を行使することができない旨をも当該定款の定めに含めなければならない。

１．アイ　　２．アウ　　３．アエ　　４．イウ　　５．イエ　　６．ウエ

問題６　株式会社が，募集株式について，現物出資財産を出資の目的とする旨並びに当該財産の内容及び価額を定めた場合における検査役の調査が免除されるときの組合せとして最も適切な番号を一つ選びなさい。なお，特別法の規定により現物出資財産の出資に関する会社法の規定の適用が除外される場合は，考慮しないものとする。（５点）

ア．当該株式会社が現物出資財産について定めた価額の総額が500万円を超えないとき。

イ．当該株式会社から株式の割当てを受けた募集株式の引受人(以下，「引受人」という。)が，現物出資財産として市場価格のある有価証券を給付する場合において，当該現物出資財産の価額が，法務省令で定める方法により算定される当該有価証券の市場価格を超えないとき。

ウ．引受人が，現物出資財産として不動産を給付する場合において，当該現物出資財産の価額が相当であることについて税理士の証明のみを受けたとき。

エ．引受人が，現物出資財産として，当該株式会社に対する弁済期が到来していない金銭債権を給付する場合において，当該金銭債権について定められた価額が当該金銭債権に係る負債の帳簿価額を超えないとき。

１．アイ　　２．アウ　　３．アエ　　４．イウ　　５．イエ　　６．ウエ

問題７　株券に関する次の記述のうち，正しいものの組合せとして最も適切な番号を一つ選びなさい。（５点）

ア．株主が，株式会社に対し，株券の所持を希望しない旨を申し出た場合には，当該株主が所持していた株券は，当該株主が当該株券を当該株式会社に提出した時に無効となる。

イ．株式会社が，その株式に係る株券を発行する旨の定款の定めを廃止する定款変更をしたときは，当該株式会社の株主は，当該定款変更がその効力を生じた日から遅滞なく自己の有する株券を当該株式会社に提出しなければならない。

ウ．株券喪失登録がされた株券は，その登録が抹消された場合を除き，株券喪失登録日の翌日から起算して１年を経過した日に無効となる。

エ．最高裁判所の判例の趣旨によれば，株券としての効力が生ずるのは，株式会社が法定の形式を具備した文書を作成した時ではなく，当該文書を株主に交付した時である。

１．アイ　　２．アウ　　３．アエ　　４．イウ　　５．イエ　　６．ウエ

問題８　株式会社の機関に関する次の記述のうち，正しいものの組合せとして最も適切な番号を一つ選びなさい。（５点）

ア．監査役会設置会社においては，定款の定めによっても，監査役の監査の範囲を会計に関するものに限定することができない。
イ．指名委員会等設置会社の監査委員会においては，その委員は，３人以上で，その過半数は，社外取締役でなければならない。
ウ．監査役会設置会社においては，監査役は，３人以上で，その過半数は，社外監査役でなければならない。
エ．監査等委員会設置会社の監査等委員会においては，監査等委員の中から常勤の監査等委員を選定しなければならない。

１．アイ　２．アウ　３．アエ　４．イウ　５．イエ　６．ウエ

問題９　株主総会に関する次の記述のうち，正しいものの組合せとして最も適切な番号を一つ選びなさい。なお，定款に別段の定めはないものとする。（５点）

ア．公開会社において，総株主の議決権の100分の３以上の議決権を６か月前から引き続き有する株主は，株主総会の目的である事項を定めることなく，自ら株主総会を招集することができる。
イ．取締役又は株主が株主総会の目的である事項について提案をした場合において，当該提案につき株主（当該事項について議決権を行使することができるものに限る。）の全員が書面又は電磁的記録により同意の意思表示をしたときは，当該提案を可決する旨の株主総会の決議があったものとみなされる。
ウ．取締役会設置会社でない株式会社の取締役は，株主総会に出席しない株主が電磁的方法によって議決権を行使することができる旨を定めた場合には，株主に対し，株主総会の招集の通知を株主総会の日の２週間前までに発しなければならない。
エ．株主総会に出席しない株主が電磁的方法によって議決権を行使することとする旨を定めた場合には，株主（株主総会において決議をすることができる事項の全部につき議決権を行使することができない株主を除く。）の全員の同意があるときには，株主総会は，招集の手続を経ることなく開催することができる。

１．アイ　２．アウ　３．アエ　４．イウ　５．イエ　６．ウエ

問題10　株主総会に関する次の記述のうち，正しいものの組合せとして最も適切な番号を一つ選びなさい。（5点）

ア．株主総会決議の不存在の確認の訴えは，確認の利益を有する限り，誰でも提起することができる。

イ．公開会社の株主総会は，株主総会の目的である事項として株主総会の延期を定めていない場合には，株主総会の延期を決議することができない。

ウ．監査役設置会社の株主総会が監査役を解任する決議を行う場合における定足数は，定款の定めによっても，当該監査役の解任について議決権を行使することができる株主の議決権の３分の１未満の割合とすることができない。

エ．公開会社である会計監査人設置会社の株主総会は，株主総会の目的である事項として会計監査人により株主総会に提出された資料を調査する者の選任を定めていない場合には，当該調査をする者を選任することができない。

1．アイ　　2．アウ　　3．アエ　　4．イウ　　5．イエ　　6．ウエ

問題11　代表取締役に関する次の記述のうち，正しいものの組合せとして最も適切な番号を一つ選びなさい。（5点）

ア．代表取締役が取締役の地位を保持しつつ辞任により代表取締役を退任したことにより代表取締役が欠けた場合には，当該退任した代表取締役は，新たに選定された代表取締役（一時代表取締役の職務を行うべき者を含む。）が就任するまで，なお代表取締役としての権利義務を有する。

イ．株式会社は，代表取締役が有する当該株式会社の業務に関する裁判上の行為又は裁判外の行為をする権限に制限を加える旨を定款に定めることはできない。

ウ．最高裁判所の判例の趣旨によれば，代表取締役がその職務を行うについて不法行為をして第三者に損害を加えたため，会社が当該第三者に対し損害を賠償する責任を負う場合には，代表取締役も個人として当該第三者に対し不法行為責任を負う。

エ．最高裁判所の判例の趣旨によれば，代表取締役代行者という名称は，表見代表取締役における株式会社を代表する権限を有するものと認められる名称には該当しない。

1．アイ　　2．アウ　　3．アエ　　4．イウ　　5．イエ　　6．ウエ

問題12　取締役会に関する次の記述のうち，正しいものの組合せとして最も適切な番号を一つ選びなさい。（5点）

ア．取締役会の招集の通知は，定款又は取締役会で定めた場合を除き，書面以外の方法によって行うこともできる。

イ．取締役会設置会社の取締役は，自己のために株式会社の事業の部類に属する取引をした場合には，当該取引後，遅滞なく，当該取引についての重要な事実を取締役会に報告しなければならない。

ウ．最高裁判所の判例の趣旨によれば，代表取締役の解職に関する取締役会の決議においては，当該代表取締役は，特別の利害関係を有する取締役に当たらず，当該取締役会において議決権を行使することができる。

エ．取締役会設置会社の親会社の債権者は，当該取締役会設置会社の役員又は執行役の責任を追及するため必要があるときは，裁判所の許可を得て，当該取締役会設置会社の取締役会の議事録の閲覧又は謄写の請求をすることができる。

1．アイ　　2．アウ　　3．アエ　　4．イウ　　5．イエ　　6．ウエ

問題13　監査等委員会設置会社に関する次の記述のうち，正しいものの組合せとして最も適切な番号を一つ選びなさい。なお，定款に別段の定めはないものとする。（5点）

ア．監査等委員会設置会社において，取締役が会計監査人の報酬等を定める場合には，監査等委員会の同意を得なければならない。

イ．監査等委員会設置会社において，監査等委員会を招集する監査等委員を監査等委員会で定めた場合には，当該監査等委員（以下，「招集権者」という。）以外の監査等委員は，招集権者に対して監査等委員会の招集を請求し，当該請求の日から5日以内に，当該請求の日から2週間以内に開催される監査等委員会の招集の通知が発せられないときに限り，監査等委員会を招集することができる。

ウ．監査等委員会設置会社において，会計監査人が職務上の義務に違反した場合には，監査等委員の全員の同意により，その会計監査人を解任することができる。

エ．取締役の総数が9人である監査等委員会設置会社において，このうち4人が社外取締役であり，この4人のみを監査等委員として監査等委員会が組織されているときは，当該監査等委員会設置会社は，取締役会の決議により，支店の設置に係る決定を取締役に委任することができる。

1．アイ　　2．アウ　　3．アエ　　4．イウ　　5．イエ　　6．ウエ

問題14　株式会社の会計帳簿及び計算書類等に関する次の記述のうち，正しいものの組合せとして最も適切な番号を一つ選びなさい。なお，定款に別段の定めはないものとする。（5点）

ア．株式会社は，会計帳簿の記録を開始した時点から10年間，その会計帳簿及びその事業に関する重要な資料を保存しなければならない。

イ．株主総会の決議事項の一部につき議決権を行使することができない株主であっても，発行済株式（自己株式を除く。）の100分の3以上の株式を保有していれば，会計帳簿の閲覧を請求することができる。

ウ．会計監査人設置会社において，株主資本等変動計算書は，会計監査人の監査の対象とはならない。

エ．事業報告は，定時株主総会の承認の対象とはならない。

1．アイ　　2．アウ　　3．アエ　　4．イウ　　5．イエ　　6．ウエ

問題15　合同会社に関する次の記述のうち，正しいものの組合せとして最も適切な番号を一つ選びなさい。（5点）

ア．合同会社の資本金の額は，登記しなければならない。

イ．合同会社の社員は，出資の価額が減少した場合であっても，その旨の登記をする前に生じた当該合同会社の債務について，当該出資の価額の減少前の責任の範囲内でこれを弁済する責任を負う。

ウ．合同会社が当該合同会社の持分を取得した場合には，当該合同会社は，当該持分を相当の時期に処分しなければならない。

エ．合同会社が新たに社員を加入させる場合において，当該合同会社が新たに社員を加入させる旨の定款の変更をしたにもかかわらず，新たに社員になろうとする者がその出資に係る払込み又は給付の全部又は一部を履行していないときは，その者は，当該払込み又は給付を完了した時に，当該合同会社の社員になる。

1．アイ　　2．アウ　　3．アエ　　4．イウ　　5．イエ　　6．ウエ

問題16 社債に関する次の記述のうち，正しいものの組合せとして最も適切な番号を一つ選びなさい。（５点）

ア．株式会社は，他の会社と合同して募集社債を発行することができる。
イ．無記名社債の譲渡は，その社債を取得した者の氏名又は名称及び住所を社債原簿に記載し，又は記録しなければ，社債発行会社その他の第三者に対抗することができない。
ウ．無記名式の新株予約権付社債券が発行されている場合において，新株予約権付社債に付された新株予約権が消滅していないときであっても，社債部分のみに質権を設定することができる。
エ．無記名社債の社債権者は，社債権者集会において議決権を行使しようとするときは，当該社債権者集会の日の１週間前までに，その社債券を，当該社債権者集会を招集する者に提示しなければならない。

１．アイ　２．アウ　３．アエ　４．イウ　５．イエ　６．ウエ

問題17 株式会社の吸収合併に関する次の記述のうち，正しいものの組合せとして最も適切な番号を一つ選びなさい。なお，吸収合併の当事会社は，いずれも種類株式発行会社でない株式会社であるものとする。（５点）

ア．吸収合併契約においては，吸収合併存続株式会社が，吸収合併消滅株式会社の株主全員に対してその有する株式に代わる対価を交付しない旨を定めることはできない。
イ．吸収合併消滅株式会社に対して，法定の手続に従い株式買取請求をした反対株主が，効力発生日前において，当該株式買取請求を撤回するには，当該吸収合併消滅株式会社の承諾を得なければならない。
ウ．吸収合併消滅株式会社において，新株予約権買取請求に係る新株予約権の買取りは，吸収合併の効力発生日に，その効力を生ずる。
エ．吸収合併存続株式会社は，吸収合併契約等備置開始日から吸収合併の効力発生日までの間，法定の事項を記載し，又は記録した書面又は電磁的記録をその本店に備え置かなければならない。

１．アイ　２．アウ　３．アエ　４．イウ　５．イエ　６．ウエ

問題18　株式会社の株式移転に関する次の記述のうち，正しいものの組合せとして最も適切な番号を一つ選びなさい。（５点）

ア．指名委員会等設置会社の取締役会は，株式移転計画の内容の決定を，執行役に委任することができる。
イ．株式移転は，法定の手続が終了した場合には，株式移転計画において定められた効力発生日にその効力を生ずる。
ウ．株式会社が株式移転をする場合において，株式移転計画新株予約権が新株予約権付社債に付された新株予約権であるときには，当該新株予約権付社債についての社債権者は，当該株式移転完全子会社に対し，法定の手続に従って，当該株式移転について異議を述べることができる。
エ．株式移転の無効の訴えの被告となるのは，株式移転をする株式会社及び株式移転により設立する株式会社である。

１．アイ　　２．アウ　　３．アエ　　４．イウ　　５．イエ　　６．ウエ

問題19　次のうち，金融商品取引法上の金融商品に該当するものの組合せとして最も適切な番号を一つ選びなさい。（５点）

ア．オプション
イ．通貨
ウ．信用格付
エ．国債証券の利率

１．アイ　　２．アウ　　３．アエ　　４．イウ　　５．イエ　　６．ウエ

問題20　金融商品取引法上の目論見書に関する次の記述のうち，正しいものの組合せとして最も適切な番号を一つ選びなさい。（５点）

ア．発行者及び有価証券の売出しをする者は，目論見書の交付に併せて，目論見書の記載内容に係る確認書を交付しなければならない。

イ．何人も，有価証券の募集又は売出しのために，虚偽の記載があり，又は記載すべき内容の記載が欠けている目論見書を使用してはならない。

ウ．発行者及び有価証券の売出しをする者は，有価証券の募集又は売出しのために目論見書以外の文書，図画，音声その他の資料を使用してはならない。

エ．目論見書の交付請求があったにもかかわらず，これを交付せずに有価証券を取得させた者は，目論見書を交付しなかったことが故意又は過失によるものでない場合であっても，当該有価証券を取得した者に対し，これにより生じた損害を賠償する責任を負う。

１．アイ　２．アウ　３．アエ　４．イウ　５．イエ　６．ウエ

令和６年試験
第 I 回 短 答 式 試 験 問 題
管理会計論

注 意 事 項

1　受験上の注意事項

・試験官からの注意事項の聞き漏らし／受験案内や試験室及び受験票その他に記載・掲示された注意事項の未確認等，これらを原因とした試験における不利益は自己責任になります。

・携帯電話等の通信機器や携行品の取扱いについては，試験官の指示に従ってください。

・試験開始の合図があるまで，配付物や筆記用具に触れないでください。

・問題に関する質問には，応じません。

2　不正受験や迷惑行為の禁止

・不正行為を行った場合／試験官の指示に従わない場合／周囲に迷惑をかける等，適正な試験実施に支障を来す行為を行った場合，**直ちに退室を命ずることがあります**。

3　試験問題

・試験開始の合図後，直ちに頁数(全19頁)を調べ，不備等があれば黙って挙手し，試験官に申し出てください。

4　答案用紙

・試験開始の合図後，不備等があれば黙って挙手し，試験官に申し出てください。

・試験開始の合図後，直ちに①受験番号及び氏名を正しく記入し，かつ，②受験番号を正しくマークしてください。
答案用紙への記載に当たっては，**B又はHBの黒鉛筆(シャープペンシルも可)を使用**してください。
正しく記載されていない場合には，採点されないことがあります。

・解答欄に**複数マークしている場合は，その問題は不正解になります**。

5　試験終了後

・試験終了の合図後，直ちに筆記用具を置き，答案用紙は裏返して通路側に置いてください。

・試験官が答案用紙を集め終わり指示するまで，絶対に席を立たないでください。

・答案用紙が試験官に回収されずに手元に残っていた場合は，直ちに挙手し，試験官に申し出てください。
試験官に回収されない場合，いかなる理由があっても答案は採点されません。

6　試験問題の持ち帰り

・試験終了後，持ち帰ることができます。

満　点　100点（問題1，3，6，7，9，12，13，15各5点
問題4，5，10，11各7点
問題2，8，14，16各8点）
時　間　1時間

（この注意事項は出題時のものを載録しています）

問題1　原価の諸概念に関する次の記述のうち，我が国の「原価計算基準」に照らして正しいものの組合せとして最も適切な番号を一つ選びなさい。（5点）

ア．理想標準原価とは，技術的に達成可能な最小操業度のもとにおいて，最高能率を表わす最低の原価をいい，財貨の消費における減損，仕損，遊休時間等に対する余裕率を許容しない理想的水準における標準原価である。

イ．実際原価は，厳密には実際の取得価格をもって計算した原価の実際発生額であるが，原価を予定価格等をもって計算しても，消費量を実際によって計算する限り，それは実際原価の計算である。

ウ．部分原価は，計算目的によって各種のものを計算することができるが，最も重要な部分原価は，変動直接費および変動間接費のみを集計した直接原価（変動原価）である。

エ．正常原価とは，経営における異常な状態を排除し，経営活動に関する比較的短期にわたる過去の実際数値を統計的に平準化し，これに将来のすう勢を加味した正常能率，正常操業度および正常価格に基づいて決定される原価をいう。

1．アイ　　2．アウ　　3．アエ　　4．イウ　　5．イエ　　6．ウエ

問題２　当工場では，材料の購入原価を計算する際に購入代価に全ての材料副費を加算している。次の〔**資料**〕に基づき，当月の原価計算の結果に関する記述のうち，正しいものの組合せとして最も適切な番号を一つ選びなさい。なお，計算過程で端数が生じる場合，計算途中では四捨五入せず，最終数値の円未満を四捨五入すること。（８点）

〔**資料**〕

1．材料購入に関する年間予算資料

品目（材料）	購入数量	送状価額	注文回数
A	15,000単位	5,760,000円	24回
B	18,000単位	7,002,000円	36回

2．材料副費の年間予算資料

引取運賃	購入事務費	検収費	保管料
330,000円	560,700円	495,000円	1,914,300円

3．材料購入に関する当月資料

品目（材料）	購入数量	送状価額	注文回数
A	1,200単位	460,800円	２回
B	1,800単位	702,000円	３回

なお，上記材料Aについては，値引が4,800円発生している。

4．材料副費の当月実際発生額

引取運賃	購入事務費	検収費	保管料
25,550円	75,100円	38,000円	125,000円

5．その他

材料副費を予定配賦する場合には二つの方法を検討している。一つは，購入数量を用いて一括配賦する方法である。もう一つは，費目別に予定配賦する方法であり，引取運賃および検収費については購入数量を，購入事務費については注文回数を，保管料については送状価額を採用する。

ア．購入数量を用いて材料副費を一括配賦した場合，材料Aの購入単価は490円であり，材料副費配賦差異は36,350円（貸方差異）である。

イ．材料副費を費目別に予定配賦した場合，材料Aの購入単価は478円であり，材料副費配賦差異は32,495円（貸方差異）である。

ウ．購入数量を用いて材料副費を一括配賦した場合，材料Aの購入原価は580,800円である。

エ．材料Aと材料Bの購入単価の差は，材料副費を一括で配賦した場合よりも，費目別で配賦した方が大きい。

1．アイ　　2．アウ　　3．アエ　　4．イウ　　5．イエ　　6．ウエ

問題３　原価部門に関する次の記述の中で（　ア　）～（　コ　）に当てはまる語句の組合せとして最も適切な番号を一つ選びなさい。ただし，（　※　）については，各自推定すること。（５点）

我が国の「原価計算基準」によると，原価部門とは，原価の発生を機能別，責任区分別に管理するとともに，製品原価の計算を正確にするために，原価要素を分類集計する（　ア　）上の区分をいい，これを諸（　イ　）と諸（　ウ　）とに分ける。その際には，次の基準により，かつ，経営の特質に応じて適当にこれを区分設定する。

（　イ　）とは，直接製造作業の行なわれる部門をいい，製品の種類別，（　エ　）の段階，製造活動の種類別等にしたがって，これを各種の部門又は工程に分ける。例えば，機械製作工場における鋳造，（　オ　），機械加工，組立等の各部門はその例である。

副産物の加工，包装品の製造等を行ないいわゆる（　カ　）は，これを（　イ　）とする。

製造に関する諸部門は，必要ある場合には，さらに（　※　），（　※　）等にしたがって，これを各小工程又は各作業単位に細分する。

一方，（　ウ　）とは，（　イ　）に対して補助的関係にある部門をいい，これを（　キ　）と（　ク　）とに分け，さらに機能の種類別等にしたがって，これを各種の部門に分ける。

（　キ　）とは，その事業の目的とする製品の生産に直接関与しないで，自己の製品又は用役を製造部門に提供する諸部門をいい，たとえば動力部，（　ケ　），運搬部，工具製作部，検査部等がそれである。

工具製作，（　※　），動力等の（　キ　）が相当の規模となった場合には，これを独立の経営単位とし，計算上（　イ　）として取り扱う。

（　ク　）とは，（　コ　）を行なう諸部門をいい，たとえば材料部，（　※　），企画部，試験研究部，（　※　）等がそれである。

１．	（ア）計算組織	（エ）製品生成	（キ）補助経営部門	（コ）管理的機能
２．	（オ）鍛造	（カ）副経営	（ク）工場管理部門	（ケ）労務部
３．	（イ）製造部門	（エ）原価計算	（キ）補助経営部門	（コ）品質管理
４．	（ア）計算組織	（ウ）工場事務部	（オ）鍛造	（ク）工場管理部門
５．	（ウ）補助部門	（エ）製品生成	（カ）副経営	（ケ）切削部

問題４　当工場では，実際部門別個別原価計算を採用している。当工場には第１製造部門，第２製造部門，および補助部門があり，製造間接費を部門別に予定配賦している。次の〔資料〕に基づき，当月における製造部門の配賦差異に関する記述について最も適切なものの番号を一つ選びなさい。なお，計算過程で端数が生じる場合，計算途中では四捨五入せず，最終数値の円未満を四捨五入すること。（７点）

〔資料〕

1．当月の直接材料費，直接労務費，各製造部門における直接作業時間の内訳

	#2023	#2023-1	#2123	#2123-1
直接材料費	2,500,000円	470,000円	1,205,000円	3,120,000円
直接労務費	3,506,000円	720,000円	1,368,000円	2,377,000円
第１製造部門の直接作業時間	633時間	415時間	375時間	857時間
第２製造部門の直接作業時間	1,065時間	143時間	132時間	1,040時間

2．各部門における年間の製造間接費予算額および基準操業度

	製造間接費予算額	基準操業度
第１製造部門	27,720,000円	28,000時間
第２製造部門	43,200,000円	28,800時間
補助部門	6,720,000円	—

3．当月の製造間接費実際発生額および実際操業度

	製造間接費実際発生額	実際操業度
第１製造部門	2,035,800円	2,280時間
第２製造部門	3,577,500円	2,380時間
補助部門	554,000円	—

4．その他

(1)　＃2023-１は＃2023の一部に仕損が生じたための補修指図書であり，＃2123-１は＃2123が全部仕損となったために発行された代品製造指図書である。＃2123の仕損品評価額は810,035円であった。仕損は全て正常な原因で生じている。

(2)　仕損は第２製造部門における作業の性質に起因して生じる。当年度の仕損費の予定発生額は36,048,000円であるが，２．の部門予算額には算入されていない。仕損費は第２製造部門費の予定配賦率に含めて計算する。

(3)　当年度は第１製造部門では延べ144人の工員が従事し，第２製造部門では延べ96人の工員が従事する予定である。

⑷　当月の各製造部門に従事した工員数は，第１製造部門が11人，第２製造部門が９人であった。

⑸　補助部門費は，各製造部門の工員数に基づいて配賦する。

⑹　製造部門に実際発生額を集計する際，補助部門費は実際配賦する。

1．第１製造部門の配賦差異は，1,686,900円の有利差異である。

2．第１製造部門の配賦差異は，245,020円の不利差異である。

3．第２製造部門の配賦差異は，2,496,935円の不利差異である。

4．第１製造部門と第２製造部門の配賦差異の合計は，1,441,880円の不利差異である。

5．第１製造部門と第２製造部門の配賦差異の合計は，2,251,915円の不利差異である。

問題５ 当工場では，等級製品としてX製品およびY製品を生産しており，等級別総合原価計算を採用している。次の〔**資料**〕に基づき，X製品およびY製品の完成品単位原価の合計金額として最も適切なものの番号を一つ選びなさい。なお，計算過程で端数が生じる場合，計算途中では四捨五入せず，最終数値の円未満を四捨五入すること。（７点）

〔**資料**〕

1．当月の生産データ

(1) X製品

月初仕掛品	5,000個	（加工費進捗度40％）
当月投入	19,000個	
合計	24,000個	
仕損	500個	
月末仕掛品	3,500個	（加工費進捗度60％）
完成品	20,000個	

(2) Y製品

月初仕掛品	3,000個	（加工費進捗度40％）
当月投入	9,000個	
合計	12,000個	
月末仕掛品	2,000個	（加工費進捗度60％）
完成品	10,000個	

2．当月の実際原価データ

(1) 月初仕掛品

X製品	原料費58,000千円	加工費22,260千円
Y製品	原料費30,000千円	加工費9,680千円

(2) 当月製造費用

原料費	506,000千円
加工費	296,000千円

3．等価係数

等価係数は，我が国の「原価計算基準」に準拠し，各等級製品の当期製造費用を原料費と加工費に区別して計算するために設定しており，関係部門から下記データを入手している。

	X製品	Y製品
製品販売価格	41,000円	32,800円
標準材料消費量	50kg	35kg
標準作業時間	10時間	9時間
等価係数	各自計算	各自計算

4．その他

(1) 仕掛品の評価方法は平均法を採用している。

(2) 原料は工程始点で投入される。

(3) 仕損は全て正常なものであり工程終点で発生している。仕損品の処分予定額は1,175千円である。

1．39,700円　2．41,200円　3．45,200円　4．49,500円　5．50,900円

問題６ 総合原価計算に関する次の記述のうち，我が国の「原価計算基準」に照らして正しいものの組合せとして最も適切な番号を一つ選びなさい。（５点）

ア．単純総合原価計算は，同種製品を反復連続的に生産する生産形態に適用するのに対し，等級別総合原価計算は，同一工程において，異種製品を連続生産する中で，その製品を形状，大きさ，品位等によって等級に区別する場合に適用する。

イ．等価係数は，各等級製品の販売価格，重量，長さ，面積，純分度，熱量，硬度等原価の発生と関連ある製品の諸性質に基づいて算定する。

ウ．原価要素別又は原価要素群別に定めた等価係数を個別的に適用しないで，各原価要素又は原価要素群の重要性を加味して総括し，この総括的等価係数に基づいて，一期間の完成品の総合原価を一括的に各等級製品にあん分して，その製品原価を計算することができる。

エ．等級別総合原価計算にあっては，各等級製品について適当な等価係数を定め，原則として，一期間の完成品の総合原価又は製造費用を等価係数に基づき各等級製品にあん分してその製品原価を計算する。

１．アイ　２．アウ　３．アエ　４．イウ　５．イエ　６．ウエ

問題７　標準原価計算に関する次の記述のうち，正しいものの組合せとして最も適切な番号を一つ選びなさい。（５点）

ア．我が国の「原価計算基準」において想定される標準原価は，原価管理や予算編成，また，たな卸資産価額や売上原価算定のために現状に即した標準となるよう，しばしば改訂されることが要求されるが，このような標準原価を当座標準原価という。

イ．実際生産量と標準歩留率から計算された原料投入量を標準配合割合で分けた原料別投入量と，実際配合割合で分けた原料別投入量の差に，原料別標準価格を乗じたものが原料配合差異である。

ウ．標準原価計算には科学的，統計的調査に基づいて能率の尺度となるよう予定された財貨の消費量が欠かせないが，このことは標準原価計算が20世紀初頭にF.W.テイラーが考案した科学的管理法に基づいているためである。

エ．現代の原価管理は，量産段階において標準原価の達成を目的とする原価維持と標準原価の低減を目的とする原価統制，更に，新製品の企画・開発段階にて目標原価を設定し，それを達成するための方策を練る原価企画という三つのプロセスから構成されている。

１．アイ　２．アウ　３．アエ　４．イウ　５．イエ　６．ウエ

問題８　次の〔**資料**〕に基づき，仕掛品勘定における空欄（　ア　）～（　ウ　）に入る正しい金額の組合せとして最も適切な番号を一つ選びなさい。なお，計算過程で端数が生じる場合，計算途中では四捨五入せず，最終数値の円未満を四捨五入すること。（８点）

〔**資料**〕

1．原価標準

直接材料費	746円／kg	×３kg	＝	2,238円
直接労務費	1,820円／時間	×２時間	＝	3,640円
製造間接費	3,095円／時間	×２時間	＝	6,190円
				12,068円

2．当月の生産データ

月初仕掛品	117単位	（加工費進捗度40％）
当月投入	850単位	
合　　計	967単位	
月末仕掛品	102単位	（加工費進捗度60％）
完成品	865単位	

（注）直接材料は全て工程の始点で投入される。

3．当月実際直接材料費1,991,820円　当月実際直接材料消費量2,670kg

4．当月実際直接労務費3,179,530円　当月実際直接作業時間1,746時間

5．当月製造間接費実際発生額5,497,216円

製造間接費の配賦基準は直接作業時間であり，年間の基準操業度は21,000時間である。

仕掛品　　（単位：円）

前月繰越	（　　）	製品	（　　）
直接材料費	（　　）	（　　）	89,520
直接労務費	（　ア　）	予算差異	80,966
製造間接費	（　　）	操業度差異	（　ウ　）
（　　）	23,296	次月繰越	（　　）
（　　）	39,616		
	（　イ　）		（　　）

	（ア）	（イ）	（ウ）
1.	3,177,720	11,453,368	12,380
2.	3,179,530	11,451,558	27,236
3.	3,177,720	11,451,558	12,380
4.	3,179,530	11,453,368	12,380
5.	3,177,720	11,451,558	27,236

問題 9 管理会計の基礎知識に関する次の記述のうち，正しいものの組合せとして最も適切な番号を一つ選びなさい。（5点）

ア．責任会計システムは，標準や予算の設定，実績との比較，差異分析などを階層的な組織の責任構造や管理可能性に基づいて行う体系的な会計コントロール・システムであり，専ら事業部制組織において適用される。

イ．マネジメント・コントロールは，人間若しくは人間が行う意思決定を対象とし，動機付けやその他の行動的な効果が期待できる管理技法の適用が望まれるため，財務情報だけでなく非財務情報も重視される。

ウ．管理会計では，事業部や社内カンパニーなどの組織単位ごとに，損益計算書に加えて貸借対照表を作成する場合があるが，組織単位ごとの貸借対照表を合算した数値が全社の貸借対照表の数値と一致しない場合がある。

エ．管理会計には，会計原則などのルールは存在しないが，比較可能性や客観性を維持するためにも，企業独自の工夫は最小限にすべきである。

1．アイ　　2．アウ　　3．アエ　　4．イウ　　5．イエ　　6．ウエ

問題10　次の〔資料〕に基づき，（　ア　）～（　ウ　）に当てはまる正しい数値の組合せとして最も適切なものの番号を一つ選びなさい。なお，（　＊　）に当てはまる数値は各自推定すること。また，計算過程で端数が生じる場合，計算途中では四捨五入せず，最終数値の小数点第3位を四捨五入すること。（7点）

〔資料〕

1．財務情報（抜粋）

（単位：百万円）

	前期末	当期末
有利子負債	275,500	286,000
無利子負債	106,374	114,478
純資産（自己資本）	377,968	390,173
負債純資産合計	759,842	790,651

（単位：百万円）

	当期
売上高	225,356
営業利益	45,070
経常利益	32,934
税引前当期純利益	31,070
当期純利益	18,642

2．当期の実効税率は40％とする。

当社はこれまで自社の収益性を分析する際に，株主から見た投資効率に注目しており，当期の自己資本利益率は（　ア　）％であった。また，資金調達の方針を検討する際の参考とするため，この利益率を保有する資産全体の投資効率を表す総資本利益率と負債の利用割合を表す財務レバレッジに分解してみると，前者が（　＊　）％，後者が（　イ　）倍と求められた。しかし，加重平均資本コスト率と比較した業績評価が重視される中，資本コストが発生する投下資本全体に対する税引後営業利益率を表す投下資本利益率による分析が適当と判断し，当期の同利益率を計算したところ（　ウ　）％と求められた。なお，数値の計算上，貸借対照表項目については，期首・期末残高の単純平均を用いている。

	（　ア　）	（　イ　）	（　ウ　）
1.	4.85	1.02	2.80
2.	4.85	2.02	4.07
3.	4.85	2.02	4.91
4.	8.57	1.80	4.91
5.	8.57	1.80	4.07
6.	8.57	3.57	2.80

問題11　当社は単一製品を製造販売している。次の〔資料〕に基づき，以下の記述のうち，正しいものの組合せとして最も適切な番号を一つ選びなさい。（7点）

〔資料〕

1．当期の収益・費用

売上高	18,000,000円（販売数量40,000個）
売上原価	12,000,000円（うち，変動製造原価9,600,000円）
販売費	2,389,400円（うち，変動販売費1,500,000円）
一般管理費	1,809,700円（全額固定費）

2．次期の予算に関する情報

(1)　当期に比べて，販売価格を10％引き上げる。また，目標販売数量を50,000個とする。

(2)　当期に比べて，単位当たり変動製造原価は0.8％減少し，単位当たり変動販売費は8.8％増加する。

(3)　当期に比べて，固定製造原価は30％増加し，また，固定販売費は150,345円，一般管理費は265,617円増加する。

(4)　期首・期末の棚卸資産は存在しない。

ア．次期の損益分岐点売上高は，当期よりも979,245円増加すると見積もられる。

イ．当期の2倍の営業利益を獲得するために最低限必要な次期の販売数量は45,516個と見積もられる。

ウ．次期の安全余裕率は，当期よりも低下すると見込まれる。

エ．次期の損益分岐点比率は57.7％と見込まれる。

1．アイ　　2．アウ　　3．アエ　　4．イウ　　5．イエ　　6．ウエ

問題12　予算管理に関する次の記述のうち，正しいものの組合せとして最も適切な番号を一つ選びなさい。（５点）

ア．予算による調整はコミュニケーションの役割を果たす。その役割の一つに，予算編成過程において，企業全体の目標や各部門の計画を組織構成員に周知し，受容させることがある。

イ．予算編成時に前提とした条件が変化した場合に，予算に期待される計画機能を維持するために予算を修正することがある。この修正された予算を実行予算と呼ぶ。

ウ．ボトム・アップ型の予算編成には，現場の情報を目標設定に反映することで実状に見合った目標値として予算が設定されるという長所があるが，その反面，企業全体の戦略や計画との整合性を欠く予算が設定されるおそれもある。

エ．予算は，業務執行に関する総合的な期間計画である。したがって，予算編成の過程では，製品組合せの決定や部品を自製するか外注するかの決定等の選択的事項に関する意思決定を含めることはない。

1．アイ　　2．アウ　　3．アエ　　4．イウ　　5．イエ　　6．ウエ

問題13 資金管理とキャッシュ・フロー管理に関する次の記述のうち，正しいものの組合せとして最も適切な番号を一つ選びなさい。（5点）

ア．フリー・キャッシュ・フローとは，借入先や株主などの企業への資金の出し手に自由に分配できる資金のことであり，財務活動によるキャッシュ・フローとして求められる。

イ．流動資産から流動負債を差し引いて求められる運転資本が増加している場合は，日々の事業活動のための追加の資金調達をする必要はない。

ウ．棚卸資産回転期間と売上債権回転期間が延びても，キャッシュ・コンバージョン・サイクルが延びるとは限らない。

エ．企業が利益を計上しているにもかかわらず資金繰りがつかず倒産することがあるのは，利益には資金の裏付けがないものがあるからである。

1．アイ　2．アウ　3．アエ　4．イウ　5．イエ　6．ウエ

問題14　当社は，取引先のA社から材料Xを購入している。A社から，次年度の取引について，発注数量に応じた値引の提案を受けている。次の〔**資料**〕に基づき，(　ア　)および(　イ　)に当てはまる正しい数値の組合せとして最も適切なものの番号を一つ選びなさい。なお，(　＊　)に当てはまる数値は各自推定すること。(8点)

〔**資料**〕

1．材料Xに関する資料(今年度と次年度で共通)

(1)	年間購入量	24,000個
(2)	単位当たり購入代価	5,000円
(3)	発注1回当たり事務関連費用	15,000円
(4)	単位当たり年間保管費用	8,000円

2．A社から提示された次年度の取引条件

1回当たり発注量	単位当たり購入代価に対する値引率
399個以下	なし
400個～499個	1％
500個以上	2％

〔**資料**〕に基づくと，今年度の材料Xの経済的発注量は(　ア　)個であった。A社から提示された取引条件を考慮すると，次年度は1回当たり(　＊　)個を発注するとき，材料Xの購入代価，事務関連費用および保管費用の年間合計額は最小となる。その金額は(　ア　)個で発注する場合と比較して(　イ　)円減少する。

	(　ア　)	(　イ　)
1.	300	2,080,000
2.	300	1,100,000
3.	300	80,000
4.	212	2,080,000
5.	212	1,100,000
6.	212	80,000

問題15　投資計画の経済性計算に関する次の記述のうち，正しいものの組合せとして最も適切な番号を一つ選びなさい。（5点）

ア．回収期間法は投資額の目標回収期間をあらかじめ設定しておき，投資案の回収期間が目標回収期間内であるときにその案を採用する経済性計算の手法の一つである。しかし，回収期間法では，投資額を回収した後のキャッシュ・フローが考慮されていないため，プロジェクト期間全体の収益性の判断ができない。

イ．複数の投資案の経済性計算においては対象となる案件が相互排他的投資で，投資から得られる毎年の正味キャッシュ・フローがプラスである場合は，正味現在価値法と内部利益率法とでは必ず同じ投資案が採択される。

ウ．投資の効果が長期にわたる場合は，投資の経済性計算において貨幣の時間価値を考慮することが重要である。経済性計算の手法のうち，正味現在価値法と内部利益率法は貨幣の時間価値を考慮する手法であり，単純回収期間法と収益性指数法は貨幣の時間価値を考慮しない手法である。

エ．正味現在価値は割引率の関数としてグラフに表すことができる。縦軸に正味現在価値，横軸に割引率をとり，割引率に応じた投資案の正味現在価値をプロットすると正味現在価値線が描かれる。それと横軸との交点が内部利益率を表す。

1．アイ　　2．アウ　　3．アエ　　4．イウ　　5．イエ　　6．ウエ

問題16　製品Aを製造販売している当社は，当期までは製品Aの製造に必要な部品Bを外部から購入していた。しかし，製造キャパシティに余裕があり，部品Bを製造することが可能であることから，次期から部品Bを自製するか否かを検討することとした。次の〔**資料**〕に基づき，(ア)部品Bを全部購入するよりも自製することが有利となる最小製造数量と(イ)部品Bを全部購入することから全部自製することに変更した場合の差額原価をそれぞれ計算し，正しいものの組合せとして最も適切な番号を一つ選びなさい。(８点)

〔**資料**〕

1．製品Aの次期製造販売数量は4,200個である。

2．製品Aを１個製造するには，部品Bが２個必要である。

3．部品Bの１個当たり購入原価は13.5千円である。

4．部品Bを自製するには，追加の製造設備が必要となる。製造設備の追加はリースで行うこととし，その場合，次期の固定費合計額は60,000千円であり，うち20,000千円が追加製造設備のリース料である。

5．追加の製造設備によって，製品Aの製造に必要となる部品Bを全て自製することが可能である。部品Bは製品Aの製造のみに使用し，外販しない。

6．部品Bを自製する場合はロット単位で製造し，１ロット当たり必ず40個製造する。

7．部品Bの製造に関する情報は以下のとおりである。

⑴　原材料が１ロット当たり16kg投入される。１kg当たりの原材料購入原価は1.5千円である。

⑵　段取費が１ロット当たり12千円発生する。

⑶　加工には，機械作業時間が１ロット当たり10時間必要であり，機械作業１時間当たり４千円の変動加工費が発生する。

⑷　検査作業は２人同時に行う必要があり，検査時間は１ロット当たり2.5時間必要である。そのため，新たに時給1.8千円で検査員２人を雇用する。検査員には，検査時間に応じて時給が支払われる。

8．当期末と次期末に棚卸資産は存在しない。

	(ア)	(イ)
1.	1,720個	56,550千円
2.	1,720個	75,550千円
3.	1,720個	95,550千円
4.	1,760個	56,550千円
5.	1,760個	75,550千円
6.	1,760個	95,550千円

令和6年試験
第Ⅰ回短答式試験問題
監　査　論

注意事項

1　受験上の注意事項

・試験官からの注意事項の聞き漏らし／受験案内や試験室及び受験票その他に記載・掲示された注意事項の未確認等，これらを原因とした試験における不利益は自己責任になります。

・携帯電話等の通信機器や携行品の取扱いについては，試験官の指示に従ってください。

・試験開始の合図があるまで，配付物や筆記用具に触れないでください。

・問題に関する質問には，応じません。

2　不正受験や迷惑行為の禁止

・不正行為を行った場合／試験官の指示に従わない場合／周囲に迷惑をかける等，適正な試験実施に支障を来す行為を行った場合，**直ちに退室を命ずることがあります**。

3　試験問題

・試験開始の合図後，直ちに頁数(全20頁)を調べ，不備等があれば黙って挙手し，試験官に申し出てください。

4　答案用紙

・試験開始の合図後，不備等があれば黙って挙手し，試験官に申し出てください。

・試験開始の合図後，直ちに①受験番号及び氏名を正しく記入し，かつ，②受験番号を正しくマークしてください。
答案用紙への記載に当たっては，**B又はHBの黒鉛筆(シャープペンシルも可)を使用**してください。
正しく記載されていない場合には，採点されないことがあります。

・解答欄に**複数マークしている場合は，その問題は不正解になります**。

5　試験終了後

・試験終了の合図後，直ちに筆記用具を置き，答案用紙は裏返して通路側に置いてください。

・試験官が答案用紙を集め終わり指示するまで，絶対に席を立たないでください。

・答案用紙が試験官に回収されずに手元に残っていた場合は，直ちに挙手し，試験官に申し出てください。
試験官に回収されない場合，いかなる理由があっても答案は採点されません。

6　試験問題の持ち帰り

・試験終了後，持ち帰ることができます。

満　点　100点(問題1～20各5点)
時　間　1時間

(この注意事項は出題時のものを載録しています)

問題１　財務諸表監査に関する次の記述のうち，正しいものの組合せとして最も適切な番号を一つ選びなさい。（５点）

ア．財務諸表監査の目的には，財務諸表に，財務諸表利用者の経済的な意思決定に影響を与えると合理的に見込まれる虚偽表示がないことについて，監査人が意見として表明することが含まれる。

イ．財務諸表監査は原則として試査によって行われる。その理由としては，精査の実施には過大な時間と費用がかかること，財務諸表監査の目的は財務諸表の全体としての信頼性を保証することであること，また，有効な内部統制が整備・運用されている場合には精査は必ずしも必要ではないことなどがある。

ウ．取引数が少なく精査を行うことが可能であり，かつ，財務諸表に見積りの要素が含まれていなければ，監査人は，財務諸表の適正性について，絶対的な保証を与えることができる。

エ．我が国の一般に公正妥当と認められる監査の基準には，企業会計審議会による監査基準と日本公認会計士協会による指針（監査実務指針）が含まれる。日本公認会計士協会は監査基準報告書のほか，監査基準を理解し実施するために参考となる文書を公表しているが，これらの全てが監査実務指針を構成する。

１．アイ　　２．アウ　　３．アエ　　４．イウ　　５．イエ　　６．ウエ

問題２　我が国の公認会計士監査制度とその歴史的経緯等に関する次の記述のうち，正しいものの組合せとして最も適切な番号を一つ選びなさい。（５点）

ア．戦前にも，例えば商法上の監査役監査といった法定監査の制度が設けられていた。しかしながら，戦後，こうした旧来の制度とは別に，証券市場法制が整備される中で公認会計士監査制度が新設された。
イ．現在，会社法上の大会社は，上場会社でなくとも公認会計士又は監査法人の監査を受けることが義務付けられている。この制度は，商法から会社の規定が分離して会社法が制定されたときに創設されたものである。
ウ．監査法人が合併によって大規模化するにつれて，従来の無限責任社員による法人制度では現実的ではなくなってきた。そのために設けられたのが特定社員や有限責任監査法人の制度である。
エ．金融商品取引法における内部統制報告書とその監査制度は，上場会社による大規模な会計不正が相次いで発覚したことから，米国の制度を参考に設けられたものである。

１．アイ　２．アウ　３．アエ　４．イウ　５．イエ　６．ウエ

問題３　公認会計士及び監査法人の独立性に係る公認会計士法の規定に関する次の記述のうち，正しいものの組合せとして最も適切な番号を一つ選びなさい。（５点）

ア．公認会計士は，大会社等に対して連続する７会計期間について監査証明業務を行った場合には，その翌会計期間以後の５会計期間について，当該大会社等に対して監査証明業務を行ってはならない。

イ．監査法人は，その社員が，内部監査人としての業務によって大会社等から継続的な報酬を得ている場合には，当該大会社等に対して監査証明業務を行ってはならない。

ウ．会社の財務書類に対して監査証明業務を行った公認会計士は，原則として，その財務書類に係る会計期間の翌会計期間の終了の日までの間は，当該会社の役員に就いてはならない。

エ．公認会計士及び監査法人は，大会社等において監査証明業務を行うときは，他の公認会計士を補助者として使用するか，又は他の監査法人と共同しなければならない。

１．アイ　　２．アウ　　３．アエ　　４．イウ　　５．イエ　　６．ウエ

問題４　公認会計士に係る金融商品取引法の規定に関する次の記述のうち，正しいものの組合せとして最も適切な番号を一つ選びなさい。（５点）

ア．有価証券報告書に含まれる財務諸表に重要な虚偽記載がある場合に，重要な虚偽記載がないと証明した公認会計士は，有価証券報告書の提出者とともに刑事責任を問われることがある。

イ．投資者が，重要な虚偽記載を含む財務諸表に基づいて投資意思決定を行った結果，損害を受けた場合，その財務諸表に虚偽の監査証明を行った公認会計士は，損害と重要な虚偽記載との間に因果関係がないことを証明しない限り，損害賠償責任を負うこととされている。

ウ．公認会計士が財務諸表に対して虚偽の監査証明を行った場合，一定の期間内に内閣総理大臣に提出される有価証券報告書等のうち，その公認会計士による監査証明に係るものの全部又は一部が受理されないことがある。

エ．公認会計士は，監査証明業務を行うに当たって法令に違反する事実を発見したときは，当該法令違反事実が財務諸表の適正性の確保に影響を及ぼすか否かにかかわらず，それを監査役等に通知しなければならない。

１．アイ　　２．アウ　　３．アエ　　４．イウ　　５．イエ　　６．ウエ

問題５　会計監査人及び会計監査人の監査に係る会社法の規定に関する次の記述のうち，正しいものの組合せとして最も適切な番号を一つ選びなさい。（５点）

ア．会計監査人は，選任後１年以内に終了する最終の事業年度に関する定時株主総会において，再任しない旨の決議がなされなかった場合には，再任されたものとみなされる。

イ．会計監査人設置会社においては，会計監査人のみが各事業年度に係る計算書類及びその附属明細書に対する監査を行うこととされている。

ウ．会計監査人は，その職務の遂行に当たって必要があるときは，被監査会社の子会社に対して会計に関する報告を求めることができるが，当該子会社は，正当な理由があるときにはこれを拒むことができる。

エ．取締役会設置会社においては，会計監査人は，取締役会の承認を受けた計算書類及び附属明細書を監査する。

１．アイ　　２．アウ　　３．アエ　　４．イウ　　５．イエ　　６．ウエ

問題６　内部統制監査に関する次の記述のうち，正しいものの組合せとして最も適切な番号を一つ選びなさい。（５点）

ア．内部統制監査は，被監査会社の内部統制の有効性の評価に対する監査となるため，情報監査ではなく実態監査の枠組みの中で実施される監査となる。

イ．内部統制監査は，原則として，同一の監査人により，財務諸表監査と一体となって行われるものである。ここでの同一の監査人とは，監査事務所が同一ということだけではなく，業務執行社員も同一であることを意味している。

ウ．内部監査人が内部統制の有効性の評価に関して作業を行っている場合，内部監査人の作業の品質等を検証した上で，経営者の評価に対する監査証拠として利用できる場合があるが，内部監査人の作業を監査人の検証そのものに代えて利用することはできない。

エ．監査人は，内部統制の運用状況の有効性に関する経営者の評価の妥当性を検討するに当たって，内部統制の実施状況を検証するが，当該実施状況の検証で用いられるサンプルは，経営者が抽出したサンプルに限られており，監査人が自らサンプルを選択することはない。

１．アイ　　２．アウ　　３．アエ　　４．イウ　　５．イエ　　６．ウエ

問題７　「財務情報等に係る保証業務の概念的枠組みに関する意見書」に関する次の記述のうち，正しいものの組合せとして最も適切な番号を一つ選びなさい。（５点）

ア．財務諸表監査以外の保証業務も，財務諸表監査と同様にリスク・アプローチに基づいて実施されるが，固有リスクと統制リスクを結合して評価することは想定されていない。

イ．業務実施者は，自らが主題に責任を負う者及び想定利用者となることはできない。また，主題に責任を負う者は，想定利用者となることはできるが唯一の利用者となることはできない。

ウ．保証業務における主題に関して，客観的か主観的か，確定的か予測的か，一定時点に関するものか一定期間にわたるものかといった，その性格について，保証報告書に記載することは求められていない。

エ．業務実施者が，自らの期待，判断及び個人的な経験を保証業務に適合する一定の規準として用いることは適切ではない。

１．アイ　　２．アウ　　３．アエ　　４．イウ　　５．イエ　　６．ウエ

問題８　監査人の交代に関する次の記述のうち，正しいものの組合せとして最も適切な番号を一つ選びなさい。（５点）

ア．監査人の交代に関して監査業務の引継が求められる前任監査人とは，別の監査事務所に所属する，前年度の財務諸表の監査報告書を提出した者をいい，当該監査報告書を提出する前に監査契約を解除した者は含まれない。
イ．監査人予定者は，監査業務の引継を開始する時点を明確にするため，前任監査人及び監査人予定者に対して，監査人予定者の指定に関する通知を書面等で行うよう，会社に依頼しなければならない。
ウ．監査人予定者の閲覧に供することが求められる監査調書の範囲には，前任監査人が監査の過程で識別した重要な事項に関する監査調書が含まれるが，監査手続の実施結果のうち，最終的な意見形成の判断過程に関する監査調書については含める必要はない。
エ．前任監査人は，監査業務の引継に当たり，監査人予定者の求めに応じて，監査役等に提出した監査実施結果を記載した報告書の写しを提供する場合がある。

１．アイ　　２．アウ　　３．アエ　　４．イウ　　５．イエ　　６．ウエ

問題９　監査事務所の品質管理に関する次の記述のうち，正しいものの組合せとして最も適切な番号を一つ選びなさい。（５点）

ア．監査事務所は，主体的に品質管理システムの構成要素に関連する品質目標を設定し，品質目標の達成を阻害し得るリスク，いわゆる品質リスクを識別及び評価し，品質リスクに対処するための対応をデザインし，適用しなければならない。
イ．最高責任者等に品質に対する説明責任を含む責任を負わせるために監査事務所がデザインし適用する対応には，最高責任者等の定期的な業績評価の実施は含まれない。
ウ．監査事務所は，内部で適切な資源を利用できない場合に，外部のサービス・プロバイダーが提供する資源を利用することがあるが，当該利用に関する品質管理システムに対する責任は免除される場合がある。
エ．監査事務所は，品質管理システムについて識別された不備の評価において，根本原因の調査を行わなければならないが，その目的は，識別された不備の重大性と広範性を評価することである。

１．アイ　　２．アウ　　３．アエ　　４．イウ　　５．イエ　　６．ウエ

問題10　監査業務に係る審査に関する次の記述のうち，正しいものの組合せとして最も適切な番号を一つ選びなさい。（５点）

ア．監査業務の審査においては，企業が行う特定の取引の理解及び監査チームが行った重要な判断を評価するのに役立つ場合でも，審査担当者が自身の補助者を使用することは想定されていない。
イ．監査報告書の発行自体は審査の完了日以降に行う必要はあっても，監査報告書の日付は，監査人が自らの責任において監査が終了したと判断した時の日付とするため，必ずしも審査の完了日以降とする必要はない。
ウ．審査担当者は，監査チームによる職業的専門家としての懐疑心が保持及び発揮されているかどうかも含めて，監査調書のうち重要な判断の根拠を査閲及び評価しなければならない。
エ．審査担当者は，自身の審査担当者としての適格性が損なわれる状況を識別した場合，監査事務所の適切な者に通知し，審査が既に開始されているときは，審査の実施を中止しなければならない。

１．アイ　　２．アウ　　３．アエ　　４．イウ　　５．イエ　　６．ウエ

問題11　監査人として備えるべき資質に関する次の記述のうち，正しいものの組合せとして最も適切な番号を一つ選びなさい。（5点）

ア．監査人には，その資質の向上が求められ，そのための一つの手段として，日本公認会計士協会が自主規制として実施してきた継続的専門研修（CPE）があったが，現在は公認会計士法によって継続的専門能力開発（CPD）制度の研修を受けることが義務付けられている。

イ．監査人に求められる職業的専門家としての専門能力とは，財務諸表の適正性についての意見を表明するために必要な能力を意味し，被監査会社がデータの収集，整理，加工等を行うのに利用している情報技術とシステムに関する基礎的な知識と技術的な能力は求められていない。

ウ．監査人に求められる職業的専門家としての懐疑心とは，誤謬又は不正による虚偽表示の可能性を示す状態に常に注意し，監査証拠を鵜呑みにせず，批判的に評価する姿勢を意味し，それは監査人が，経営者は誠実でないという想定をすることを求めている。

エ．監査人に求められる職業的専門家としての独立性は，公正不偏性と外観的独立性からなり，財務諸表監査の最も重要な存立基盤として，監査人はその保持に努めなければならない。

1．アイ　　2．アウ　　3．アエ　　4．イウ　　5．イエ　　6．ウエ

問題12　監査人に求められる職業的専門家としての正当な注意に関する次の記述のうち，正しいものの組合せとして最も適切な番号を一つ選びなさい。（５点）

ア．監査人に求められる職業的専門家としての正当な注意は，監査基準の設定当初は規定されていなかったが，その後，監査基準の改訂に伴って正当な注意が規定された。

イ．監査人が金融商品取引法上の監査又は会社法上の会計監査人監査を実施する場合，監査基準や日本公認会計士協会の実務指針が，その任務の内容や正当な注意の水準を画するものとなる。

ウ．個々の監査業務に従事する監査責任者及び補助者並びに監査事務所内の審査担当者には，監査人として払うべき正当な注意が求められるが，監査事務所外の審査担当者を活用する場合，当該審査担当者には，正当な注意は求められない。

エ．公認会計士法では，相当の注意が監査の基準における正当な注意に該当するとされ，相当の注意を怠って重大な虚偽，錯誤又は脱漏のある財務書類を重大な虚偽，錯誤及び脱漏のないものとして証明した公認会計士は懲戒処分の対象となることが規定されている。

１．アイ　２．アウ　３．アエ　４．イウ　５．イエ　６．ウエ

問題13　監査役等とのコミュニケーションに関する次の記述のうち，正しいものの組合せとして最も適切な番号を一つ選びなさい。（５点）

ア．監査人は，監査期間中に不合理に短い期間内に監査を終了することが求められた場合，その状況について，監査役等とコミュニケーションを行わなければならない。

イ．監査人は，監査報告書において除外事項付意見の表明が見込まれる場合，監査役等にその原因となる状況を報告しなければならないが，除外事項付意見の文言の草案については監査役等に報告する必要はない。

ウ．監査人は，監査役等とコミュニケーションをするに当たって，事前に，経営者あるいは内部監査に従事する適切な者と協議することがある。

エ．監査人は，監査人と監査役等の間で行われる双方向のコミュニケーションの適切性に関する評価を裏付けるため，追加的な監査手続を立案し実施しなければならない。

１．アイ　２．アウ　３．アエ　４．イウ　５．イエ　６．ウエ

問題14　財務諸表監査における法令の検討に関する次の記述のうち，正しいものの組合せとして最も適切な番号を一つ選びなさい。（５点）

ア．監査人は，経営者に対し，財務諸表を作成する場合にその影響を考慮すべき，既に認識されている違法行為又はその疑いが全て監査人に示された旨の経営者確認書を提出するよう要請しなければならない。

イ．監査人は，不正によるか誤謬によるかを問わず，全体としての財務諸表に重要な虚偽表示がないことについて合理的な保証を得ることが求められているが，企業の違法行為の防止に対して責任は負わず，違法行為の全てを発見することが期待されているわけではない。

ウ．監査人は，違法行為を識別した場合，監査調書に，当該違法行為に加え，実施した監査手続，行った職業的専門家としての重要な判断及び到達した結論を記載しなければならないが，違法行為に関連する重要な事項についての経営者，監査役等及びその他の者との協議事項まで記載する必要はない。

エ．監査人は，財務諸表上の重要な金額及び開示の決定に直接影響を及ぼさない場合であっても，事業継続のために必要な被監査会社の事業の許認可に関する規定を遵守しているかどうかについて，十分かつ適切な監査証拠を入手しなければならない。

１．アイ　　２．アウ　　３．アエ　　４．イウ　　５．イエ　　６．ウエ

問題15　リスク対応手続に関する次の記述のうち，正しいものの組合せとして最も適切な番号を一つ選びなさい。（５点）

ア．リスク対応手続は，識別し評価したアサーション・レベルの重要な虚偽表示リスクに対応して，立案し実施されるものであるが，評価した財務諸表全体レベルの重要な虚偽表示リスクが，リスク対応手続の種類，時期及び範囲に影響を及ぼすことがある。

イ．監査人は，特定のアサーションに対して，運用評価手続を実施することなく実証手続のみを実施する監査アプローチを選択することはあるが，実証手続を実施することなく運用評価手続のみを実施する監査アプローチを選択することは認められない。

ウ．監査人が，検証対象となっているアサーションについて，実証手続によって虚偽表示を発見しなかったことは，当該アサーションに関連する内部統制が有効であることの監査証拠とはならない。

エ．監査人は，特別な検討を必要とするリスクに対して実証手続のみを実施する場合，詳細テストと分析的実証手続を組み合わせて実施しなければならない。

１．アイ　２．アウ　３．アエ　４．イウ　５．イエ　６．ウエ

問題16　監査証拠に関する次の記述のうち，正しいものの組合せとして最も適切な番号を一つ選びなさい。（5点）

ア．監査人は，売掛金の確認により，通常，確認基準日現在の残高の実在性及び権利と義務のみならず，評価の適切性に適合した監査証拠も入手することができる。

イ．監査人は，実地棚卸の立会において，行われている棚卸手続の実施状況の観察により，経営者の指示や実地棚卸手続が適切にデザインされ，業務に適用されているという監査証拠を入手することができる。

ウ．監査人は，買掛金の過小計上の有無を確かめる場合，被監査会社の帳簿に計上された買掛金の検討により，当該目的に適合した監査証拠を入手することができる。

エ．監査人は，質問により被監査会社の内外の関係者に対して情報を求める場合，その回答者が被監査会社の内部者又は外部者のいずれであるかにかかわらず，また，その回答が非公式な口頭によるものであっても，その回答を評価しなければならない。

1．アイ　　2．アウ　　3．アエ　　4．イウ　　5．イエ　　6．ウエ

問題17　会計上の見積りの監査に関する次の記述のうち，正しいものの組合せとして最も適切な番号を一つ選びなさい。（5点）

ア．監査人は，会計上の見積りについて，当該見積りの不確実性が高いと判断した場合には，特別な検討を必要とするリスクが存在しているとして，監査手続を実施しなければならない。

イ．監査人は，経営者の見積額の合理性を評価するために，監査人の許容範囲を設定することが適切であると判断する場合には，想定される結果の全てが含まれるように許容範囲を決定しなければならない。

ウ．監査人は，過年度の会計上の見積りの確定額について，遡及的に検討することが求められている。検討の結果，確定額と過年度の財務諸表における認識額との間の差異が，過年度の財務諸表に虚偽表示があったことを示すこともある。

エ．監査人は，個々の会計上の見積りの合理性に関して結論付ける際に，経営者の偏向が存在する兆候があったとしても，それだけでは虚偽表示とはならないが，その内容と監査への影響に関する監査人の評価を監査調書に記載しなければならない。

1．アイ　　2．アウ　　3．アエ　　4．イウ　　5．イエ　　6．ウエ

問題18　監査報告書に関する次の記述のうち，正しいものの組合せとして最も適切な番号を一つ選びなさい。（５点）

ア．監査人は，監査報告書に「独立監査人の監査報告書」という表題を付すことにより，監査人が独立性についての我が国における職業倫理に関する規定の全てを満たしていることを明らかにしている。

イ．監査人は，財務諸表に対して意見を表明しない場合，監査報告書に，監査人の責任は，我が国において一般に公正妥当と認められる監査の基準に準拠して監査を実施し，監査報告書において意見を表明することにある旨の記載は求められていない。

ウ．監査人は，監査報告書の「強調事項」区分に記載した事項が監査上の主要な検討事項に該当すると判断した場合，当該事項を「監査上の主要な検討事項」区分及び「強調事項」区分の両方に記載できないため，職業的専門家として，どちらの区分に記載するかを判断しなければならない。

エ．監査人は，継続企業の前提に関する重要な不確実性について財務諸表に適切な注記がなされている場合，無限定意見を表明し，監査報告書に「継続企業の前提に関する重要な不確実性」区分を設けて，財務諸表における注記事項について，財務諸表利用者に注意喚起しなければならない。

１．アイ　２．アウ　３．アエ　４．イウ　５．イエ　６．ウエ

問題19　除外事項付意見に関する次の記述のうち，正しいものの組合せとして最も適切な番号を一つ選びなさい。（5点）

ア．監査人は，除外事項付意見を表明する場合，財務諸表に開示すべき情報で開示されていない事項があっても，当該事項を監査報告書に記載する必要はない。
イ．監査人は，除外事項付意見を表明する場合，除外した不適切な事項のほか，除外事項を付した限定意見とした理由を監査報告書に記載しなければならない。
ウ．監査人は，財務諸表に定性的な注記事項に関連する重要な虚偽表示が存在する場合，当該事項を除外事項とするとともに，当該虚偽表示の内容を監査報告書に記載しなければならない。
エ．監査人は，一つの監査報告書において，複数の財務報告の枠組みに基づいて作成された財務諸表に対する監査意見を表明する場合，同一の意見を表明しなければならない。

1．アイ　　2．アウ　　3．アエ　　4．イウ　　5．イエ　　6．ウエ

問題20　監査における不正リスク対応基準に関する次の記述のうち，正しいものの組合せとして最も適切な番号を一つ選びなさい。（5点）

ア．監査における不正リスク対応基準は，全ての監査に適用されるのではなく，主として，金融商品取引法に基づいて開示を行っている全ての会社に対する監査に適用されることを念頭に作成されている。
イ．監査人は，経営者の関与が疑われる不正を発見した場合，速やかに経営者に問題点の是正等適切な措置を求めた上で，監査役等に報告しなければならない。
ウ．監査人は，四半期レビューに当たって，四半期財務諸表に不正による重要な虚偽の表示の疑義に相当するものがあると判断した場合，監査における不正リスク対応基準ではなく，四半期レビュー基準に従って，追加的手続を実施することが求められている。
エ．監査人は，識別した不正による重要な虚偽の表示を示唆する状況について，関連して入手した監査証拠に基づいて経営者の説明に合理性があると判断して，不正による重要な虚偽の表示の疑義がないとした場合，その旨と理由を監査調書に記載しなければならない。

1．アイ　　2．アウ　　3．アエ　　4．イウ　　5．イエ　　6．ウエ

令和６年試験
第 Ⅰ 回 短 答 式 試 験 問 題
財務会計論

注 意 事 項

1　受験上の注意事項

・試験官からの注意事項の聞き漏らし／受験案内や試験室及び受験票その他に記載・掲示された注意事項の未確認等，これらを原因とした試験における不利益は自己責任になります。

・携帯電話等の通信機器や携行品の取扱いについては，試験官の指示に従ってください。

・試験開始の合図があるまで，配付物や筆記用具に触れないでください。

・問題に関する質問には，応じません。

2　不正受験や迷惑行為の禁止

・不正行為を行った場合／試験官の指示に従わない場合／周囲に迷惑をかける等，適正な試験実施に支障を来す行為を行った場合，**直ちに退室を命ずることがあります**。

3　試験問題

・試験開始の合図後，直ちに頁数（全27頁）を調べ，不備等があれば黙って挙手し，試験官に申し出てください。

4　答案用紙

・試験開始の合図後，不備等があれば黙って挙手し，試験官に申し出てください。

・試験開始の合図後，直ちに①受験番号及び氏名を正しく記入し，かつ，②受験番号を正しくマークしてください。
答案用紙への記載に当たっては，**B又はHBの黒鉛筆（シャープペンシルも可）を使用**してください。
正しく記載されていない場合には，採点されないことがあります。

・解答欄に**複数マークしている場合は，その問題は不正解になります**。

5　試験終了後

・試験終了の合図後，直ちに筆記用具を置き，答案用紙は裏返して通路側に置いてください。

・試験官が答案用紙を集め終わり指示するまで，絶対に席を立たないでください。

・答案用紙が試験官に回収されずに手元に残っていた場合は，直ちに挙手し，試験官に申し出てください。
試験官に回収されない場合，いかなる理由があっても答案は採点されません。

6　試験問題の持ち帰り

・試験終了後，持ち帰ることができます。
なお，中途退出する場合には，持ち出しは認めません。必要な場合は，各自の席に置いておきますので，試験終了後，速やかに取りに来てください。

満　点　200点（問題１～22各８点／問題23～28各４点）
時　間　２時間

（この注意事項は出題時のものを載録しています）

問題１　複式簿記に関する次の記述のうち，正しいものの組合せとして最も適切な番号を一つ選びなさい。（８点）

ア．複式簿記は，資産の増加や費用の発生のような借方項目と，負債の増加や収益の発生のような貸方項目との組合せとして，個々の取引が企業に及ぼす影響を二面的に記録する帳簿記入の方式である。
イ．複式簿記では，企業が自らの経営管理に役立てるために，総勘定元帳として設定される勘定科目を分割して用いてもよいし，また，勘定科目を分割しなくても，補助元帳で明細を記録すれば，取引の内容を詳細に帳簿で把握できる。
ウ．複式簿記では，企業活動や事象のうち，企業の資産・負債・資本・収益・費用に及ぼすものを取引として識別する。そのため，例えば，金融資産を取得する契約を締結しただけでは取引に該当しないため仕訳は行われない。
エ．複式簿記では貸借平均の原理が成り立つため，合計試算表を作成することで帳簿記録の正確性を確認することができる。合計試算表における借方金額の合計と貸方金額の合計が一致していれば，仕訳帳から総勘定元帳への転記には誤りがないといえる。

１．アイ　　２．アウ　　３．アエ　　４．イウ　　５．イエ　　６．ウエ

問題２　資本維持論に関する次の記述のうち，正しいものの組合せとして最も適切な番号を一つ選びなさい。（８点）

ア．維持すべき資本の本質を貨幣に置く資本維持論には，企業が投下した資本の貨幣額を名目額のまま維持する考え方と，資本を貨幣の実質価値で維持する考え方が存在する。前者においては，貨幣価値が持続的に低下する経済状況の下でも，当期純利益の計算の際に資本の修正を必要としない。

イ．インフレーションの経済状況下で取得原価に基づく資産の減価償却を実施した場合には，償却不足が貨幣資本の侵食をもたらすため，インフレーションの経済状況下における資本維持の考え方としては，維持すべき資本の本質を貨幣の実質価値とする考え方が適している。

ウ．企業が投下した資本の貨幣額を名目額のまま維持する考え方は，貨幣価値変動の影響が資本の価値に反映されないことから，意思決定に有用な会計情報の提供のためには不十分であり，財務報告においては採用されない。

エ．３年前に取得した建物が火災により焼失し，受け取った保険金で当該建物を再建した。建物取得時から３年間で一般物価が20％上昇しているが，保険金の額は建物の再建に要した金額を上回っていた。資本を貨幣の実質価値で維持する考え方によれば，焼失した建物の帳簿価額と受け取った保険金の差額は全て保険差益として特別利益となる。

１．アイ　　２．アウ　　３．アエ　　４．イウ　　５．イエ　　６．ウエ

問題３　国際会計基準等に関する次の記述のうち，正しいものの組合せとして最も適切な番号を一つ選びなさい。（８点）

ア．金融商品取引法におけるディスクロージャー制度の下では，連結財務諸表の作成のための会計基準として，日本基準，米国基準，指定国際会計基準，修正国際基準の四つの基準が存在している。
イ．有価証券報告書の提出会社においては，連結財務諸表の用語，様式および作成方法は，継続適用を条件に指定国際会計基準によることができ，我が国において国際会計基準の普及を推進する観点から，特段の適用要件は求められていない。
ウ．有価証券報告書における連結財務諸表を指定国際会計基準によって作成している会社においても，会社法に基づく連結計算書類については，会社計算規則に準拠して日本基準で作成しなければならない。
エ．国際会計基準のうち，日本の会計基準と基本的な考え方に重要な差異がある部分を修正した修正国際基準の特徴は，のれんの規則的償却，およびその他の包括利益に関するリサイクリング処理が必要とされる点である。

１．アイ　　２．アウ　　３．アエ　　４．イウ　　５．イエ　　６．ウエ

問題4　当社の賃貸等不動産の管理状況に係る〔**資料Ⅰ**〕および〔**資料Ⅱ**〕に基づいて，当期(X5年4月1日～X6年3月31日)末の連結貸借対照表における賃貸等不動産の帳簿価額の合計額と連結損益計算書における賃貸等不動産に関する損益の合計額の組合せとして，最も適切な番号を一つ選びなさい。なお，当社の保有する賃貸等不動産は，〔**資料Ⅰ**〕および〔**資料Ⅱ**〕に記載のあるもののみであり，当期において減損は生じていない。(8点)

〔**資料Ⅰ**〕

1．前期末の連結貸借対照表に計上している賃貸等不動産の前期末残高は，以下のとおりである。なお，連結貸借対照表計上額は，取得原価から減価償却累計額を控除した金額である。

　オフィスビル合計額　6,000百万円，商業施設合計額　4,500百万円，
　住宅合計額　2,500百万円

2．当期にオフィスビルAを900百万円で取得し，オフィスビルBを160百万円でリニューアルし，これに係る支出額は資本的支出とした。また，1,100百万円(前期末残高)のオフィスビルCは，当期首から子会社に賃貸しており，同社が自社利用している。

3．当期の賃貸等不動産に係る連結上の減価償却費は，オフィスビルが120百万円，商業施設が190百万円，住宅が35百万円であった。

4．商業施設の前期末残高のうち，当期首に商業施設D800百万円を870百万円で売却するとともに，当期首に商業施設E1,050百万円を自社利用に振り替えた。なお，商業施設F95百万円は，当期首より遊休施設となっている。商業施設Fの当期の減価償却費は10百万円であり，〔**資料Ⅰ**〕3．の商業施設の減価償却費190百万円に含まれている。

〔**資料Ⅱ**〕

(単位：百万円)

用途	連結損益計算書における金額			
	営業収益	営業原価	営業利益	その他損益
オフィスビル	(各自計算)	500	(各自計算)	
商業施設	1, 200	420	780	(各自計算)
住宅	900	180	720	
合計	(各自計算)	1, 100	(各自計算)	(各自計算)

1．営業収益および営業原価は，賃貸収益とこれに対応する費用(減価償却費，修繕費，保険料，租税公課等)であり，それぞれ「営業収益」および「営業原価」に計上されている。

2．オフィスビルに係る賃貸収入の内訳は，オフィスビルAが600百万円，オフィスビルBが400百万円，オフィスビルCが80百万円，その他のオフィスビルが800百万円であった。

3．商業施設Dの売却益および商業施設Fの減価償却費は「その他損益」に計上した。

	賃貸等不動産の帳簿価額の合計額	賃貸等不動産に関する損益の合計額
1．	10,670百万円	2,860百万円
2．	10,765百万円	2,860百万円
3．	10,765百万円	2,940百万円
4．	11,770百万円	2,940百万円
5．	11,815百万円	2,940百万円
6．	11,865百万円	2,860百万円

問題5　次の〔資料〕に基づき，X2年度(X2年4月1日～X3年3月31日)の貸借対照表に計上される設備Aに係る資産除去債務の金額として，最も適切なものの番号を一つ選びなさい。なお，会計処理は「資産除去債務に関する会計基準」および同適用指針に従うこと。計算過程で端数が生じる場合，小数点第1位をその都度四捨五入すること。(8点)

〔資料〕

1．当社はX1年4月1日，設備Aを導入し，直ちに使用を開始した。設備Aの取得原価は50,000百万円であり，耐用年数は5年，残存価額は0円と見積もって，定額法による減価償却が行われている。

2．当社には，設備Aを使用終了後に除去する法的義務がある。設備Aを除去するときの支出は，X1年4月1日現在，10,000百万円と見積もられた。そのうち2,000百万円は設備Aの取得時に発生し，8,000百万円については，設備Aの劣化に伴いその通常の使用における稼働時間に応じて土地を汚染するため，毎期5分の1ずつ発生する。

3．資産除去債務を算定する際の割引率は，毎期年3.35%とする。

4．使用に応じて発生する除去費用はいったん資産に計上し，当該計上時期と同一の期間に，資産計上額と同一の金額を費用処理する方法による。

1．4,220百万円　　2．4,357百万円　　3．4,547百万円
4．4,663百万円　　5．4,710百万円　　6．5,012百万円

問題 6　「自己株式及び準備金の額の減少等に関する会計基準」および同適用指針に関する次の記述のうち，正しいものの組合せとして最も適切な番号を一つ選びなさい。（8点）

ア．自己株式の取得，処分および消却に関する付随費用については，付随費用を自己株式本体の取引と一体と考えて資本取引と見なし，取得に要した費用は取得原価に含め，処分および消却に要した費用は自己株式処分差額等の調整とする。

イ．自己株式の取得については，自己株式の取得および処分が株主への資本の払戻しおよび株主からの資本の払込みの性格を有することに着目し，資本の払戻しおよび資本の払込みの性格を有する類似の取引の認識に準じて，対価が金銭の場合は対価を支払うべき日に認識し，対価が金銭以外の場合は対価が引き渡された日に認識する。

ウ．自社の他の種類の新株を発行して自己株式を取得する場合，当該取引の実態は純資産の部の株主資本内の移動であって，新たな払込みの事実がなく払込資本を増加させる必要はないとの考えに基づき，対価として交付した自社の株式の帳簿価額を基礎として取得原価を算定すべきであるが，新株の発行においては帳簿価額がないため，当該自己株式の取得原価は零とする。

エ．自己株式を無償で取得した場合，贈与その他無償で取得した資産の取得原価に係る取扱いに準じて，公正な評価額をもって取得原価とし，株主資本の末尾に控除する形式で計上する。

1．アイ　　2．アウ　　3．アエ　　4．イウ　　5．イエ　　6．ウエ

問題7　〔**資料Ⅰ**〕に基づいて〔**資料Ⅱ**〕の当期の株主資本等変動計算書を作成した場合，①～③に入る数値の合計として最も適切なものの番号を一つ選びなさい。なお，〔**資料Ⅰ**〕に示された取引以外に株主資本を変動させる取引は当期中には存在しない。（8点）

〔**資料Ⅰ**〕　株主資本に関する当期中の一連の取引を時系列で示すと次のとおりである。

1．自己株式70百万円を取得した。

2．株主総会において，その他資本剰余金を原資とした配当100百万円および繰越利益剰余金を原資とした配当100百万円が決議され，準備金については，会社法および会社計算規則の規定による必要最低限の積立を行った。また，別途積立金6百万円を積み立てることが決議された。

3．自己株式60百万円を50百万円で処分した。ただし，処分に要する手数料は考慮しない。

4．自己株式20百万円を消却した。

5．当期純利益は260百万円であった。

〔**資料Ⅱ**〕　当期の株主資本等変動計算書（一部）　（単位：百万円）

	株主資本							
	資本金	資本剰余金		利益剰余金			自己株式	株主資本合計
		資本準備金	その他資本剰余金	利益準備金	その他利益剰余金			
					別途積立金	繰越利益剰余金		
当期首残高	2,200	300	120	240	90	720	△10	3,660
当期変動額								
剰余金の配当								
別途積立金の積立								
当期純利益								
自己株式の取得								
自己株式の処分								
自己株式の消却								
……								
当期変動額合計								
当期末残高			①	②				③

1．3,902　2．3,917　3．3,932　4．3,935　5．3,945　6．3,950

問題８　当社は月次決算を採用している。次の〔資料〕に基づき，当月（X2年３月１日～X2年３月31日）の損益計算書の売上原価の金額として最も適切なものの番号を一つ選びなさい。なお，計算過程で端数が生じる場合，小数点第１位をその都度四捨五入すること。（８点）

〔資料〕

（前提条件）

・当社はＡ商品の仕入，販売を行う会社であり，これ以外の売上項目は存在しない。
・Ａ商品の評価方法として月次総平均法を採用している。

（X2年３月１か月間のＡ商品の取引）

・３月１日：Ａ商品前月繰越高は，単価46,000円，数量800個であった。
・３月10日：Ａ商品を560個販売した。
・３月12日：Ａ商品を単価46,500円で400個を掛で仕入れ，商品の掛代金は翌月末支払とし，引取運賃200,000円を運送会社に現金で支払った。
・３月15日：Ａ商品30個を見本品として販売促進用に使用し，販売費に振り替えた。
・３月21日：Ａ商品を単価46,000円で400個を掛で仕入れ，引取運賃200,000円を運送会社に現金で支払った。また，商品の掛代金を７日以内に支払うときは１％を割り引くとの条件が示されたため，仕入の翌日に銀行振込で支払った。

（月末の決算手続に係る事項）

・Ａ商品の月末実地棚卸数量は1,007個であった。なお，棚卸減耗が生じる場合，原価性のある棚卸減耗費として売上原価処理する。
・Ａ商品の月末における正味売却価額は単価46,100円であった。なお，Ａ商品の収益性の低下が認められる場合は，臨時の事象に起因した多額なものとしては扱わないこととする。

１．25,993,550円	２．26,109,125円	３．26,205,500円
４．26,246,925円	５．26,386,050円	６．26,427,670円

問題９　「金融商品に関する会計基準」に関する次の記述のうち，正しいものの組合せとして最も適切な番号を一つ選びなさい。（８点）

ア．ヘッジ取引時において，ヘッジ取引が企業のリスク管理方針に従ったものであることが客観的に認められなくても，ヘッジ取引時以降において，ヘッジ対象とヘッジ手段の損益が高い程度で相殺される状態が引き続き認められることによって，ヘッジ手段の効果が定期的に確認されていれば，ヘッジ取引にヘッジ会計が適用されることになる。

イ．予定取引とは，未履行の確定契約に係る取引および契約は成立していないが，取引予定時期，取引予定物件，取引予定量，取引予定価格等の主要な取引条件が合理的に予測可能であり，かつ，それが実行される可能性が極めて高い取引をいう。

ウ．資産または負債に係る金利の受払条件を変換することを目的として利用されている金利スワップが，金利変換の対象となる資産または負債とヘッジ会計の要件を充たしている場合には，金利スワップを時価評価せず，その金銭の受払の純額等を当該資産または負債に係る利息に加減して処理しなければならない。

エ．ヘッジ会計の要件が充たされなくなったときには，ヘッジ会計の要件が充たされていた間のヘッジ手段に係る損益または評価差額は，ヘッジ対象に係る含み益が減少することによりヘッジ会計の終了時点で重要な損失が生じるおそれがある場合を除き，ヘッジ対象に係る損益が認識されるまで引き続き繰り延べる。

１．アイ　　２．アウ　　３．アエ　　４．イウ　　５．イエ　　６．ウエ

問題10 次の〔**資料**〕に基づき，当社（決算は年１回，決算日は３月31日）のX1年３月期末の(a)その他有価証券の金額および(b)その他有価証券評価差額金の金額の組合せとして，最も適切なものの番号を一つ選びなさい。（８点）

〔**資料**〕

１．X1年３月31日現在，当社が保有するその他有価証券の銘柄に関する取得原価および期末の市場価格は次のとおりである。

銘柄	取得原価	期末の市場価格
A社株式	9,700千円	9,200千円
B社株式	8,000千円	8,800千円
C社株式	2,000千円	—
D社株式	3,200千円	1,400千円
E社株式	1,800千円	—

２．その他有価証券の評価差額の会計処理は，全部純資産直入法を採用している。

３．税効果会計の適用に当たっての法定実効税率は40%とし，繰延税金資産または繰延税金負債に関して回収または支払が見込まれない金額はないものとする。

４．C社株式は，市場価格のない株式に該当する。また，当社はC社の発行済株式総数1,000株のうち12.5%を保有しており，C社株式の直近の１株当たりの実質価額は20千円である。

５．D社株式の時価は，著しく下落しており，取得原価まで回復する見込みはない。

６．E社株式は，市場価格のない株式に該当する。また，当社はE社の発行済株式総数の10%を保有している。資産等の時価評価を加味したE社の直近の純資産額は8,000千円であり，E社の財政状態は著しく悪化し，回復の見込みがないことが判明した。

	(a)	(b)
1.	22,200千円	180千円
2.	22,200千円	△1,500千円
3.	22,700千円	480千円
4.	22,700千円	△1,200千円
5.	23,200千円	180千円
6.	23,200千円	480千円

（注）△は借方残高であることを示している。

問題11　「ストック・オプション等に関する会計基準」および同適用指針に関する次の記述のうち，正しいものの組合せとして最も適切な番号を一つ選びなさい。（8点）

ア.「ストック・オプション等に関する会計基準」は，企業がその従業員等に対しストック・オプションを付与する取引を適用範囲としているが，企業が財貨の取得において，対価として自社株式オプションを付与する取引は，適用範囲としていない。

イ. ストック・オプションを付与し，これに応じて企業が従業員等から取得するサービスは，その取得に応じて費用として計上し，対応する金額を，ストック・オプションの権利の行使または失効が確定するまでの間，貸借対照表の純資産の部に新株予約権として計上する。

ウ. ストック・オプションに係る「条件変更」とは，付与したストック・オプションに係る条件を事後的に変更し，ストック・オプションの公正な評価単価，ストック・オプション数または合理的な費用の計上期間のいずれか一つ以上を意図して変動させることをいう。なお，株式分割が行われた場合に，付与されたストック・オプションの実質的内容を維持するための調整として行われた行使価格やストック・オプション数の変更は，ここでいう「条件変更」には当たらない。

エ. 新株予約権の行使に伴い，当該企業が自己株式を処分した場合には，自己株式の取得原価と，新株予約権の帳簿価額および権利行使に伴う払込金額の合計額との差額は，権利行使された期の株式報酬費用に加減する。

1．アイ　　2．アウ　　3．アエ　　4．イウ　　5．イエ　　6．ウエ

問題12 当社(決算は年１回，決算日は３月31日)は，X1年６月の株主総会での決議に基づき，X1年７月１日付で従業員にストック・オプションを付与した。次の〔**資料Ⅰ**〕および〔**資料Ⅱ**〕に基づき，(a)X3年３月期の損益計算書に計上される株式報酬費用の金額および(b)X4年３月31日現在の貸借対照表における新株予約権の金額の組合せとして，最も適切なものの番号を一つ選びなさい。なお，期間按分計算は月割によるものとする。(８点)

〔**資料Ⅰ**〕

1．従業員30名に対して１名当たり100個のストック・オプションを付与した。
2．権利行使により与えられる株式数はストック・オプション１個につき１株である。
3．権利行使時の払込金額は50千円/株で，権利行使期限はX5年６月末日である。
4．ストック・オプションの付与日における公正な評価単価は６千円/個である。
5．新株予約権の行使は，利益がX1年３月期の利益に比して110％以上であるときに，その翌期の７月１日から１年間，認められる。
6．ストック・オプションの一部行使および他者への譲渡はできない。また，権利行使に当たっては行使時に従業員であることを要し，退職時に権利は失効する。
7．X1年６月の株主総会における決議に当たって，X2年３月期の利益は，X1年３月期比で105％，X3年３月期，X4年３月期およびX5年３月期の利益は，X1年３月期比で115％になると見込んでおり，業績条件の未達成による失効はないものと見込んでいる。くわえて，従業員の退職による失効もないものと見込んでいる。

〔**資料Ⅱ**〕

1．各期のX1年３月期と比した利益実績および利益見込みの比率は次のとおりである。

会計期間	利益実績	利益見込み		
		X３年３月期	X４年３月期	X５年３月期
X２年３月期	106%	116%	116%	116%
X３年３月期	116%	—	118%	118%
X４年３月期	120%	—	—	118%

2．翌期以降の退職者見込みは，X2年３月末日において０名，X3年３月末日において０名であった。
3．実際の退職者は，X2年３月期２名，X3年３月期２名，X4年３月期０名であった。
4．X3年７月１日からX4年３月末日までに従業員20名が新株予約権を行使した。

	1．	2．	3．	4．	5．	6．
(a)	7,200千円	7,200千円	7,350千円	7,350千円	7,800千円	7,800千円
(b)	4,800千円	12,000千円	3,600千円	12,000千円	3,600千円	4,800千円

問題13　次の〔**資料**〕に基づき，X1年度(X1年４月１日～X2年３月31日)の①期末リース債務の合計額および②リース資産に関する減価償却費の合計額の組合せとして，最も適切なものの番号を一つ選びなさい。なお，計算結果に端数が生じる場合，千円未満をその都度四捨五入すること。(８点)

〔**資料**〕

1．当社は，借手としてX1年４月１日に，同日をリース期間開始日とする，次の３件のリース契約を締結した。各契約とも，リース料は，X2年３月31日を初回とし，年１回，各年の３月31日に現金による支払を行い，リース期間中は，解約不能である。また，再リース契約条項は，含まれていない。なお，これら以外にリース契約は，存在しない。

契約No.	リース料(年額)	リース期間	所有権移転条項または割安購入選択権
No.101	6,000千円	３年	所有権移転条項を含んでいる
No.102	8,000千円	４年	いずれも含まない
No.103	9,000千円	３年	いずれも含まない

2．上記１．の各契約のリース対象物件は，次のとおりである。各対象物件とも，貸手の購入価額は，明らかではない。また，当社向けの特別仕様ではない。

契約No.	対象物件	見積現金購入価額	経済的耐用年数
No.101	機械A	18,000千円	４年
No.102	機械B	31,000千円	７年
No.103	機械C	50,000千円	６年

3．当社の会計処理方法および利子率は，以下のとおりである。

⑴　当社が所有する，上記リース対象物件と同種の資産の減価償却は，償却期間を経済的耐用年数，残存価額を０円とし，定額法により行っている。

⑵　リース資産の減価償却は，定額法によるものとする。

⑶　リース債務の利息相当額は，原則的方法により期間配分を行う。

⑷　貸手の計算利子率を，当社は知り得ない。

⑸　当社の追加借入利子率は，年２％と見積もられる。なお，リース期間開始日におけるリース債務の計算に当たっては，次の年金現価係数を用いること。

３年	４年	５年	６年	７年
2.8839	3.8077	4.7135	5.6014	6.4720

	1．	2．	3．	4．	5．	6．
①	34,720千円	34,720千円	35,980千円	35,980千円	52,194千円	52,194千円
②	11,942千円	20,594千円	11,942千円	13,750千円	13,750千円	20,594千円

問題14　当社(会計期間は1年，決算日は3月31日)は，工作機械を製造・販売することを主たる事業としているが，同時に，貸手として当社製の機械をリース物件とするリース取引を行っている。X1年4月1日に開始された機械Cのリース取引に関する次の〔**資料**〕に基づき，当社のX3年3月期に帰属する利息相当額の金額として，最も適切なものの番号を一つ選びなさい。なお，計算結果に端数が生じる場合，千円未満を四捨五入すること。(8点)

〔**資料**〕

1．リース料総額　100,000千円
2．リース料の支払条件　毎年3月末に1年分20,000千円を後払い
3．解約不能のリース期間　5年
4．再リース契約条項　なし
5．当社の製作価額　84,248千円
6．借手に対する現金販売価額　89,036千円
7．計算利子率　各自推定
8．所有権移転条項　なし
9．割安購入選択権　なし
10．借手向けの特別仕様　なし
11．リース物件の経済的耐用年数　8年
12．当社の見積残存価額　0円
13．貸手の製作価額と借手に対する現金販売価額に差がある場合の会計処理は原則的方法によるものとし，重要性が乏しい場合の会計処理は適用しない。また，現在価値の計算に当たっては，次の年金現価係数を用いること。

利子率(年)／期間	3%	4%	5%	6%	7%
1年	0.9709	0.9615	0.9524	0.9434	0.9346
2年	1.9135	1.8861	1.8594	1.8334	1.8080
3年	2.8286	2.7751	2.7232	2.6730	2.6243
4年	3.7171	3.6299	3.5460	3.4651	3.3872
5年	4.5797	4.4518	4.3295	4.2124	4.1002

1．2,230千円　　2．2,904千円　　3．3,544千円
4．3,562千円　　5．4,158千円　　6．4,742千円

問題15　「退職給付に関する会計基準」および同適用指針等に関する次の記述のうち，正しいものの組合せとして最も適切な番号を一つ選びなさい。（８点）

ア．退職給付債務は，退職給付見込額のうち，期末までに発生していると認められる額を割り引いて計算する。その際，勤続年数，残存勤務期間，退職給付見込額等については，全従業員の加重平均値のような合理的な計算方法によって算定された数値を用いて計算することを原則とする。

イ．連結貸借対照表において，退職給付債務から年金資産の額を控除した額を負債として計上し，年金資産の額が退職給付債務を超える場合には資産として計上する。その際，年金資産は期末における時価によって計算するが，全ての年金資産の時価は，「時価の算定に関する会計基準」によって算定しなければならない。

ウ．退職給付債務の計算における割引率は，安全性の高い債券の利回りを基礎として決定する。また，各事業年度において割引率を再検討した結果，割引率の変動が退職給付債務に重要な影響を及ぼすと判断した場合にはこれを見直し，退職給付債務を再計算する。この判断に当たっては，前期末に用いた割引率により算定した場合の退職給付債務と比較して，期末の割引率により計算した退職給付債務が10％以上変動すると推定されるときには，重要な影響を及ぼすものとされる。

エ．過去勤務費用とは，退職金規定等の改定に伴い，退職給付水準が変更された結果生じる退職給付債務の増加部分又は減少部分であるが，給与水準の変動による退職給付債務の変動は，過去勤務費用には該当しない。

１．アイ　　２．アウ　　３．アエ　　４．イウ　　５．イエ　　６．ウエ

問題16 「収益認識に関する会計基準」および同適用指針に関する次の記述のうち，正しいものの組合せとして最も適切な番号を一つ選びなさい。（8点）

ア．顧客に移転する財またはサービスと交換に企業が権利を得ることとなる対価を回収する可能性が高いとはいえないような状況でも，当事者が，書面，口頭，取引慣行等により契約を承認し，それぞれの義務を約束していること，移転される財またはサービスに関する各当事者の権利を識別できること，さらに，契約に経済的実質があることの三つの要件を満たすと収益を認識することができる。

イ．収益認識に関する注記における開示目的は，顧客との契約から生じる収益およびキャッシュ・フローの性質，金額，時期および不確実性を財務諸表利用者が理解できるようにするための十分な情報を企業が開示することにある。

ウ．変動対価の見積りにあたって，企業が権利を得ることとなる対価の額をより適切に予測できる方法としては，発生し得ると考えられる対価の額における最も可能性の高い単一の金額（最頻値）による方法を用い，発生し得ると考えられる対価の額を確率で加重平均した金額（期待値）による方法を用いることはできない。

エ．顧客との契約に重要な金融要素が含まれる場合，取引価格の算定にあたっては，約束した対価の額に含まれる金利相当分の影響を調整する。収益は，約束した財またはサービスが顧客に移転した時点で（または移転するにつれて），当該財またはサービスに対して顧客が支払うと見込まれる現金販売価格を反映する金額で認識する。

1．アイ　2．アウ　3．アエ　4．イウ　5．イエ　6．ウエ

問題17　連結財務諸表上の税効果の会計処理に関する次の記述のうち，正しいものの組合せとして最も適切な番号を一つ選びなさい。（８点）

ア．子会社に対して行われた投資に係る連結財務諸表固有の将来減算一時差異に対しては，連結財務諸表の作成に当たり，繰延税金資産を計上してはならない。

イ．子会社の経営状態が著しく悪化したために，親会社の個別財務諸表において子会社株式評価損を計上した場合，当該評価損は資本連結手続によって相殺消去される。その結果，評価損の消去に係る連結財務諸表固有の将来減算一時差異が発生する。

ウ．親会社が，投資の一部を売却したことにより，被投資会社が子会社および関連会社のいずれにも該当しなくなった場合には，連結財務諸表上，残存する投資は個別財務諸表における帳簿価額によって評価する。この場合に，帳簿価額に修正したことによって解消した一時差異に係る繰延税金資産または繰延税金負債は，売却時に取り崩し，利益剰余金から直接控除する。

エ．連結財務諸表の作成に当たり，子会社の決算日が連結決算日と異なり，かつ，子会社が連結決算日に正規の決算に準ずる合理的な手続により決算を行う場合に，税効果の計算には連結決算日現在において国会で成立している法人税法等に規定されている税率を適用する。

１．アイ　２．アウ　３．アエ　４．イウ　５．イエ　６．ウエ

問題18　次の〔**資料**〕の下で，当期(X3年４月１日～X4年３月31日)におけるＰ社の連結包括利益計算書に計上されるその他の包括利益の合計金額として正しいものの番号を一つ選びなさい。解答に当たっては，〔**資料**〕以外の事項は考慮しないものとする。(８点)

〔**資料**〕

1．Ｐ社は，X2年３月31日にＳ社の発行済株式の80％を取得して連結子会社とし，X3年３月31日にＡ社の発行済株式の20％を取得して持分法適用会社としている。

2．Ｓ社は，X2年３月31日にＢ社の株式を43,600千円で取得して，その他有価証券として保有している。X3年３月31日およびX4年３月31日におけるその時価は，それぞれ48,000千円および49,600千円である。

3．Ａ社は，X2年３月31日にＣ社の株式を21,800千円で取得して，その他有価証券として保有している。X3年３月31日およびX4年３月31日におけるその時価は，それぞれ25,000千円および26,200千円である。

4．Ｓ社とＡ社の実効税率を30％として，税効果会計を適用する。

1．1,120千円	2．1,288千円	3．1,736千円
4．3,808千円	5．3,976千円	6．5,124千円

問題19　企業結合の会計に関する次の記述のうち，正しいものの組合せとして最も適切な番号を一つ選びなさい。（８点）

ア．企業結合には，取得と持分の結合という異なる経済的実態を有するものがあり，取得とされた企業結合では，いずれかの結合当事者が取得企業として決定される。企業結合における対価の観点からは，主な対価の種類として現金を引き渡す場合には当該現金の引渡企業が，通常，取得企業となる。

イ．企業結合に伴って発生するのれんは，発生時に一括償却し，その償却額を特別損失に計上する会計処理が認められている。これは，のれんの償却期間に対する恣意性の排除，貸借対照表の健全性の確保などを論拠とする。この会計処理は，のれんの金額に重要性が乏しい場合を除き，のれんの効果の及ぶ期間を合理的に見積った結果として，のれんの償却額が企業結合年度に全額計上される場合の会計処理と同じになる。

ウ．企業結合の目的が，被取得企業の事業に存在する特定の無形資産の受入れであり，その金額が重要になると見込まれる場合がある。この場合，当該無形資産は，分離して譲渡可能なものとして取り扱われ，識別可能資産として取得原価を配分するが，分離して譲渡可能な無形資産であるか否かはその実態に基づいて判断すべきである。顧客リストや被取得企業の事業に存在する労働力の相乗効果は，分離して譲渡可能な無形資産に該当しないが，ソフトウェアや研究開発活動の途中段階の成果は，該当することがある。

エ．子会社が親会社株式を支払対価として企業集団外の他の企業と企業結合する場合には，当該子会社が属する企業集団からみると，親会社が企業結合の対価として自己株式を処分する取引と同様に考えることができる。このため，子会社の個別財務諸表上，損益に計上した親会社株式の処分差額は，連結財務諸表上においては自己株式処分差額に振り替える会計処理が求められる。

１．アイ　　２．アウ　　３．アエ　　４．イウ　　５．イエ　　６．ウエ

問題20　固定資産の減損処理に関する次の記述のうち，正しいものの組合せとして最も適切な番号を一つ選びなさい。（8点）

ア．事業用の固定資産の収益性が当初の予想よりも低下した場合に，その回収可能性を帳簿価額に反映させる会計処理は，金融商品に適用される時価評価と同様に，資産価値の変動によって利益を測定することや，決算日における資産価値を貸借対照表に表示することを目的とする。

イ．減損の兆候がある資産について，当該資産から得られる割引前将来キャッシュ・フローの総額がその帳簿価額を下回る場合には，減損損失を認識する。この減損損失の認識の判定において，割引前将来キャッシュ・フローが外貨建てで見積られる場合，算定された外貨建ての将来キャッシュ・フローは，固定資産の取得時の為替相場によるのではなく，減損損失の認識の判定時の為替相場により円換算される。

ウ．減損損失を認識すべきと判定された資産は，帳簿価額を回収可能価額まで減額し，当該減少額を減損損失として当期の損失とするが，この回収可能価額は，資産の正味売却価額と使用価値のいずれか高い方の金額をいう。前者の正味売却価額は，資産の時価から処分費用見込額を控除して算定される。後者の使用価値は，資産の継続的使用によって生ずると見込まれる将来キャッシュ・フローの現在価値であるが，使用後の処分によって生ずると見込まれる分は含まない。

エ．無形固定資産として計上されている市場販売目的のソフトウェアの取得原価は，見込販売数量に基づく償却方法その他合理的な方法により償却しなければならない。いずれの減価償却方法による場合にも，毎期見込まれる販売数量等の見直しを行う。その結果，未償却残高が翌期以降の見込販売収益の額を上回った場合，当該超過額は一時の費用または損失として処理される。

1．アイ　　2．アウ　　3．アエ　　4．イウ　　5．イエ　　6．ウエ

問題21　持分法の会計に関する次の記述のうち，正しいものの組合せとして最も適切な番号を一つ選びなさい。（８点）

ア．Ｓ社はＰ社の連結子会社であり，Ａ社はＰ社の持分法適用関連会社である。連結財務諸表の作成において，Ｐ社が，より合理的な会計方針を選択するために自らの会計処理をＳ社の会計処理に合わせている場合には，原則として，Ａ社の会計処理もＳ社の会計処理に合わせることとなる。

イ．連結子会社の株式の一部売却が行われて持分比率が減少したことにより，連結子会社から持分法適用関連会社になることがある。この場合には，のれんの未償却額のうち関連会社として残存する持分比率に相当するのれんの未償却額は，支配獲得時における持分比率に占める関連会社として残存する持分比率に相当する額として算定されなければならない。

ウ．持分法適用関連会社について，株式の追加取得を行って，引き続き持分法の適用範囲に含まれる場合，資本のうち追加取得した株式に対応する持分と追加投資額との間に生じた差額は，のれんまたは負ののれんとして処理する。この場合，同一の持分法適用関連会社について，株式取得日の異なるのれんがあるときには，合理的な根拠なく異なる償却期間を設定することはできないが，既取得分の残存償却期間を追加取得分の償却期間に修正することは認められている。

エ．子会社以外の他の企業について，自己の計算においてその議決権を所有していない場合であっても，自己と出資等において緊密な関係により，自己の意思と同一の内容の議決権を行使すると認められる者が当該他の企業の議決権の20％以上を所有し，かつ，当該他の企業の財務および営業または事業の方針の決定に対して重要な影響を与えることが推察される事実が存在する場合には，当該他の企業は関連会社に該当する。

１．アイ　　２．アウ　　３．アエ　　４．イウ　　５．イエ　　６．ウエ

問題22 次の〔**資料**〕に基づき，X1年12月31日の吸収分割によるα事業の移転後における，A社個別貸借対照表の利益剰余金の金額とB社個別貸借対照表の資産合計の金額の組合せとして正しいものの番号を一つ選びなさい。(8点)

〔**資料**〕

1．X1年12月31日，分離元企業(吸収分割会社)A社は，α事業を分離先企業(吸収分割承継会社)B社に移転した。
2．α事業の移転前において，A社とB社との間に資本関係はなかった。
3．α事業は諸資産のみによって構成されており，負債はない。その諸資産は，適正な帳簿価額(株主資本相当額)が200百万円であり，時価が250百万円であった。
4．当該事業分離により，A社はその対価として，B社より新株発行された株式7,200株(時価@30,000円)と現金44百万円を受取った。B社の発行済株式総数は，この新株発行により47,200株となった。増資分は全額資本金として処理する。
5．B社株式の時価は，α事業の時価よりも信頼性が高いと判断される。
6．連結子会社および持分法適用関連会社の判定は，議決権の保有割合のみによって行う。なお，B社が発行する株式は，全て議決権付きである。
7．税効果は考慮しない。
8．事業分離直前におけるA社およびB社の個別貸借対照表は次のとおりである。
9．計算過程で端数が生じる場合，計算途中では四捨五入せず，最終数値の百万円未満を四捨五入すること。

個別貸借対照表　　(単位：百万円)

資　産	A社	B社	負債・純資産	A社	B社
現　金	3,000	1,500	諸負債	6,600	2,500
諸資産	9,000	2,000	資本金	2,000	800
			資本剰余金	400	—
			利益剰余金	3,000	200
合　計	12,000	3,500	合　計	12,000	3,500

	A社 利益剰余金	B社 資産合計
1.	3,000百万円	3,656百万円
2.	3,000百万円	3,706百万円
3.	3,000百万円	3,716百万円
4.	3,060百万円	3,656百万円
5.	3,060百万円	3,706百万円
6.	3,060百万円	3,716百万円

問題23～28　Ｐ社の連結財務諸表の作成に関する次の〈前提条件〉および〔**資料Ⅰ**〕～〔**資料Ⅳ**〕に基づき，以下の **問題23** ～ **問題28** に答えなさい。

〈前提条件〉

1．Ｐ社，Ｓ社およびＡ社の連結会計年度および事業年度は，いずれも3月31日を決算日とする1年であり，当期はX3年度（X3年4月1日～X4年3月31日）である。なお，Ｓ社およびＡ社は非公開会社である。

2．Ｐ社，Ｓ社およびＡ社の間には，〔**資料Ⅰ**〕～〔**資料Ⅲ**〕で示されたもの以外の取引はない。

3．X3年度においてＰ社は33,000百万円，Ａ社は2,000百万円の配当を行っており，Ｓ社は配当を行っていない。

4．のれんが生じる場合には，発生した年度の翌年度から10年間にわたり定額法により償却する。

5．未実現利益の非支配株主持分への配分については，期末の追加取得前の期中の持分比率に基づいて行う。

6．税効果は考慮しない。

7．計算結果に端数が生じる場合，百万円未満を四捨五入すること。

〔**資料Ⅰ**〕　Ｓ社に関する事項

1．Ｐ社は，X2年3月31日にＳ社の発行済株式の15％を32,000百万円で取得し，「その他有価証券」として保有していた。X3年3月31日に発行済株式の45％を110,250百万円で追加取得したことにより，Ｓ社の支配を獲得した。さらに，X4年3月31日に発行済株式の10％を25,000百万円で追加取得した。

2．X2年3月31日におけるＳ社の純資産の内訳は，資本金100,000百万円，利益剰余金40,000百万円であった。Ｓ社の資産には，土地を除く諸資産（簿価256,000百万円）と土地（簿価37,000百万円）が含まれており，土地の時価は44,000百万円であった。諸負債の簿価は153,000百万円であり，土地を除く諸資産と諸負債の時価は帳簿価額と同じであった。

3．X3年3月31日におけるＳ社の純資産の内訳は，資本金100,000百万円，利益剰余金64,000百万円であった。Ｓ社の資産には，土地を除く諸資産（簿価296,000百万円）と土地（簿価37,000百万円）が含まれており，土地の時価は47,000百万円であった。諸負債の簿価は169,000百万円であり，土地を除く諸資産と諸負債の時価は帳簿価額と同じであった。

〔**資料Ⅱ**〕　Ａ社に関する事項

1．Ｐ社は，X3年3月31日にＡ社の発行済株式の30％を31,000百万円で取得し，持分法適用会社とした。

2．X3年３月31日におけるＡ社の純資産の内訳は，資本金80,000百万円，利益剰余金13,000百万円であった。なお，X3年３月31日におけるＡ社の諸資産(土地を含む。)の簿価は153,000百万円(時価は155,000百万円)，X4年３月31日における諸資産(土地を含む。)の簿価は162,000百万円(時価は167,000百万円)であった。土地を除く諸資産と諸負債の時価は，両年度末において帳簿価額と同じであった。

〔資料Ⅲ〕 連結会社間の取引に関する事項

1．Ｐ社は，X3年４月１日よりＳ社から商品の一部を掛けで仕入れている。X3年度におけるＰ社の個別財務諸表には，Ｓ社からの当期商品仕入高137,000百万円および期末棚卸高25,000百万円が含まれている。ただし，これらとは別に，X4年３月31日において，Ｓ社からの商品3,000百万円がＰ社には未達となっているため，同金額はＰ社の個別財務諸表には含まれていない。なお，Ｓ社の出荷時から商品の支配がＰ社に移転される時までの期間は，通常の期間であるため，Ｓ社では出荷時に収益(売上)を認識している。Ｓ社のＰ社に対する売上総利益率は25％であった。

2．Ｓ社は，X3年９月30日にＰ社に対して土地(簿価37,000百万円)を47,000百万円で売却しており，その売却益10,000百万円を特別利益に計上している。

3．Ｓ社は，Ｐ社への売掛金に対して貸倒引当金を設定していない。

〔資料Ⅳ〕

Ｐ社，Ｓ社およびＡ社の個別貸借対照表

X4年３月31日　　　　（単位：百万円）

	Ｐ社	Ｓ社	Ａ社
諸資産	466,000	378,500	138,000
Ｓ社株式	167,250	—	—
Ａ社株式	31,000	—	—
土地	47,000	—	24,000
資産合計	711,250	378,500	162,000
諸負債	412,250	182,500	64,000
資本金	200,000	100,000	80,000
資本剰余金	10,000	—	—
利益剰余金	89,000	96,000	18,000
負債・純資産合計	711,250	378,500	162,000

P社，S社およびA社の個別損益計算書

自X3年４月１日　至X4年３月31日（単位：百万円）

	P社	S社	A社
売上高	630,000	320,000	143,000
売上原価	441,000	240,000	122,000
売上総利益	189,000	80,000	21,000
販売費及び一般管理費	120,000	45,000	12,700
営業利益	69,000	35,000	8,300
営業外収益	14,500	9,500	900
営業外費用	4,600	5,900	1,300
経常利益	78,900	38,600	7,900
特別利益	11,100	16,200	300
特別損失	31,000	22,800	1,200
当期純利益	59,000	32,000	7,000

問題23　当連結会計年度の連結株主資本等変動計算書における利益剰余金当期首残高として正しいものの番号を一つ選びなさい。（４点）

１．63,000百万円　２．66,839百万円　３．67,750百万円
４．68,500百万円　５．68,750百万円　６．69,500百万円

問題24　当連結会計年度の連結貸借対照表におけるのれんの金額として正しいものの番号を一つ選びなさい。（４点）

１．22,680百万円　２．34,065百万円　３．34,080百万円
４．38,340百万円　５．40,590百万円　６．47,340百万円

問題25　当連結会計年度の連結貸借対照表における非支配株主持分の金額として正しいものの番号を一つ選びなさい。（４点）

１．50,400百万円　２．52,700百万円　３．53,500百万円
４．56,700百万円　５．57,000百万円　６．57,975百万円

問題26 当連結会計年度の連結損益計算書における売上総利益の金額として正しいものの番号を一つ選びなさい。(4点)

1．262,000百万円　2．262,750百万円　3．263,500百万円
4．268,250百万円　5．269,000百万円　6．283,000百万円

問題27 当連結会計年度の連結損益計算書における営業外損益(営業外収益から営業外費用を控除した額)の金額として正しいものの番号を一つ選びなさい。(4点)

1．13,500百万円　2．14,090百万円　3．14,350百万円
4．14,690百万円　5．14,750百万円　6．15,350百万円

問題28 当連結会計年度の連結損益計算書における親会社株主に帰属する当期純利益の金額として正しいものの番号を一つ選びなさい。(4点)

1．62,590百万円　2．63,990百万円　3．64,290百万円
4．64,930百万円　5．64,990百万円　6．68,190百万円

CERTIFIED PUBLIC ACCOUNTANT '24

第Ⅰ回

解答・解説編

令和6年第Ⅰ回　公認会計士短答式試験　正解一覧

科目	問題	正解	難易度		問題	正解	難易度
企業法	1	4	A		11	2	B
	2	5	A		12	1	A
	3	6	A		13	2	A
	4	6	C		14	5	A
	5	4	A		15	3	B
	6	1	A		16	3	A
	7	6	A		17	4	A
	8	1	A		18	6	A
	9	4	A		19	1	C
	10	2	A		20	5	A

科目	問題	正解	難易度		問題	正解	難易度
管理会計論	1	4	A		9	4	A
	2	5	B		10	2	A
	3	1	A		11	5	A
	4	4	B		12	2	B
	5	5	A		13	6	A
	6	6	A		14	1	B
	7	2	A		15	3	A
	8	3	B		16	5	B

科目	問題	正解	難易度		問題	正解	難易度
監査論	1	1	A		11	3	A
	2	3	B		12	5	B
	3	4	A		13	2	A
	4	2	B		14	1	B
	5	2	A		15	2	A
	6	4	A		16	5	A
	7	5	B		17	6	A
	8	5	C		18	3	A
	9	3	B		19	4	A
	10	6	B		20	6	B

科目	問題	正解	難易度		問題	正解	難易度
財務会計論	1	1	B		15	6	A
	2	1	A		16	5	A
	3	3	B		17	6	B
	4	2	C		18	2	A
	5	5	B		19	3	A
	6	4	A		20	5	A
	7	5	A		21	3	A
	8	5	A		22	6	B
	9	5	A		23	3	A
	10	1	A		24	4	A
	11	4	A		25	4	B
	12	3	A		26	1	A
	13	1	B		27	5	A
	14	2	C		28	5	B

難易度

A：基本的で必ず正解に達すべき問題

B：通常の理解をしていれば正解となり得る問題

C：細かい知識を要する難しい問題

2024年第Ⅰ回

データリサーチ(Ⅰ)

科目	問題	正解	選択肢別解答率(%)					
			1	2	3	4	5	6
財務会計論	1	1	65%	9%	19%	1%	3%	1%
	2	1	66%	3%	19%	2%	6%	1%
	3	3	5%	6%	68%	1%	9%	8%
	4	2	3%	42%	31%	7%	3%	10%
	5	5	1%	3%	10%	5%	41%	38%
	6	4	2%	1%	2%	83%	7%	1%
	7	5	0%	1%	4%	5%	72%	16%
	8	5	3%	5%	39%	1%	47%	2%
	9	5	4%	1%	3%	3%	84%	2%
	10	1	82%	2%	11%	1%	1%	0%
	11	4	10%	3%	0%	81%	2%	1%
	12	3	2%	3%	80%	3%	8%	1%
	13	1	38%	4%	3%	1%	3%	49%
	14	2	1%	38%	16%	7%	34%	1%
	15	6	2%	8%	4%	13%	10%	60%
	16	5	6%	0%	4%	1%	85%	1%
	17	6	2%	5%	13%	11%	31%	36%
	18	2	8%	74%	6%	2%	6%	0%
	19	3	6%	13%	63%	2%	6%	8%
	20	5	3%	1%	8%	2%	81%	3%
	21	3	18%	4%	33%	5%	29%	9%
	22	6	3%	9%	24%	6%	13%	41%
	23	3	6%	2%	78%	3%	6%	1%
	24	4	0%	6%	2%	78%	9%	1%
	25	4	1%	9%	17%	60%	8%	2%
	26	1	73%	6%	8%	3%	4%	3%
	27	5	12%	6%	13%	4%	53%	10%
	28	5	4%	10%	18%	5%	55%	6%
管理会計論	1	4	8%	2%	1%	78%	8%	1%
	2	5	2%	5%	20%	7%	40%	24%
	3	1	57%	8%	2%	0%	30%	0%
	4	4	1%	9%	33%	39%	15%	0%
	5	5	3%	10%	33%	9%	42%	0%
	6	6	2%	4%	3%	22%	13%	53%
	7	2	16%	29%	9%	24%	11%	8%
	8	3	5%	4%	60%	23%	6%	0%
	9	4	9%	5%	0%	82%	1%	0%
	10	2	6%	63%	25%	2%	2%	0%
	11	5	2%	4%	12%	15%	59%	6%
	12	2	5%	72%	0%	20%	0%	0%
	13	6	0%	6%	9%	1%	4%	77%
	14	1	27%	22%	38%	4%	5%	2%
	15	3	9%	11%	63%	2%	4%	8%
	16	5	5%	8%	37%	10%	33%	4%

データリサーチ(Ⅱ)

科目	問題	正解	選択肢別解答率(%)					
			1	2	3	4	5	6
監査論	1	1	82%	0%	3%	1%	11%	0%
	2	3	3%	15%	16%	14%	8%	41%
	3	4	5%	5%	1%	57%	11%	18%
	4	2	2%	53%	5%	14%	2%	22%
	5	2	1%	90%	5%	0%	0%	1%
	6	4	19%	5%	0%	73%	0%	0%
	7	5	8%	0%	3%	8%	75%	3%
	8	5	0%	0%	5%	1%	86%	5%
	9	3	6%	4%	85%	1%	0%	1%
	10	6	0%	17%	3%	4%	1%	73%
	11	3	12%	1%	71%	0%	13%	1%
	12	5	17%	0%	22%	0%	58%	0%
	13	2	4%	84%	3%	3%	0%	3%
	14	1	80%	0%	3%	5%	9%	0%
	15	2	5%	79%	4%	5%	1%	3%
	16	5	7%	1%	2%	13%	72%	3%
	17	6	0%	6%	14%	5%	9%	64%
	18	3	5%	2%	79%	1%	6%	5%
	19	4	2%	0%	0%	80%	13%	2%
	20	6	2%	5%	7%	6%	13%	64%
企業法	1	4	2%	5%	0%	84%	3%	3%
	2	5	8%	1%	8%	2%	76%	3%
	3	6	1%	5%	14%	3%	8%	66%
	4	6	3%	4%	5%	23%	26%	36%
	5	4	5%	15%	0%	72%	2%	4%
	6	1	83%	1%	5%	1%	7%	0%
	7	6	2%	7%	10%	10%	12%	56%
	8	1	87%	2%	1%	2%	4%	1%
	9	4	5%	1%	0%	80%	9%	2%
	10	2	2%	85%	3%	2%	0%	5%
	11	2	8%	71%	15%	2%	1%	1%
	12	1	84%	2%	7%	1%	4%	0%
	13	2	5%	78%	3%	6%	1%	3%
	14	5	13%	1%	16%	1%	64%	2%
	15	3	18%	3%	58%	2%	14%	2%
	16	3	24%	5%	63%	3%	2%	1%
	17	4	4%	4%	3%	75%	8%	4%
	18	6	3%	5%	3%	15%	9%	63%
	19	1	52%	18%	26%	0%	1%	1%
	20	5	10%	0%	3%	8%	75%	1%

	配点	平均得点比率
財務会計論	200	46.7%
管理会計論	100	43.1%
監査論	100	59.1%
企業法	100	53.0%
総　合	500	50.5%

企　業　法

【科目別講評】

今回の令和６年第Ⅰ回短答式試験は，20問中Ａ評価が16問，Ｂ評価が２問，Ｃ評価が２問である。「Ａ」評価というのは「必ず正解に達すべき問題」，「Ｂ」評価は「通常の理解をしていれば正解となり得る問題」で，半分は正解する必要がある問題，「Ｃ」評価は「細かい知識を要する難問」で，落としても合否に影響しない問題である。よって，企業法の合格ラインは85点となる。

（本講評は，令和６年第Ⅰ回試験終了時のものです。）

	【配点】	【難易度】	【出題内容】
問題１	５点	A	商人
問題２	５点	A	商行為
問題３	５点	A	発起人
問題４	５点	C	株式会社の設立
問題５	５点	A	種類株式
問題６	５点	A	現物出資
問題７	５点	A	株券
問題８	５点	A	機関
問題９	５点	A	株主総会
問題10	５点	A	株主総会
問題11	５点	B	代表取締役
問題12	５点	A	取締役会
問題13	５点	A	監査等委員会設置会社
問題14	５点	A	会計帳簿及び計算書類等
問題15	５点	B	合同会社
問題16	５点	A	社債
問題17	５点	A	吸収合併
問題18	５点	A	株式移転
問題19	５点	C	金融商品取引法上の金融商品
問題20	５点	A	目論見書

問題1　正解　4　難易度　A

★本問のポイント

商人

解　説

ア．**誤　り**。商人が支配人を選任したときは，その登記をしなければならない。支配人の代理権の消滅についても，同様とする(商法22条)。

イ．**正しい**。商人の行為はその営業のためにするものと推定される(商法503条2項)。

ウ．**正しい**。営業を譲り受けた商人が譲渡人の商号を引き続き使用する場合には，当該譲渡人の営業によって生じた債権について，当該商人にした弁済は，弁済者が善意でありかつ重大な過失がないときは，その効力を有する(商法17条4項)。

エ．**誤　り**。鉱業を営む者は，商行為を行うことを業としない者であっても，商人とみなされる(擬制商人。商法4条2項)。

以上より，正しいものはイとウであることから，正解は4となる。

問題2　正解　5　難易度　A

★本問のポイント

商行為

解　　説

ア．**誤　り**。商人がその営業の部類に属する契約の申込みを受けた場合において，その申込みとともに受け取った物品があるときは，その申込みを拒絶したときであっても，申込者の費用をもってその物品を保管しなければならないのが原則である(商法510条本文)。

イ．**正しい**。商行為の代理人が本人のためにすることを示さないでこれをした場合であっても，その行為は，本人に対してその効力を生ずる(＝非顕名主義。商法504条本文)。ただし，相手方が，代理人が本人のためにすることを知らなかったときは，代理人に対して履行の請求をすることを妨げない(商法504条ただし書)。そして，商法504条ただし書について，判例は，「本人と相手方との間には，すでに同条本文の規定によって，代理に基づく法律関係が生じているのであるが，相手方において，代理人が本人のためにすることを知らなかったとき(過失により知らなかったときを除く)は，相手方保護のため，相手方と代理人との間にも右と同一の法律関係が生ずるものとし，相手方は，その選択に従い，本人との法律関係を否定し，代理人との法律関係を主張することを許容したものと解するのが相当である」としている(最判昭43.4.24)。

ウ．**誤　り**。民法では，受任者は特約がなければ，無報酬なのが原則である(民法648条1項，656条，665条)。これに対し，商法は，商人が，その営業の範囲内において他人のためにある行為をしたときは，特約がなくても，相当の報酬を請求できる(商法512条)。

エ．**正しい**。商人間の売買が定期売買の場合(売買の性質または当事者の意思表示により特定の日時または一定の期間内に履行しなければ契約の目的を達成できない場合)に，当事者の一方が履行しないでその時期を経過したときは，相手方が直ちに履行を請求しない限り，契約の解除をしたものとみなされる(商法525条)。

以上より，正しいものはイとエであることから，正解は5となる。

問題3　正解　6　難易度　A

★本問のポイント

発起人

解　　説

ア．**誤　り**。設立時募集株式の引受人は，払込みの期日または期間内(58条1項3号)に，発起人が定めた銀行等の払込みの取扱いの場所において，それぞれの設立時募集株式の払込金額の全額の払込みを行わなければならない(63条1項)。この銀行等の払込みの取扱いの場所の変更に関して，裁判所の許可を得なければならないとの規定はない。

イ．**誤　り**。発起人のうち出資の履行をしていないものがある場合には，この者に対して2週間の猶予期間を設けた失権予告付催告(＝期日を定めた上で，その期日までに履行をしなければならない旨を通知する)をし(36条1項2項)，その期日までに履行がないと，その発起人は株主となる権利を失うことになる(36条3項)。発起人が失権するのみであり，本記述のような規定はない。

ウ．**正しい**。発起人は，設立時募集株式の引受けの申込みをしようとする者に対して，設立時募集株式に関する事項等を通知しなければならない(59条1項柱書)。ただし，設立時募集株式を引き受けようとする者がその総数の引受けを行う契約を締結する場合(総数引受け)には，当該規制は適用されない(61条)。

エ．**正しい**。発起人・設立時取締役・設立時監査役は，会社の設立について任務懈怠があった場合は，会社に対して，損害賠償責任を負う(53条1項)。この責任は，総株主の同意がなければ免除できない(55条)。

以上より，正しいものはウとエであることから，正解は6となる。

問題４　正解　６　難易度　Ｃ

★本問のポイント

株式会社の設立

解　説

ア．**誤　り**。誰にいくら割り当てるかは，発起人の自由である（割当て自由の原則。60条１項前段）。したがって，発起人は，当該申込者に割り当てる設立時募集株式の数を，申込み数より減少してもよい（同条１項後段）。

イ．**誤　り**。本記述のような規定はない。

ウ．**正しい**。現物出資は変態設立事項に該当するため，原始定款に記載・記録しなければ成立後の会社に対して効力を生じない（28条柱書１号）。したがって，発起設立の場合において，定款について公証人の認証を受けた後，発起人から，金銭の出資に代えて自己が所有する不動産を出資したい旨の申出があったときに，発起人の全員の同意をもって当該定款を変更して，当該発起人の出資の目的を金銭ではなく当該不動産にすることはできない。

エ．**正しい**。種類株式発行会社が株式交換をする場合で，かつ，ある種類株式の種類株主に損害を及ぼすおそれがあるときは，原則として，その種類株主総会の特別決議が必要となるが（322条１項11号，324条２項４号），その種類株式の内容として，種類株主総会決議不要の定款規定を設けることができる（322条２項）。そして，設立しようとする会社が種類株式発行会社である場合において，ある種類の株式について322条２項の規定による定款の定めを設けようとするときは，当該各号の種類の設立時発行株式の設立時種類株主全員の同意を得なければならない（99条２号）。

以上より，正しいものはウとエであることから，正解は６となる。

問題5　正解　4　難易度　A

★本問のポイント

種類株式

解　説

ア．**誤　り**。株式会社は，種類株式として株主総会・取締役会等の決議事項のうち当該決議のほか当該種類の種類株主総会の決議が必要であると定められた株式を発行することができる(108条1項8号)。

イ．**正しい**。取締役・監査役選任権付種類株式(108条1項9号2項9号)は，ある種類の株式の種類株主を構成員とする種類株主総会において取締役または監査役を選任することができる種類株式である。会計参与の選任については当該種類株式のような規定はない。

ウ．**正しい**。非公開会社は，定款に定めを置けば，105条1項各号に掲げる権利に関する事項について，株主ごとに異なる取扱いを行うことができる(109条2項)。

エ．**誤　り**。本記述のような規定はない。

以上より，正しいものはイとウであることから，正解は4となる。

問題6　正解　1　難易度　A

★本問のポイント

現物出資

解　　説

ア．**正しい**。現物出資財産について定款に記載・記録された価額の総額が500万円を超えない場合には，検査役の調査は不要である(207条9項2号)。

イ．**正しい**。現物出資財産のうち，市場価格のある有価証券について取締役会決議等で定められた価額が当該有価証券の市場価格として法務省令で定める方法により算定されるものを超えない場合には，検査役の調査は不要である(207条9項3号)。

ウ．**誤　り**。現物出資財産等について定款で定めた価額が相当であるとの弁護士等の専門家の証明がある場合には，検査役の調査を受ける必要はない(207条9項4号)。ただし，現物出資財産等が不動産である場合，検査役の調査が免除されるためには，弁護士等の証明および不動産鑑定士の鑑定評価が必要である(207条9項4号かっこ書)。

エ．**誤　り**。現物出資財産が会社に対する金銭債権(弁済期が到来しているものに限る)であって，当該金銭債権について取締役会決議等で定められた価額がその金銭債権に係る負債の帳簿価額を超えない場合には，検査役の調査は不要である(207条9項5号)。

以上より，正しいものはアとイであることから，正解は1となる。

問題7　正解　6　難易度　A

★本問のポイント

株券

解　説

ア．**誤　り**。株券不所持制度とは，株券発行会社における株式について，株主が株券の所持を希望しない旨を申し出た場合は，会社は株主名簿に株券を発行しない旨を記載・記録して株券を発行しないでおくことができる制度をいう（217条）。株主が，株式会社に対し，株券の所持を希望しない旨を申し出た場合には，当該株主が所持していた株券は，株主名簿に株券を発行しない旨を記載・記録した時において，無効となる（同条５項）。

イ．**誤　り**。株券発行会社は，219条各号に該当する場合は，当該行為の効力が生ずる日までに当該株券発行会社に対し当該各号に定める株式に係る株券を提出しなければならない旨を株券提出日の一箇月前までに，公告し，かつ，当該株式の株主及びその登録株式質権者には，各別にこれを通知しなければならない。株式に係る株券を発行する旨の定款の定めを廃止する定款の変更をしようとするときは，該当しない。

ウ．**正しい**。株券喪失登録がされた株券は，株券喪失登録日の翌日から起算して一年を経過した日に無効となる（228条１項）。

エ．**正しい**。株券の効力発生時について，判例は，株券の発行とは，「所定の形式を具備した文書を株主に交付することをいい，株主に交付したとき初めて該文書が株券となるものと解すべきである。したがって，たとえ会社が前記文書を作成しても，これを株主に交付しない間は，株券たる効力を有しないことはいうまでもない」と，交付時説を採っている（最判昭40.11.16）。

以上より，正しいものはウとエであることから，正解は６となる。

問題8　正解 1　難易度 A

★本問のポイント

機関

解　　説

ア．**正しい**。公開会社でない株式会社であっても，監査役会設置会社又は会計監査人設置会社である場合には，監査役の監査の範囲を会計に関するものに限定する旨を定款で定めることができない(389条1項かっこ書)。

イ．**正しい**。指名委員会等設置会社における各委員会は，取締役3名以上で組織され，その過半数は社外取締役でなければならない(400条1項3項)。

ウ．**誤　り**。監査役会設置会社においては，監査役は3人以上で，その「半数以上」は社外監査役でなければならない(335条3項)。

エ．**誤　り**。監査等委員会設置会社では，監査役会設置会社(390条2項2号3項)とは異なり，常勤の監査等委員の選定は義務づけられていない。

以上より，正しいものはアとイであることから，正解は1となる。

問題9　正解　4　難易度　A

★本問のポイント

株主総会

解　　説

ア．**誤　り**。株主による株主総会の招集は，取締役に対し，株主総会の目的である事項及び招集の理由を示さなければならず，また，まずはその招集を請求するものとされ，招集の請求を経ずに自ら招集できるわけではない(297条1項4項)。

イ．**正しい**。取締役又は株主が株主総会の目的である事項について提案をした場合において，当該提案につき株主(当該事項について議決権を行使することができるものに限る。)の全員が書面又は電磁的記録により同意の意思表示をしたときは，当該提案を可決する旨の株主総会の決議があったものとみなす(319条1項)。

ウ．**正しい**。取締役会非設置会社であったとしても，書面投票・電子投票による議決権行使を定めた場合は，株主総会の日の2週間前までに招集通知を発出しなければならない(299条1項かっこ書)。

エ．**誤　り**。株主総会は，株主の全員の同意があるときは，招集の手続を経ることなく開催することができるが，書面投票・電子投票による議決権行使を定めた場合は，この限りでない(300条ただし書)。

以上より，正しいものはイとウであることから，正解は4となる。

問題10　正解　2　難易度　A

★本問のポイント

株主総会

解　説

ア．**正しい**。株主総会決議の不存在の確認の訴えは，確認の利益を有する限り，誰でも提起することができる(830条１項)。

イ．**誤　り**。公開会社の株主総会では，株主総会の目的である事項として株主総会の延期を定めていなくても，株主総会の延期を決議することができる(317条)。

ウ．**正しい**。監査役の解任には株主総会の特別決議が必要であり(339条１項，309条２項７号)，特別決議の定足数は，定款の定めによっても，議決権を行使することができる株主の議決権の３分の１未満の割合とすることはできない(309条２項前段かっこ書)。

エ．**誤　り**。取締役会設置会社の株主総会は，株主総会の目的である事項以外は決議できない(309条５項本文)が，株主総会に提出された資料を調査する者の選任(316条１項)についてはこの限りではない(同条項ただし書)。

以上より，正しいものはアとウであることから，正解は２となる。

問題11　正解　2　難易度　B

★本問のポイント

代表取締役

解　説

ア．**正しい**。代表取締役が欠けた場合又は定款で定めた代表取締役の員数が欠けた場合には，任期の満了又は辞任により退任した代表取締役は，新たに選定された代表取締役(一時代表取締役の職務を行うべき者を含む)が就任するまで，なお代表取締役としての権利義務を有する(351条１項)。

イ．**誤　り**。代表取締役は代表権を有する(349条１項ただし書４項)。代表取締役の代表権は，会社の業務に関する一切の裁判上または裁判外の行為に及ぶ包括的なものであり(同条４項)，これを(会社が定款等で自治的に)制限することは可能だが，当該制限を容易に知りえない第三者の取引の安全を図るため，代表取締役の代表権に加えた制限は善意の第三者に対抗できないという意味で不可制限的なものである(同条５項)。

ウ．**正しい**。判例は，「株式会社の代表取締役が，その職務を行なうにつき不法行為をして他人に損害を加えたため，右会社がその賠償の責に任ずる場合には，右代表取締役も，個人として不法行為責任を負う。」としている(最判昭49.２.28)。

エ．**誤　り**。判例は，「代表取締役代行者なる名称は，会社を代表する権限を有するものと認むべき名称に該当する。」としている(最判昭44.11.17)。

以上より，正しいものはアとウであることから，正解は２となる。

問題12　正解　1　難易度　A

★本問のポイント

取締役会

解　説

ア．**正しい**。取締役会の招集通知の方式は法定されていない。したがって，口頭・書面等任意の方法(電話，メール，呼びかけ等)で通知すればよい。

イ．**正しい**。取締役会設置会社では，競業取引をした取締役は，当該取引について取締役会の承認を得たか否かにかかわらず，当該取引後遅滞なく，当該取引についての重要な事実を取締役会に報告しなければならない(365条２項)。

ウ．**誤　り**。特別利害関係取締役は取締役会議決に参加できない(369条２項)。判例によれば，代表取締役解職(362条２項３号)における当該代表取締役本人は，特別利害関係取締役にあたるので取締役会議決に参加できないから議決権を行使することはできない(最判昭和44.３.28)。

エ．**誤　り**。親会社の債権者には閲覧・謄写請求は認められていない(371条参照)。

以上より，正しいものはアとイであることから，正解は１となる。

問題13　正解　2　難易度　A

★本問のポイント

監査等委員会設置会社

解　説

ア．**正しい**。監査等委員会設置会社において，取締役が会計監査人の報酬等を定める場合には，監査等委員会の同意を得なければならない(399条１項３項)。

イ．**誤　り**。監査等委員会は，各監査等委員が招集することができる(399条の８)。監査等委員会の招集については，特定の監査等委員に専属させることは認められない(383条３項参照)。

ウ．**正しい**。監査等委員会設置会社において，会計監査人が職務上の義務に違反した場合には，監査委員の全員の同意により，その会計監査人を解任することができる(340条１項１号２項５項)。

エ．**誤　り**。監査等委員会設置会社の取締役の過半数が社外取締役である場合には，その監査等委員会設置会社の取締役会は，取締役会決議によって重要な業務執行の決定を取締役に委任することができる(399条の13第５項本文)。本問では過半数に達していないので，支店の設置に係わる決定を取締役に委任することはできない(399条の13第４項４号)。

以上より，正しいものはアとウであることから，正解は２となる。

問題14　正解 5　難易度 A

★本問のポイント

会計帳簿及び計算書類等

解　　説

ア．**誤　り**。株式会社は，会計帳簿の閉鎖の時から10年間，その会計帳簿及びその事業に関する重要な資料を保存しなければならない(432条２項)。

イ．**正しい**。議決権を行使できない株主でも，発行済株式(自己株式を除く)の100分の３以上(定款で緩和可)の数の株式を保有していれば，会社の営業時間内であれば，会計帳簿の閲覧謄写の請求ができる(433条１項)。

ウ．**誤　り**。貸借対照表や損益計算書とともに，株主資本等変動計算書も計算書類の一つであり，会計監査人の監査の対象である(436条２項１号，435条２項，計算規則59条１項)。

エ．**正しい**。事業報告の内容は，定時株主総会の承認の対象ではなく，報告事項にすぎない(438条１項３項)。

以上より，正しいものはイとエであることから，正解は５となる。

問題15　正解　3　難易度　B

★本問のポイント

合同会社

解　説

ア．**正しい**。合同会社の資本金の額は登記事項である（914条5号）。

イ．**誤　り**。合同会社の社員の責任は間接有限責任であり，会社債権者に直接責任を負っていない。なお，合資会社の有限責任社員の責任は直接有限責任であり，登記をする前に生じた持分会社の債務については，従前の責任の範囲内でこれを弁済する責任を負う（583条2項）。合同会社の社員には583条2項は適用されない（同条同項かっこ書き）。

ウ．**誤　り**。持分会社は，その持分の全部または一部を譲り受けることができない（587条1項）。譲渡以外の方法，たとえば合併などによって持分会社が自己持分を取得したとしても，当該持分はその取得時に消滅する（587条2項）。

エ．**正しい**。合同会社では全額払込み・全部給付制度が採用されている関係で（578条本文），合同会社が新たに社員を加入させる場合に，新社員が当該社員に係る定款変更をした時に当該出資に係る払込み・給付の全部または一部を履行していないときは，その者は当該払込み・給付を完了した時に合同会社の社員となる（604条3項）。

以上より，正しいものはアとエであることから，正解は3となる。

問題16　正解　3　難易度　A

★本問のポイント

社債

解　説

ア．**正しい**。会社は，他の会社と合同して募集社債を発行すること（合同発行）ができる（676条12号，施行規則162条２号）。

イ．**誤　り**。無記名式社債の場合は，社債原簿に記載しないのだから証券の所持が社債発行会社その他第三者への対抗要件となる（688条２項３項）。

ウ．**誤　り**。新株予約権付社債についての社債のみに質権を設定することはできない（267条３項本文）。ただし，当該新株予約権付社債に付された新株予約権が消滅したときは，この限りではない（同条同項ただし書）。

エ．**正しい**。議決権を行使しようとする無記名社債の社債権者は，社債権者集会の日の一週間前までに，その社債券を招集者に提示しなければならない（723条３項）。

以上より，正しいものはアとエであることから，正解は３となる。

問題17　正解　4　難易度　A

★本問のポイント

吸収合併

解　説

ア．**誤　り**。いわゆる，「対価の柔軟化」により，吸収型組織再編行為では対価を交付しないことも許される（無対価吸収型組織再編，749条1項2号参照）。

イ．**正しい**。株式買取請求をした株主は，消滅株式会社等の承諾を得た場合に限り，その株式買取請求を撤回することができる（785条7項）。

ウ．**正しい**。株式買取請求に係る株式の買取りは，効力発生日に，その効力を生ずる（788条6項）。

エ．**誤　り**。吸収合併存続株式会社は，吸収合併契約等備置開始日から効力発生日後6箇月を経過する日までの間，吸収合併契約等の内容その他法務省令で定める事項を記載し，又は記録した書面又は電磁的記録をその本店に備え置かなければならない（794条1項）。

以上より，正しいものはイとウであることから，正解は4となる。

問題18　正解　6　難易度　A

★本問のポイント

株式移転

解　　説

ア．**誤　り**。指名委員会等設置会社の取締役会は，株式移転計画の内容の決定を，執行役に委任する事はできない(416条4項柱書ただし書23号)。

イ．**誤　り**。株式移転は，法定の手続が終了した場合には，株式移転設立完全親会社の成立の日(設立登記の日)にその効力を生じる(774条1項)。

ウ．**正しい**。株式会社が株式移転をする場合において，株式移転計画新株予約権が新株予約権付社債に付された新株予約権であるときには，当該新株予約権付社債についての社債権者は，当該株式移転完全子会社に対し，法定の手続に従って，当該株式移転について異議を述べることができる(810条1項3号)。

エ．**正しい**。株式移転の無効の訴えの被告になるのは，株式移転をする株式会社及び株式移転により設立する株式会社である(834条12号)。

以上より，正しいものはウとエであることから，正解は6となる。

問題19 正解 1 難易度 C

★本問のポイント

金融商品取引法上の金融商品

解 説

ア．**正しい**。オプションは，金融商品取引法上の金融商品である（金商法２条24項１号，２条１項19号）。

イ．**正しい**。通貨は，金融商品取引法上の金融商品である（金商法２条24項３号）。

ウ．**誤 り**。信用格付は「金融指標」であり（金商法２条25項３号），金融商品取引法上の金融商品ではない。

エ．**誤 り**。国債証券の利率は「金融指標」であり（金商法２条25項１号），金融商品取引法上の金融商品ではない。

以上より，正しいものはアとイであることから，正解は１となる。

問題20　正解　5　難易度　A

★本問のポイント

目論見書

解　説

ア．**誤　り**。確認書は有価証券報告書の記載内容の適正を確認した旨を記載した確認書であるから（金商法24条の4の2第1項），発行者及び有価証券の売出しをする者が，目論見書の交付に併せて，目論見書の記載内容に係る確認書を交付する必要はない。

イ．**正しい**。何人も，有価証券の募集又は売出しのために，虚偽の記載があり，又は記載すべき内容の記載が欠けている目論見書を利用してはならない（金商法13条4項）。

ウ．**誤　り**。何人も，金商法4条1項本文もしくは2項本文の規定の適用を受ける有価証券またはすでに開示された有価証券の募集・売出しのために，目論見書以外の文書，図画，音声その他の資料（電磁的記録に記録された情報の内容を表示したものを含む）を使用する場合は，虚偽の表示または誤解を生じさせる表示をしてはならない（金商法13条5項）。

エ．**正しい**。目論見書の交付請求があったにもかかわらず，これを交付せずに有価証券を取得させた者は，目論見書を交付しなかったことが故意または過失でない場合であっても，当該有価証券を取得した者に対し，これにより生じた損害を賠償する責任を負う（金商法16条）。

以上より，正しいものはイとエであることから，正解は5となる。

管理会計論

【科目別講評】

今回は，問題総数は16問，計算８問および理論８問であり，構成は前回と同様であった。計算については難度が高い問題はないものの，時間を要する問題が多いため，いくつか落としても問題ない。理論については正答可能な問題が多く，高得点が望まれる。何とか７割を確保したい。

（本講評は，令和６年第Ⅰ回試験終了時のものです。）

	【配点】	【難易度】	【出題内容】
問題１	５点	A	理論（正誤）　原価計算総論，標準原価計算
問題２	８点	B	計算　費目別計算（材料費の計算）
問題３	５点	A	理論（穴埋め）　部門別計算
問題４	７点	B	計算　部門別計算，個別原価計算（仕損費の間接費処理）
問題５	７点	A	計算　総合原価計算（等級別，第３法，正常仕損）
問題６	５点	A	理論（正誤）　総合原価計算
問題７	５点	A	理論（正誤）　標準原価計算，原価管理
問題８	８点	B	計算　標準原価計算（修正パーシャル・プラン）
問題９	５点	A	理論（正誤）　管理会計総論
問題10	７点	A	計算　財務情報分析（収益性）
問題11	７点	A	計算　CVP分析（感度分析，安全余裕率と損益分岐点比率）
問題12	５点	B	理論（正誤）　予算管理
問題13	５点	A	理論（正誤）　資金管理，分権組織とグループ経営
問題14	８点	B	計算　業務的意思決定（経済的発注量）
問題15	５点	A	理論（正誤）　設備投資意思決定
問題16	８点	B	計算　業務的意思決定（自製か購入かの意思決定）

問題1　正解　4　難易度　A

★本問のポイント

理論(正誤)　原価計算総論，標準原価計算

解　　説

ア．**誤　り**。理想標準原価とは，技術的に達成可能な最大操業度のもとにおいて，最高能率を表わす最低の原価をいい，財貨の消費における減損，仕損，遊休時間等に対する余裕率を許容しない理想的水準における標準原価である。(基準 4(1)2)

イ．**正しい**。(基準 4(1)1)

ウ．**正しい**。(基準 4(3))

エ．**誤　り**。正常原価とは，経営における異常な状態を排除し，経営活動に関する比較的長期にわたる過去の実際数値を統計的に平準化し，これに将来のすう勢を加味した正常能率，正常操業度および正常価格に基づいて決定される原価をいう。(基準 4(1)2)

以上より，正しい記述はイ，ウであり，正解は4となる。

問題２　正解　5　難易度　B

★本問のポイント

計算　費目別計算(材料費の計算)

解　説

１．購入数量を用いて材料副費を一括配賦する場合

(1)　購入単価

材料	送状価額	材料副費予定配賦額	値引	購入原価	購入数量	購入単価
A	460,800円	*1)120,000円	4,800円	576,000円	1,200単位	480円
B	702,000円	180,000円	—	882,000円	1,800単位	490円
合計	—	300,000円	—	—	—	—

*1)　材料副費予定配賦率*2)100円×購入数量1,200単位

*2)　材料副費予算額合計*3)3,300,000円÷予算購入数量合計*4)33,000単位

*3)　引取運賃330,000円＋購入事務費560,700円＋検収費495,000円
＋保管料1,914,300円

*4)　材料Ａ15,000単位＋材料Ｂ18,000単位

(2)　材料副費配賦差異

予定配賦額合計300,000円－実際発生額*)263,650円＝36,350円(貸方差異)

*)　引取運賃25,550円＋購入事務費75,100円＋検収費38,000円＋保管料125,000円

２．材料副費を費目別に予定配賦する場合

(1)　材料副費予定配賦率

引取運賃および検収費：予算額合計825,000円
÷予算購入数量合計33,000単位＝25円

購入事務費：予算額560,700円÷予算注文回数合計*1)60回＝9,345円

保管料：予算額1,914,300円÷予算送状価額合計*2)12,762,000円＝0.15円

*1)　材料Ａ24回＋材料Ｂ36回　*2)　材料Ａ5,760,000円＋材料Ｂ7,002,000円

(2)　購入単価

材料	送状価額	材料副費予定配賦額	値引	購入原価	購入数量	購入単価
A	460,800円	*)117,810円	4,800円	573,810円	1,200単位	478.175円
B	702,000円	178,335円	—	880,335円	1,800単位	489.075円
合計	—	296,145円	—	—	—	—

*)　引取運賃および検収費@25円×購入数量1,200単位
＋購入事務費@9,345円×注文回数２回＋保管料@0.15円
×送状価額460,800円

(3) **材料副費配賦差異**

予定配賦額合計296,145円－実際発生額263,650円＝32,495円(貸方差異)

3．正誤判断

ア．**誤　り**。購入数量を用いて材料副費を一括配賦した場合，材料Aの購入単価は480円であり，材料副費配賦差異は36,350円(貸方差異)である。

イ．**正しい**。材料副費を費目別に予定配賦した場合，材料Aの購入単価は478円(478.175円→478円)であり，材料副費配賦差異は32,495円(貸方差異)である。

ウ．**誤　り**。購入数量を用いて材料副費を一括配賦した場合，材料Aの購入原価は576,000円である。

エ．**正しい**。材料Aと材料Bの購入単価の差は，材料副費を一括で配賦した場合(＊1)10円)よりも，費目別で配賦した方(＊2)10.9円)が大きい。

＊1) 材料B 490円－材料A 480円

＊2) 材料B 489.075円－材料A 478.175円

以上より，正しい記述はイ，エであり，正解は5となる。

問題3　正解　1　難易度　A

★本問のポイント

理論(穴埋め)　部門別計算

解　説

我が国の「原価計算基準」によると，原価部門とは，原価の発生を機能別，責任区分別に管理するとともに，製品原価の計算を正確にするために，原価要素を分類集計する(**ア：計算組織**)上の区分をいい，これを諸(**イ：製造部門**)と諸(**ウ：補助部門**)とに分ける。その際には，次の基準により，かつ，経営の特質に応じて適当にこれを区分設定する。

(**イ：製造部門**)とは，直接製造作業の行なわれる部門をいい，製品の種類別，(**エ：製品生成**)の段階，製造活動の種類別等にしたがって，これを各種の部門又は工程に分ける。例えば、機械製作工場における鋳造，(**オ：鍛造**)，機械加工，組立等の各部門はその例である。

副産物の加工，包装品の製造等を行なういわゆる(**カ：副経営**)は，これを(**イ：製造部門**)とする。

製造に関する諸部門は，必要ある場合には，さらに(※：機械設備の種類)，(※：作業区分)等にしたがって，これを各小工程又は各作業単位に細分する。

一方，(**ウ：補助部門**)とは，(**イ：製造部門**)に対して補助的関係にある部門をいい，これを(**キ：補助経営部門**)と(**ク：工場管理部門**)とに分け，さらに機能の種類別等にしたがって，これを各種の部門に分ける。

(**キ：補助経営部門**)とは，その事業の目的とする製品の生産に直接関与しないで，自己の製品又は用役を製造部門に提供する諸部門をいい，たとえば動力部，(**ケ：修繕部**)，運搬部，工具製作部，検査部等がそれである。

工具製作，(※：修繕)，動力等の(**キ：補助経営部門**)が相当の規模となった場合には，これを独立の経営単位とし，計算上(**イ：製造部門**)として取り扱う。

(**ク：工場管理部門**)とは，(**コ：管理的機能**)を行なう諸部門をいい，たとえば材料部，(※：労務部)，企画部，試験研究部，(※：工場事務部)等がそれである。

以上より，正解は1となる。

問題4　正解　4　難易度　B

★本問のポイント

計算　部門別計算，個別原価計算(仕損費の間接費処理)

解　　説

1．製造部門費予定配賦率

〔資料〕4．(2)「仕損費は第2製造部門費の予定配賦率に含めて計算する」より，仕損費は間接費処理によっていると判断する。

	第1製造部門	第2製造部門	補助部門
部　門　費	27,720,000円	＊1)79,248,000円	6,720,000円
補助部門費	＊2)4,032,000	2,688,000	
製造部門費	31,752,000円	81,936,000円	
予定配賦率	＊3)1,134円	2,845円	

＊1)　第1製造間接費予算額(仕損費除く)43,200,000円
＋仕損費予定発生額36,048,000円

＊2)　$$\frac{\text{補助部門費予算額6,720,000円}}{\text{予定工員数合計(144人＋96人)}}\times\text{第1予定工員数144人}$$

＊3)　第1製造部門費31,752,000円÷基準操業度28,000時間

2．指図書別原価計算表(仕損費実際発生額の把握)

＃2023-1(補修指図書)および＃2123(全部仕損－旧製造指図書)に集計された原価が，仕損費実際発生額として第2製造部門に集計される。

(単位：円)	＃2023-1	＃2123
直接材料費	470,000	1,205,000
直接労務費	720,000	1,368,000
第1製造部門費	＊1)470,610	425,250
第2製造部門費	＊2)406,835	375,540
小　計	2,067,445	3,373,790
仕　損　品	—	△810,035
差引；仕損費	2,067,445	2,563,755

＊1)　第1予定配賦率1,134円×(＃2023-1)第1直接作業時間415時間

＊2)　第2予定配賦率2,845円×(＃2023-1)第2直接作業時間143時間

→合計：4,631,200円(解説3．へ)

3．製造部門費実際発生額

	第１製造部門	第２製造部門	補助部門
部　門　費	2,035,800円	＊1)8,208,700円	554,000円
補助部門費	＊3)304,700	249,300	
製造部門費	2,340,500円	8,458,000円	

＊1)　第２製造間接費実際発生額(仕損費除く)3,577,500円
＋仕損費実際発生額＊2)4,631,200円

＊2)　解説**2**．より

＊3)　$\frac{\text{補助部門費実際発生額554,000円}}{\text{当月工員数合計(11人＋９人)}}$×第１当月工員数11人

4．製造部門費配賦差異

第１製造部門：予定配賦率1,134円×実際操業度2,280時間
－実際発生額2,340,500円＝245,020円(有利差異)

第２製造部門：予定配賦率2,845円×実際操業度2,380時間
－実際発生額8,458,000円＝1,686,900円(不利差異)

5．正誤判断

1. **誤　り**。第１製造部門の配賦差異は，245,020円の有利差異である。

2. **誤　り**。第１製造部門の配賦差異は，245,020円の有利差異である。

3. **誤　り**。第２製造部門の配賦差異は，1,686,900円の不利差異である。

4. **正しい**。第１製造部門と第２製造部門の配賦差異の合計は，＊)1,441,880円の不利差異である。
　＊)　245,020円(有利差異)＋1,686,900円(不利差異)

5. **誤　り**。第１製造部門と第２製造部門の配賦差異の合計は，1,441,880円の不利差異である。

問題5　正解　5　難易度　A

★本問のポイント

計算　総合原価計算(等級別，第3法，正常仕損)

解　説

1．原料費

原料費

積数合計 25,300個	X当積*1)19,000個
	380,000千円
506,000千円	Y当積*2) 6,300個
(@20千円)	126,000千円

*1)　X当19,000個×等価係数1

*2)　Y当9,000個×等価係数*3)0.7

*3)　Y標準材料消費量35kg
÷X標準材料消費量50kg

X製品

初＋当　24,000個	完＋損　20,500個
初　58,000千円	374,125千円
当　380,000	
計　438,000千円	
(@18.25千円)	末　3,500個

Y製品

初＋当　12,000個	完　10,000個
初　30,000千円	130,000千円
当　126,000	
計　156,000千円	
(@13千円)	末　2,000個

2．加工費

加工費

積数合計 29,600個	X当積*1)20,600個
	206,000千円
296,000千円	Y当積*2) 9,000個
(@10千円)	90,000千円

*1)　X当*3)20,600個×等価係数1

*2)　Y当*4)10,000個
×等価係数*5)0.9

*3)　完＋損20,500個＋末2,100個
－初2,000個

*4)　完10,000個＋末1,200個－初1,200個

*5)　Y標準作業時間9時間÷X標準作業時間10時間

X製品

初＋当　22,600個	完＋損　20,500個
初　22,260千円	207,050千円
当　206,000	
計　228,260千円	
(@10.1千円)	末　2,100個

Y製品

初＋当　11,200個	完　10,000個
初　9,680千円	89,000千円
当　90,000	
計　99,680千円	
(@8.9千円)	末　1,200個

3．完成品単位原価の合計金額

X製品：$\dfrac{\text{原料費374,125千円}+\text{加工費207,050千円}-\text{仕損品評価額1,175千円}}{\text{完成品20,000個}}=\text{29,000円}$

Y製品：$\dfrac{\text{原料費130,000千円}+\text{加工費89,000千円}}{\text{完成品10,000個}}=\text{21,900円}$

合　計：X製品29,000円＋Y製品21,900円＝**50,900円**

問題6　正解　6　難易度　A

★本問のポイント

理論(正誤)　総合原価計算

解　説

ア．**誤　り**。単純総合原価計算は，同種製品を反復連続的に生産する生産形態に適用するのに対し，等級別総合原価計算は，同一工程において，同種製品を連続生産する中で，その製品を形状，大きさ，品位等によって等級に区別する場合に適用する。(基準21，22)

イ．**誤　り**。等価係数は，各等級製品の重量，長さ，面積，純分度，熱量，硬度等原価の発生と関連ある製品の諸性質に基づいて等価係数を算定する。(基準22)

ウ．**正しい**。(基準22(2))

エ．**正しい**。(基準22)

以上より，正しい記述はウ，エであり，正解は6となる。

問題7　正解　2　難易度　A

★本問のポイント

理論(正誤)　標準原価計算，原価管理

解　説

ア．**正しい**。(基準4(1)2)

イ．**誤　り**。実際生産量と実際歩留率から計算された原料投入量を標準配合割合で分けた原料別投入量と，実際配合割合で分けた原料別投入量の差に，原料別標準価格を乗じたものが原料配合差異である。なお，歩留配合分析においては，一般に実際歩留率を直接に用いるのではなく，それらが反映された材料消費量合計(原料投入量)を用いる。参考までに，本文でいうところの原料投入量の計算を示す。

生産データ

当期投入	1,000kg(うちA材料700kg，B材料300kg。いずれも始点投入)
減　　損	100kg
完成品	900kg

原料投入量の計算

実際生産量900kg÷実際歩留率*)90％＝1,000kg

*)　実際歩留(完成品)900kg÷当期投入量1,000kg

ウ．**正しい**。

エ．**誤　り**。現代の原価管理は，量産段階において標準原価の達成を目的とする原価維持と標準原価の低減を目的とする原価改善，更に，新製品の企画・開発段階にて目標原価を設定し，それを達成するための方策を練る原価企画という三つのプロセスから構成されている。

以上より，正しい記述はア，ウであり，正解は2となる。

問題8　正解　3　難易度　B

★本問のポイント

計算　標準原価計算(修正パーシャル・プラン)

解　説

1．標準原価差異分析

仕掛品勘定に製造間接費差異に関する予算差異，操業度差異はあるが，空欄の数からパーシャル・プランではなく，修正パーシャル・プランを採用していることが分かる。

(1)　数量差異

SP746円×(SQ*) 2,550kg－ＡＱ2,670kg)＝－89,520円(不利)

*)　@SQ 3 kg×当月850単位

(2)　時間差異

SLR1,820円×(SLH*1)1,758.8時間－ALH1,746時間)＝23,296円(有利)

*1)　@SLH 2 時間×当月*2)879.4単位

*2)　完成865単位＋月末102単位×加工費進捗度60％－月初117単位×加工費進捗度40％

(3)　製造間接費差異

製造間接費の標準配賦率について，変動費率と固定費率のデータがないことから固定予算を採用していると判断する。

予算差異：SR3,095円×NH*)1,750時間－AC5,497,216円＝－80,966円(不利)

能率差異：SR3,095円×(SH1,758.8時間－AH1,746時間)＝39,616円(有利)

操業度差異**(ウ)**：SR3,095円×(AH1,746時間－NH*)1,750時間)＝**－12,380円(不利)**

*)　年間21,000時間÷12

2．標準原価の計算

月初仕掛品：直材2,238円×月初117単位＋加工*)9,830円×(月初117単位×加工費進捗度40％)＝721,890円

完　成　品：原価標準12,068円×完成865単位＝10,438,820円

月末仕掛品：直材2,238円×月末102単位＋加工*)9,830円×(月末102単位×加工費進捗度60％)＝829,872円

*)　直労3,640円＋製間6,190円

3．仕掛品勘定

仕掛品　（単位：円）

前月繰越	(721,890)	製品	(10,438,820)
直接材料費	(＊1)1,991,820)	(数量差異)	89,520
直接労務費	(**ア：＊2)3,177,720**)	予算差異	80,966
製造間接費	(5,497,216)	操業度差異	(**ウ：12,380**)
(時間差異)	23,296	次月繰越	(829,872)
(能率差異)	39,616		
	(**イ：11,451,558**)		(11,451,558)

＊1) SP746円×AQ2,670kg

＊2) SLR1,820円×ALH1,746時間

問題 9　正解 4　難易度 A

★本問のポイント

理論(正誤)　管理会計総論

解　　説

ア．**誤　り**。責任会計システムは，標準や予算の設定，実績との比較，差異分析などを階層的な組織の責任構造や管理可能性に基づいて行う体系的な会計コントロール・システムであり，専ら事業部制組織において適用されるとは限らない。

イ．**正しい**。

ウ．**正しい**。

エ．**誤　り**。管理会計には，会計原則などのルールは存在しないが，比較可能性や客観性を維持するために，企業独自の工夫を最小限にすべきであるとはいえない。

以上より，正しい記述はイ，ウであり，正解は 4 となる。

問題10　**正解**　**2**　**難易度**　**A**

★本問のポイント

計算　財務情報分析（収益性）

解　説

1．自己資本利益率（金額単位：百万円）

$$\frac{\text{当期純利益}18{,}642}{\text{自己資本}384{,}070.5\{=(\text{前期末}377{,}968+\text{当期末}390{,}173)\div 2\}}\times 100=4.853\cdots\rightarrow \mathbf{4.85\%}\textbf{（ア）}$$

2．自己資本利益率の分解（金額単位：百万円）

(1)　総資本利益率

$$\frac{\text{当期純利益}18{,}642}{\text{総資本}775{,}246.5\{=(\text{前期末}759{,}842+\text{当期末}790{,}651)\div 2\}}\times 100=2.404\cdots\rightarrow 2.40\%(*)$$

(2)　財務レバレッジ

$$\frac{\text{総資本}775{,}246.5\{=(\text{前期末}759{,}842+\text{当期末}790{,}651)\div 2\}}{\text{自己資本}384{,}070.5\{=(\text{前期末}377{,}968+\text{当期末}390{,}173)\div 2\}}=2.018\cdots\rightarrow \mathbf{2.02}\textbf{倍（イ）}$$

3．投下資本利益率（金額単位：百万円）

資本コストが発生する投下資本全体とは，有利子負債＋自己資本（＝総資本－無利子負債）を意味する。

$$\frac{\text{税引後営業利益}{*1)}\,27{,}042}{\text{投下資本}664{,}820.5\{=(\text{前期末}{*2)}\,653{,}468+\text{当期末}676{,}173)\div 2\}}\times 100=4.067\cdots\rightarrow \mathbf{4.07\%}\textbf{（ウ）}$$

＊1）営業利益45,070×（１－実効税率40％）

＊2）前期末総資本759,842－前期末無利子負債106,374

4．穴埋め

当社はこれまで自社の収益性を分析する際に，株主から見た投資効率に注目しており，当期の自己資本利益率は（**ア：4.85**）％であった。また，資金調達の方針を検討する際の参考とするため，この利益率を保有する資産全体の投資効率を表す総資本利益率と負債の利用割合を表す財務レバレッジに分解してみると，前者が（＊：2.40）％，後者が（**イ：2.02**）倍と求められた。しかし，加重平均資本コスト率と比較した業績評価が重視される中，資本コストが発生する投下資本全体に対する税引後営業利益率を表す投下資本利益率による分析が適当と判断し，当期の同利益率を計算したところ（**ウ：4.07**）％と求められた。なお，数値の計算上，貸借対照表項目については，期首・期末残高の単純平均を用いている。

問題11　正解　5　難易度　A

★本問のポイント

計算　CVP分析（感度分析，安全余裕率と損益分岐点比率）

解　説

1．当期のデータの整理（金額単位：円）

【40,000個】	総額	単価	比率
売上高	18,000,000	＊1)450	100.0　%
変動費	11,100,000		
製造原価	(9,600,000)	＊2)240	
販売費	(1,500,000)	37.5	
貢献利益	6,900,000	172.5	38.3…%
固定費	5,099,100		
製造原価	(＊3)2,400,000)		
販売費	(＊4)889,400)		
一般管理費	(1,809,700)		
営業利益	1,800,900		

＊1）売上高18,000,000円÷販売数量40,000個

＊2）変動製造原価9,600,000円÷販売数量40,000個

＊3）売上原価12,000,000円－変動製造原価9,600,000円

＊4）販売費2,389,400円－変動販売費1,500,000円

2．次期のデータの整理（金額単位：円）

【50,000個】	総額	単価	比率
売上高	24,750,000	＊1)495	100.0　%
変動費	13,944,000		
製造原価	(11,904,000)	＊2)238.08	
販売費	(2,040,000)	＊3)40.8	
貢献利益	10,806,000	216.12	43.6…%
固定費	6,235,062		
製造原価	(＊4)3,120,000)		
販売費	(＊5)1,039,745)		
一般管理費	(＊6)2,075,317)		
営業利益	4,570,938		

＊1）当期販売価格450円×（１＋10％）

＊2）当期@変動製造原価240円×（１－0.8％）

＊3）当期@変動販売費37.5円×（１＋8.8％）

＊4）当期固定製造原価2,400,000円×（１＋30％）

＊5）当期固定販売費889,400円＋150,345円

＊6）当期一般管理費1,809,700円＋265,617円

3．損益分岐点売上高

当期：$$\frac{\text{固定費5,099,100円}}{\text{貢献利益率38.3…\%}}=\text{13,302,000円}$$

次期：$$\frac{\text{固定費6,235,062円}}{\text{貢献利益率43.6…\%}}=\text{14,280,750円}$$

4．当期の2倍の営業利益を獲得するために最低限必要な次期の販売数量

次期：$$\frac{\text{当期営業利益1,800,900円}\times 2+\text{固定費6,235,062円}}{\text{貢献利益率43.6…\%}}\div\text{495円/個}=\text{45,515.7…個}$$

→45,516個（切り上げ）

5．安全余裕率

当期：$$\frac{\text{売上高18,000,000円}-\text{損益分岐点売上高13,302,000円}}{\text{売上高18,000,000円}}\times 100=26.1\%$$

次期：$$\frac{\text{売上高24,750,000円}-\text{損益分岐点売上高14,280,750円}}{\text{売上高24,750,000円}}\times 100=42.3\%$$

6．正誤判断

ア．**誤　り**。次期の損益分岐点売上高は，当期よりも978,750円（＝次期14,280,750円－当期13,302,000円）増加すると見積もられる。

イ．**正しい**。当期の2倍の営業利益を獲得するために最低限必要な次期の販売数量は45,516個と見積もられる。

ウ．**誤　り**。次期の安全余裕率は，当期よりも上昇（当期26.1％→次期42.3％）すると見込まれる。

エ．**正しい**。次期の損益分岐点比率は57.7％（＝1－安全余裕率42.3％）と見込まれる。

問題12　正解　2　難易度　B

★本問のポイント

理論(正誤)　予算管理

解　　説

ア．**正しい。**

イ．**誤　り。**予算編成時に前提とした条件が変化した場合に，予算に期待される統制機能を維持するために予算を修正することがある。この修正された予算を実行予算と呼ぶ。

ウ．**正しい。**

エ．**誤　り。**予算は，業務執行に関する総合的な期間計画である。したがって，予算編成の過程では，製品組合せの決定や部品を自製するか外注するかの決定等の選択的事項に関する意思決定を含める。(基準1(4))

以上より，正しい記述はア，ウであり，正解は2となる。

問題13　正解　6　難易度　A

★本問のポイント

理論（正誤）　資金管理，分権組織とグループ経営

解　説

ア．**誤　り**。フリー・キャッシュ・フローとは，借入先や株主などの企業への資金の出し手に自由に分配できる資金のことであり，営業活動によるキャッシュ・フローから投資活動によるキャッシュ・フローを控除して求められる。

イ．**誤　り**。流動資産から流動負債を差し引いて求められる運転資本が増加している場合は，日々の事業活動のための追加の資金調達をする必要がある。

ウ．**正しい**。

エ．**正しい**。

以上より，正しい記述はウ，エであり，正解は6となる。

問題14　正解　1　難易度　B

★本問のポイント

計算　業務的意思決定(経済的発注量)

解　　説

1．今年度の経済的発注量(ア)

1回当たりの発注量をQ(個)として，年間事務関連費用(発注費)＝年間保管費用となるQを算定する。

$$事務関連費用15{,}000円/回\times\frac{年間購入量24{,}000個}{Q}＝年間保管費用8{,}000円/個\times\frac{Q}{2}$$

∴　Q＝**300個**

2．次年度の経済的発注量における在庫関連原価の今年度からの減少額(イ)

(1)　次年度の購入代価

1回当たり発注量	購入代価
399個以下	＊1)120,000,000円
400個～499個	＊2)118,800,000円
500個以上	117,600,000円

＊1)　年間購入量24,000個×単位当たり購入代価5,000円

＊2)　年間購入量24,000個×単位当たり購入代価＊3)4,950円

＊3)　値引前購入代価5,000円×(1－値引率1％)

(2)　次年度の購入代価，事務関連費用および保管費用の年間合計額

1回当たり発注量が400個～499個の場合において年間購入代価は(1)より一定である。一方，事務関連費用と保管費用の年間合計額が最小となるのは300個で発注する場合であり，1回当たりの発注量が300個から遠いほど事務関連費用および保管費用の年間合計額が大きくなるため，1回当たり発注量が400個～499個の場合における購入代価，事務関連費用および保管費用の年間合計額が最小となるのは400個で発注する場合である。同様に，1回当たり発注量が500個以上の場合における購入代価，事務関連費用および保管費用の年間合計額が最小となるのは500個で発注する場合である。したがって，以下の通り検討すればよい。

発注量	購入代価	事務関連費用	保管費用	年間合計額	
300個	120,000,000円	1,200,000円	1,200,000円	122,400,000円	
400個	118,800,000円	＊1)900,000円	＊2)1,600,000円	121,300,000円	
500個	117,600,000円	720,000円	2,000,000円	120,320,000円	←最小

＊1）事務関連費用15,000円/回×年間購入量24,000個÷発注量400個

＊2）年間保管費用8,000円/個×発注量400個÷２

(3)　**次年度の経済的発注量における在庫関連原価の今年度からの減少額**

300個で発注する場合122,400,000円－500個で発注する場合120,320,000円＝**2,080,000円**

問題15　正解　3　難易度　A

★本問のポイント

理論(正誤)　設備投資意思決定

解　　説

ア．**正しい**。

イ．**誤　り**。複数の投資案の経済性計算においては対象となる案件が相互排他的投資で，投資から得られる毎年の正味キャッシュ・フローがプラスである場合は，正味現在価値法と内部利益率法とでは必ず同じ投資案が採択されるとは限らない。

ウ．**誤　り**。経済性計算の手法のうち，正味現在価値法と内部利益率法，並びに収益性指数法は貨幣の時間価値を考慮する手法であり，単純回収期間法は貨幣の時間価値を考慮しない手法である。

エ．**正しい**。

以上より，正しい記述はア，エであり，正解は3となる。

問題16　正解 5　難易度 B

★本問のポイント

計算　業務的意思決定(自製か購入かの意思決定)

解　説

1．次期の製造ロット数と1ロット当たりデータ

(1)　次期の製造ロット数

製品Aの次期製造販売数量4,200個×部品B必要量2個
÷1ロット当たり製造数量40個＝210ロット

(2)　1ロット当たり原価データ

①1ロット当たり購入原価

1個当たり購入原価13.5千円×40個＝540千円

②1ロット当たり変動製造原価

原材料費＊1)24千円＋段取費12千円＋変動加工費＊2)40千円
＋検査費＊3)9千円＝85千円

＊1)　1ロット当たり原材料投入量16kg
×1kg当たり原材料購入原価1.5千円

＊2)　1ロット当たり機械作業時間10時間
×機械作業1時間当たり変動加工費4千円

＊3)　検査作業員2人×1ロット当たり検査時間2.5時間×時給1.8千円

2．部品Bを全部購入することから全部自製することに変更した場合の差額原価(イ)

	購入案(①)	自製案(②)	差額(①－②)
購入原価	＊1)113,400千円	—	113,400千円
リース料	—	20,000千円	△20,000
変動製造原価	—	＊2)17,850	△17,850
合　計	113,400千円	37,850千円	**75,550千円**

＊1)　1ロット当たり購入原価540千円×210ロット

＊2)　1ロット当たり変動製造原価85千円×210ロット

3．部品Bを全部購入するよりも自製することが有利となる最小製造数量(ア)

自製が有利となる最小製造ロット数をxとすると，次式が成り立てば良い。

自製(85千円×x＋20,000千円)＜購入(540千円×x)

x＞43.9…→44ロット(切り上げ)

よって，自製が有利となる最小製造数量は，次のように求められる。

44ロット×40個＝**1,760個**

監　査　論

【科目別講評】

前回試験と比べ，典型論点も多く，また，誤っている箇所が強調的に示されている記述も多かったため，受験生としても全般的に解き易かったと思われる。一部旧来の取扱いを基にした記述があり，解答に悩みを覚えた方もいたかもしれないが，それを除けば多くの問題について自信を持って解答できたと考えられる。そのため，前回試験と比較して平均点も多少高くなると考えられ，合格を目指す上では，15問，できれば16問正答したい。

（本講評は，令和６年第Ⅰ回試験終了時のものです。）

	【配点】	【難易度】	【出題内容】
問題１	５点	A	財務諸表監査
問題２	５点	B	我が国の公認会計士監査制度とその歴史的経緯等
問題３	５点	A	公認会計士及び監査法人の独立性に係る公認会計士法上の規定
問題４	５点	B	公認会計士に係る金融商品取引法の規定
問題５	５点	A	会計監査人及び会計監査人の監査に係る会社法の規定
問題６	５点	A	内部統制監査
問題７	５点	B	「財務情報等に係る保証業務の概念的枠組みに関する意見書」
問題８	５点	C	監査人の交代
問題９	５点	B	監査事務所の品質管理
問題10	５点	B	監査業務に係る審査
問題11	５点	A	監査人として備えるべき資質
問題12	５点	B	監査人に求められる職業的専門家としての正当な注意
問題13	５点	A	監査役等とのコミュニケーション
問題14	５点	B	財務諸表監査における法令の検討
問題15	５点	A	リスク対応手続
問題16	５点	A	監査証拠
問題17	５点	A	会計上の見積りの監査
問題18	５点	A	監査報告書
問題19	５点	A	除外事項付意見
問題20	５点	B	監査における不正リスク対応基準

問題1　正解　1　難易度　A

★本問のポイント

財務諸表監査

解　説

ア．**正しい。**監査基準報告書200「財務諸表監査における総括的な目的」6項，10項参照

イ．**正しい。**

ウ．**誤　り。**同報告書6項，A46項参照

取引数が少なく精査を行うことが可能であり，かつ，財務諸表に見積りの要素が含まれていないとしても，経営者等が全ての情報を提供しない可能性があることや監査人が強制捜査権を有さないことなどの監査手続の性質から生じる監査の固有の限界により，監査人は，絶対的な保証を与えることはできない。

エ．**誤　り。**同報告書(序)「監査基準報告書及び関連する公表物の体系及び用語」2項，3項参照

日本公認会計士協会が公表する監査に関する実務ガイダンス，周知文書及び研究文書は，監査基準を理解し実施するために参考となるが，監査実務指針を構成しない。

以上より，正しい記述はア，イであり，正解は1となる。

問題2　正解　3　難易度　B

★本問のポイント

我が国の公認会計士監査制度とその歴史的経緯等

解　説

ア．**正しい。**

イ．**誤　り。**

大会社が公認会計士又は監査法人の監査を受けることを義務付ける制度は，商法から会社の規定が分離して平成17(2005)年に会社法が制定されたときではなく，商法が昭和49(1974)年に改正されたときに創設されたものである。

ウ．**誤　り。**

特定社員の制度(公認会計士でない者に監査法人の社員資格を認める制度)は，無限責任社員による法人制度では現実的でなくなったことにより設けられたものではない(監査法人の社員の責任が過重であることとは直接関連しない)。

エ．**正しい。**

以上より，正しい記述はア，エであり，正解は3となる。

問題3 正解 4 難易度 A

★本問のポイント

公認会計士及び監査法人の独立性に係る公認会計士法上の規定

解　説

ア．**誤　り**。同法24条の3第1項，同法施行令12条参照

大会社等に係るローテーションのインターバル期間は，5会計期間ではなく，2会計期間である（5会計期間とされるのは，上場会社に対して大規模監査法人が監査証明業務を行う場合における筆頭業務執行社員等である）。

イ．**正しい**。同法34条の11の2第2項，同法施行規則6条5号参照

ウ．**正しい**。同法28条の2参照

エ．**誤　り**。同法24条の4参照

単独監査の制限は，公認会計士個人を対象としたものであり，監査法人が単独で監査を行うことは制限されない。

以上より，正しい記述はイ，ウであり，正解は4となる。

問題4　**正解**　2　**難易度**　B

★本問のポイント

公認会計士に係る金融商品取引法の規定

解　　説

ア．**正しい。**同法197条1項参照

イ．**誤　り。**同法21条2項2号参照

虚偽の監査証明を行った公認会計士は，損害と重要な虚偽記載との間に因果関係がないことではなく，虚偽の監査証明をしたことについて故意又は過失がなかったことを証明しない限り，損害賠償責任を負うこととされている。

ウ．**正しい。**同法193条の2第7項参照

エ．**誤　り。**同法193条の3第1項，監査証明府令7条参照

公認会計士が監査役等に通知しなければならないのは，法令に違反する事実その他の財務計算に関する書類の適正性の確保に影響を及ぼすおそれのある事実であり，財務諸表の適正性の確保に影響を及ぼさないものを通知することは求められない。

以上より，正しい記述はア，ウであり，正解は2となる。

問題5　正解　2　難易度　A

★本問のポイント

会計監査人及び会計監査人の監査に係る会社法の規定

解　　説

ア．**正しい**。同法338条1項，2項参照

イ．**誤　り**。同法436条2項1号参照

各事業年度に係る計算書類及びその附属明細書は，監査役等及び会計監査人の監査を受けることが求められ，会計監査人のみが監査を行うわけではない。

ウ．**正しい**。同法396条3項，4項参照

エ．**誤　り**。同法436条3項参照

取締役会は，監査役等及び会計監査人の監査を受けた計算書類等を承認する(承認は監査の前ではなく後に行われる)。

以上より，正しい記述はア，ウであり，正解は2となる。

問題6　正解 4　難易度 A

★本問のポイント

内部統制監査

解　説

ア．**誤　り。**

内部統制監査は，経営者の作成した内部統制報告書の適正性に対する監査であり，実態監査ではなく情報監査の枠組みの中で実施される監査となる。

イ．**正しい。**

ウ．**正しい。**

エ．**誤　り。**

監査人は，内部統制の実施状況の検証に当たって，基本的に，自ら選択したサンプルを用いることとされており，検証で用いられるサンプルは，経営者が抽出したサンプルに限られているわけではない。

以上より，正しい記述はイ，ウであり，正解は4となる。

問題7　正解　5　難易度　B

★本問のポイント

「財務情報等に係る保証業務の概念的枠組みに関する意見書」

解　説

ア．**誤　り。**同意見書七5(2)参照

財務諸表監査以外の保証業務であっても，固有リスクと統制リスクを個別に又は結合して評価することとされており，固有リスクと統制リスクを結合して評価することは想定されている。

イ．**正しい。**同意見書四2，4参照

ウ．**誤　り。**同意見書五3参照

保証報告書には，保証業務における主題の性格について記載することが求められている。

エ．**正しい。**同意見書六1参照

以上より，正しい記述はイ，エであり，正解は5となる。

問題8　正解　5　難易度　C

★本問のポイント

監査人の交代

解　　説

ア．**誤　り**。監査基準報告書900「監査人の交代」5項(2)参照

前任監査人には，前年度の監査報告書を提出する前に監査契約を解除した者も含まれる。

イ．**正しい**。同報告書7項参照

ウ．**誤　り**。

現行の監査実務指針上，監査人予定者の閲覧に供することが求められる監査調書の範囲に，最終的な意見形成の判断過程に関する監査調書について含める必要はない旨の規定は存在しない。

エ．**正しい**。同報告書A8項参照

以上より，正しい記述はイ，エであり，正解は5となる。

問題9　正解　3　難易度　B

★本問のポイント

監査事務所の品質管理

解　説

ア．**正しい**。品質管理基準報告書第１号「監査事務所における品質管理」８項参照

イ．**誤　り**。同報告書56項参照
監査事務所は，最高責任者等の定期的な業績評価を実施しなければならない。

ウ．**誤　り**。同報告書11項(2)参照
監査事務所が外部のサービス・プロバイダーが提供する資源を利用する場合であっても，監査事務所は自らの品質管理システムについて責任を負い，その責任が免除されることはない。

エ．**正しい**。同報告書41項参照

以上より，正しい記述はア，エであり，正解は３となる。

問題10　正解　6　難易度　B

★本問のポイント

監査業務に係る審査

解　説

ア．**誤　り**。品質管理基準報告書第２号「監査業務に係る審査」20項，21項，A19項参照

特定の状況においては，審査担当者が自身の補助者を使用することが想定されている。

イ．**誤　り**。同報告書24項(2)参照

監査報告書の日付は，必ず審査の完了日以降とする必要がある。

ウ．**正しい**。同報告書25項(3)①参照

エ．**正しい**。同報告書23項参照

以上より，正しい記述はウ，エであり，正解は６となる。

問題11　正解　3　難易度　A

★本問のポイント

監査人として備えるべき資質

解　説

ア．**正しい。**

イ．**誤　り。**監査基準の平成14年改訂前文三７参照
監査人の職業的専門家としての専門能力としては，情報技術とシステムに関する基礎的な知識と技術的な能力も求められている。

ウ．**誤　り。**監査における不正リスク対応基準の設定前文二４(2)参照
職業的専門家としての懐疑心を保持する監査人は，経営者が誠実であるとも不誠実であるとも想定しないという中立的な観点から監査を行うことになり，経営者は誠実でないという想定をすることは求められていない。

エ．**正しい。**監査基準の平成14年改訂前文三２(2)参照

以上より，正しい記述はア，エであり，正解は３となる。

問題12　正解　5　難易度　B

★本問のポイント

監査人に求められる職業的専門家としての正当な注意

解　説

ア．**誤　り。**

職業的専門家としての正当な注意は，監査基準の設定当初から規定されていた。

イ．**正しい。**

ウ．**誤　り。**

正当な注意は，監査事務所外の審査担当者にも求められる。

エ．**正しい。**公認会計士法30条2項参照

以上より，正しい記述はイ，エであり，正解は5となる。

問題13　正解　2　難易度　A

★本問のポイント

監査役等とのコミュニケーション

解　説

ア．**正しい**。監査基準報告書260「監査役等とのコミュニケーション」14項(2)，A20項参照

イ．**誤　り**。同報告書705「独立監査人の監査報告書における除外事項付意見」29項参照

監査人は，除外事項付意見の文言の草案についても監査役等に報告する必要がある。

ウ．**正しい**。同報告書260 A41項参照

エ．**誤　り**。同報告書21項，A50項参照

監査人は，監査人と監査役等の間で行われる双方向のコミュニケーションの適切性を評価する必要があるが，当該評価を裏付けるため，特別の手続を立案する必要はない。

以上より，正しい記述はア，ウであり，正解は2となる。

問題14　**正解**　1　**難易度**　B

★本問のポイント

財務諸表監査における法令の検討

解　説

ア．**正しい**。監査基準報告書250「財務諸表監査における法令の検討」16項参照

イ．**正しい**。同報告書４項，５項参照

ウ．**誤　り**。同報告書29項参照

監査人は，監査調書に，違法行為に関連する重要な事項についての経営者，監査役等及びその他の者との協議事項も記載する必要がある。

エ．**誤　り**。同報告書６項，７項参照

監査人は，財務諸表上の重要な金額及び開示の決定に直接影響を及ぼさない法令を遵守しているかどうかについて，十分かつ適切な監査証拠を入手することは求められない。

以上より，正しい記述はア，イであり，正解は１となる。

問題15 正解 2 難易度 A

★本問のポイント

リスク対応手続

解　説

ア．**正しい**。監査基準報告書315「重要な虚偽表示リスクの識別と評価」30項(2)，A202項，同報告書330「評価したリスクに対応する監査人の手続」3項(3)，5項参照

イ．**誤　り**。同報告書A4項(1)，(2)参照

監査人は，特定のアサーションに対して，実証手続を実施することなく運用評価手続のみを実施する監査アプローチを選択することも認められる。

ウ．**正しい**。同報告書15項参照

エ．**誤　り**。同報告書20項参照

監査人は，特別な検討を必要とするリスクに対して実証手続のみを実施する場合，詳細テストを含めなければならないが，常に分析的実証手続と組み合わせて実施することが求められるわけではない。

以上より，正しい記述はア，ウであり，正解は2となる。

問題16　正解　5　難易度　A

★本問のポイント

監査証拠

解　説

ア．**誤　り**。監査基準報告書330「評価したリスクに対応する監査人の手続」A48項参照

売掛金の確認においては，通常，被監査会社の計上額に同意するか否かのみを問い合わせるにとどまり，得意先の返済の意思や能力など，その回収可能性についての情報は入手されないため，評価の適切性に適合した監査証拠を入手することはできない。

イ．**正しい**。同報告書501「特定項目の監査証拠」３項(1)②，Ａ５項参照

ウ．**誤　り**。同報告書500「監査証拠」A27項参照

買掛金の過小計上の有無を確かめる場合，被監査会社の帳簿に計上されていない買掛金がないかどうかを明らかにしなければならないため，帳簿に計上された買掛金の検討によっては，当該目的に適合した監査証拠を入手することはできない。

エ．**正しい**。同報告書A22項参照

以上より，正しい記述はイ，エであり，正解は５となる。

問題17 正解 6 難易度 A

★本問のポイント

会計上の見積りの監査

解　説

ア．**誤　り**。監査基準報告書540「会計上の見積りの監査」15項，16項参照

その不確実性が高いと判断した会計上の見積りについて，常に特別な検討を必要とするリスクが存在しているとして，監査手続を実施することは求められない。

イ．**誤　り**。同報告書28項(1)参照

監査人の許容範囲は，合理的であると評価した金額のみが含まれるように決定することが求められるが，想定される結果の全てが含まれるように決定することは求められない。

ウ．**正しい**。同報告書13項，A60項参照

エ．**正しい**。同報告書38項(4)，A134項参照

以上より，正しい記述はウ，エであり，正解は6となる。

問題18　正解　3　難易度　A

★本問のポイント

監査報告書

解　　説

ア．**正しい**。監査基準報告書700「財務諸表に対する意見の形成と監査報告」A20項参照

イ．**誤　り**。同報告書705「独立監査人の監査報告書における除外事項付意見」27項(1)参照

監査人は，財務諸表に対して意見を表明しない場合，監査報告書に，監査人の責任は，我が国において一般に公正妥当と認められる監査の基準に準拠して監査を実施し，監査報告書において意見を表明することにある旨の記載が求められている。

ウ．**誤　り**。同報告書706「独立監査人の監査報告書における強調事項区分とその他の事項区分」A４項，同報告書701「独立監査人の監査報告書における監査上の主要な検討事項の報告」A８項参照

本記述の場合，当該事項は「監査上の主要な検討事項」区分に記載することが求められ，当該事項が「強調事項」区分を設けることが要求(強制)されている事項である場合には，「監査上の主要な検討事項」区分及び「強調事項」区分の両方に記載することになる。

エ．**正しい**。同報告書570「継続企業」21項参照

以上より，正しい記述はア，エであり，正解は３となる。

問題19　正解　4　難易度　A

★本問のポイント

除外事項付意見

解　　説

ア．**誤　り**。監査基準報告書705「独立監査人の監査報告書における除外事項付意見」22項(3)参照

監査人は，財務諸表に開示すべき情報で開示されていない事項がある場合，法令等で禁止されておらず，実務的に困難でなく，かつ監査人が開示されていない情報について十分かつ適切な監査証拠を入手したときは，当該事項を監査報告書に記載する必要がある。

イ．**正しい**。同報告書19項(2)参照

ウ．**正しい**。同報告書21項参照

エ．**誤　り**。同報告書700「財務諸表に対する意見の形成と監査報告」A30項(2)，同報告書705 A15項参照

複数の財務報告の枠組みに基づいて作成された財務諸表である場合には，一つの監査報告書において，ある枠組みに関しては無限定意見を表明し，別の枠組みに関しては否定的意見を表明することもあり，必ず同一の意見を表明することが求められるわけではない。

以上より，正しい記述はイ，ウであり，正解は4となる。

問題20　正解 6　難易度 B

★本問のポイント

監査における不正リスク対応基準

解　説

ア．**誤　り**。同基準の設定前文二 3(1)，監査証明府令 3 条 5 項 2 号参照

監査における不正リスク対応基準は，金融商品取引法に基づいて開示を行っている会社であっても，非上場企業のうち資本金 5 億円未満又は売上高10億円未満かつ負債総額200億円未満の会社に対する監査には適用されない。

イ．**誤　り**。同基準第二18，監査基準報告書240「財務諸表監査における不正」F39-2項参照

監査人は，経営者の関与が疑われる不正を発見した場合，監査役等に報告し，協議の上，経営者に問題点の是正等適切な措置を求めなければならない(先に監査役等に報告する)。

ウ．**正しい**。同基準の設定前文二 3(3)参照

エ．**正しい**。同基準第二11，同報告書 F44-2項参照

以上より，正しい記述はウ，エであり，正解は 6 となる。

財務会計論

【科目別講評】

2024年第Ⅰ回短答式試験は，計算分野は８点の問題が10問，総合問題が１問(設問数６問)であった。理論分野は，８点の問題が12問であり，前回の短答式試験と比較して，理論問題が２問増加(計算問題が２問減少)した。計算分野は８点問題，総合問題ともに前回よりも取り組みやすい問題が多く，前回から若干易化した。理論分野は，得点しやすい問題が依然として多かったものの，難易度は前回より若干難化した。計算分野で68.5％程度，理論分野で75％程度が目標であり，ケアレスミス等を考慮すると，全体で71.6％程度を目標としてもらいたい。

(本講評は，令和６年第Ⅰ回試験終了時のものです。)

	【配点】	【難易度】	【出題内容】
問題１	８点	B	【理論】複式簿記
問題２	８点	A	【理論】純資産－その他の資本剰余金
問題３	８点	B	【理論】財務会計の機能と制度
問題４	８点	C	【計算】賃貸等不動産
問題５	８点	B	【計算】資産除去債務
問題６	８点	A	【理論】純資産－自己株式
問題７	８点	A	【計算】株主資本等変動計算書
問題８	８点	A	【計算】棚卸資産
問題９	８点	A	【理論】金融商品会計
問題10	８点	A	【計算】有価証券
問題11	８点	A	【理論】ストック・オプション等
問題12	８点	A	【計算】ストック・オプション
問題13	８点	B	【計算】リース取引
問題14	８点	C	【計算】リース取引(貸手の会計処理)
問題15	８点	A	【理論】退職給付会計
問題16	８点	A	【理論】収益認識
問題17	８点	B	【理論】税効果会計
問題18	８点	A	【計算】連結包括利益計算書
問題19	８点	A	【理論】企業結合
問題20	８点	A	【理論】固定資産の減損

問題21	8点	A	【理論】持分法会計
問題22	8点	B	【計算】事業分離
問題23	4点	A	【計算】連結財務諸表(利益剰余金当期首残高)
問題24	4点	A	【計算】連結財務諸表(のれん)
問題25	4点	B	【計算】連結財務諸表(非支配株主持分)
問題26	4点	A	【計算】連結財務諸表(売上総利益)
問題27	4点	A	【計算】連結財務諸表(営業外損益)
問題28	4点	B	【計算】連結財務諸表(親会社株主に帰属する当期純利益)

問題1　正解　1　難易度　B

★本問のポイント

複式簿記

解　説

ア．正しい。

イ．正しい。

複式簿記では，企業が自らの経営管理に役立てるために，例えば，総勘定元帳における売掛金勘定を得意先毎の勘定科目（A社売掛金勘定，B社売掛金勘定等）に分割してもよいし，また，売掛金勘定を分割しなくても，売掛金元帳で得意先毎の明細（A社勘定，B社勘定等）を記録すれば，取引の内容を詳細に帳簿で把握できる。

ウ．誤　り。「金融商品に関する会計基準」7参照。

金融資産の契約上の権利を生じさせる契約を締結したときは，原則として，当該金融資産の発生を認識しなければならない。

エ．誤　り。

例えば，ある取引に関して仕訳帳から総勘定元帳へ転記した金額に誤りがあるものの，転記した金額の借方金額と貸方金額が一致している場合には，合計試算表における借方金額の合計と貸方金額の合計は一致することになる。このように合計試算表における借方金額の合計と貸方金額の合計が一致している場合であっても，仕訳帳から総勘定元帳への転記に誤りがあることもある。

以上より，正しい記述はア，イであり，正解は1となる。

問題２　正解　１　難易度　Ａ

★本問のポイント

純資産－その他の資本剰余金

解　説

ア．**正しい**。企業が投下した資本の貨幣額を名目額のまま維持する考え方(名目資本維持)においては，物価変動の影響は無視される。

イ．**正しい**。インフレーションの経済状況下で取得原価(貨幣の名目額)に基づく資産の減価償却を実施した場合には，一般物価の上昇分だけ減価償却費が不足することで分配可能利益が増加し，配当等による社外流出をつうじて貨幣資本の侵食がもたらされる。他方，維持すべき資本の本質を貨幣の実質価値とする考え方(実質資本維持)によると，一般物価の上昇による影響を加味した減価償却費が計上されるため，貨幣資本の侵食は生じない。

ウ．**誤　り**。現行制度上の財務報告においては，企業が投下した資本の貨幣額を名目額のまま維持する考え方(名目資本維持)が採用されている。

エ．**誤　り**。資本を貨幣の実質価値で維持する考え方(実質資本維持)によれば，焼失した建物の帳簿価額と受け取った保険金の差額のうち，貨幣の実質価値の減少による部分は資本の修正とする。

以上より，正しい記述はア，イであり，正解は１となる。

問題3	正解	3	難易度	B

★本問のポイント

財務会計の機能と制度

解　説

ア．**正しい**。「連結財務諸表規則(連結財務諸表の用語、様式及び作成方法に関する規則)」第1条，第93条～第95条参照。

イ．**誤　り**。「連結財務諸表規則」第1条の2参照。

有価証券報告書の提出会社のうち，次に掲げる適用要件の全てを満たす株式会社(指定国際会計基準特定会社)が，連結財務諸表の用語，様式および作成方法として指定国際会計基準によることができる。

> ①　有価証券届出書又は有価証券報告書において，連結財務諸表の適正性を確保するための特段の取組みに係る記載を行っていること
> ②　指定国際会計基準に関する十分な知識を有する役員又は使用人を置いており，指定国際会計基準に基づいて連結財務諸表を適正に作成することができる体制を整備していること

ウ．**誤　り**。「会社計算規則」第120条参照。

有価証券報告書における連結財務諸表を指定国際会計基準によって作成している会社においては，会社法に基づく連結計算書類についても，指定国際会計基準に従って作成することができる。

エ．**正しい**。企業会計基準委員会による修正会計基準第1号「のれんの会計処理」4，5，企業会計基準委員会による修正会計基準第2号「その他の包括利益の会計処理」4～6-3参照。

国際会計基準においては，のれんについて規則的償却が行われず，また，その他の包括利益の一部についてリサイクリング処理(その他の包括利益に計上した後に純損益に組替調整しない会計処理)が行われない。しかし，修正国際基準においては，国際会計基準におけるこれらの規定の「削除または修正」が行われ，のれんの規則的償却およびその他の包括利益のリサイクリング処理が必要とされている。

以上より，正しい記述はア，エであり，正解は3となる。

問題 4　正解　2　難易度　C

★本問のポイント

賃貸等不動産，連結財務諸表

解　説　(単位：百万円)

Ⅰ．賃貸等不動産について

賃貸等不動産とは，棚卸資産に分類されている不動産以外のものであって，賃貸収益又はキャピタル・ゲインの獲得を目的として保有されている不動産(ファイナンス・リース取引の貸手における不動産を除く)をいう。したがって，物品の製造や販売，サービスの提供，経営管理に使用されている場合(自社で利用している場合)は賃貸等不動産には含まれない。

なお，賃貸等不動産には，次の不動産が含まれる。

① 貸借対照表において投資不動産(投資の目的で所有する土地，建物その他の不動産)として区分されている不動産

② 将来の使用が見込まれていない遊休不動産

③ 上記以外で賃貸されている不動産

Ⅱ．解答数値の算定

1．連結B/Sにおける賃貸等不動産の帳簿価額の合計額

	オフィスビル	商業施設	住宅	合計
前期末残高	6,000	4,500	2,500	13,000
取得 (オフィスビルA)	900			900
資本的支出 (オフィスビルB)	160			160
子会社への賃貸 (オフィスビルC)	△1,100(注)			△1,100
減価償却	△120	△190	△35	△345
売却 (商業施設D)		△800		△800
自社利用への振替 (商業施設E)		△1,050(注)		△1,050
当期末残高	5,840	2,460	2,465	**10,765**

(注)賃貸等不動産に該当するか否かの判断は連結の観点から行う。連結会社間で賃貸されている不動産(オフィスビルC)は，企業集団の観点では自社利用となるため，連結貸借対照表上，賃貸等不動産に該当しない。

(注)自社利用の不動産(商業施設E)は，賃貸等不動産に該当しない。

(注)遊休不動産(商業施設F)は，賃貸等不動産に含まれる。

２．連結P/Lにおける賃貸等不動産に関する損益の合計額

	営業収益	営業原価	営業利益	その他損益	合計
オフィスビル	1,800(＊1)	500	1,300		1,300
商業施設	1,200	420	780	60(＊2)	840
住宅	900	180	720		720
合計	3,900	1,100	2,800	60	**2,860**

(＊1)　オフィスビルＡ600＋オフィスビルＢ400＋その他のオフィスビル800＝1,800

(注)オフィスビルＣに係る賃貸収入80は連結会社間の取引であるため，連結損益計算書には計上されない。

(＊2)　商業施設Ｄの売却益(売却価額870－帳簿価額800)
－商業施設Ｆの減価償却費10＝60

問題 5　正解 5　難易度 B

★本問のポイント

資産除去債務(資産除去債務が使用の都度発生する場合)

解　説　(単位：百万円)

Ⅰ．仕訳処理

1．X1年度

(1)　X1年4月1日(取得日)

(借)	設　備	51,696(＊1)	(貸) 現金預金	50,000
			資産除去債務	**1,696**(＊2)

(＊1)　設備の取得原価50,000＋1,696(＊2)＝51,696

(＊2)　$\frac{2,000(*3)}{(1+0.0335)^5}=1,696.202\cdots \rightarrow 1,696$(四捨五入)

(＊3)　設備の取得時点で発生する資産除去債務

(注)設備の取得時点で発生する資産除去債務を負債として計上する。なお，資産の使用の都度発生する資産除去債務は，当該設備の取得時には負債に計上しない。

(2)　決算整理

①　時の経過による資産除去債務の増加

(借)	利息費用	57	(貸) **資産除去債務**	**57**(＊4)

(＊4)　1,696(＊2)×3.35％＝56.816 → 57(四捨五入)

②　設備の減価償却費

(借)	減価償却費	10,339(＊5)	(貸) 減価償却累計額	10,339

(＊5)　51,696(＊1)÷5年＝10,339.2 → 10,339(四捨五入)

③　使用の都度発生する分

(借)	設　備	1,402	(貸) **資産除去債務**	**1,402**(＊6)

(＊6)　$\frac{1,600(*7)}{(1+0.0335)^4}=1,402.419\cdots \rightarrow 1,402$(四捨五入)

(＊7)　8,000÷5年＝1,600

(注)土地の汚染に係る支出は設備の使用の都度発生するため，資産除去債務を各期において負債の増加分として区別して認識する。

④　資産計上された除去費用の費用配分

(借)	減価償却費	1,402(＊6)	(貸) 減価償却累計額	1,402

(注)資産計上された除去費用の費用配分の合理的な方法として，資産計上された除去費用を資産計上したのと同一の期間に，資産計上額と同一の金額を費用処理する。

２．X2年度(決算整理)

(1)　時の経過による資産除去債務の増加

(借)	利息費用	106	(貸)	**資産除去債務**	**106**(＊8)

(＊8)　(1,696(＊2)＋57(＊4)＋1,402(＊6))×３.35％＝105.6925 → 106(四捨五入)

(2)　減価償却

(借)	減価償却費	10,339(＊5)	(貸)	減価償却累計額	10,339

(3)　使用の都度発生する分

(借)	設備	1,449	(貸)	**資産除去債務**	**1,449**(＊9)

(＊9)　$\frac{1,600(*7)}{(1+0.0335)^{3}}$＝1,449.400… → 1,449(四捨五入)

(4)　資産計上された除去費用の費用配分

(借)	減価償却費	1,449(＊9)	(貸)	減価償却累計額	1,449

Ⅱ．解答数値の算定

1,696(＊2)＋57(＊4)＋1,402(＊6)＋106(＊8)＋1,449(＊9)＝**4,710**

(注)解説ではすべての仕訳を示しているが，本問で問われているのは資産除去債務の金額のみであるため，建物に係る処理は省略することにより，効率的に解答できる。

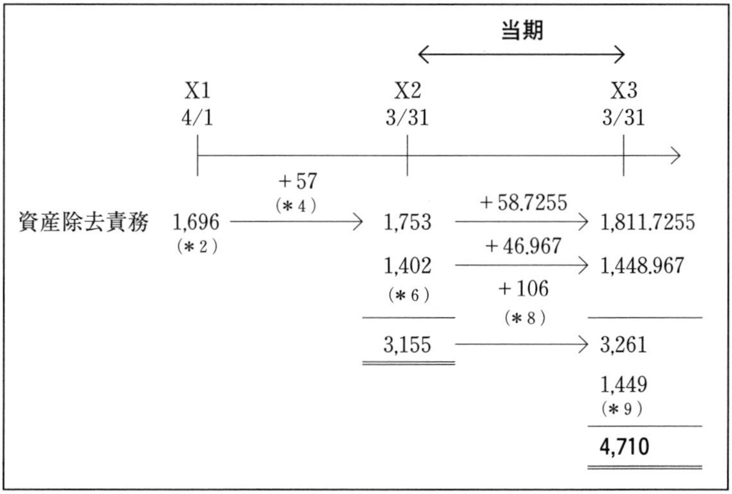

(参考)

$$\frac{2{,}000(*3)+1{,}600(*7)\times 2\text{年}}{(1+0.0335)^{3}}=4{,}710.553\cdots$$ → **4,711**(四捨五入)

(注)近似値ではあるが，上記の方法で効率的に解答できる。

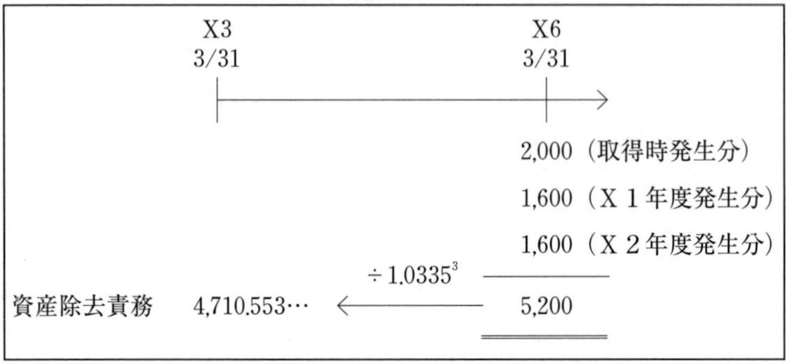

問題6　正解　4　難易度　A

★本問のポイント

純資産－自己株式

解　　説

ア．**誤　り**。「自己株式及び準備金の額の減少等に関する会計基準」14，50～53参照。

自己株式の取得，処分および消却に関する付随費用については，付随費用が株主との間の資本取引ではない点に着目し，損益計算書の営業外費用に計上する。

イ．**正しい**。「自己株式及び準備金の額の減少等に関する会計基準の適用指針」5，29～35参照。

ウ．**正しい**。「自己株式及び準備金の額の減少等に関する会計基準の適用指針」8，37参照。

エ．**誤　り**。「自己株式及び準備金の額の減少等に関する会計基準の適用指針」14，39～43参照。

自己株式を無償で取得した場合，自己株式の数のみの増加として処理する。

以上より，正しい記述はイ，ウであり，正解は4となる。

問題7	正解	5	難易度	A

★本問のポイント

株主資本等変動計算書(剰余金の配当，自己株式，任意積立金その他資本剰余金の残高が負の値となった場合)

解　説　(単位：百万円)

Ⅰ．仕訳処理

1．自己株式の取得

(借)	自己株式	70	(貸)	現金預金	70

2．剰余金の配当

(借)	その他資本剰余金	105	(貸)	資本準備金	5(＊1)
				未払配当金	100
(借)	繰越利益剰余金	105	(貸)	利益準備金	5(＊1)
				未払配当金	100

(＊1)　$10(*2) \times \frac{100}{100+100} = 5$

(＊2)　配当時資本金2,200 × $\frac{1}{4}$

−(配当時資本準備金300＋配当時利益準備金240)＝10

$100 \times \frac{1}{10} + 100 \times \frac{1}{10} = 20$

→ ∴ 10 (いずれか小)

(注)準備金(資本準備金及び利益準備金)が資本金の４分の１相当額に達した場合は，積み立てる必要がないため，積み立てることにより資本金の４分の１に達する場合には，達するまでの限度額を積み立てれば良い。

(注)積立の源泉は配当する剰余金の原資と同じ区分から行うものとし，資本剰余金(その他資本剰余金)を原資とするものは資本準備金に，利益剰余金(繰越利益剰余金)を原資とするものは利益準備金に計上する。

3．別途積立金の積立

(借)	繰越利益剰余金	6	(貸)	別途積立金	6

4．自己株式の処分

(借)	現金預金	50	(貸)	自己株式	60
	その他資本剰余金	10			

5．自己株式の消却

（借）その他資本剰余金	20	（貸）自己株式	20

6．決算整理（その他資本剰余金の残高が負の値となった場合）

（借）繰越利益剰余金	15	（貸）その他資本剰余金	15(＊3)

(＊3)　その他資本剰余金当期首残高120－剰余金の配当105－自己株式の処分10
－自己株式の消却20＝△15

（注）その他資本剰余金の残高が負の値となった場合には，決算において，その他資本剰余金をゼロとし，当該負の値をその他利益剰余金（繰越利益剰余金）から減額する。

7．決算振替

（借）損益	260	（貸）繰越利益剰余金	260

Ⅱ．解答数値の算定

①その他資本剰余金当期末残高０＋②利益準備金当期末残高245
＋③株主資本合計当期末残高3,700＝**3,945**

	株主資本							
		資本剰余金		利益剰余金				
					その他利益剰余金			
	資本金	資本準備金	その他資本剰余金	利益準備金	別途積立金	繰越利益剰余金	自己株式	株主資本合計
当期首残高	2,200	300	120	240	90	720	△10	3,660
当期変動額								
剰余金の配当		5	△105	5		△105		△200
別途積立金の積立					6	△6		－
当期純利益						260		260
自己株式の取得							△70	△70
自己株式の処分			△10				60	50
自己株式の消却			△20				20	－
その他資本剰余金の振替			15			△15		－
当期変動額合計		5	△120	5	6	134	10	40
当期末残高	2,200	305	①　－	②**245**	96	854	－	③**3,700**

問題8	正解	5	難易度	A

★本問のポイント

棚卸資産(総平均法，他勘定振替，仕入割引，棚卸減耗，期末評価)

解　説　(単位：円)

Ⅰ．商品の流れ

A　商　品

前月繰越　@46,000×800個＝36,800,000	売上原価
当月仕入	3/10@46,375×　560個＝**25,970,000**
3/12 ∴@47,000× 400個＝18,800,000 (＊1)	他勘定振替高 @46,375×　30個＝ 1,391,250
3/21 ∴@46,500× 400個＝18,600,000 (＊2)	次月繰越 @46,375×∴1,010個＝46,838,750

合　計　∴@46,375　**1,600個　74,200,000**

(＊1) 購入代価(@46,500×400個)＋引取運賃200,000＝取得原価18,800,000

(注)仕入諸掛は商品を仕入れるために生じた費用であるので，商品の仕入原価(取得原価)として処理する。

(＊2) 購入代価(@46,000×400個)＋引取運賃200,000＝取得原価18,600,000

(注)買掛金の決済を支払期日より早く行ったことにより，仕入先から掛代金を一部免除された場合には「仕入割引」勘定(収益)で処理し，損益計算書上，「営業外収益」に表示する。「仕入」の減額とはならない点に注意すること。

なお，仕入割引時には以下の仕訳が行われている。

(借)	買　掛　金	18,600,000(＊2)	(貸)	現　金　預　金	18,414,000
				仕　入　割　引	186,000(＊3)

(＊3) 18,600,000(＊2)×1％＝186,000

(注)見本品については販売以外の原因により商品が減少しているため，売上原価から除外し，見本費に振り替える。

なお，見本品については以下の仕訳が行われている。

(借)	見　本　費	1,391,250	(貸)	仕　　入	1,391,250

Ⅱ．棚卸減耗費及び商品低価評価損の算定

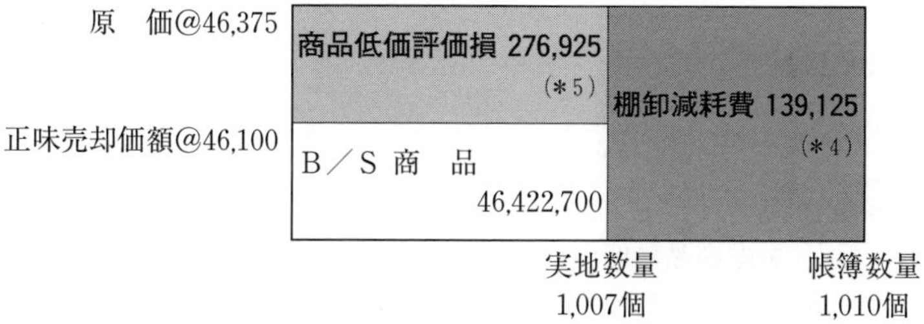

(＊4)　@46,375×(月末帳簿棚卸数量1,010個－月末実地棚卸数量1,007個)＝139,125

(＊5)　(@46,375－正味売却価額@46,100)×月末実地棚卸数量1,007個＝276,925

Ⅲ．解答数値の算定

25,970,000＋棚卸減耗費139,125(＊4)＋商品低価評価損276,925(＊5)

＝**26,386,050**

(注)本問における棚卸減耗費は，問題文の指示より，売上原価の内訳として処理する。

(注)本問における商品低価評価損は，臨時の事象に起因しておらず，多額であると認められないため，売上原価の内訳として処理する。

問題9　正解　5　難易度　A

★本問のポイント

金融商品会計

解　説

ア．**誤　り**。「金融商品に関する会計基準」31参照。

ヘッジ取引にヘッジ会計が適用されるのは，ヘッジ取引時において，ヘッジ取引が企業のリスク管理方針に従ったものであることが客観的に認められており，かつ，ヘッジ取引時以降において，ヘッジ対象とヘッジ手段の損益が高い程度で相殺される状態が引き続き認められることによって，ヘッジ手段の効果が定期的に確認されている場合である。

イ．**正しい**。「金融商品に関する会計基準」注12参照。

ウ．**誤　り**。「金融商品に関する会計基準」注14参照。

資産または負債に係る金利の受払条件を変換することを目的として利用されている金利スワップが，金利変換の対象となる資産または負債とヘッジ会計の要件を充たしており，かつ，その想定元本，利息の受払条件(利率，利息の受払日等)および契約期間が当該資産または負債とほぼ同一である場合には，金利スワップを時価評価せず，その金銭の受払の純額等を当該資産または負債に係る利息に加減して処理することができる。

エ．**正しい**。「金融商品に関する会計基準」33参照。

以上より，正しい記述はイ，エであり，正解は5となる。

問題10　**正解**　1　**難易度**　A

★本問のポイント

有価証券(全部純資産直入法，税効果会計，減損処理)

解　　説　(単位：千円)

Ⅰ．仕訳処理(解答に必要な仕訳のみ示す)

1．A社株式

(借)	繰延税金資産	200	(貸)	投資有価証券	500(＊1)
	その他有価証券評価差額金	300(＊2)			

(＊1)　期末の市場価格9,200－取得原価9,700＝△500

(＊2)　△500(＊1)×(1－実効税率40％)＝△300

2．B社株式

(借)	投資有価証券	800(＊3)	(貸)	繰延税金負債	320
				その他有価証券評価差額金	480(＊4)

(＊3)　期末の市場価格8,800－取得原価8,000＝800

(＊4)　800(＊3)×(1－実効税率40％)＝480

3．C社株式

仕　訳　な　し

(注)市場価格のない株式等は取得原価をもって貸借対照表価額とする。

(注)取得原価2,000×50％＝1,000 ＜ 実質価額2,500(＊5) → 減損処理を行わない

(＊5)　@20×1,000株×持分比率12.5％＝2,500

4．D社株式

(借)	投資有価証券評価損	1,800(＊6)	(貸)	投資有価証券	1,800

(＊6)　取得原価3,200×50％＝1,600 ＞ 期末の市場価格1,400 → 減損処理を行う

∴ 取得原価3,200－期末の市場価格1,400＝1,800

(注)減損処理を行ったため，その他有価証券評価差額金は計上されない。

5．E社株式

(借)	投資有価証券評価損	1,000(＊7)	(貸)	投資有価証券	1,000

(＊7)　取得原価1,800×50％＝900 ＞ 実質価額800(＊8) → 減損処理を行う

∴ 取得原価1,800－実質価額800(＊8)＝1,000

(＊8)　純資産額8,000×持分比率10％＝800

（注）減損処理を行ったため，その他有価証券評価差額金は計上されない。

Ⅱ．解答数値の算定

その他有価証券：Ａ社株式9,200＋Ｂ社株式8,800＋Ｃ社株式2,000

＋Ｄ社株式1,400＋Ｅ社株式800(＊8)＝**22,200**

その他有価証券評価差額金：Ａ社株式△300(＊2)＋Ｂ社株式480(＊4)＝**180**

問題11　正解 4　難易度 A

★本問のポイント

ストック・オプション等

解　説

ア．**誤　り。**「ストック・オプション等に関する会計基準」3参照。

「ストック・オプション等に関する会計基準」は，企業が財貨の取得において，対価として自社株式オプションを付与する取引も適用範囲としている。

イ．**正しい。**「ストック・オプション等に関する会計基準」4参照。

ウ．**正しい。**「ストック・オプション等に関する会計基準」2(15)，「ストック・オプション等に関する会計基準の適用指針」4参照。

エ．**誤　り。**「ストック・オプション等に関する会計基準」8，「自己株式及び準備金の額の減少等に関する会計基準」9，10参照。

新株予約権の行使に伴い，当該企業が自己株式を処分した場合には，自己株式の取得原価と，新株予約権の帳簿価額および権利行使に伴う払込金額の合計額との差額は，自己株式処分差額であり，その他資本剰余金に加減する。

以上より，正しい記述はイ，ウであり，正解は4となる。

問題12　正解　3　難易度　A

★本問のポイント

ストック・オプション（権利確定条件）

解　説　（単位：千円）

Ⅰ．X2年３月31日（決算整理）

（借）	株式報酬費用	6,300(＊1)	（貸）	新株予約権	6,300

(＊1)　$@6 \times 100\text{個} \times (30\text{名} - \text{X2年３月期実際退職者２名}) \times \dfrac{9\text{ヶ月}(\text{X1.7〜X2.3})}{24\text{ヶ月}(\text{X1.7〜X3.6})} = 6{,}300$

（注）当初の退職者見込みはゼロであるが，X2年３月期において実際退職者が２名いる。退職者見込みの修正が条件として与えられていない場合には，実際退職者を用いて費用計上額の算定を行う。

（注）権利確定日が明らかではない場合には，原則として，ストック・オプションを付与された従業員がその権利を行使できる期間の開始日の前日を権利確定日とみなす。本問では，利益がX1年３月期に比して110％以上になると見込んでいるのはX3年３月期であり，その翌期のX3年７月１日から権利を行使できることから，その前日であるX3年６月30日までの24ヶ月に基づき費用計上額の算定を行う。

Ⅱ．X3年３月31日（決算整理，(a)の解答）

（借）	**株式報酬費用**	**7,350**(＊2)	（貸）	新株予約権	7,350

(＊2)　13,650(＊3)－既計上額6,300(＊1)＝7,350

(＊3)　$@6 \times 100\text{個} \times (30\text{名} - 4\text{名}(＊4)) \times \dfrac{21\text{ヶ月}(\text{X1.7〜X3.3})}{24\text{ヶ月}(\text{X1.7〜X3.6})} = 13{,}650$

(＊4)　X2年３月期２名＋X3年３月期２名＝実際退職者累計４名

Ⅲ．X3年６月30日（権利確定日）

（借）	株式報酬費用	1,950(＊5)	（貸）	新株予約権	1,950

(＊5)　15,600(＊6)－既計上額13,650(＊3)＝1,950

(＊6)　$@6 \times 100\text{個} \times (30\text{名} - 4\text{名}(＊7)) \times \dfrac{24\text{ヶ月}(\text{X1.7〜X3.6})}{24\text{ヶ月}(\text{X1.7〜X3.6})} = 15{,}600$

(＊7)　X2年３月期２名＋X3年３月期２名＋X4年３月期０名

＝実際退職者累計４名

Ⅳ．X3年7月1日からX4年3月末日（権利行使）

（借）	現　金　預　金	100,000(＊8)	（貸）	資　　本　　金	112,000
	新　株　予　約　権	12,000(＊9)			

(＊8) 行使価額@50×交付株式数2,000株(＊10)＝100,000

(＊9) @6×100個×20名＝12,000

(＊10) 交付株式数1株×100個×20名＝2,000株

◎ X4年3月31日B/S 新株予約権((b)の解答)：15,600(＊6)−12,000(＊9)＝**3,600**

又は，@6×100個×(30名−4名(＊7)−権利行使20名)＝**3,600**

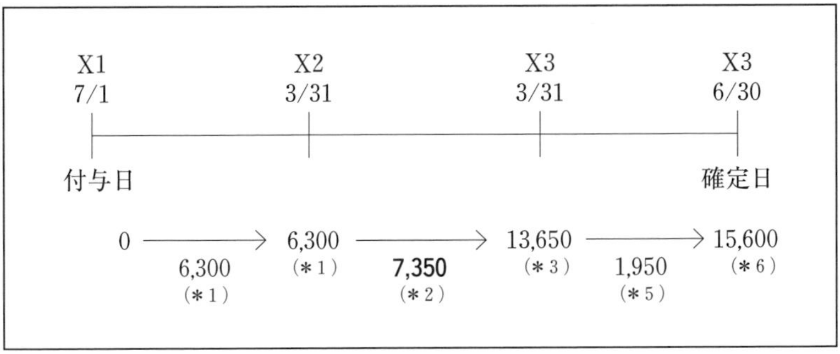

問題13　正解　1　難易度　B

★本問のポイント

リース取引(ファイナンス・リース取引，オペレーティング・リース取引)

解　説　(単位：千円)

Ⅰ．No.101

1．ファイナンス・リース取引の判定

⑴　現在価値基準による判定

年間のリース料6,000を，追加借入利子率(年２％)を用いて割り引くと，リース料総額の割引現在価値は17,303(＊1)となる。よって，割引現在価値17,303(＊1)／見積現金購入価額18,000＝96.127…％となり，現在価値基準の90％以上となる。

(＊1)　6,000×年金現価係数2.8839(３年)＝17,303.4 → 17,303(四捨五入)

⑵　経済的耐用年数基準による判定

リース期間３年／経済的耐用年数４年＝75％となり，経済的耐用年数基準の75％以上となる。

∴　⑴及び⑵より，当該リース取引はファイナンス・リース取引に該当する。

⑶　当該リース取引には，所有権移転条項があるため，所有権移転ファイナンス・リース取引に該当する。

∴　⑴～⑶より，当該リース取引は所有権移転ファイナンス・リース取引に該当する。

2．会計処理

⑴　X1年４月１日(リース取引開始日)

(借)	リース資産	17,303(＊2)	(貸)	リース債務	17,303

(＊2)　見積現金購入価額18,000 ＞ リース料総額の割引現在価値17,303(＊1)
→ 資産計上額17,303(いずれか小)

⑵　X2年３月31日(リース料支払日)

(借)	支払利息	346(＊3)	(貸)	現金預金	6,000
	リース債務	5,654(＊4)			

(＊3)　17,303(＊2)×借手の追加借入利子率２％＝346.06 → 346(四捨五入)

(＊4)　支払リース料6,000－346(＊3)＝5,654

⑶　X2年３月31日(決算整理，減価償却)

(借)	減価償却費	4,326(＊5)	(貸)	減価償却累計額	4,326

(＊5)　17,303(＊2)÷経済的耐用年数４年＝4,325.75 → 4,326(四捨五入)

(注)所有権移転ファイナンス・リース取引であるため，耐用年数は「経済的耐用年数」とし，リース対象物件と同種の資産の減価償却と同様に残存価額を「ゼロ」として減価償却を行う。

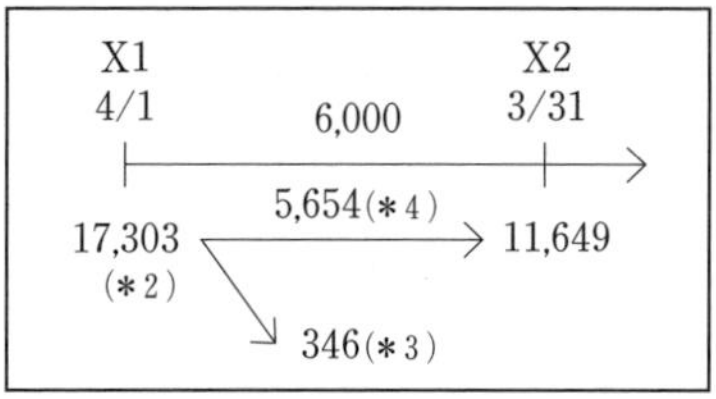

Ⅱ．No.102

1．ファイナンス・リース取引の判定

⑴　現在価値基準による判定

年間のリース料8,000を，追加借入利子率(年2％)を用いて割り引くと，リース料総額の割引現在価値は30,462(＊1)となる。よって，割引現在価値30,462(＊1)／見積現金購入価額31,000＝98.264…％となり，現在価値基準の90％以上となる。

(＊1)　8,000×年金現価係数3.8077(4年)＝30,461.6 → 30,462(四捨五入)

⑵　経済的耐用年数基準による判定

リース期間4年／経済的耐用年数7年＝57.142…％となり，経済的耐用年数基準の75％未満となる。

∴　⑴より，当該リース取引はファイナンス・リース取引に該当する。

⑶　当該リース取引には，所有権移転条項または割安購入選択権がなく，またリース物件は特別仕様ではないため，所有権移転ファイナンス・リース取引には該当しない。

∴　⑴及び⑶より，当該リース取引は所有権移転外ファイナンス・リース取引に該当する。

2．会計処理

⑴　X1年4月1日(リース取引開始日)

(借)	リース資産	30,462(＊2)	(貸)	リース債務	30,462

(＊2)　見積現金購入価額31,000 ＞ リース料総額の割引現在価値30,462(＊1)

→ 資産計上額30,462(いずれか小)

⑵　X2年3月31日(リース料支払日)

(借)	支払利息	609(＊3)	(貸)	現金預金	8,000
	リース債務	7,391(＊4)			

(＊3) 30,462(＊2)×借手の追加借入利子率2％＝609.24 → 609(四捨五入)

(＊4) 支払リース料8,000－609(＊3)＝7,391

(3) X2年3月31日(決算整理，減価償却)

(借) 減価償却費	7,616(＊5)	(貸) 減価償却累計額	7,616

(＊5) 30,462(＊2)÷リース期間4年＝7,615.5 → 7,616(四捨五入)

(注)所有権移転外ファイナンス・リース取引であるため，耐用年数は「リース期間」とし，耐用年数終了後の見積評価額である残存価額を「ゼロ」として減価償却を行う。

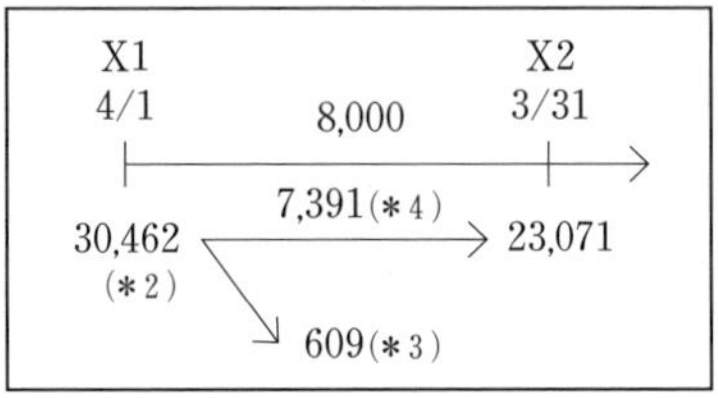

Ⅲ．No.103

1．ファイナンス・リース取引の判定

(1) 現在価値基準による判定

年間のリース料9,000を，追加借入利子率(年2％)を用いて割り引くと，リース料総額の割引現在価値は25,955(＊1)となる。よって，割引現在価値25,955(＊1)／見積現金購入価額50,000＝51.91％となり，現在価値基準の90％未満となる。

(＊1) 9,000×年金現価係数2.8839(3年)＝25,955.1 → 25,955(四捨五入)

(2) 経済的耐用年数基準による判定

リース期間3年／経済的耐用年数6年＝50％となり，経済的耐用年数基準の75％未満となる。

∴ (1)及び(2)より，当該リース取引はオペレーティング・リース取引に該当する。

2．会計処理(X2年3月31日，リース料支払日)

(借) 支払リース料	9,000	(貸) 現金預金	9,000

Ⅳ．解答数値の算定

①期末リース債務の合計額：11,649(＊1) (No.101)＋23,071(＊2) (No.102)＝**34,720**

②リース資産に関する減価償却費の合計額：

4,326(No.101)＋7,616(No.102)＝**11,942**

(＊1) 17,303－5,654＝11,649　(＊2) 30,462－7,391＝23,071

問題14　**正解**　2　**難易度**　C

★本問のポイント

リース取引（貸手の会計処理，貸手の製作価額と借手に対する現金販売価額に差がある場合）

解　説　（単位：千円）

Ⅰ．リース取引の判断

本問では，所有権移転条項および割安購入選択権が契約に含まれておらず，借手向けの特別仕様ではないため，所有権移転外ファイナンス・リース取引と判断する。

Ⅱ．貸手の計算利子率の推定

貸手の計算利子率とは，リース料総額（本問では100,000）とリース期間終了時に見積られる残存価額（見積残存価額，本問ではゼロ）の合計額の現在価値が当該リース物件の現金購入価額又は借手に対する現金販売価額（本問では借手に対する現金販売価額89,036）と等しくなるような利子率をいう。したがって，貸手の計算利子率をXとすると，以下の式が成り立つ。

$$\frac{20{,}000}{1+X}+\frac{20{,}000}{(1+X)^2}+\frac{20{,}000}{(1+X)^3}+\frac{20{,}000}{(1+X)^4}+\frac{20{,}000}{(1+X)^5}$$

＝借手に対する現金販売価額89,036

貸手の計算利子率Xの期間５年における年金現価係数をＹとすると，以下の式が成り立つ。

$20{,}000\times Y=89{,}036\qquad \therefore Y=4.4518$

年金現価係数（期間５年）が4.4518となる利子率は４％であることから，貸手の計算利子率Xは４％と推定できる。

（別　法）

問題文に与えられている年金現価係数（期間５年）を用いて現在価値を算定すると以下のようになる。

3％：20,000×4.5797＝91,594

4％：20,000×4.4518＝89,036

5％：20,000×4.3295＝86,590

6％：20,000×4.2124＝84,248

7％：20,000×4.1002＝82,004

リース料総額の現在価値が借手に対する現金販売価額89,036と等しくなる利子率は４％である。

Ⅲ．仕訳処理

（注）解説の便宜上，リース料受取時に売上高と売上原価を計上する方法による。

1．X2年３月期

(1)　リース取引開始時（X1年４月１日）

（借）	リース投資資産	89,036(*1)	（貸）	製品	84,248(*2)
				販売益	4,788(*3)

(*1)　借手に対する現金販売価額

(*2)　当社の製作価額

(*3)　89,036(*1)－84,248(*2)＝4,788

（注）製品を販売することを主たる事業としている企業が，同時に貸手として同一製品をリース取引の対象物件としている場合で，貸手における製品価額と借手に対する現金販売価額に差があるときには，当該差額は原則としてリース物件の販売益として扱う。

(2)　X2年３月31日（リース料受取日）

（借）	現金預金	20,000	（貸）	売上高	20,000(*4)
（借）	売上原価	16,439(*5)	（貸）	リース投資資産	16,439

(*4)　受取リース料

(*5)　20,000(*4)－利息相当額3,561(*6)＝16,439

(*6)　89,036(*1)×計算利子率４％＝3,561.44 → 3,561（四捨五入）

2．X3年３月期

(1)　X3年３月31日（リース料受取日）

（借）	現金預金	20,000	（貸）	売上高	20,000(*4)
（借）	売上原価	17,096(*7)	（貸）	リース投資資産	17,096

(*7)　20,000(*4)－利息相当額2,904(*8)＝17,096

(*8)　72,597(*9)×計算利子率４％＝2,903.88 → 2,904（四捨五入）

(*9)　89,036(*1)－16,439(*5)＝72,597

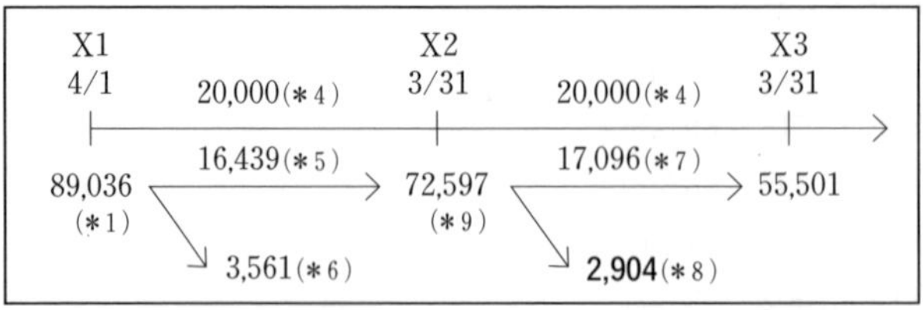

◎ X3年３月期に帰属する利息相当額：**2,904**(*8)

（別　法）

利息相当額は，年金現価係数を用いて以下のように算定することもできる。

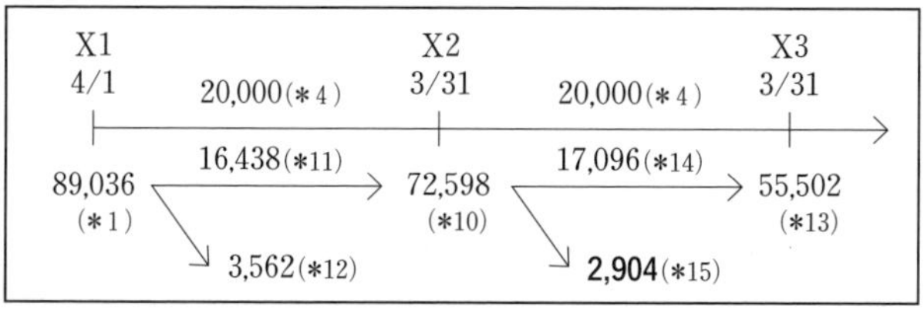

(＊10)　20,000(＊4)×年金現価係数(4％，4年)3.6299＝72,598

(＊11)　89,036(＊1)－72,598(＊10)＝16,438

(＊12)　20,000(＊4)－16,438(＊11)＝3,562

(＊13)　20,000(＊4)×年金現価係数(4％，3年)2.7751＝55,502

(＊14)　72,598(＊10)－55,502(＊13)＝17,096

(＊15)　20,000(＊4)－17,096(＊14)＝2,904

問題15 正解 6 難易度 A

★本問のポイント

退職給付会計

解　説

ア．**誤　り**。「退職給付に関する会計基準」16，注３参照。

退職給付債務は，原則として個々の従業員ごとに計算する。ただし，勤続年数，残存勤務期間，退職給付見込額等について標準的な数値を用いて加重平均等により合理的な計算ができると認められる場合には，当該合理的な計算方法を用いることができる。

イ．**誤　り**。「退職給付に関する会計基準」13，22，「時価の算定に関する会計基準」３，26参照。

「時価の算定に関する会計基準」は，「金融商品に関する会計基準」における金融商品と「棚卸資産の評価に関する会計基準」におけるトレーディング目的で保有する棚卸資産の時価に適用する。年金資産については，その額を期末における時価により計算することとされているが，金融商品が年金資産を構成する場合には，当該金融商品の時価の算定に「時価の算定に関する会計基準」が適用される。

ウ．**正しい**。「退職給付に関する会計基準」20，「退職給付に関する会計基準の適用指針」30参照。

エ．**正しい**。「退職給付に関する会計基準」12，「退職給付に関する会計基準の適用指針」41参照。

以上より，正しい記述はウ，エであり，正解は６となる。

問題16　正解　5　難易度　A

★本問のポイント

収益認識

解　　説

ア．**誤　り**。「収益認識に関する会計基準」19参照。

「収益認識に関する会計基準」では，次の(1)～(5)の要件のすべてを満たす顧客との契約を識別したうえで，収益を認識することとされている。

(1)　当事者が書面，口頭，取引慣行等により契約を承認し，それぞれの義務の履行を約束していること
(2)　移転される財又はサービスに関する各当事者の権利を識別できること
(3)　移転される財又はサービスの支払条件を識別できること
(4)　契約に経済的実質があること（すなわち，契約の結果として，企業の将来キャッシュ・フローのリスク，時期又は金額が変動すると見込まれること）
(5)　顧客に移転する財又はサービスと交換に企業が権利を得ることとなる対価を回収する可能性が高いこと

イ．**正しい**。「収益認識に関する会計基準」80-4参照。

ウ．**誤　り**。「収益認識に関する会計基準」51参照。

変動対価の見積りにあたって，企業が権利を得ることとなる対価の額をより適切に予測できる方法としては，発生し得ると考えられる対価の額における最も可能性の高い単一の金額（最頻値）による方法または発生し得ると考えられる対価の額を確率で加重平均した金額（期待値）による方法のいずれかを用いる。

エ．**正しい**。「収益認識に関する会計基準」57参照。

以上より，正しい記述はイ，エであり，正解は5となる。

問題17　**正解**　6　**難易度**　B

★本問のポイント

税効果会計

解　　説

ア．**誤　り**。「税効果会計に係る会計基準の適用指針」22参照。

子会社に対して行われた投資に係る連結財務諸表固有の将来減算一時差異に対しては，連結財務諸表の作成に当たり，原則として，繰延税金資産を計上しない。ただし，次のいずれも満たす場合には，繰延税金資産を計上する。

> (1)　将来減算一時差異が，次のいずれかの場合により解消される可能性が高い。
> ①　予測可能な将来の期間に子会社に対する投資の売却等(他の子会社への売却の場合を含む。)を行う意思決定又は実施計画が存在する場合
> ②　個別財務諸表において計上した子会社株式の評価損について，予測可能な将来の期間に税務上の損金に算入される場合
> (2)　納税主体ごとに個別財務諸表における繰延税金資産と合算したうえで，当該将来減算一時差異に係る繰延税金資産が，繰延税金資産の回収可能性の判断要件に照らして，回収可能性があると判断される。

イ．**誤　り**。「税効果会計に係る会計基準の適用指針」20，21参照。

子会社の経営状態が著しく悪化したために，親会社の個別財務諸表において子会社株式評価損を計上した場合，当該評価損は資本連結手続によって相殺消去される。その結果，評価損の消去に係る連結財務諸表固有の将来加算一時差異が発生する。

ウ．**正しい**。「税効果会計に係る会計基準の適用指針」29参照。

エ．**正しい**。「税効果会計に係る会計基準の適用指針」45～47，50参照。

以上より，正しい記述はウ，エであり，正解は6となる。

問題18　正解　2　難易度　A

★本問のポイント

税効果会計，子会社及び関連会社におけるその他有価証券評価差額金，包括利益

解　　説　(単位：千円)

(注)解説上，解答数値の算定に必要なもののみ示す。

Ⅰ．タイム・テーブル

1．S　社

	X2 3/31		X3 3/31		X4 3/31
		80%		80%	
	+80%				
資本金	×××		×××		×××
利益剰余金	×××		×××		×××
その他有価証券評価差額金	—	2,464 → 616	3,080 (＊1)	896 → 224	4,200 (＊2)
合計	×××		×××		×××
取得持分	×××				
取得原価	×××				
のれん	×××				

(＊1)　B社株式X3年3月31日(時価48,000－取得原価43,600)×(1－実効税率30%)＝3,080

(＊2)　B社株式X4年3月31日(時価49,600－取得原価43,600)×(1－実効税率30%)＝4,200

2．A　社

	X3 3/31 ＋20％	20％	X4 3/31
資本金	×××		×××
利益剰余金	×××		×××
その他有価証券評価差額金	2,240（＊3）	168 →	3,080（＊4）
合計	×××		×××
取得持分	×××		
取得原価	×××		
のれん	×××		

（＊3）　C社株式X3年3月31日（時価25,000－取得原価21,800）×（1－実効税率30％）＝2,240

（＊4）　C社株式X4年3月31日（時価26,200－取得原価21,800）×（1－実効税率30％）＝3,080

Ⅱ．X4年3月期連結包括利益計算書（一部，解答数値の算定）

⋮	⋮
その他の包括利益	
その他有価証券評価差額金	1,120（＊5）
持分法適用会社に対する持分相当額	168（＊6）
その他の包括利益合計	**1,288**
包括利益	×××
⋮	⋮

（＊5）　S社（4,200（＊2）－3,080（＊1））＝1,120
又は，S社T/T（896＋224）＝1,120

（＊6）　A社T/Tより

（注）持分法を適用する被投資会社のその他の包括利益に対する投資会社の持分相当額は，「その他有価証券評価差額金」，「繰延ヘッジ損益」，「為替換算調整勘定」等として表示せず，一括して「持分法適用会社に対する持分相当額」として区分表示する。

問題19　正解　3　難易度　A

★本問のポイント

企業結合

解　説

ア．**正しい**。「企業結合に関する会計基準」18，19参照。

イ．**誤　り**。「企業結合会計基準及び事業分離等会計基準に関する適用指針」381参照。

企業結合に伴って発生するのれんを，発生時に一括償却し，その償却額を特別損失に計上する会計処理は認められていない。

ウ．**誤　り**。「企業結合会計基準及び事業分離等会計基準に関する適用指針」59，59-２，367参照。

顧客リストについては，分離して譲渡可能な無形資産に該当することがある。

エ．**正しい**。「企業結合会計基準及び事業分離等会計基準に関する適用指針」82，390参照。

以上より，正しい記述はア，エであり，正解は３となる。

問題20　正解　5　難易度　A

★本問のポイント

固定資産の減損

解　　説

ア．**誤　り**。「固定資産の減損に係る会計基準の設定に関する意見書」三1参照。

事業用の固定資産の収益性が当初の予想よりも低下した場合に，その回収可能性を帳簿価額に反映させる会計処理は，金融商品に適用されている時価評価とは異なり，資産価値の変動によって利益を測定することや，決算日における資産価値を貸借対照表に表示することを目的とするものではなく，取得原価基準の下で行われる帳簿価額の臨時的な減額である。

イ．**正しい**。「固定資産の減損に係る会計基準の適用指針」20参照。

減損損失の認識の判定において，将来キャッシュ・フローが外貨建てで見積られる場合，算定された外貨建ての将来キャッシュ・フローを，減損損失の認識の判定時の為替相場により円換算する。

ウ．**誤　り**。「固定資産の減損に係る会計基準」注1参照。

使用価値とは，資産又は資産グループの継続的使用と使用後の処分によって生ずると見込まれる将来キャッシュ・フローの現在価値をいう。

エ．**正しい**。「研究開発費等に係る会計基準」四5，注5，「研究開発費及びソフトウェアの会計処理に関する実務指針」20参照。

以上より，正しい記述はイ，エであり，正解は5となる。

問題21　正解 3　難易度 A

★本問のポイント

持分法会計

解　説

ア．**正しい。**「持分法に関する会計基準」9，25，「持分法会計に関する実務指針」5参照。

同一環境下で行われた同一の性質の取引等について，投資会社(その子会社を含む。)及び持分法を適用する被投資会社が採用する会計方針は，原則として統一する。投資会社の会計処理をその連結子会社の会計処理に合わせている場合には，被投資会社の会計処理についても，当該連結子会社に合わせることとなる。

イ．**誤　り。**「連結財務諸表における資本連結手続に関する実務指針」45-2，66-6参照。

連結子会社の株式の一部売却が行われて持分比率が減少したことにより，支配を喪失して，連結子会社から持分法適用関連会社になった場合には，支配獲得後の持分比率の推移等を勘案し(支配獲得後に追加取得や一部売却等が行われた場合もある)，①支配獲得時の持分比率に占める関連会社として残存する持分比率に相当する額を算定する方法や②支配喪失時の持分比率に占める関連会社として残存する持分比率に相当する額を算定する方法などの中から，適切な方法に基づき，のれんの未償却額のうち関連会社として残存する持分比率に相当するのれんの未償却額を算定する。

ウ．**誤　り。**「持分法会計に関する実務指針」16-2参照。

同一の持分法適用会社について，持分法適用後に株式の追加取得を行って，引き続き持分法の適用範囲に含まれる場合に，株式取得日の異なるのれんがあるときには，合理的な根拠なく異なる償却期間を設定してはならない。すなわち，追加取得時において償却期間の決定に影響する要因が既取得分の取得時と同様であれば，追加取得分の償却期間は，既取得分の残存償却期間ではなく，既取得分の取得時に決定した償却期間と同一の期間としなければならない。また，既取得分の残存償却期間を追加取得分の償却期間に修正してはならない。

ただし，追加取得時に，既取得分の取得時と大きな状況の変化があって，のれんの償却期間を改めて合理的に見積もった結果，追加取得分についてより短い償却期間が設定された場合には，既取得分の残存償却期間は追加取得分の償却期間を上限とすべきである。この場合，既取得分の残存償却期間がこの上限を超えなければ従来どおりの償却を行い，上限を超えれば追加取得分の償却期間を既取得分の残存償却期間として償却を行う必要がある。

エ．**正しい**。「持分法に関する会計基準」5－2参照。

以上より，正しい記述はア，エであり，正解は3となる。

問題22　**正解**　**6**　**難易度**　**B**

★本問のポイント

事業分離（受取対価が現金等と株式の場合，親会社→関係会社以外）

解　説　（単位：百万円）

Ⅰ．事業分離後持分比率の算定

$$\frac{0\text{株}+7{,}200\text{株}}{40{,}000\text{株}(*1)+7{,}200\text{株}}=15.254\cdots\%$$

（＊1）47,200株－7,200株＝事業分離前Ｂ社発行済株式総数40,000株

	分離前		分離後
Ｂ　社 （47,200株）	0％	＋15.254…％ →	15.254…％
α事業 （7,200株＋現金）	100％	△84.745…％ →	15.254…％

Ⅱ．個別上の処理

1．Ａ　社（投資の清算）

（借）	現金	44（＊1）	（貸）	諸資産	200（＊3）
	投資有価証券	216（＊2）		利益剰余金 （移転利益）	60

（＊1）時価

（＊2）@30,000円×Ｂ社株式7,200株＝時価216

（＊3）Ａ社におけるα事業の諸資産の適正な帳簿価額による株主資本相当額

（注）現金及び投資有価証券を「時価」で計上し，分離元企業の個別上，原則として，移転損益が認識される。

2．Ｂ　社（パーチェス法）

（借）	諸資産	250（＊4）	（貸）	現金	44
	のれん	10		資本金	216（＊2）

（＊1）α事業の諸資産の時価

（注）取得したα事業に対してパーチェス法を適用する。したがって移転した資産及び負債は「時価」により計上する。

3. 事業分離後個別貸借対照表(解答数値の算定)

貸借対照表

資　　産	A　社	B　社	負債・純資産	A　社	B　社
現　　金	3,044	1,456	諸　負　債	6,600	2,500
諸　資　産	8,800	2,250	資　本　金	2,000	1,016
の　れ　ん	—	10	資本剰余金	400	—
投資有価証券	216 (＊2)	—	利益剰余金	**3,060** (＊5)	200
合　　計	12,060	**3,716** (＊6)	合　　計	12,060	3,716

(＊5) 事業分離前Ａ社3,000＋移転利益60＝3,060

(＊6) 事業分離前Ｂ社3,500＋諸資産250(＊4)＋のれん10－現金44＝3,716
又は，事業分離後Ｂ社(現金1,456＋諸資産2,250＋のれん10)＝3,716

問題23　正解　3　難易度　A

問題24　正解　4　難易度　A

問題25　正解　4　難易度　B

問題26　正解　1　難易度　A

問題27　正解　5　難易度　A

問題28　正解　5　難易度　B

★本問のポイント

連結財務諸表(評価差額，未達取引，支配獲得までに株式を段階的に取得している場合，未実現損益(アップ・ストリーム)があるときの追加取得，持分法)

解　　説　(単位：百万円)

I．S　社

1．評価差額の計上(全面時価評価法)

(借)	土　　　地	10,000(＊1)	(貸)	評　価　差　額	10,000

(＊1)　X3年3月31日(時価47,000－簿価37,000)＝10,000

(注)X3年9月30日に，X3年3月31日(支配獲得時)において保有していた土地をP社に売却しているが，P社連結グループ内での内部取引のため，評価差額は実現せず，全額未実現損益の調整と考えて，処理している。

2．タイム・テーブル

	X2 3/31	X3 3/31	60%	X4 3/31
		＋60%（15%＋45%）		＋10%
資本金		100,000		100,000
利益剰余金		64,000	19,200 → 12,800	96,000
評価差額		10,000（＊1）		10,000（＊1）
合計		174,000		206,000
取得持分		104,400		20,600
取得原価		32,000	147,000（＊3）	25,000
取得原価		110,250		
段階取得に係る差益		4,750（＊2）		
資本剰余金				△4,400
のれん		42,600	△4,260	38,340

（＊2） 連結上の取得原価147,000（＊3）－個別上の取得原価142,250（＊4）＝4,750

（＊3） X3年3月31日取得分110,250× $\frac{60\%}{45\%}$ ＝連結上の取得原価147,000

（＊4） 32,000＋110,250＝個別上の取得原価142,250

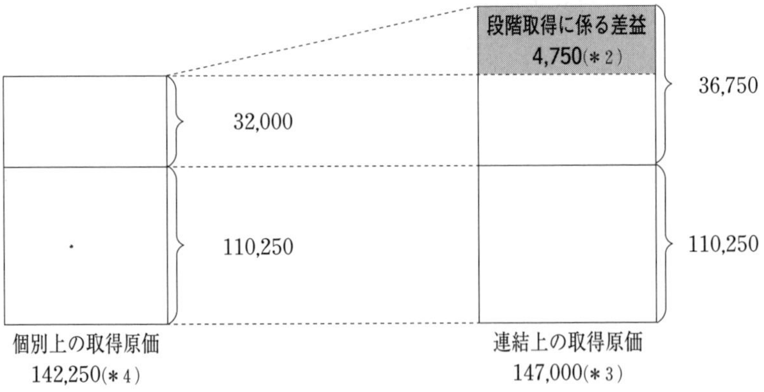

	個別上の取得原価	段階取得に係る差益	連結上の取得原価
15％	32,000	4,750(＊2) →	36,750
45％	110,250		110,250
	142,250 (＊4)		147,000 (＊3)

3．開始仕訳

(借) 資本金	100,000	(貸) S社株式	142,250(＊4)
利益剰余金	59,250(＊5)	非支配株主持分	69,600(＊6)
評価差額	10,000(＊1)		
のれん	42,600		

(＊5)　64,000－段階取得に係る差益4,750(＊2)＝59,250

(＊6)　T/T資本合計174,000×非支配株主持分比率40％＝69,600

◎　当連結会計年度連結S/Sにおける利益剰余金当期首残高(問題23の解答)：**67,750**(＊7)

(＊7)　P社63,000(＊8)＋段階取得に係る差益4,750(＊2)＝67,750

(＊8)　当期末残高(個別B/S)89,000－当期変動額(当期純利益(個別P/L)59,000－剰余金の配当33,000)＝当期首残高63,000

4．当期純利益の按分

(借) 非支配株主に帰属する当期純損益	12,800	(貸) 非支配株主持分	12,800

5．のれんの償却

(借) 販売費及び一般管理費 (のれん償却額)	4,260	(貸) のれん	4,260

6．追加取得

(借) 非支配株主持分	20,600(＊9)	(貸) S社株式	25,000
資本剰余金	4,400(＊10)		

(＊9)　T/T資本合計206,000×追加取得比率10％＝20,600

(＊10)　個別上の取得原価25,000－非支配株主持分減少額20,600(＊9)＝4,400

7．成果連結

(1)　期末商品未達

(借) 諸資産 (商品)	3,000	(貸) 諸負債 (買掛金)	3,000

(2) 売上高と仕入高の相殺消去

(借)	売上高	140,000	(貸)	売上原価	140,000(＊1)

(＊1) 当期商品仕入高137,000＋期末商品未達3,000＝140,000

(3) 売掛金と買掛金の相殺消去

(借)	諸負債 (買掛金)	3,000	(貸)	諸資産 (売掛金)	3,000

(注)本問ではＰ社及びＳ社の内部取引による買掛金と売掛金の期末残高が不明であるため，未達取引分のみを相殺消去している。

(4) 未実現損益の調整(アップ・ストリーム)

① 商品

(借)	売上原価	7,000(＊2)	(貸)	諸資産 (商品)	7,000
(借)	非支配株主持分	2,100(＊4)	(貸)	非支配株主に帰属する当期純損益	2,800(＊3)
	資本剰余金	700(＊5)			

(＊2) (期末棚卸高25,000＋期末商品未達3,000)×売上総利益率25％＝7,000

(注)未達商品は連結上，期末商品に該当する。したがって，未実現損益の調整は未達分も含める点に注意すること。

(＊3) 未実現損益7,000(＊2)×追加取得前非支配株主持分比率40％＝2,800

(＊4) 未実現損益7,000(＊2)×追加取得後非支配株主持分比率30％＝2,100

(＊5) 未実現損益7,000(＊2)×追加取得によるＰ社持分増加比率10％＝700

又は，2,800(＊3)－2,100(＊4)＝700

(注)子会社(Ｓ社)が親会社(Ｐ社)に対して商品を販売しているため，連結上，未実現損益の調整がなされ，子会社の利益が7,000(＊2)減少する。そのため，追加取得時における，子会社資本合計は7,000(＊2)減少し，当該減少分を追加取得後の持分比率に応じて親会社持分と非支配株主持分に按分すると考える。

親会社持分については追加取得時における取得持分が，700(＊5)減少することとなるため「資本剰余金」を△700(＊5)追加計上する。

非支配株主持分については「非支配株主持分」を追加取得後非支配株主持分比率である30％分の2,100(＊4)減額する。

(注)上記仕訳は以下のように分解して考えることができる。

i 全額消去

(借)	売上原価	7,000(＊2)	(貸)	諸資産 (商品)	7,000

ⅱ　追加取得前非支配株主持分比率40%による按分

(借) 非支配株主持分	2,800	(貸) 非支配株主に帰属する当期純損益	2,800(＊3)

ⅲ　追加取得比率10%の調整

(借) 資本剰余金	700(＊5)	(貸) 非支配株主持分	700

②　土　地

(借) 特別利益 (土地売却益)	10,000	(貸) 土地	10,000
(借) 非支配株主持分	3,000(＊7)	(貸) 非支配株主に帰属する当期純損益	4,000(＊6)
資本剰余金	1,000(＊8)		

(＊6)　未実現損益10,000×追加取得前非支配株主持分比率40%＝4,000

(＊7)　未実現損益10,000×追加取得後非支配株主持分比率30%＝3,000

(＊8)　未実現損益10,000×追加取得によるP社持分増加比率10%＝1,000
又は，4,000(＊6)－3,000(＊7)＝1,000

(注)子会社(S社)が親会社(P社)に対して土地を売却しているため，連結上，未実現損益の調整がなされ，子会社の利益が10,000減少する。そのため，追加取得時における，子会社資本合計は10,000減少し当該減少分を追加取得後の持分比率に応じて親会社持分と非支配株主持分に按分すると考える。

親会社持分については，追加取得時における取得持分が1,000(＊8)減少することとなるため「資本剰余金」を△1,000(＊8)追加計上する。

非支配株主持分については「非支配株主持分」を追加取得後非支配株主持分比率である30%分の3,000(＊7)減額する。

(注)上記仕訳は以下のように分解して考えることができる。

ⅰ　全額消去

(借) 特別利益 (土地売却益)	10,000	(貸) 土地	10,000

ⅱ　追加取得前非支配株主持分比率40%による按分

(借) 非支配株主持分	4,000	(貸) 非支配株主に帰属する当期純損益	4,000(＊6)

ⅲ　追加取得比率10%の調整

(借) 資本剰余金	1,000(＊8)	(貸) 非支配株主持分	1,000

(注)商品及び土地の未実現損益の調整仕訳をまとめると，以下の連結修正仕訳となる。

(借) 売上原価	7,000(*2)	(貸) 諸資産 (商品)	7,000
(借) 特別利益 (土地売却益)	10,000	(貸) 土地	10,000
(借) 非支配株主持分	5,100(*10)	(貸) 非支配株主に帰属する当期純損益	6,800(*9)
資本剰余金	1,700(*11)		

(*9) 未実現損益17,000(*12)×追加取得前非支配株主持分比率40％＝6,800

(*10) 未実現損益17,000(*12)×追加取得後非支配株主持分比率30％＝5,100

(*11) 未実現損益17,000(*12)×追加取得によるP社持分増加比率10％＝1,700
又は，6,800(*9)－5,100(*10)＝1,700

(*12) 商品7,000(*2)＋土地10,000＝17,000

(参考)アップ・ストリームにおける未実現損益をT/T に反映させた場合

アップ・ストリームにおいて，①未実現損益を全額消去し，②非支配株主持分比率分だけ非支配株主に按分する連結修正仕訳を行っていたが，当該②の非支配株主に按分する仕訳を行わず，T/T に直接反映させることも可能である。この場合，未実現損益の調整の連結修正仕訳は①全額消去のみ行えばよい。なお，追加取得に関する仕訳は未実現損益調整後資本に基づき行うこと。

(1) 期末商品未達

(借) 諸資産 (商品)	3,000	(貸) 諸負債 (買掛金)	3,000

(2) 売上高と仕入高の相殺消去

(借) 売上高	140,000	(貸) 売上原価	140,000(*1)

(3) 売掛金と買掛金の相殺消去

(借) 諸負債 (買掛金)	3,000	(貸) 諸資産 (売掛金)	3,000

(注)本問では売掛金と買掛金の期末残高が不明であるため，未達取引分のみを消去している。

(4) 未実現損益の調整

① 商品

(借) 売上原価	7,000(*2)	(貸) 諸資産 (商品)	7,000

② 土地

(借) 特別利益 (土地売却益)	10,000	(貸) 土地	10,000

(5)　タイム・テーブル

	X2 3/31	X3 3/31	60%	X4 3/31	
		＋60%(15%＋45%)		＋10%	
資本金		100,000		100,000	
利益剰余金		64,000	19,200 → 12,800	96,000	
評価差額		10,000		10,000	
商品売買		—	△4,200 → △2,800(＊3)	△7,000	(＊2)
土地売買		—	△6,000 → △4,000(＊6)	△10,000	
合計		174,000		189,000	
取得持分		104,400		18,900	(＊13)
取得原価		32,000	147,000	25,000	
取得原価		110,250			
段階取得に係る差益		4,750			
資本剰余金				△6,100	(＊14)
のれん		42,600	△4,260	38,340	

(＊13)　アップ・ストリーム反映後S社T/T 資本合計189,000×追加取得比率10%＝18,900

(＊14)　個別上の取得原価25,000－非支配株主持分減少額18,900(＊13)＝6,100

(6)　未実現損益調整後資本合計に基づく追加取得

(借)	非支配株主持分	18,900(＊13)	(貸) S社株式	25,000
	資本剰余金	6,100(＊14)		

Ⅱ．A社

1．評価差額の計上(部分時価評価法)

持分法では持分法適用会社の財務諸表を合算しないので，持分法適用会社の評価差額に係る仕訳は連結財務諸表に直接反映されないが，参考のために示しておく。

(借)	諸資産	600(＊1)	(貸) 評価差額	600

(＊1)　X3年3月31日(時価155,000－帳簿価額153,000)×P社取得比率30%＝600

2．タイム・テーブル

	X3 3/31	30%		X4 3/31
	＋30%			
資本金	80,000			80,000
利益剰余金	13,000	2,100	△600	18,000
合計	93,000			98,000
持分	27,900			
評価差額	600 (＊1)			
取得持分	28,500			
取得原価	31,000			
のれん	2,500		△250	2,250

3．開始仕訳

仕　訳　な　し

4．当期純利益の認識

(借)	A社株式	2,100	(貸)	営業外収益 (持分法による投資損益)	2,100

5．のれんの償却

(借)	営業外収益 (持分法による投資損益)	250	(貸)	A社株式	250

6．剰余金の配当

(借)	営業外収益 (受取配当金)	600	(貸)	A社株式	600

Ⅲ．P社の連結財務諸表(解答数値の算定)

(注)A社は持分法適用関連会社であることから連結財務諸表の作成上，A社の財務諸表は合算しない点に注意すること。

(注)本問ではP社及びS社の内部取引による買掛金と売掛金の期末残高が不明であるため，未達取引分のみを相殺消去している。

１．連結貸借対照表

	金額	
諸資産	837,500	(＊1)
Ａ社株式	32,250	(＊2)
土地	47,000	(＊3)
のれん	**38,340**	
資産合計	955,090	
諸負債	594,750	(＊4)
資本金	200,000	
資本剰余金	3,900	(＊5)
利益剰余金	99,740	(＊6)
非支配株主持分	**56,700**	(＊7)
負債・純資産合計	955,090	

(＊1)　Ｐ社466,000＋Ｓ社378,500＋成果連結（商品未達3,000－未実現損益7,000
－売掛金の相殺3,000）＝837,500

(＊2)　Ｐ社31,000＋Ａ社T/T（2,100－250－600）＝32,250

(＊3)　Ｐ社47,000＋評価差額10,000－成果連結10,000＝47,000

(＊4)　Ｐ社412,250＋Ｓ社182,500＋成果連結（商品未達3,000
－買掛金の相殺3,000）＝594,750

(＊5)　Ｐ社10,000＋追加取得△4,400＋未実現損益の調整（商品△700
＋土地△1,000）＝3,900

又は，Ｐ社10,000＋アップ・ストリーム反映後Ｓ社T/T△6,100＝3,900

(＊6)　Ｐ社89,000＋Ｓ社T/T（段階取得に係る差益4,750＋19,200－4,260）
＋Ａ社T/T（2,100－250－600）＋成果連結（△7,000＋2,800＋△10,000
＋4,000）＝99,740

又は，Ｐ社89,000＋アップ・ストリーム反映後Ｓ社T/T
（段階取得に係る差益4,750＋19,200－4,260－4,200－6,000）
＋Ａ社T/T（2,100－250－600）＝99,740

(＊7)　Ｓ社T/T 資本合計206,000×非支配株主持分比率30％
－未実現損益の調整（商品2,100＋土地3,000）＝56,700

又は，Ｓ社T/T資本合計206,000×非支配株主持分比率30％
－未実現損益の調整5,100＝56,700

又は，アップ・ストリーム反映後Ｓ社T/T 資本合計189,000
×非支配株主持分比率30％＝56,700

2．連結損益計算書

	金額
売上高	810,000 (＊1)
売上原価	548,000 (＊2)
売上総利益	**262,000** (＊3)
販売費及び一般管理費	169,260 (＊4)
営業利益	92,740
営業外収益	**25,250** (＊5)
営業外費用	**10,500**
経常利益	107,490
特別利益	17,300 (＊6)
特別損失	53,800
当期純利益	70,990
非支配株主に帰属する当期純利益	6,000 (＊7)
親会社株主に帰属する当期純利益	**64,990** (＊8)

(＊1) Ｐ社630,000＋Ｓ社320,000－成果連結140,000＝810,000

(＊2) Ｐ社441,000＋Ｓ社240,000＋成果連結(△140,000＋7,000)＝548,000

(＊3) Ｐ社189,000＋Ｓ社80,000－未実現損益の調整7,000＝262,000

(＊4) Ｐ社120,000＋Ｓ社45,000＋のれん償却額4,260＝169,260

(＊5) Ｐ社14,500＋Ｓ社9,500＋Ａ社T/T(2,100－250－600)＝25,250

(＊6) Ｐ社11,100＋Ｓ社16,200－未実現損益の調整10,000＝17,300

(＊7) Ｓ社T/T12,800＋成果連結(△2,800－4,000)＝6,000
又は，アップ・ストリーム反映後Ｓ社T/T(12,800－2,800－4,000)＝6,000

(＊8) Ｐ社59,000＋Ｓ社T/T(19,200－4,260)＋Ａ社T/T(2,100－250－600)
＋成果連結(△7,000＋2,800＋△10,000＋4,000)＝64,990
又は，Ｐ社59,000＋アップ・ストリーム反映後Ｓ社T/T(19,200
－4,260－4,200－6,000)＋Ａ社T/T(2,100－250－600)＝64,990

◎ 当連結会計年度連結P/Lにおける営業外損益(問題27の解答)：
14,750(＊9)

(＊9) Ｐ社(14,500－4,600)＋Ｓ社(9,500－5,900)＋Ａ社T/T(2,100－250
－600)＝14,750

’23

CERTIFIED PUBLIC
ACCOUNTANT

公認会計士
第Ⅱ回短答式試験

※解答に当たり適用すべき法令等は，2023年４月１日現在施行（適用）のものとする。

解　答　欄

得点	

問題番号	解　答　番　号					
問題 1	1	2	3	4	5	6
問題 2	1	2	3	4	5	6
問題 3	1	2	3	4	5	6
問題 4	1	2	3	4	5	6
問題 5	1	2	3	4	5	6
問題 6	1	2	3	4	5	6
問題 7	1	2	3	4	5	6
問題 8	1	2	3	4	5	6
問題 9	1	2	3	4	5	6
問題10	1	2	3	4	5	6
問題11	1	2	3	4	5	6
問題12	1	2	3	4	5	6
問題13	1	2	3	4	5	6
問題14	1	2	3	4	5	6
問題15	1	2	3	4	5	6
問題16	1	2	3	4	5	6

問題番号	解　答　番　号					
問題17	1	2	3	4	5	6
問題18	1	2	3	4	5	6
問題19	1	2	3	4	5	6
問題20	1	2	3	4	5	6
問題21	1	2	3	4	5	6
問題22	1	2	3	4	5	6
問題23	1	2	3	4	5	6
問題24	1	2	3	4	5	6
問題25	1	2	3	4	5	6
問題26	1	2	3	4	5	6
問題27	1	2	3	4	5	6
問題28	1	2	3	4	5	6
問題29	1	2	3	4	5	6
問題30	1	2	3	4	5	6
問題31	1	2	3	4	5	6
問題32	1	2	3	4	5	6

CERTIFIED PUBLIC ACCOUNTANT

'23

第Ⅱ回

問題編

令和5年試験
第Ⅱ回短答式試験問題
企業法

注意事項

1　受験上の注意事項

・試験官からの注意事項の聞き漏らし／受験案内や試験室及び受験票その他に記載・掲示された注意事項の未確認等，これらを原因とした試験における不利益は自己責任になります。

・携帯電話等の通信機器や携行品の取扱いについては，試験官の指示に従ってください。

・試験開始の合図があるまで，配付物や筆記用具に触れないでください。

・問題に関する質問には，応じません。

2　不正受験や迷惑行為の禁止

・不正行為を行った場合／試験官の指示に従わない場合／周囲に迷惑をかける等，適正な試験実施に支障を来す行為を行った場合，**直ちに退室を命ずることがあります**。

3　試験問題

・試験開始の合図後，直ちに頁数(全20頁)を調べ，不備等があれば黙って挙手し，試験官に申し出てください。

4　答案用紙

・試験開始の合図後，不備等があれば黙って挙手し，試験官に申し出てください。

・試験開始の合図後，直ちに①受験番号及び氏名を正しく記入し，かつ，②受験番号を正しくマークしてください。
答案用紙への記載に当たっては，**B又はHBの黒鉛筆(シャープペンシルも可)を使用**してください。
正しく記載されていない場合には，採点されないことがあります。

・解答欄に**複数マークしている場合は，その問題は不正解になります**。

5　試験終了後

・試験終了の合図後，直ちに筆記用具を置き，答案用紙は裏返して通路側に置いてください。

・試験官が答案用紙を集め終わり指示するまで，絶対に席を立たないでください。

・答案用紙が試験官に回収されずに手元に残っていた場合は，直ちに挙手し，試験官に申し出てください。
試験官に回収されない場合，いかなる理由があっても答案は採点されません。

6　試験問題の持ち帰り

・試験終了後，持ち帰ることができます。

満　点　100点(問題1～20各5点)
時　間　1時間

(この注意事項は出題時のものを載録しています)

問題１　商行為に関する次の記述のうち，正しいものの組合せとして最も適切な番号を一つ選びなさい。（５点）

ア．鉱業を営む自然人が自ら採掘して取得した鉱物の譲渡を目的とする行為は，絶対的商行為である。
イ．自然人である商人が小切手を振り出す行為は，絶対的商行為である。
ウ．自然人である問屋が問屋契約に基づき他人のために物品の買入れをすることは，問屋にとって附属的商行為となる。
エ．商行為によって生じた債務の内容が特定物の引渡しでなく，その履行をすべき場所がその行為の性質又は当事者の意思表示によって定まらないときは，当該債務の履行は，債務者の現在の営業所（営業所がない場合にあっては，その住所）においてしなければならない。

１．アイ　２．アウ　３．アエ　４．イウ　５．イエ　６．ウエ

問題２　会社の登記に関する次の記述のうち，正しいものの組合せとして最も適切な番号を一つ選びなさい。（５点）

ア．合資会社の設立の登記では，社員の住所の登記は要しない。
イ．合同会社の設立の登記では，資本金の額の登記は要しない。
ウ．最高裁判所の判例の趣旨によれば，株式会社において，役員の任期満了又は辞任による退任があっても，法律又は定款に定めた役員の員数を欠いている場合には，登記事項の変更は生じず，登記簿上なお退任した役員の登記を存続させておかなければならない。
エ．新株予約権の行使による変更の登記は，毎月末日現在により，当該末日から法定の期間以内にすれば足りる。

１．アイ　２．アウ　３．アエ　４．イウ　５．イエ　６．ウエ

問題３　株式会社の設立（会社法第二編「株式会社」第一章「設立」の規定によるものに限る。）における発起人に関する次の記述のうち，正しいものの組合せとして最も適切な番号を一つ選びなさい。（５点）

ア．発起人は，設立しようとする株式会社が公開会社である場合には，３人以上でなければならない。

イ．発起設立において発行可能株式総数を定款で定めている場合には，発起人は，株式会社の成立の時までに，その全員の同意によって，発行可能株式総数についての定款の変更をすることができる。

ウ．発起人は，株式会社の成立後に株主の地位を失った場合であっても，株式会社の成立の日から２年以内に，当該株式会社の設立の無効の訴えを提起することができる。

エ．発起人がその引き受けた設立時発行株式につき，その出資に係る金銭の払込みを仮装した場合において，当該発起人が株式会社に対し払込みを仮装した出資に係る金銭の全額の支払の義務を履行したときは，その他資本剰余金の額は，当該義務の履行により支払われた金銭の額が増加する。

１．アイ　２．アウ　３．アエ　４．イウ　５．イエ　６．ウエ

問題４　株式会社の設立（会社法第二編「株式会社」第一章「設立」の規定によるものに限る。）に関する次の記述のうち，正しいものの組合せとして最も適切な番号を一つ選びなさい。なお，設立される株式会社は，種類株式発行会社ではないものとする。（５点）

ア．発起設立の場合において，定款で設立時取締役又は設立時監査役として定められた者は，当該定款につき公証人の認証を受けた時に，それぞれ設立時取締役又は設立時監査役に選任されたものとみなされる。
イ．発起設立の場合において，裁判所が，検査役の報告に基づき，現物出資に関する定款の定めを不当と認め，当該事項を変更する決定をした場合，発起人は，当該決定の確定後１週間以内に限り，その設立時発行株式の引受けに係る意思表示を取り消すことができる。
ウ．募集設立の場合において，創立総会は，招集の通知に設立の廃止の議題の記載又は記録がないときであっても，株式会社の設立の廃止の決議をすることができる。
エ．募集設立により設立された株式会社において，創立総会の決議によりその発行する全部の株式の内容として譲渡による当該株式の取得について当該株式会社の承認を要する旨の定めを定款に設けたときは，創立総会において当該決議に反対した者は，当該株式会社に対し，自己の有する株式を公正な価格で買い取ることを請求することができる。

１．アイ　２．アウ　３．アエ　４．イウ　５．イエ　６．ウエ

問題５　株式の分割及び株式無償割当てに関する次の記述のうち，正しいものの組合せとして最も適切な番号を一つ選びなさい。（５点）

ア．株式の分割により１株に満たない端数が生じることがあるが，株式無償割当てにより１株に満たない端数が生じることはない。
イ．種類株式発行会社においては，ある種類の株式の株主が，株式の分割により自己の有する種類の株式と異なる種類の株式を取得することはないが，株式無償割当てにより自己の有する種類の株式と異なる種類の株式を取得することはある。
ウ．自己株式を保有する株式会社においては，株式の分割により自己株式の数は増えるが，株式無償割当てにより自己株式の数は増えない。
エ．株式の分割については，当該株式の分割に係る基準日を定めることを要しないが，株式無償割当てについては，当該株式無償割当てに係る基準日を定めなければならない。

１．アイ　２．アウ　３．アエ　４．イウ　５．イエ　６．ウエ

問題6　自己株式に関する次の記述のうち，正しいものの組合せとして最も適切な番号を一つ選びなさい。（5点）

ア．株式会社は，自己株式について，新株予約権無償割当てをすることができない。
イ．株式会社は，自己株式について，剰余金の配当を受ける権利を有しない。
ウ．株式会社は，自己株式の取得価額を貸借対照表の資産の部に計上しなければならない。
エ．株式会社が自己株式を消却した場合には，発行可能株式総数は減少する。

1．アイ　2．アウ　3．アエ　4．イウ　5．イエ　6．ウエ

問題7　新株予約権に関する次の記述のうち，正しいものの組合せとして最も適切な番号を一つ選びなさい。（5点）

ア．新株予約権者は，株式会社の承諾を得て，募集新株予約権の払込金額の全額の払込みに代えて，当該払込金額に相当する金銭以外の財産を給付することができる。
イ．譲渡制限新株予約権の新株予約権者は，株式会社に対し譲渡等承認請求をする際に，当該株式会社が譲渡を承認しない旨の決定をする場合には，当該株式会社又は当該株式会社の指定する者が当該譲渡制限新株予約権を買い取ることを請求することができる。
ウ．株式会社が募集事項として募集新株予約権の払込金額及び払込期日を定めたときは，募集新株予約権の割当てを受けた申込者は，当該払込期日に，払込みをした募集新株予約権の新株予約権者となる。
エ．新株予約権を行使した新株予約権者は，当該新株予約権を行使した日に，当該新株予約権の目的である株式の株主となる。

1．アイ　2．アウ　3．アエ　4．イウ　5．イエ　6．ウエ

問題８ 公開会社の株主総会における書面による議決権の行使に関する次の記述のうち，正しいものの組合せとして最も適切な番号を一つ選びなさい。なお，株主総会において決議をすることができる事項の全部につき議決権を行使することができない株主は存在しないものとする。（５点）

ア．１人の株主が同一の議案につき書面と電磁的方法により重複して議決権の行使をした場合において，当該同一の議案に対する議決権の行使の内容が異なるものであるときにおける当該株主の議決権の行使の取扱いに関する事項を，取締役会は，株主総会の招集の決定に際して定めることができる。

イ．公開会社の株主の数が1000人以上である場合には，当該公開会社の取締役が株主の全部に対して金融商品取引法の規定に基づいて株主総会の通知に際して委任状の用紙を交付することにより議決権の行使を第三者に代理させることを勧誘しているときを除き，取締役会は，株主総会に出席しない株主が書面によって議決権を行使することができる旨を定めなければならない。

ウ．株主総会の招集の通知を発するに際して交付すべき議決権行使書面には，各議案について棄権を記載する欄を設けることはできない。

エ．公開会社の債権者は，裁判所の許可を得て，当該公開会社の営業時間内は，いつでも，その請求の理由を明らかにして，当該公開会社に提出された議決権行使書面の閲覧又は謄写の請求をすることができる。

１．アイ　２．アウ　３．アエ　４．イウ　５．イエ　６．ウエ

問題９　電子提供措置をとらなければならない株式会社に関する次の記述のうち，正しいものの組合せとして最も適切な番号を一つ選びなさい。なお，株主総会において決議をすることができる事項の全部につき議決権を行使することができない株主は存在しないものとする。（５点）

ア．取締役は，株主総会の日の３週間前の日又は株主総会の招集の通知を発した日のいずれか早い日から株主総会の日後３か月を経過する日までの間，株主総会の目的である事項について継続して電子提供措置をとらなければならない。

イ．取締役は，株主に対して株主総会の招集の通知に際して，議決権行使書面を交付する場合においても，議決権行使書面に記載すべき事項に係る情報について電子提供措置をとらなければならない。

ウ．取締役会設置会社以外の株式会社が電子提供措置をとる場合には，取締役は，株主総会の日の１週間又はこれを下回る期間を定款で定めた場合にあってはその期間前までに，株主に対し株主総会の招集の通知を発しなければならない。

エ．株式会社が株主総会における議決権を行使することができる者を定めるための基準日を定めた場合においては，株主は，電子提供措置事項を記載した書面の交付を受けるには，当該基準日までに当該株式会社に対し書面交付請求をしなければならない。

１．アイ　２．アウ　３．アエ　４．イウ　５．イエ　６．ウエ

問題10　株主総会の決議の効力を争う訴えに関する次の記述のうち，最高裁判所の判例の趣旨に照らして，正しいものの組合せとして最も適切な番号を一つ選びなさい。なお，当該株主総会について，株主の全員が招集の手続を経ることなく開催することに同意し，又は株主の全員がその開催に同意して出席しているという事情はないものとする。（５点）

ア．株式会社の取締役又は監査役の解任又は選任を内容とする株主総会の決議の不存在の確認の訴えの係属中に，当該株式会社が破産手続開始の決定を受けても，当該訴えについての訴えの利益は当然には消滅しない。

イ．取締役会の有効な決議に基づかないで代表取締役により株主総会が招集され，その招集の通知が全ての株主に対して法定の招集期間に２日足りない会日より12日前になされたときは，当該招集の手続には性質及び程度から見て重大な瑕疵があり，その瑕疵が決議の結果に影響を及ぼさないと認められるときでも，裁判所は株主総会の決議の取消しの請求を認容すべきであって，これを棄却することは許されない。

ウ．株主は，自己に対する株主総会の招集の手続に瑕疵がない場合には，他の株主に対する招集の手続に瑕疵があるときであっても，株主総会の決議の取消しの訴えを提起することができない。

エ．ある議案を否決する株主総会の決議は，新たな法律関係を生じさせ，当該決議を取り消すことも新たな法律関係を生じさせるものであるから，ある議案を否決する株主総会の決議の取消しを請求する訴えは適法である。

１．アイ　　２．アウ　　３．アエ　　４．イウ　　５．イエ　　６．ウエ

問題11　社外取締役に関する次の記述のうち，正しいものの組合せとして最も適切な番号を一つ選びなさい。なお，定款に別段の定めはないものとする。（５点）

ア．監査役設置会社においては，社外取締役の解任は，当該社外取締役が累積投票により選任されていなくとも，株主総会の特別決議によらなければならない。
イ．監査等委員会設置会社においては，監査等委員である取締役は，３人以上で，その過半数は社外取締役でなければならない。
ウ．監査役会設置会社（公開会社であり，かつ，大会社であるものに限る。）であって金融商品取引法第24条第１項の規定によりその発行する株式について有価証券報告書を内閣総理大臣に提出しなければならないものは，社外取締役を置くことを要しない。
エ．指名委員会等設置会社において，執行役が当該指名委員会等設置会社の業務を執行することにより株主の利益を損なうおそれがあるときは，当該指名委員会等設置会社は，その都度，取締役会の決議によって，当該指名委員会等設置会社の業務を執行することを社外取締役に委託することができる。

１．アイ　２．アウ　３．アエ　４．イウ　５．イエ　６．ウエ

問題12　株式会社の業務の適正を確保するために必要なものとして法務省令で定める体制（以下「内部統制システム」という。）に関する次の記述のうち，正しいものの組合せとして最も適切な番号を一つ選びなさい。（５点）

ア．大会社である監査等委員会設置会社において，取締役会は，内部統制システムの整備について決定しなければならない。
イ．指名委員会等設置会社において，取締役会は，その決議によって，内部統制システムの整備についての決定を執行役に委任することができる。
ウ．取締役会設置会社である監査役設置会社において，取締役会は，内部統制システムの整備についての決定をするときは，取締役が株主に報告すべき事項の報告をするための体制を，当該内部統制システムに含めなければならない。
エ．会計監査人設置会社でない監査役設置会社において，事業報告を受領した監査役は，当該事業報告に内部統制システムの整備についての決定又は決議の内容及び運用状況の概要（監査の範囲に属さないものを除く。）がある場合において，その内容が相当でないと認めるときは，その旨及びその理由を内容とする監査報告を作成しなければならない。

１．アイ　２．アウ　３．アエ　４．イウ　５．イエ　６．ウエ

問題13 監査役設置会社における取締役会に関する次の記述のうち，正しいものの組合せとして最も適切な番号を一つ選びなさい。なお，定款に別段の定めはなく，かつ特別取締役は選定されていないものとする。（5点）

ア．株主は，取締役が取締役会設置会社の目的の範囲外の行為をするおそれがあると認めるときは，取締役会の招集を請求することができる。
イ．取締役会は，取締役及び監査役の全員の同意があるときは，招集の手続を経ることなく開催することができる。
ウ．取締役が取締役会の決議の目的である事項について提案をした場合において，当該提案につき取締役（当該事項につき議決に加わることができるものに限る。）及び監査役の全員が書面又は電磁的記録により同意の意思表示をしたときは，当該提案を可とする旨の取締役会の決議があったものとみなされる。
エ．監査役が，取締役及び監査役の全員に対して取締役会に報告すべき事項を通知したときは，当該事項を取締役会へ報告することを要しない。

1．アイ　2．アウ　3．アエ　4．イウ　5．イエ　6．ウエ

問題14 株式会社の行う剰余金の配当等に関する次の記述のうち，正しいものの組合せとして最も適切な番号を一つ選びなさい。（5点）

ア．株式会社は，当該株式会社の新株予約権を配当財産とすることができない。
イ．剰余金の配当に関する事項を取締役会で定めることができる旨の定款の定めを置いた会計監査人設置会社では，株主総会の決議によって剰余金の配当に関する事項を定めることができない。
ウ．株式会社は，総資産額が1000万円未満の場合には剰余金の配当をすることができない。
エ．金銭以外の財産を配当財産とする場合には，株主に対して金銭分配請求権を与えるときを除き，株主総会の特別決議を要する。

1．アイ　2．アウ　3．アエ　4．イウ　5．イエ　6．ウエ

問題15　持分会社の種類の変更及び会社の組織変更に関する次の記述のうち，正しいものの組合せとして最も適切な番号を一つ選びなさい。なお，定款変更手続に関して定款に別段の定めはないものとする。（５点）

ア．合資会社の有限責任社員が退社したことにより当該会社の社員が無限責任社員のみとなった場合には，当該会社は，無限責任社員全員の同意によって定款変更をするまでは，なお，合資会社に関する会社法の規定が適用される。

イ．合資会社の無限責任社員が退社したことにより当該会社の社員が有限責任社員のみとなった場合において，合同会社となる旨及び債権者が一定の期間（ただし，１か月を下らない期間）内に異議を述べることができる旨を官報に公告し，かつ，知れている債権者には各別にこれを催告したときには，当該会社は，当該一定の期間が満了したときに合同会社となる定款の変更をしたものとみなされる。

ウ．合資会社が組織変更をする場合には，組織変更をする旨及び債権者が一定の期間（ただし，１か月を下らない期間）内に異議を述べることができる旨を官報に公告し，かつ，知れている債権者には各別にこれを催告しなければならない。

エ．株式会社が組織変更をする場合において，組織変更をする旨，当該株式会社の計算書類に関する事項及び債権者が一定の期間（ただし，１か月を下らない期間）内に異議を述べることができる旨の公告を，官報のほか，時事に関する事項を掲載する日刊新聞紙又は電子公告のうち定款で定める公告方法によりするときには，知れている債権者に対する各別の催告を要しない。

１．アイ　２．アウ　３．アエ　４．イウ　５．イエ　６．ウエ

問題16 社債に関する次の記述のうち，正しいものの組合せとして最も適切な番号を一つ選びなさい。（5点）

ア．無記名式の社債券を有する社債権者は，募集社債に関する事項において無記名式の社債券を記名式とすることができない旨の定めがある場合を除き，社債発行会社に対し，いつでも，その有する無記名式の社債券を記名式とすることを請求することができる。

イ．社債権者と社債管理補助者との利益が相反する場合において，社債権者のために裁判上又は裁判外の行為をする必要があるときは，裁判所は，社債権者集会の申立てにより，当該社債管理補助者を解任して，事務を承継する社債管理補助者を選任しなければならない。

ウ．社債が2以上の者の共有に属するときは，社債発行会社が社債権者に対してする通知又は催告は，通知又は催告を受領する者1人の氏名又は名称について共有者からの通知がない場合には，そのうちの1人に対してすれば足りる。

エ．社債券を発行する旨の定めがある社債については，当該社債が信託財産に属する旨を社債原簿に記載し，又は記録しなければ，当該社債が信託財産に属することを社債発行会社その他の第三者に対抗することができない。

1．アイ　2．アウ　3．アエ　4．イウ　5．イエ　6．ウエ

問題17 株式会社の組織変更，吸収合併及び組織に関する訴えに関する次の記述のうち，正しいものの組合せとして最も適切な番号を一つ選びなさい。（5点）

ア．株式会社の組織変更の効力が生じた場合には，当該株式会社は清算をしなければならない。

イ．株式会社が吸収合併消滅会社となる吸収合併の効力が生じた場合には，当該株式会社は清算をしなければならない。

ウ．株式会社の設立の無効の訴えに係る請求を認容する判決が確定した場合には，当該株式会社は清算をしなければならない。

エ．株式移転の無効の訴えに係る請求を認容する判決が確定した場合には，株式移転設立完全親会社は清算をしなければならない。

1．アイ　2．アウ　3．アエ　4．イウ　5．イエ　6．ウエ

問題18　新設合併，吸収分割，株式交換及び株式移転に関する次の記述のうち，正しいものの組合せとして最も適切な番号を一つ選びなさい。（5点）

ア．株式会社は，持分会社が新設合併設立会社となる新設合併をすることができる。
イ．合名会社は，吸収分割をすることができる。
ウ．合同会社は，株式交換完全親会社となることができる。
エ．合同会社は，株式移転設立完全親会社となることができる。

1．アイ　2．アウ　3．アエ　4．イウ　5．イエ　6．ウエ

問題19　次の金融商品取引法上の開示書類のうち，内閣総理大臣が公衆の縦覧に供しなければならない期間が同じものの組合せとして最も適切な番号を一つ選びなさい。（5点）

ア．有価証券報告書
イ．発行登録書
ウ．内部統制報告書
エ．半期報告書

1．アイ　2．アウ　3．アエ　4．イウ　5．イエ　6．ウエ

問題20　金融商品取引法における有価証券の募集に関する次の記述のうち，正しいものの組合せとして最も適切な番号を一つ選びなさい。（5点）

ア．新たに発行される第二項有価証券の取得勧誘のうち，その取得勧誘に係る第二項有価証券を500名以上の者が所有することとなるものは，有価証券の募集に該当する。
イ．新たに発行される有価証券の取得勧誘のうち，有価証券の募集に該当しないものは，有価証券の私募に該当する。
ウ．会社法上の公開会社は，取締役会の決議によって募集事項を定めた場合において，募集株式と引換えにする金銭の払込みの期日（期間を定めた場合にあっては，その期間の初日）の2週間前までに，当該募集事項を株主に通知しているときには，有価証券の募集に関し内閣総理大臣へ届出をすることを要しない。
エ．有価証券の募集の届出は，内閣総理大臣が特に期間を指定しない限り，内閣総理大臣が当該有価証券の募集に係る有価証券届出書を受理した日に，その効力を生ずる。

1．アイ　2．アウ　3．アエ　4．イウ　5．イエ　6．ウエ

令和5年試験
第 Ⅱ 回 短 答 式 試 験 問 題
管理会計論

注 意 事 項

1　受験上の注意事項

・試験官からの注意事項の聞き漏らし／受験案内や試験室及び受験票その他に記載・掲示された注意事項の未確認等，これらを原因とした試験における不利益は自己責任になります。

・携帯電話等の通信機器や携行品の取扱いについては，試験官の指示に従ってください。

・試験開始の合図があるまで，配付物や筆記用具に触れないでください。

・問題に関する質問には，応じません。

2　不正受験や迷惑行為の禁止

・不正行為を行った場合／試験官の指示に従わない場合／周囲に迷惑をかける等，適正な試験実施に支障を来す行為を行った場合，**直ちに退室を命ずることがあります**。

3　試験問題

・試験開始の合図後，直ちに頁数(全20頁)を調べ，不備等があれば黙って挙手し，試験官に申し出てください。

4　答案用紙

・試験開始の合図後，不備等があれば黙って挙手し，試験官に申し出てください。

・試験開始の合図後，直ちに①受験番号及び氏名を正しく記入し，かつ，②受験番号を正しくマークしてください。
答案用紙への記載に当たっては，**B又はHBの黒鉛筆(シャープペンシルも可)を使用**してください。
正しく記載されていない場合には，採点されないことがあります。

・解答欄に**複数マークしている場合は，その問題は不正解になります**。

5　試験終了後

・試験終了の合図後，直ちに筆記用具を置き，答案用紙は裏返して通路側に置いてください。

・試験官が答案用紙を集め終わり指示するまで，絶対に席を立たないでください。

・答案用紙が試験官に回収されずに手元に残っていた場合は，直ちに挙手し，試験官に申し出てください。
試験官に回収されない場合，いかなる理由があっても答案は採点されません。

6　試験問題の持ち帰り

・試験終了後，持ち帰ることができます。

満　点　100点（問題1，3，6，7，9，10，13，16各5点／問題2，4，11，12各7点／問題5，8，14，15各8点）

時　間　1時間

（この注意事項は出題時のものを載録しています）

問題１ 原価計算制度に関する次の記述のうち，原価計算の理論および我が国の「原価計算基準」に照らして正しいものの組合せとして最も適切な番号を一つ選びなさい。（５点）

ア．「原価計算基準」によると，直接賃金等であって，作業時間又は作業量の測定を行なう労務費は，実際の作業時間又は作業量に賃率を乗じて計算する。直接工の直接作業時間は，作業時間報告書によって把握される。まず勤務時間から定時休憩時間，職場離脱時間を差し引いて就業時間を計算する。その就業時間から手待時間を差し引いた実働時間が段取時間と直接作業時間から構成されることになる。

イ．費目別計算においては，原価要素を，原則として，形態別分類を基礎とし，これを直接費と間接費とに大別し，さらに必要に応じ機能別分類を加味して分類する。機能別分類は，原価が経営上のいかなる機能のために発生したかによる分類であるから，原価管理を実施するために重要な役割を果たすとともに，活動基準原価計算（Activity-Based Costing：ABC）を適用するための実質的な基礎になる。

ウ．原価計算制度における実際原価の計算には３つの段階がある。すなわち，製造原価は，原則として，その実際発生額を，まず費目別に計算し，次いで原価部門別に計算し，最後に製品別に集計する。このとき，原価計算は工業簿記の記録に基づいて行なわれる。原価計算数値は複式簿記機構に組み込まれ，原価計算により提供される内訳記録と複式簿記により提供される合計記録とが有機的に結合される。

エ．原価管理に役立つために，原価計算は，原価の標準の設定，指示から原価の報告に至るまでのすべての計算過程を通じて，原価の物量を測定表示することに重点をおく。製造現場における原価管理のためには，物量の計算が不可欠だからである。原価計算担当者にとっても物量こそが管理すべき変数となる。

１．アイ　　２．アウ　　３．アエ　　４．イウ　　５．イエ　　６．ウエ

問題２　当社は以前より製品Ｐを製造販売しているが，近年では製品Ｐの需要が急増したため，定時間内の作業だけではなく残業も生じている。当社では，次の〔**資料**〕に基づいて，20X3年５月の労務費の計算を行っている。当社の賃金勘定では基本賃金と残業手当のみが記録されている。また，給料，従業員賞与手当，退職給付費用，および福利費は，別途，間接労務費として計算されている。賃金勘定における空欄（　ア　）～（　キ　）に入る正しい金額の組合せとして最も適切なものの番号を一つ選びなさい。（７点）

〔資料〕

１．直接工の基本賃金は時間当たり1,120円であり，支払額および消費額の計算に利用している。

２．残業時間に対しては基本賃金の25％増を支払っている。基本賃金を超える割増賃金部分は消費賃率に含めず，全て間接労務費として処理している。

３．間接工の消費賃金は，当該原価計算期間の負担に属する要支払額をもって計算している。

４．基本賃金および残業手当は前月21日から当月20日までの１か月について計算し，毎月25日に支払っている。

５．直接工の就業時間の内訳(抄)

	４/21～４/30	５/１～５/20	５/21～５/31
定時間内作業時間	4,258時間	8,615時間	4,080時間
残業時間	1,180時間	2,347時間	1,108時間
間接作業時間	530時間	1,293時間	608時間
手待時間	234時間	488時間	219時間

６．間接工に対する支払額および要支払額

４/21～４/30	要支払額	666,450円
５/25	支 払 額	2,045,040円
５/21～５/31	要支払額	600,900円

７．賃金勘定

賃　金　(単位：円)

当月支払額	（　ア　）	前月未払額	（　エ　）
当月未払額	（　イ　）	仕掛品	（　オ　）
		製造間接費	（　カ　）
	（　ウ　）		（　キ　）

1．（ア）21,400,600　（オ）15,167,040　（カ）5,867,850
2．（ア）19,355,560　（エ）6,420,960　（キ）24,809,910
3．（イ）6,721,700　（ウ）28,122,300　（カ）3,312,390
4．（イ）6,411,460　（エ）7,087,410　（オ）15,167,040
5．（ア）21,400,600　（カ）5,867,800　（キ）28,122,300

問題３　次の記述のうち，実際部門別個別原価計算に関して正しいものの組合せとして最も適切な番号を一つ選びなさい。（５点）

ア．我が国の「原価計算基準」に照らせば，個別原価計算における直接費は，発生のつど又は定期に整理分類して，これを当該指図書に賦課する。自家生産材料の消費価格については，実際原価又は予定価格等をもって計算することが求められる。

イ．予定配賦率の基礎となる基準操業度は，期待実際操業度，予算操業度，達成可能最大操業度や平均操業度など様々である。例えば，期待実際操業度は，利用可能な全ての時間を使って最高能率で生産を行った場合の生産量に基づくものである。

ウ．階梯式配賦法において補助部門の順位を決めるとき，我が国で一般に説明されている順位決定ルールでは，まず，より多くの他部門にサービスを提供している部門を上位とする。サービス提供先が同数の場合には，相互の配賦額を比較して多い方を上位とする，あるいは第一次集計額が多い方を上位とする，のいずれかの方法によって決定する。

エ．我が国の「原価計算基準」に照らせば，個別原価計算において間接費を固定費と変動費に分類するとき，準固定費と準変動費は原則として将来計画からそれぞれ固定費部分および変動費率を予測し，これを固定費と変動費とに分解することが求められる。

１．アイ　　２．アウ　　３．アエ　　４．イウ　　５．イエ　　６．ウエ

問題４ 当社は顧客から個別に注文を受ける受注生産を行っており，個別原価計算を採用している。次の〔**資料**〕に基づき，当月の原価計算の結果として最も適切なものの番号を一つ選びなさい。なお，計算過程で端数が生じる場合，計算途中では四捨五入せず，最終数値の円未満を四捨五入すること。（７点）

〔**資料**〕

１．原価データ

⑴　受注に基づいて発行した指図書別データ

	#401	#402	#403
直接材料消費量	4,000kg	5,000kg	3,500kg
実際機械稼働時間	350時間	400時間	250時間

⑵　直接材料費の計算には予定消費価格を用いる。
予定消費価格　　120円／kg

⑶　加工費は以下のデータに基づいて配賦する。
当月予算操業度(機械稼働時間)　　1,600時間
当月加工費予算　　800,000円

２．その他

⑴　#401，#402，#403のいずれも製造途中に仕損が発生した。

・#401は補修可能な仕損であったため，製造指図書#411を発行した。#411の製造過程では直接材料を追加することなく，120時間の実際機械稼働時間を要した。当該補修は，全て#401の作業に起因して生じている。なお，#401は完成し，納品した。

・#402は軽微な仕損であったため，仕損品評価額を控除することとした。仕損の発生により追加した直接材料の消費量と実際機械稼働時間は#402に含まれている。なお，製品は未完成である。

・#403は，その全部が異常な原因によって仕損となった。そこで，代品を製造するために製造指図書#413を発行した。#413の製造過程では4,000kgの直接材料を消費し，300時間の実際機械稼働時間を要した。なお，当月中に完成し，納品した。

⑵　仕損品の評価額は，#402が40,000円，#403が85,000円であった。

⑶　#401から10kg，#403から30kgの作業屑が生じた。作業屑は30円／kgの評価額で売却することもできる。当社では，#401の作業屑は直接材料費から控除することとし，#403の作業屑は製造原価から控除することとした。

⑷　労働は機械作業と密接に結合した総合的な作業である。

1. #401の仕損費60,000円は#411に振り替える。
2. 仕掛品の次月繰越額は780,000円である。
3. #403に起因する異常仕損費の額は460,000円である。
4. 当月に生じた仕損品と作業屑の評価額を合計すると125,900円である。
5. 当月に完成した製品の売上原価は1,344,700円である。

問題５ 当工場では，Ａ原料を自家生産し，これをＸ製品およびＹ製品それぞれの生産工程に投入し加工することによりＸ製品およびＹ製品を生産しており，累加法による総合原価計算を採用している。具体的には，第一工程においてＢ原料を投入してＡ原料を生産し，第一工程完成品をＸ製品の生産工程（第二工程①）とＹ製品の生産工程（第二工程②）にそれぞれ投入することとしている。

次の〔**資料**〕に基づき，Ｘ製品の完成品単位原価として最も適切なものの番号を一つ選びなさい。なお，計算過程で端数が生じる場合，計算途中では四捨五入せず，最終数値の円未満を四捨五入すること。（８点）

〔**資料**〕

１．当月の生産データ

(1) 第一工程

月初仕掛品	100,000kg（加工費進捗度40％）
当月投入	200,000kg
合計	300,000kg
月末仕掛品	80,000kg（加工費進捗度50％）
完成品	220,000kg

(2) 第二工程

（Ｘ製品）

月初仕掛品	360個（加工費進捗度50％）
当月投入	各自計算個
合計	各自計算個
月末仕掛品	800個（加工費進捗度50％）
完成品	各自計算個

（Ｙ製品）

省略

２．当月の実際原価データ

(1) 第一工程

月初仕掛品	Ｂ原料費250,000千円，加工費82,000千円
当月投入	Ｂ原料費572,000千円，加工費370,400千円

(2) 第二工程

Ｘ製品月初仕掛品	前工程費80,640千円，加工費12,400千円
Ｙ製品月初仕掛品	省略
前工程費	各自計算
直接労務費	55,000千円（Ｘ製品29,800千円，Ｙ製品25,200千円）
製造間接費	40,000千円
直接作業時間	200,000時間（Ｘ製品140,000時間，Ｙ製品60,000時間）

3．その他の計算条件

(1) 第一工程は単純総合原価計算，第二工程は組別総合原価計算を採用している。

(2) 仕掛品の評価方法は，第一工程および第二工程ともに平均法を採用している。

(3) B原料は第一工程始点で投入される。A原料(第一工程完成品)は，１個当たり50kgであり，60％相当が第二工程①(X製品)始点で，40％相当が第二工程②(Y製品)始点で投入される。

(4) 第二工程では，前工程費と直接労務費が組直接費，製造間接費が組間接費である。組間接費は，直接作業時間を配賦基準として組別配賦を行う。

1．183,900 円　　2．229,600 円　　3．238,000 円

4．251,000 円　　5．309,200 円

問題 6 総合原価計算に関する次の記述のうち，我が国の「原価計算基準」に照らして正しいものの組合せとして最も適切な番号を一つ選びなさい。（5点）

ア．原価の製品別計算とは，単位製品の製造原価を算定する手続をいい，原価計算における第三次の計算段階である。製品別計算のためには，加工費を集計する一定の製品単位すなわち原価単位を定める。原価単位は，これを個数，時間数，度量衡単位等をもって示し，業種の特性に応じて適当に定める。

イ．製品別計算は，経営における生産形態の種類別に対応して，単純総合原価計算，等級別総合原価計算，組別総合原価計算，個別原価計算の類型に区分される。いずれも原価集計の単位が期間生産量であることを特質とする。

ウ．組別総合原価計算においては，一原価計算期間の製造費用を組直接費と組間接費又は原料費と加工費とに分け，個別原価計算に準じ，組直接費又は原料費は，各組の製品に賦課し，組間接費又は加工費は，適当な配賦基準により各組に配賦する。

エ．組別総合原価計算においては，一原価計算期間における組別の製造費用と期首仕掛品原価とを，当期における組別の完成品とその期末仕掛品とに分割することにより，当期における組別の完成品総合原価を計算し，これを製品単位に均分して単位原価を計算する。

1．アイ　2．アウ　3．アエ　4．イウ　5．イエ　6．ウエ

問題 7 標準原価計算に関する次の記述のうち，正しいものの組合せとして最も適切な番号を一つ選びなさい。（5点）

ア．インプット法の特徴は原価財の投入段階で差異を把握できる点にあるが，全ての差異を原価財の投入段階で把握できるわけではない。

イ．加重平均標準価格を用いて原料配合差異と原料歩留差異を計算する場合，各原料の標準消費量（実際生産量から標準歩留率と標準配合割合を用いて計算された標準消費量）と実際消費量の差が両方の差異の計算に必要となる。

ウ．標準原価による原価管理とは実際原価を標準原価に近似させることを意味し，このような原価管理を原価低減という。

エ．我が国の「原価計算基準」では正常原価を標準原価計算制度における標準原価としているが，これは通常生ずると認められる程度の仕損等の余裕率を含み，比較的短期における予定操業度や予定価格を前提として決定される原価である。

1．アイ　2．アウ　3．アエ　4．イウ　5．イエ　6．ウエ

問題８　当工場では原料ａを工程の始点で投入して製品Ａを量産しており，パーシャル・プランによる標準原価計算制度を実施している。正常な状態の下では仕損は生じることなく原料ａの96％が製品Ａとなり，工程の終点で減損が発生するものとして減損費を処理している。次の〔資料〕に基づき，正常減損費を原価標準に組み込んだ後の計算結果として最も適切なものの番号を一つ選びなさい。なお，本問では，原価要素別の標準消費量を適当な分だけ増やして正常減損費を原価標準に組み込む方法を第１法，正常減損費を区分して原価標準に組み込む方法を第２法とする。また，計算過程で端数が生じる場合，計算途中では四捨五入せず，最終数値の円未満を四捨五入すること。（８点）

〔資料〕

１．製品Ａの原価標準（正常減損費組込み前）

原　料　費	500円／kg　×4.8kg　＝	2,400円
直接労務費	1,500円／時間×３時間＝	4,500円
製造間接費	2,100円／時間×３時間＝	6,300円
		13,200円

２．当月の生産データ

月初仕掛品	100単位	（加工費進捗度75％）
当 月 投 入	3,150単位	
合　　　計	3,250単位	
減　　　損	150単位	
月末仕掛品	100単位	（加工費進捗度25％）
完　成　品	3,000単位	

３．当月原料実際消費量　15,100kg

４．当月実際直接作業時間　9,324時間

１．数量差異は，第１法が50,000円の不利差異，第２法が10,000円の有利差異となり，第１法がより適切な計算方法である。

２．時間差異は，第１法が180,000円の不利差異，第２法が36,000円の不利差異となり，第２法がより適切な計算方法である。

３．月初仕掛品原価は，第１法が1,093,750円，第２法が1,050,000円であり，第２法がより適切な計算方法である。

４．月末仕掛品原価は，第１法が530,400円，第２法が510,000円であり，第１法がより適切な計算方法である。

５．第２法にて異常減損費を求める場合，正常減損費を含めなければ異常減損費は396,000円である。

問題９　管理会計の基礎知識に関する次の記述のうち，正しいものの組合せとして最も適切な番号を一つ選びなさい。（５点）

ア．管理会計を意思決定会計と業績管理会計に体系化した場合，期間計画と個別計画を策定するための会計が意思決定会計であり，これらの計画の実行を統制するための会計が業績管理会計である。

イ．個別計画は個々の問題やプロジェクトを対象とした計画である。期間計画は将来の一定期間における部門や企業全体の総合計画であり，その期間に実施される個別計画との関係部分を含めて検討される。

ウ．中長期経営計画は，将来の企業経営の方向性を示す大綱的な計画であり，１年を超える期間を対象として設定される。この中長期経営計画が設定された後，企業戦略や事業戦略が検討される。

エ．キャパシティ・コストのうち，コミッテド・キャパシティ・コストには，減価償却費や固定資産税，長期契約の賃借料などがあるが，これらは長期の製造販売能力に関する意思決定によって発生する。

１．アイ　２．アウ　３．アエ　４．イウ　５．イエ　６．ウエ

問題10　財務情報分析に関する次の記述のうち，正しいものの組合せとして最も適切な番号を一つ選びなさい。（５点）

ア．ROE(return on equity)を分解すると，(売上高当期純利益率)×(総資産回転率)×(財務レバレッジ)になる。

イ．損益分岐点比率は，実際の売上高と損益分岐点売上高との差額を実際の売上高で除して求められ，その値が高いほど収益性が高いことを意味する。

ウ．自己資本がプラスの企業において，固定長期適合率が100％を上回る場合であっても，固定比率が100％以下となる場合がある。

エ．総資本利益率を算定する場合の利益として，営業利益に金融収益(受取利息および受取配当金)を加算した事業利益を用いる場合がある。これは，株主と債権者の両方に対するリターンを考慮するためである。

１．アイ　２．アウ　３．アエ　４．イウ　５．イエ　６．ウエ

問題11　当社は自動車部品を仕入販売している。次期に市場金利の上昇が予想されるため，次期の正味運転資本の削減を検討している。仕入先，販売先は固定的で安定しているものの，代金決済条件の見直しは難しい状況にある。次の〔資料〕に基づき，次期のキャッシュ・コンバージョン・サイクルとして最も適切なものの番号を一つ選びなさい。なお，（　＊　）に当てはまる数値は各自推定すること。また，計算過程で端数が生じる場合，計算途中では四捨五入せず，最終数値の小数点第３位を四捨五入すること。（７点）

〔資料〕

1．財務情報(抜粋)（単位：百万円）

	当期	次期
売上高	20,000	20,000
売上原価	16,000	16,000

	前期末	当期末	次期末
売上債権	2,000	2,000	2,000
棚卸資産	1,200	2,000	（　＊　）
仕入債務	1,000	（　＊　）	（　＊　）

2．販売代金の回収と仕入代金の支払いのタイム・ラグおよび棚卸資産への投資により，当期末の正味運転資本は2,500百万円であった。

3．次期は，棚卸資産回転率の目標を当期の1.28倍に設定し，次期末の棚卸資産を（　＊　）百万円まで削減する計画である。その結果，次期末の正味運転資本は1,300百万円に減少すると見込んでいる。

4．売上債権回転率，棚卸資産回転率，仕入債務回転率の計算には，それぞれ，売上高，売上原価，仕入高を用いる。また，各回転率の計算では，関連する各資産，負債の期首と期末の単純平均残高を用いる。なお，１年は365日とする。

5．売上債権，棚卸資産，仕入債務以外の流動資産･流動負債の残高は僅少であり，正味運転資本の計算上考慮しないものとする。

1．　8.40日　　2．11.19日　　3．12.06日

4．31.03日　　5．34.68日　　6．35.81日

問題12 当社は製品Aを製造販売しており，当期の損益データを前提に次期の利益計画を検討している。次の〔**資料**〕に基づき，次期の利益計画に基づく（ア）限界利益率と（イ）安全余裕率をそれぞれ計算し，正しいものの組合せとして最も適切な番号を一つ選びなさい。なお，計算過程で端数が生じる場合，計算途中では四捨五入せず，小数点第３位を四捨五入すること。（７点）

〔**資料**〕

1．当期と次期とで共通する条件

(1) 直接材料費と直接労務費は全額変動費である。

(2) 製造間接費は変動製造間接費と固定製造間接費から構成される。

(3) 販売費は変動販売費と固定販売費から構成される。

(4) 一般管理費は全額固定費である。

(5) 製造された製品は全て同一期間内に販売され，仕掛品を含め期末在庫は存在しない。

2．当期の収益・費用および費用の内訳

売上高　　　500,000千円

売上原価　　350,000千円

（売上原価の構成割合は，直接材料費：直接労務費：製造間接費＝３：３：４）

製造間接費のうち固定製造間接費　90,000千円

販売費　　　70,000千円（うち固定販売費　40,000千円）

一般管理費　40,000千円

3．次期の利益計画

(1) 資源価格の上昇に伴い，販売価格を当期より20％値上げする。

(2) 販売価格の値上げにより，販売数量は10％減少する。

(3) 製品単位当たり直接材料費は当期より20％上昇する。

(4) 製品単位当たり直接労務費は当期より10％上昇する。

(5) 製品単位当たり変動製造間接費は当期より５％上昇する。固定製造間接費は当期より４％増加する。

(6) 製品単位当たり変動販売費は当期より５％上昇する。固定販売費は当期と同額である。

(7) 一般管理費は当期より８％増加する。

	（ア）	（イ）
1.	39.72%	17.58%
2.	39.72%	25.82%
3.	39.72%	82.42%
4.	45.75%	64.41%
5.	45.75%	35.59%
6.	45.75%	28.44%

問題13　原価管理に関する次の記述のうち，正しいものの組合せとして最も適切な番号を一つ選びなさい。（５点）

ア．標準原価管理における原価標準とは，製品単位当たりの目標となる原価であり，完成品の標準原価は，原価標準に標準生産量を乗じて求める。

イ．原価企画とは，企画設計段階において製造原価の大部分が決定される製品を対象として，源流に遡って原価の抜本的な引下げを行う手法である。

ウ．原価企画におけるすり合わせ方式（折衷方式）による目標原価は，まず成行原価を求め，次にその成行原価にVE（value engineering）による原価削減額を加味して求める。

エ．原価企画では，職能横断的なオーバーラップ型の製品開発を行うことで，製品開発のスピードアップが可能となり，さらに原価低減のための新たな知識の創出が期待できる。

1．アイ　　2．アウ　　3．アエ　　4．イウ　　5．イエ　　6．ウエ

問題14　次の文中の(　ア　)と(　イ　)に当てはまる正しい数値の組合せとして最も適切なものの番号を一つ選びなさい。なお，(　＊　)に当てはまる数値は各自推定すること。(８点)

当社では，製品Aを製造販売している。製品Aの販売価格は5千円であり，来月の製造販売数量は5,000個である。来月の製造原価の内訳は，変動製造原価が(　＊　)千円，固定製造原価が3,390千円である。また，来月の販売費及び一般管理費の内訳は，変動販売費が2,750千円，固定販売費及び一般管理費が3,300千円である。月初，月末の棚卸資産の在庫はゼロである。

現在，新規の顧客から通常の販売価格である５千円の半額で(　ア　)個の特別注文があり，これに応じる余力を有しているため，引き受けることが有利か不利かを検討している。そこで，関連原価を用いた計算を実施した。

この計算によると，注文を引き受けることにより(　イ　)千円の営業利益が新たに生じるため，引き受ける方が有利となる。また，この計算を基礎とすると，注文を引き受けることにより製品単位当たりの製造原価は0.113千円低下し，売上総利益率(%)は1.04ポイント低下する。ただし，この特別注文に関して追加的に発生する費用は，変動製造原価のみである。

	(　ア　)	(　イ　)
1.	1,000	700
2.	1,000	1,250
3.	500	700
4.	500	1,250
5.	200	700
6.	200	1,250

問題15　当社は現在，20X4年度から実施予定の新規プロジェクトを検討している。次の〔**資料**〕に基づき，(ア)20X6年度の税引後利益と，(イ)20X4年度期首におけるプロジェクト全体の正味現在価値の組合せとして最も適切なものの番号を一つ選びなさい。なお，計算過程で端数が生じる場合，計算途中では四捨五入せず，最終数値の千円未満を四捨五入すること。（８点）

〔資料〕

1．各年度の売上高，仕入高およびその他現金支出費用の見積り（単位：千円）

	20X4年度	20X5年度	20X6年度
売上高	65,000	73,000	59,000
仕入高	36,000	40,000	31,000
その他現金支出費用	9,000	10,000	8,000

なお，売上高，仕入高およびその他現金支出費用に関するキャッシュ・フローは，全て年度末に生じるものとする。

2．売上債権・仕入債務に関する条件

各年度末において，同一年度の売上高に対して10％の売上債権残高が生じ，同一年度の仕入高に対して７％の仕入債務残高が生じる。売上債権残高は次年度末に回収され，仕入債務残高は次年度末に支払われるものとする。20X6年度末の売上債権と仕入債務の残高は，20X7年度末に回収され，支払われるものとする。

3．設備に関する条件

新規プロジェクトのため，20X4年度期首に新規設備を42,000千円で購入し，代金は購入時に一括して現金で支払う。この設備は20X6年度末に，4,000千円で売却する予定である。設備の売却代金は売却時に現金で全て回収される予定である。この設備は，耐用年数３年，残存価額ゼロの定額法により減価償却が行われる。

4．計算等に関する条件

(1)　年度末において，棚卸資産は存在しないものとする。

(2)　設備の売却損益は，課税所得の計算上，全額損金又は益金への算入が認められる。

(3)　法人税等の実効税率は40％である。法人税等の支払いは年度末に生じるものとする。

(4)　当社は今後も黒字企業であると見込まれる。

(5)　資本コスト率は10％とする。計算に際して，次の現価係数を用いること。

	1年	2年	3年	4年	5年
10％	0.909	0.826	0.751	0.683	0.621

	（ア）	（イ）
1.	6,000千円	4,121千円
2.	6,000千円	2,988千円
3.	7,600千円	1,574千円
4.	7,600千円	4,121千円
5.	8,400千円	2,988千円
6.	8,400千円	1,574千円

問題16 分権化組織とグループ経営の管理会計に関する次の記述のうち，正しいものの組合せとして最も適切な番号を一つ選びなさい。（5点）

ア．事業部長の評価を事業部利益を用いて行う際に，所管する事業部で発生する費用であっても事業部長にとって管理可能でないものは負担させないほうが事業部長の業績評価の観点で望ましい。

イ．ミニ・プロフィット・センターの代表例であるアメーバ組織といわれる分権化組織の特徴には，各アメーバ組織が製品開発，生産，販売，管理などの全ての機能を持つ独立採算制や時間当たり採算による業績管理がある。

ウ．インベストメント・センターとしての事業部の業績を，各事業部の投下資本の収益性により評価する場合，管理可能利益を用いた事業部投下資本利益率や残余利益が用いられる。

エ．グループ経営において経営資源の有効活用を図る手段として，社内又は企業グループ内の複数の組織で行われている経理や総務といった機能を集約したシェアード・サービス・センターの活用がある。

1．アイ　　2．アウ　　3．アエ　　4．イウ　　5．イエ　　6．ウエ

令和5年試験
第Ⅱ回短答式試験問題
監査論

注意事項

1　受験上の注意事項

- 試験官からの注意事項の聞き漏らし／受験案内や試験室及び受験票その他に記載・掲示された注意事項の未確認等，これらを原因とした試験における不利益は自己責任になります。
- 携帯電話等の通信機器や携行品の取扱いについては，試験官の指示に従ってください。
- 試験開始の合図があるまで，配付物や筆記用具に触れないでください。
- 問題に関する質問には，応じません。

2　不正受験や迷惑行為の禁止

- 不正行為を行った場合／試験官の指示に従わない場合／周囲に迷惑をかける等，適正な試験実施に支障を来す行為を行った場合，**直ちに退室を命ずることがあります**。

3　試験問題

- 試験開始の合図後，直ちに頁数(全20頁)を調べ，不備等があれば黙って挙手し，試験官に申し出てください。

4　答案用紙

- 試験開始の合図後，不備等があれば黙って挙手し，試験官に申し出てください。
- 試験開始の合図後，直ちに①受験番号及び氏名を正しく記入し，かつ，②受験番号を正しくマークしてください。
  答案用紙への記載に当たっては，**B又はHBの黒鉛筆(シャープペンシルも可)を使用**してください。
  正しく記載されていない場合には，採点されないことがあります。
- 解答欄に**複数マークしている場合は，その問題は不正解になります**。

5　試験終了後

- 試験終了の合図後，直ちに筆記用具を置き，答案用紙は裏返して通路側に置いてください。
- 試験官が答案用紙を集め終わり指示するまで，絶対に席を立たないでください。
- 答案用紙が試験官に回収されずに手元に残っていた場合は，直ちに挙手し，試験官に申し出てください。
  試験官に回収されない場合，いかなる理由があっても答案は採点されません。

6　試験問題の持ち帰り

- 試験終了後，持ち帰ることができます。

満　点　100点(問題1～20各5点)
時　間　1時間

(この注意事項は出題時のものを載録しています)

問題１ 公認会計士監査に関する次の記述のうち，正しいものの組合せとして最も適切な番号を一つ選びなさい。（５点）

ア．株式会社において，経営者は株主が拠出した資本を適切に管理・運用する受託責任を負い，この結果について株主に会計報告を行う。この会計報告に対する公認会計士の監査は，経営者の説明責任の適切な履行に貢献する。
イ．公認会計士監査は，財務情報の信頼性を担保する役割があるが，その過程で発見した内部統制の不備や不正行為の是正を促す機能を有することから，コーポレート・ガバナンスを支援するという役割も有している。
ウ．上場会社は，社会的に大きな影響力をもっているため，上場会社の監査を担当する公認会計士に対しては，特別に，単独監査の禁止，一定の非監査証明業務の禁止，就職の制限などの規定が置かれている。
エ．上場会社は，一般投資家から広く資金調達を行うことが可能であるため，多くの利害関係者が生じ，これらに対する保護が必要となってくる。このため，利害関係者に対する適時・適切な情報開示のために管理体制の整備が必要となることから，新規に上場するときには，公認会計士による内部統制監査の実施が求められている。

１．アイ　２．アウ　３．アエ　４．イウ　５．イエ　６．ウエ

問題２ 次の記述のうち，虚偽表示に該当する状況を示したものの組合せとして，最も適切な番号を一つ選びなさい。（５点）

ア．得意先の売上債権に対する貸倒引当金の見積りについて，監査報告書日後，その得意先の経営状態が悪化したため，計上していた貸倒引当金の金額が過少となっていた。
イ．決算日における，時価が下落している子会社株式の評価に関して，子会社が策定した将来の業績予測をそのまま利用したが，その業績予測は現実的な予測よりも大幅に利益を高く見積もっていたため，子会社株式の評価が過大となっていた。
ウ．当年度から開示すべき重要な注記事項について，経理担当者に十分な知識がなかったために，必要な開示が漏れていた。
エ．当年度に生じた会社の業績に影響を及ぼす特別な事項について，直接的に開示を求める規定はなかったが，追加的に注記事項としての開示を行った。

１．アイ　２．アウ　３．アエ　４．イウ　５．イエ　６．ウエ

問題３　次の記述のうち，精神的独立性の欠如が直接的に認められる状況を示したものの組合せとして，最も適切な番号を一つ選びなさい。（５点）

ア．監査人は，多忙なため，特定の監査基準報告書の改訂部分については，十分に理解していなかった。
イ．監査人は，監査の過程で矛盾する監査証拠に直面したが，これまで大きな問題がなかったため，追加的な監査手続を実施しなかった。
ウ．監査人は，当初計画していた子会社への往査について，経営者から合理的な理由がないにもかかわらず往査を拒否されたため，やむをえず，往査を実施しなかった。
エ．監査人は，被監査会社より，当年度の利益目標を達成するために，一部の費用を次年度に繰り延べたいと相談されたため，次年度に繰り延べることを容認した。

１．アイ　２．アウ　３．アエ　４．イウ　５．イエ　６．ウエ

問題４　公認会計士法に関する次の記述のうち，正しいものの組合せとして最も適切な番号を一つ選びなさい。（５点）

ア．未成年者でも公認会計士試験を受験することができるが，公認会計士となることはできない。
イ．監査法人の合併の際には総社員の同意が求められるが，監査法人の社員の脱退については総社員の過半数の同意が必要となる。
ウ．監査法人は，業務として，監査証明業務に加え，公認会計士試験に合格した者に対する実務補習を実施しなければならない。
エ．公認会計士名簿，外国公認会計士名簿及び特定社員名簿は，日本公認会計士協会で備えることが求められている。

１．アイ　２．アウ　３．アエ　４．イウ　５．イエ　６．ウエ

問題５　会社法における一時会計監査人に関する次の記述のうち，正しいものの組合せとして最も適切な番号を一つ選びなさい。（５点）

ア．一時会計監査人は，会計監査人の選任と同様に，株主総会の決議によって選任されなければならない。
イ．一時会計監査人に選任された監査法人は，監査法人に所属する社員の中から会計監査人の職務を行うべき者を選定し，会社に通知しなければならない。
ウ．一時会計監査人を選任した際には，会計監査人を選任した場合と同様に，一時会計監査人の氏名又は名称を登記しなければならない。
エ．一時会計監査人の報酬等の決定に当たって，監査役設置会社で監査役が二人以上の場合，取締役は監査役全員の同意を得なければならない。

１．アイ　　２．アウ　　３．アエ　　４．イウ　　５．イエ　　６．ウエ

問題６　監査事務所の品質管理に関する次の記述のうち，正しいものの組合せとして最も適切な番号を一つ選びなさい。（５点）

ア．監査に関する品質管理基準は，公認会計士による財務諸表の監査において適用されるものであり，品質管理システムの構成は，監査事務所の規模や扱う監査業務の目的，内容等により，監査業務の質が合理的に確保される範囲において変化しうるため，監査事務所によって異なることがある。
イ．品質管理基準報告書には，監査における不正リスク対応基準に準拠して実施される監査業務を行う監査事務所に遵守が求められる要求事項が含まれている。この要求事項は，監査事務所に新たな品質管理システムの導入を求めているものではなく，不正リスクに対応する観点から特に留意すべき点に対応したものである。
ウ．監査事務所は，金融商品取引法に基づく監査であっても，監査報告の対象となる財務諸表の社会的影響が小さく，かつ，監査報告の利用者が限定されている非上場会社の監査業務の場合には，審査を要しないとすることができる。
エ．監査事務所は，不正による重要な虚偽表示を示唆する状況が識別された場合に，修正後の監査計画及び監査手続の妥当性について，監査事務所としての審査が行われるよう，審査に関する方針及び手続を定めなければならない。

１．アイ　　２．アウ　　３．アエ　　４．イウ　　５．イエ　　６．ウエ

問題７　監査業務の品質管理に関する次の記述のうち，正しいものの組合せとして最も適切な番号を一つ選びなさい。（５点）

ア．監査チームのメンバーは，個々の監査業務を実施する全ての社員等及び専門職員，並びに当該業務において監査手続を実施する全ての者であるので，監査責任者が所属するネットワーク外の監査事務所に所属する者が含まれることがある。

イ．監査責任者は，独立性の保持が要求される全ての専門職員から，独立性の保持のための方針及び手続の遵守に関する確認書が入手されているかどうかを自ら確認しなければならない。

ウ．監査責任者は，監査報告書日以前に，監査調書の査閲や監査チームとの討議を通じて，到達した結論と監査意見を裏付ける十分かつ適切な監査証拠が入手されているかどうかを判断しなければならないが，全ての監査調書を査閲する必要はない。

エ．審査とは，監査チームによってなされた重要な判断及び到達した結論を客観的に評価することであるため，公認会計士法上の大会社等の監査の審査では，監査チームが行う経営者及び監査役等に伝達する事項の検討及び評価は必要ない。

１．アイ　２．アウ　３．アエ　４．イウ　５．イエ　６．ウエ

問題８　内部統制の不備の報告に関する次の記述のうち，正しいものの組合せとして最も適切な番号を一つ選びなさい。（５点）

ア．監査人は，監査の過程で識別した内部統制の重要な不備全てについて，適切な階層の経営者に報告することが求められている。

イ．監査人は，監査の過程で識別した内部統制の重要な不備について，経営者に速やかに口頭で報告を行った場合，書面又は電磁的記録により監査役等に報告する責任は免除される。

ウ．監査人は，経営者や監査役等に内部統制の重要な不備の内容とそれによって見込まれる影響の説明をする場合，その影響額を算定する必要はなく，また，必ずしも重要な不備を分類して集約する必要もない。

エ．監査人は，監査の過程で識別した重要な不備以外の内部統制の不備について，内部監査人や規制当局等の他の関係者が既に経営者に報告を行っていたとしても，経営者に報告を行うことが適切な場合がある。

１．アイ　２．アウ　３．アエ　４．イウ　５．イエ　６．ウエ

問題9　内部統制監査に関する次の記述のうち，正しいものの組合せとして最も適切な番号を一つ選びなさい。（5点）

ア．我が国の内部統制監査は，内部統制の有効性の評価結果という経営者の主張を前提に，これに対する監査人の意見を表明するものであり，直接報告業務（ダイレクト・レポーティング）を採用しているわけではないが，監査人は，内部統制監査において意見を表明するに当たって，企業等から，直接，十分かつ適切な監査証拠を入手する。

イ．監査人は，財務報告に係る全社的な内部統制の評価の妥当性を検討するに当たって，監査役等の活動を含めた経営レベルにおける内部統制の整備及び運用状況の評価が重要となるため，監査役等が行った業務監査の中身を検討することが求められている。

ウ．内部統制監査は，原則として，財務諸表監査と同一の業務執行社員によって行われることから，監査人は，内部統制監査の過程で得られた監査証拠を財務諸表監査の監査証拠として利用したり，財務諸表監査の過程で得られた監査証拠を内部統制監査の監査証拠として利用したりすることがある。

エ．監査人は，内部統制監査の過程で監査人が発見した開示すべき重要な不備が期末日までに是正された場合，内部統制監査報告書において適正意見を表明するとともに，当該是正措置について追記情報として記載する。

1．アイ　　2．アウ　　3．アエ　　4．イウ　　5．イエ　　6．ウエ

問題10　保証業務に関する次の記述のうち，正しいものの組合せとして最も適切な番号を一つ選びなさい。(５点)

ア．保証業務は，保証業務リスクの程度により，合理的保証業務と限定的保証業務に分類される。業務実施者は，合理的保証業務を行う場合，保証業務リスクを限定的保証業務の場合よりも有意に高い水準を維持し，積極的形式による結論の報告を行う。

イ．業務実施者は，限定的保証業務を行う場合，保証業務の対象について，全ての重要な点において，一定の規準に照らして適正性や有効性等がないと考えられるような事項が発見されなかったかどうかを示す消極的形式によって結論を報告する。

ウ．業務実施者は，保証業務において，手続の適用を通じて十分かつ適切な証拠の収集が求められるが，財務情報のレビューを行う場合，主に合意された手続によって，レビューにおいて求められる十分かつ適切な証拠を得ることになる。

エ．業務実施者は，主題に責任を負う者が想定利用者へ主題情報を提示していない場合，保証報告書において，直接に当該主題について積極的形式又は消極的形式によって結論を報告することが求められている。

１．アイ　２．アウ　３．アエ　４．イウ　５．イエ　６．ウエ

問題11　守秘義務に関する次の記述のうち，正しいものの組合せとして最も適切な番号を一つ選びなさい。(５点)

ア．公認会計士が守秘義務に違反した場合には，刑事罰の対象となることがある。

イ．守秘義務は，監査証明業務に従事する公認会計士が知り得た秘密に対して課せられる義務であり，公認会計士が非監査証明業務に従事することによって知り得た秘密は，守秘義務の対象とはならない。

ウ．監査人予定者は，監査契約の締結前に会社から得た情報及び監査業務の引継に関して前任監査人から得た情報に対して，当該会社と監査契約を締結するか否かにかかわらず守秘義務を負う。

エ．監査法人の特定社員は，公認会計士である社員と同様に守秘義務を負うが，特定社員でなくなったときに守秘義務が解除される。

１．アイ　２．アウ　３．アエ　４．イウ　５．イエ　６．ウエ

問題12 職業的懐疑心に関する次の記述のうち，正しいものの組合せとして最も適切な番号を一つ選びなさい。（5点）

ア．監査基準の職業的懐疑心における経営者が誠実であるとの想定は，監査における不正リスク対応基準の設定に伴って変更されることになった。

イ．監査人は，入手した記録や証憑書類の真正性に疑いを抱く理由がなければ，通常，それらの記録や証憑書類を真正なものとして受け入れることができるが，その場合でも，監査証拠として利用する情報の信頼性を検討する必要がある。

ウ．監査人が，被監査会社に対して監査を実施してきた経験に基づいて，同社の経営者の誠実性を疑う理由がないと判断する場合には，職業的懐疑心を保持する必要性が軽減されることがある。

エ．監査人が職業的懐疑心を適切に保持又は発揮したかどうかについての判断は，具体的な状況において監査人がどのような監査手続を実施したかに基づいて行われる。

1．アイ　2．アウ　3．アエ　4．イウ　5．イエ　6．ウエ

問題13 監査計画に関する次の記述のうち，正しいものの組合せとして最も適切な番号を一つ選びなさい。（5点）

ア．監査計画には，監査の基本的な方針と詳細な監査計画がある。監査の基本的な方針で策定される監査手続には，リスク評価手続が含まれる。

イ．監査人が，監査の基本的な方針を策定する際に決定する重要性の基準値は，財務諸表全体に対して設定されるものであり，特定の財務諸表項目に対して設定されるものではない。

ウ．監査要点とは，監査における具体的な立証の目標をいう。監査人は，監査計画において，財務諸表項目に対して監査要点を設定する。

エ．監査計画は，リスク・アプローチの採用によって一層重要となった。すなわち，リスク・アプローチの採用によって，リスクの評価と監査手続，監査証拠の評価，監査意見の形成といった監査の一連の活動の相関性が増し，これらの活動を適切に管理するために監査計画が重要となった。

1．アイ　2．アウ　3．アエ　4．イウ　5．イエ　6．ウエ

問題14 不正による重要な虚偽表示リスクに関する次の記述のうち，正しいものの組合せとして最も適切な番号を一つ選びなさい。（5点）

ア．売上高や当期純利益などの財務数値の目標達成に対して，経営者と営業担当者が強いプレッシャーを受けている状況は，不正リスク要因となりうる。

イ．監査人は，財務諸表全体に関連する不正による重要な虚偽表示リスクを識別したとしても，財務諸表のどの項目に不正が生じているかは明確ではないため，監査計画に，企業が想定しない要素を組み込んではならない。

ウ．監査人は，経営者が関与する不正による重要な虚偽表示リスクを客観的に識別及び評価する観点から，被監査会社で想定される不正について，経営者に質問してはならない。

エ．経営者による内部統制の無効化は不正による重要な虚偽表示リスクであり，監査人は，当該リスクを特別な検討を必要とするリスクとしなければならない。

1．アイ　2．アウ　3．アエ　4．イウ　5．イエ　6．ウエ

問題15 リスク評価手続に関する次の記述のうち，正しいものの組合せとして最も適切な番号を一つ選びなさい。（5点）

ア．監査リスクとは，財務諸表に生じた重要な虚偽表示を，監査人が監査手続を実施しても看過してしまうリスクをいう。監査人は，このリスクを合理的に低い水準に抑えることが求められている。

イ．監査人は，虚偽表示の発生可能性と影響の度合いを考慮して，固有リスクが最も高い領域に存在すると評価した場合，そのリスクを特別な検討を必要とするリスクとしなければならない。なお，ここでいう虚偽表示の影響には，金額的な影響だけでなく質的な影響も含まれる。

ウ．特定のアサーションが，関連するアサーション（重要な虚偽表示リスクが識別されたアサーション）かどうかを判断するに当たっては，監査人は，当該アサーションについて固有リスクと統制リスクの両者を評価しなければならない。

エ．監査人は，当年度の重要な虚偽表示リスクを評価するため，過年度に自ら監査手続を実施して入手した情報を利用することがあるが，そうした情報についても，監査証拠としての適合性及び信頼性を評価しなければならない。

1．アイ　2．アウ　3．アエ　4．イウ　5．イエ　6．ウエ

問題16　リスク対応手続に関する次の記述のうち，正しいものの組合せとして最も適切な番号を一つ選びなさい。（５点）

ア．監査人は，評価したアサーション・レベルの重要な虚偽表示リスクに応じて，実施する監査手続の種類，時期及び範囲を立案し実施しなければならないが，評価したリスクへの対応という点では，監査手続の種類が最も重要である。
イ．監査人は，評価したアサーション・レベルの重要な虚偽表示リスクが特別な検討を必要とするリスクであると判断した場合，そのリスクに対しては，個別に対応する実証手続を実施しなければならないが，内部統制に依拠しないのであれば，実証手続に詳細テストを含めなければならない。
ウ．監査人は，期中に，当初のリスク評価において予期しなかった虚偽表示を発見した場合には，不正による重要な虚偽表示リスクを識別するとともに，当該リスクに応じたリスク対応手続の実施が求められる。
エ．監査人は，重要性のある取引種類，勘定残高又は注記事項であっても，重要な虚偽表示リスクを識別しなければ，実証手続を立案し実施することは求められていない。

1．アイ　　2．アウ　　3．アエ　　4．イウ　　5．イエ　　6．ウエ

問題17　監査の過程で識別した虚偽表示の評価に関する次の記述のうち，正しいものの組合せとして最も適切な番号を一つ選びなさい。（５点）

ア．監査人は，重要性があると判断される虚偽表示と比べて金額的にごく少額な水準として定めた「明らかに僅少」な虚偽表示を他の虚偽表示と集計する必要はないが，「明らかに僅少」であるかどうかについて何らかの疑義がある場合は「明らかに僅少」ではないと判断し，これを他の虚偽表示と集計しなければならない。
イ．監査の過程で集計した虚偽表示の合計が重要性の基準値に近似していても，その範囲内であれば，監査人は，当初策定した監査計画の修正を検討する必要はない。
ウ．監査人は，過年度に重要性がないと判断された未修正の虚偽表示については，当年度の未修正の虚偽表示が重要であるかの判断において考慮する必要はない。
エ．未修正の虚偽表示のうち重要な虚偽表示がある場合には，監査人は，監査役等が経営者に重要な虚偽表示の修正を求めることができるように，監査報告書日よりも前に監査役等とのコミュニケーションを行うことが必要である。

1．アイ　　2．アウ　　3．アエ　　4．イウ　　5．イエ　　6．ウエ

問題18　グループ監査に関する次の記述のうち，正しいものの組合せとして最も適切な番号を一つ選びなさい。（５点）

ア．グループ財務諸表に関する監査の基準は，連結財務諸表の監査のみならず，個別財務諸表が複数の構成単位から作成される場合や，単一の構成単位から作成される財務諸表の監査において他の監査人を関与させる場合にも必要に応じて適用されることがある。

イ．グループ監査チームは，構成単位の財務情報に関する作業の実施を構成単位の監査人に依頼する場合，構成単位の監査人が同じネットワークに属する他の事務所に所属していても，独立性に問題がないかを理解しなければならない。

ウ．グループ監査チームは，構成単位の財務情報について，構成単位の監査人が実施すべき作業の種類を決定し，構成単位の監査人に指示することまでが求められており，当該構成単位の監査人の作業を評価する必要はない。

エ．グループ監査チームは，構成単位の財務情報の監査又はレビューを実施する場合に用いる構成単位の重要性の基準値を決定しなければならないが，この構成単位の重要性の基準値は，グループ財務諸表全体としての重要性の基準値より高く設定しなければならない。

１．アイ　　２．アウ　　３．アエ　　４．イウ　　５．イエ　　６．ウエ

問題19　監査報告書に関する次の記述のうち，正しいものの組合せとして最も適切な番号を一つ選びなさい。（5点）

ア．特別目的の財務諸表に対する監査報告書においては，監査上の主要な検討事項を記載してはならない。
イ．監査人は，監査上の主要な検討事項の報告が求められる場合において，それに該当する事項がないときでも，監査報告書において，「監査上の主要な検討事項」の見出しを付した区分を設けて，その旨を記載しなければならない。
ウ．監査人は，経営者が作成する財務諸表が継続企業を前提とすることが適切ではないと判断した場合，継続企業を前提とした財務諸表に不適正である旨の意見を表明するとともに，その理由を記載しなければならない。
エ．財務諸表において継続企業の前提に関する開示がない限り，監査報告書上の経営者及び監査役等の責任の区分には，経営者には継続企業の前提に関する評価及び開示を行う責任がある旨の記載は必要とされない。

1．アイ　　2．アウ　　3．アエ　　4．イウ　　5．イエ　　6．ウエ

問題20　監査報告に関する次の記述のうち，正しいものの組合せとして最も適切な番号を一つ選びなさい。（5点）

ア．監査人は，監査の過程で監査役等と協議した事項の中から，特に注意を払った事項を決定し，その決定事項を監査報告書に監査上の主要な検討事項として記載することが求められる。
イ．監査人が，監査報告書において，我が国における一般に公正妥当と認められる監査の基準に基づいて財務諸表に対して意見表明する責任に加えて，その他の報告責任についても記載する場合，財務諸表監査とは別の区分を設けなければならない。
ウ．監査人は，将来の帰結が予測し得ない状況について，財務諸表に与える影響が複合的かつ多岐にわたる場合，重要な監査手続を実施できなかった場合に準じて意見の表明をしないことがある。
エ．監査人は，特別の利用目的に適合した会計の基準により作成される財務諸表に対する監査報告書において，想定される主な利用者等を記載するとともに，他の目的で利用できる場合がある旨の記載が求められている。

1．アイ　　2．アウ　　3．アエ　　4．イウ　　5．イエ　　6．ウエ

令和５年試験
第 II 回 短 答 式 試 験 問 題
財務会計論

注 意 事 項

1　受験上の注意事項

・試験官からの注意事項の聞き漏らし／受験案内や試験室及び受験票その他に記載・掲示された注意事項の未確認等，これらを原因とした試験における不利益は自己責任になります。
・携帯電話等の通信機器や携行品の取扱いについては，試験官の指示に従ってください。
・試験開始の合図があるまで，配付物や筆記用具に触れないでください。
・問題に関する質問には，応じません。

2　不正受験や迷惑行為の禁止

・不正行為を行った場合／試験官の指示に従わない場合／周囲に迷惑をかける等，適正な試験実施に支障を来す行為を行った場合，**直ちに退室を命ずることがあります**。

3　試験問題

・試験開始の合図後，直ちに頁数（全25頁）を調べ，不備等があれば黙って挙手し，試験官に申し出てください。

4　答案用紙

・試験開始の合図後，不備等があれば黙って挙手し，試験官に申し出てください。
・試験開始の合図後，直ちに①受験番号及び氏名を正しく記入し，かつ，②受験番号を正しくマークしてください。
答案用紙への記載に当たっては，**B又はHBの黒鉛筆（シャープペンシルも可）を使用**してください。
正しく記載されていない場合には，採点されないことがあります。
・解答欄に**複数マークしている場合は，その問題は不正解になります**。

5　試験終了後

・試験終了の合図後，直ちに筆記用具を置き，答案用紙は裏返して通路側に置いてください。
・試験官が答案用紙を集め終わり指示するまで，絶対に席を立たないでください。
・答案用紙が試験官に回収されずに手元に残っていた場合は，直ちに挙手し，試験官に申し出てください。
試験官に回収されない場合，いかなる理由があっても答案は採点されません。

6　試験問題の持ち帰り

・試験終了後，持ち帰ることができます。
なお，中途退出する場合には，持ち出しは認めません。必要な場合は，各自の席に置いておきますので，試験終了後，速やかに取りに来てください。

満　点　200点（問題１～22各８点／問題23～28各４点）
時　間　２時間

（この注意事項は出題時のものを載録しています）

問題1　財務会計の役割に関する次の記述のうち，正しいものの組合せとして最も適切な番号を一つ選びなさい。（8点）

ア．財務会計の情報提供機能には，当年度の財務諸表に計上した金額を開示することのみならず，翌年度の財務諸表に重要な影響を及ぼすリスクがある項目における会計上の見積りの内容について，財務諸表利用者の理解に資する情報を開示することも含まれる。

イ．新型コロナウイルス感染症に関する情報は，企業の財政状態および経営成績，キャッシュ・フローの状況に関する適正な判断を行うために必要と解される場合であっても，注記として開示を求める感染症に関する会計基準が存在していないことから，開示をする必要はない。

ウ．財務諸表の注記事項には，⑴継続企業の前提，重要な会計方針，会計上の見積りなど財務諸表の基本となる事項，⑵個々の財務諸表の記載項目の内容・内訳その他の関連情報，⑶1株当たり利益，⑷重要な後発事象が含まれる。

エ．財務諸表において表示される利益情報は，投資の成果を示すものであることから基本的に過去の情報である。したがって，利益情報は分配可能額や課税所得の計算の際に用いられるが，企業価値の評価の基礎となる将来キャッシュ・フローの予測には用いられない。

1．アイ　　2．アウ　　3．アエ　　4．イウ　　5．イエ　　6．ウエ

問題2　「財務諸表等の用語，様式及び作成方法に関する規則」で示されている用語の定義に関する次の記述のうち，正しいものの組合せとして最も適切な番号を一つ選びなさい。（8点）

ア．「関連当事者」には，財務諸表提出会社の親会社，子会社，関連会社およびその他の関係会社に加え，財務諸表提出会社の主要株主，役員が含まれるが，それらの近親者は含まれない。

イ．「キャッシュ・フロー」とは，資金の増加または減少をいい，当該「資金」には，現金，当座預金，普通預金その他預金者が一定の期間を経ることなく引き出せる預金に加え，容易に換金可能で，かつ，価値変動リスクが低い短期的な投資が含まれる。

ウ．「その他有価証券」とは，「売買目的有価証券，満期保有目的の債券，子会社株式，関連会社株式，および市場価格のない有価証券」以外の有価証券をいう。

エ．「会計上の見積りの変更」とは，新たに入手可能となった情報に基づき，前事業年度以前の財務諸表の作成に当たって行った会計上の見積りを変更することをいい，会計上の見積りの変更に関する会計処理は，遡及適用が求められる会計方針の変更に関する原則的な会計処理とは異なる。

1．アイ　2．アウ　3．アエ　4．イウ　5．イエ　6．ウエ

問題３　次の〔資料〕に基づき，当期(X1年４月１日～X2年３月31日)末の貸借対照表に計上される現金の金額として最も適切なものの番号を一つ選びなさい。(８点)

〔資料〕　当期末の決算整理前の現金に関する状況は，以下のとおりである。

１．現金勘定残高　　3,658,000円　　小口現金勘定残高　　150,000円

２．当社は，決算整理後の現金勘定残高および小口現金勘定残高の合計額を，貸借対照表に現金として計上している。

３．当社は，日常の少額の現金払い用の資金を小口現金として管理している。当社は，インプレスト・システム(定額資金前渡制)を採用しており，毎週月曜日に，小口現金の担当者から前週の支払いの報告を受け，小切手を振り出す形で資金補給をしている。

４．X2年３月31日(金)現在，小口現金出納帳には，次のように記入されている(一部未記入)。

小口現金出納帳　　(単位：円)

受　入	X2年		摘　要	支　払	内	訳		
50,800	3	27	前週繰越		旅費交通費	通信費	消耗品費	雑費
(　　)	〃	〃	本日補給					
	〃	〃	交通系ＩＣカード入金	40,000	40,000			
5,000	〃	28	交通費精算					
	〃	29	コピー用紙	31,500			31,500	
	〃	30	茶菓子代	2,500				2,500
	〃	31	事務用筆記用具	15,500			15,500	

５．小口現金を保管している小金庫を期末日に調査したところ，次のことが明らかになった。

(1)　X2年３月28日に交通費の仮払い精算で従業員から5,000円を受け取るべきところ10,000円札を受け取っていたことが判明したため，差額を期末日に返金した。

(2)　自動販売機の釣銭用として月初に大金庫から7,500円を移し，仮払金として処理している。自動販売機には売上金を含む現金が9,500円入っていたため，小口現金を保管している金庫へ受け入れたが，小口現金出納帳への記帳は未処理であった。なお，大金庫に保管してある現金は現金勘定で処理されている。

(3)　売掛金の回収による小切手12,000円を，誤って小口現金出納帳の残高に含めていた。その後，この小切手を振り出した得意先が，X2年３月29日に２回目の不渡りを出し，銀行取引停止になった。

１．3,716,000円　　２．3,721,000円　　３．3,725,500円

４．3,810,700円　　５．3,815,200円　　６．3,820,200円

問題４　次の〔**資料**〕に基づき，当期(X2年４月１日～X3年３月31日)末の個別貸借対照表の投資その他の資産に計上される金額の合計額として最も適切なものの番号を一つ選びなさい。なお，いずれの株式も上場株式であり，当社は〔**資料**〕以外の有価証券を保有しておらず，税効果会計は考慮しない。また，計算結果に端数が生じる場合，千円未満を四捨五入すること。（８点）

〔**資料**〕

1．A社株式は，業務提携目的でX1年12月１日に１株1,000円で2,000株取得したものである。その後，X2年５月１日に１株1,300円で3,000株，X2年９月30日に１株1,500円で2,000株追加取得し，A社の発行済株式数の25％を保有することとなった。A社株式の当期末の時価は１株1,400円である。

2．B社株式は，政策保有目的でX1年３月１日に１株2,000円で20,000株取得したものであるが，政策による保有を解消するため，X3年２月１日の取締役会において１年以内に売却することが決定された。B社株式の当期末の時価は１株1,500円である。

3．C社株式は，X1年８月１日に１株1,100円で3,000株取得したものである。さらに，X2年４月１日に１株1,300円で4,000株，X2年10月30日に１株1,200円で2,000株追加取得し，C社の発行済株式数の60％を保有することとなった。その後，経済環境の急激な悪化によりC社株式の当期末の時価は１株500円となった。期末時点において，C社株式の時価の回復見込みは不明である。

4．D社株式は，政策保有目的でX2年４月１日に95,000ドルで取得したものである。取得時の為替レートは１ドル＝110円であった。当期末の為替レートは１ドル＝130円，当期の期中平均レートは１ドル＝120円である。なお，D社株式の当期末の時価は98,000ドルである。

1．26,140千円　　2．29,840千円　　3．55,160千円
4．56,140千円　　5．59,840千円　　6．62,540千円

財務会計論

問題５　次の〔資料〕に基づき，当期(X4年４月１日～X5年３月31日)末における有形固定資産の貸借対照表価額の合計額として最も適切なものの番号を一つ選びなさい。なお，当社では，〔資料〕で示されている以外の有形固定資産は存在しない。(８点)

〔資料〕

1．X1年４月１日に，国庫補助金の助成を受けて機械装置Ａを取得し事業の用に供している。機械装置Ａの購入価額は50,000千円で，受領した国庫補助金は30,000千円である。当該国庫補助金は，企業会計原則注解24「国庫補助金等によって取得した資産について」の規定に従って，取得原価から控除する。

　機械装置Ａの法人税法に基づく耐用年数は10年であり，また，当社の状況に照らして経済的使用可能予測期間は５年と見積もられた。残存価額はゼロとし，定額法により減価償却を行う。

2．X2年３月31日に土地Ｂ(帳簿価額30,000千円)を収用され，70,000千円の収用対価を受領し，売却益40,000千円を計上した。

　同日，代替資産として建物Ｃを70,000千円で取得し，事業用定期借地権契約を締結するとともに，X2年４月１日から事業の用に供している(資産除去債務は考慮しない)。当該取引には租税特別措置法の規定による収用等の場合の課税の特例が適用され，X2年３月期決算において，圧縮積立金を40,000千円計上した(圧縮積立金に係る税効果は考慮しない)。

　建物Ｃの耐用年数は20年，残存価額はゼロとし，定額法により減価償却を行う。

1．29,500千円	2．37,500千円	3．63,500千円
4．69,500千円	5．71,500千円	6．89,500千円

問題６　次の〔資料〕に基づき，X3年度(X3年４月１日～X4年３月31日)末の貸借対照表の資産の部に計上される繰延資産の合計額として，最も適切なものの番号を一つ選びなさい。なお，計算結果に端数が生じる場合，千円未満を四捨五入すること。(８点)

〔資料〕

1．当社のＸ3年度末決算整理前残高試算表の金額(一部)

株式交付費	8,400千円	開発費	13,900千円
社債発行費	1,440千円		

2．当社は選択可能な会計処理の方法がある場合，最も当期の費用が少なくなるような方法を選択している。なお，繰延資産の償却は期末の決算手続において実施しており，また，その償却に当たっては月割計算を行っている。

3．株式交付費のうち6,000千円は，当社の企業規模拡大のための資金調達を目的として発行された株式に係る支出であり，X3年度第４四半期期首に当該株式を交付している。なお，この支出については，資本から直接控除する会計処理は行わない。

また，株式交付費の残額2,400千円は，X3年度第３四半期期首に実施した株式の分割に係る支出であった。

4．開発費の内訳は以下のとおりである。

⑴　5,500千円は，製品の著しい改良のためにX3年度期首に支出したものである。

⑵　8,400千円は，新経営組織の採用および生産能率向上のための設備の大規模な配置換えに係るX3年度第２四半期期首での支出であり，新経営組織の効果は５年間継続すると見積もっている。

5．社債発行費は，X1年度期首に額面600,000千円の社債(期間５年)を発行した際に生じたものであり，償却については定額法で適切に処理されてきた。X3年度第３四半期期首に当該社債のうち半額を買入消却した。

1．　5,980千円　　2．13,120千円　　3．13,600千円
4．14,980千円　　5．15,320千円　　6．17,520千円

財務会計論

問題7　資産除去債務に関する次の記述のうち，正しいものの組合せとして最も適切な番号を一つ選びなさい。（8点）

ア．資産除去債務は，有形固定資産の取得，建設，開発，あるいは，通常の使用により生じるものをいい，有形固定資産を除去する義務が，不適切な操業等の異常な原因によって発生した場合には，資産除去債務として使用期間にわたって費用配分すべきではなく，引当金の計上や減損会計の適用対象となる。

イ．資産除去債務は，発生したときに，有形固定資産の除去に要する割引前の将来キャッシュ・フローを見積もり，割引後の金額で算定する。将来キャッシュ・フローを見積もる場合，生起する可能性の最も高い単一の金額または生起し得る複数の将来キャッシュ・フローをそれぞれの発生確率で加重平均した金額による。

ウ．資産計上された資産除去債務に対応する除去費用に係る費用配分額は，損益計算書上，当該資産除去債務に関連する有形固定資産の減価償却費と同じ区分に含めて計上する。ただし，時の経過による資産除去債務の調整額は，その履行に関する資金調達費用であると考えることができるので，当該調整額を損益計算書の「営業外費用」に計上する。

エ．割引前の将来キャッシュ・フローに重要な見積りの変更が生じ，当該キャッシュ・フローが増加する場合，当初の負債計上時の割引率を適用する。これに対し，当該キャッシュ・フローが減少する場合には，見積り変更時の割引率を適用する。

1．アイ　2．アウ　3．アエ　4．イウ　5．イエ　6．ウエ

問題8　次の〔資料〕に基づき，資本金の変動額として最も適切なものの番号を一つ選びなさい。なお，新株の発行により増加する払込資本がある場合にはこれを資本金とし，また，自己株式の処分に係る付随費用および払込期日までの処理は考慮しない。（8点）

〔資料〕

株主総会で以下の事項が決議され，実行された。

① 募集株式の数　100株（このうち30株は新株の発行により，また70株は自己株式の処分による。）

② 募集株式の払込金額　100百万円

③ 処分する自己株式の帳簿価額　140百万円

1．40百万円の減少　2．10百万円の増加　3．20百万円の増加
4．30百万円の増加　5．40百万円の増加　6．変化なし

問題９　財務諸表に関する次の記述のうち，正しいものの組合せとして最も適切な番号を一つ選びなさい。（８点）

ア．包括利益計算書では，包括利益は，当期純利益にその他の包括利益を加減して表示する。ここに包括利益とは，「包括利益の表示に関する会計基準」では，ある企業の特定期間の財務諸表において認識された純資産の変動額のうち，当該企業の純資産に対する持分所有者との直接的な取引によらない部分であると定義されている。

イ．株主資本等変動計算書では，その記載すべき項目は，「株主資本等変動計算書に関する会計基準」により純資産の部の全ての項目をその範囲としている。しかし，株主資本とそれ以外の項目とでは，一会計期間における変動事由ごとの金額に関する情報の有用性が異なることから，株主資本については当期変動額を変動事由ごとに表示し，株主資本以外の項目については当期変動額を純額で表示しなければならない。

ウ．損益計算書では，収益および費用を区分して表示し，段階的に損益を表示する。「企業会計原則」および「企業会計原則注解」によれば，この区分において，特別利益または特別損失に属する項目であっても，金額が僅少なものまたは毎期経常的に発生するものは，営業外収益または営業外費用に含めて表示することができる。

エ．貸借対照表では，資産は，流動資産に属する資産，固定資産に属する資産および繰延資産に属する資産に区別して表示する。「企業会計原則」および「企業会計原則注解」によれば，たな卸資産は流動資産に属するものとするが，たな卸資産のうち恒常在庫品として保有するもの，もしくは余剰品として長期間にわたって所有するものは，固定資産に含めて表示する。

１．アイ　　２．アウ　　３．アエ　　４．イウ　　５．イエ　　６．ウエ

問題10 卸売業を営む当社は，当期から個別財務諸表のキャッシュ・フロー計算書を作成し，開示することとなった。以下の〔**資料Ⅰ**〕および〔**資料Ⅱ**〕に基づき，次の①および②の金額の組合せとして，最も適切なものの番号を一つ選びなさい。なお，金額単位は，全て百万円である。（８点）

① キャッシュ・フロー計算書を，直接法で作成するとした場合における，商品の仕入による支出の金額。

② キャッシュ・フロー計算書を，間接法で作成するとした場合における，営業活動によるキャッシュ・フローの区分で，加算される項目として表示される金額のうち最大のもの。

〔**資料Ⅰ**〕 財務諸表項目の金額

１．損益計算書の一部の項目の，当期の金額は，以下のとおりである。

売上原価	124,350
受取利息	240
支払利息	810

（注） １．商品の減耗および評価損は，前期および当期において発生していない。
２．仕入勘定から他勘定への振替は，発生していない。

２．貸借対照表の一部の項目の，前期末および当期末の金額は，以下のとおりである。

	前期末	当期末
商　　品	38,240	40,560
前 渡 金	350	120
未収収益	15	20
買 掛 金	15,680	16,240
未払費用	210	160

（注） １．前渡金は，全て商品の仕入に関するものである。
２．未収収益は，全て受取利息に関するものである。
３．未払費用は，全て支払利息に関するものである。

〔**資料Ⅱ**〕 キャッシュ・フロー計算書の表示方法

１．受取利息および支払利息は，営業活動によるキャッシュ・フローに含めて表示する。

	１．	２．	３．	４．	５．	６．
①	△125,880	△125,880	△126,110	△126,110	△127,460	△127,460
②	860	810	2,320	860	2,320	810

（注） 金額に付された△は，マイナスを表している。

問題11　次の会計処理のうち，「金融商品に関する会計基準」および「金融商品会計に関する実務指針」において認められている方法の組合せとして，最も適切なものの番号を一つ選びなさい。（8点）

ア．破産更生債権等の貸倒見積高を，貸倒引当金として処理するのではなく，債権金額または取得価額から直接減額する方法。

イ．ヘッジ会計において，ヘッジ対象である資産または負債に係る相場変動等を損益に反映させることにより，その損益とヘッジ手段に係る損益とを同一の会計期間に認識する方法。

ウ．転換社債型新株予約権付社債以外の新株予約権付社債の発行に伴う払込金額を，社債の対価部分と新株予約権の対価部分に区分することなく，普通社債の発行に準じて処理する方法。

エ．取得時にその他有価証券に分類された債券を，取得後に保有目的を変更し，変更時点における時価をもって，満期保有目的の債券に振り替える方法。

1．アイ　2．アウ　3．アエ　4．イウ　5．イエ　6．ウエ

問題12 「ストック・オプション等に関する会計基準」および同適用指針に関する次の記述のうち，正しいものの組合せとして最も適切な番号を一つ選びなさい。（8点）

ア．ストック・オプションを付与し，これに応じて企業が従業員等から取得するサービスに対して計上する費用総額は，ストック・オプションの付与日の公正な評価額によって計算するが，その後ストック・オプションに係る条件変更が行われた場合を除き，見直されることはない。

イ．株価が大幅に下落したために，ストック・オプションに当初期待されていたインセンティブ効果を回復する目的で行使価格を引き下げた場合は，ストック・オプションの公正な評価単価を変動させる条件変更として処理される。ただし，株式分割または株式の第三者割当増資が行われた場合に，付与されたストック・オプションの実質的内容を維持するための調整として行われた行使価格の引下げは，ここにいう条件変更には含まれない。

ウ．新たな条件のストック・オプションの付与と引換えに，当初付与したストック・オプションを取り消す場合は，実質的に当初付与したストック・オプションの条件変更と同じ経済実態を有すると考えられるとしても，ストック・オプションの条件変更とみなして会計処理を行うことはできない。

エ．ストック・オプションを付与したことによって計上する費用の各会計期間の計上額の算定方法の1つに，対象勤務期間を基礎とする方法がある。しかし，権利確定条件が付されていない場合には，対象勤務期間はなく，ストック・オプションの付与日に一時に費用を計上する。

1．アイ　　2．アウ　　3．アエ　　4．イウ　　5．イエ　　6．ウエ

問題13　次の〔資料〕に基づき，X2年度(X2年４月１日～X3年３月31日)の期末における，A社のリース債務および減価償却累計額の残高の組合せとして最も適切なものの番号を一つ選びなさい。なお，計算結果に端数が生じる場合，千円未満を四捨五入すること。(８点)

〔資料〕

１．A社は，X1年４月１日に，次の条件で，借手として機械のリース契約を締結し，同日から使用を開始した。

⑴　所有権移転条項および割安購入選択権はない。また，リース物件は特別仕様ではない。

⑵　この契約には，リース期間終了時に借手がリース物件の処分価額を2,000千円まで保証する条項(残価保証)が付されている。

⑶　解約不能のリース期間は５年である。

⑷　リース料は月額200千円で，毎年３月31日に１年分を後払いする。

２．借手の見積現金購入価額は12,000千円である。なお，貸手のリース物件の購入価額はこれと等しいが，借手において当該価額は明らかではない。

３．借手の追加借入利子率は年６％である。なお，貸手の計算利子率は借手において知り得ない。

４．リース物件の経済的耐用年数は６年である。

５．減価償却方法は定額法である。

	リース債務	減価償却累計額
１．	6,415千円	3,842千円
２．	6,415千円	4,044千円
３．	8,094千円	3,842千円
４．	8,094千円	4,642千円
５．	8,287千円	4,000千円
６．	8,287千円	4,044千円

財務会計論

問題14 「退職給付に関する会計基準」および同適用指針に関する次の記述のうち，正しいものの組合せとして最も適切な番号を一つ選びなさい。（８点）

ア．数理計算上の差異については，未認識数理計算上の差異の残高の一定割合を費用処理する方法によることができる。この場合の一定割合は，数理計算上の差異の発生額が平均残存勤務期間以内に概ね費用処理される割合としなければならない。
イ．複数の退職給付制度を採用している場合において，１つの退職給付制度に係る年金資産が当該退職給付制度に係る退職給付債務を超えるときは，当該年金資産の超過額を他の退職給付制度に係る退職給付債務から控除することができる。
ウ．退職給付見込額の見積りにおいて合理的に見込まれる退職給付の変動要因には，予想される昇給等は含まれない。また，臨時に支給される退職給付等であってあらかじめ予測できないものも，退職給付見込額に含まれない。
エ．確定拠出制度については，当該制度に基づく要拠出額をもって費用処理する。また，当該制度に基づく要拠出額をもって費用処理するため，未拠出の額は未払金として計上する。

１．アイ　２．アウ　３．アエ　４．イウ　５．イエ　６．ウエ

問題15　次の〔**資料**〕に基づき，当社の当期（X4年４月１日～X5年３月31日）の個別財務諸表における退職給付費用の金額および退職給付引当金の金額の組合せとして，最も適切なものの番号を一つ選びなさい。なお，計算結果に端数が生じる場合には，百万円未満をその都度四捨五入すること。（８点）

〔**資料**〕

1．当社は，従業員非拠出の確定給付企業年金制度を採用している。

2．前期末における金額は，以下のとおりである。
退職給付債務：1,400百万円　年金資産：900百万円
未認識数理計算上の差異：180百万円
（注）未認識数理計算上の差異は，割引率に重要な変動が生じたため，前期に割引率の引下げを行ったことにより発生したものである。

3．当期の数理計算に用いる割引率は年1.5％，長期期待運用収益率は年2.56％とする。

4．当期の勤務費用は，250百万円である。

5．当期の年金資産からの年金給付支払額は300百万円，掛金拠出額は200百万円であった。

6．当期における年金資産の実際運用収益率は年4.75％であったため，数理計算上の差異が発生した。

7．当期末に退職給付水準の引上げがあり，これに伴い過去勤務費用が125百万円発生している。

8．数理計算上の差異は，発生の翌期から費用処理期間10年の定額法，過去勤務費用は，15年間にわたり定額法で費用処理する方法を採用している。

	退職給付費用	退職給付引当金
1．	248百万円	354百万円
2．	248百万円	653百万円
3．	254百万円	394百万円
4．	254百万円	653百万円
5．	274百万円	354百万円
6．	274百万円	394百万円

問題16 次の〔**資料**〕に基づき，①製品Ｙの引渡時および②製品Ｐの引渡時に計上される売上の金額の組合せとして，最も適切なものの番号を一つ選びなさい。（８点）

〔**資料**〕

1．当社は，それぞれ別個の製品Ｘ，製品Ｙ，製品Ｚおよび製品Ｐの４種類の製品を，製造販売している。各製品とも１個当たりの独立販売価格は11千円／個である。

2．当社は，以下の契約を締結した。なお日付は，全て同じ年のものである。

契約No. （契約日）	契約内容
No.101－1 （１月20日）	３月20日に製品Ｘを100個，４月30日に製品Ｙを100個，甲社に引き渡す。固定対価である2,000千円に加えて，製品Ｘの市況により，増額の可能性がある変動対価である100千円が契約に含まれる。
No.102－1 （２月15日）	４月15日に製品Ｐを500個，乙社に引き渡す。対価は5,000千円である。
No.101－2 （３月25日）	契約No.101－1の契約範囲を変更し，４月30日に引き渡す製品Ｙに加えて，５月31日に製品Ｚを100個引き渡す。なお，契約No.101－1に定めた対価に加えて，固定対価である400千円の増額を行う。

3．契約No.101－1について，当社は，変動性のある支払の条件が，製品Ｘを移転するための活動に，個別に関連しており，契約における履行義務および支払条件の全てを考慮した場合，変動対価の額の全てを，製品Ｘに配分することが，企業が権利を得ると見込む対価の額を描写すると判断した。

4．契約No.102－1について，当社が，乙社との過去の慣行に基づき，また関係を維持するために価格の引下げを行うことを見込んでいるため，対価は，変動対価となる。引下幅が10％となる確率は10％，20％となる確率は70％，30％となる確率は20％であるが，当社は，権利を得ることとなる変動対価を見積もるために，当該対価の額をより適切に予測できる方法として，最頻値による方法を使用した。また当社は，変動対価の額に関する不確実性が，事後的に解消される時点までに，計上された収益の著しい減額が，発生しない可能性が高いと判断した。

5．当社の引渡義務は，全て履行された。

	1．	2．	3．	4．	5．	6．
①	700千円	700千円	725千円	725千円	1,050千円	1,050千円
②	3,950千円	4,000千円	3,500千円	4,000千円	3,500千円	3,950千円

問題17　連結財務諸表上の税効果の会計処理に関する次の記述のうち，正しいものの組合せとして最も適切な番号を一つ選びなさい。（８点）

ア．資本連結手続において，子会社の資産を時価評価して評価増が生じた場合には，評価差額を認識するとともに，当該差額に係る将来加算一時差異について繰延税金負債を計上する。その後，当該資産を連結企業集団外に売却した場合には，売却した年度において，評価差額に係る一時差異の解消に応じて，繰延税金負債を当該資産を相手勘定として取り崩す。

イ．連結会社相互間の取引によって取得した資産に含まれる未実現利益は，連結手続において，その全額を消去する。この場合に，未実現利益の消去に係る繰延税金資産の計算に当たっては，繰延法を適用し，未実現利益が発生した売却元に適用された税率を用いる。その後，売却元に適用される税率が変更されても，繰延税金資産の金額の見直しは行わない。

ウ．親会社が子会社に対する債権に貸倒引当金を設定したが，同繰入額が税務上損金として認められないために，親会社の個別貸借対照表において繰延税金資産を計上している場合には，連結手続において，当該繰延税金資産の金額と，貸倒引当金の減額修正から生じる将来加算一時差異に対して認識された繰延税金負債の金額を相殺する。

エ．連結企業集団内において，個別貸借対照表に繰延税金資産を計上する子会社と繰延税金負債を計上する子会社とがそれぞれ存在する場合には，親会社は，企業集団全体の観点からこれらを相殺した残高を連結貸借対照表に表示することとし，相殺後の残高が繰延税金資産となる場合には投資その他の資産に，繰延税金負債となる場合には固定負債に計上する。

１．アイ　　２．アウ　　３．アエ　　４．イウ　　５．イエ　　６．ウエ

問題18 次の〔資料〕に基づき，株式移転直後のX3年１月１日においてＣ社が連結貸借対照表を作成する場合に計上される資本剰余金の金額として正しいものの番号を一つ選びなさい。（８点）

〔資料〕

１．Ａ社は，国内に株式を上場しており，その発行済株式総数は200千株である。Ａ社は，X1年12月31日，他社とともに出資して国内にＢ社を設立した。Ａ社の出資額は2,400百万円であった。Ｂ社の発行済株式総数は200千株であり，Ａ社はそのうち160千株を保有し，Ｂ社を連結子会社とした。

２．Ａ社およびＢ社の連結会計年度および事業年度は，全て12月末日を決算日とする１年である。

３．Ｂ社においてX2年度の当期純利益は，3,000百万円であった。

４．X3年１月１日，Ａ社およびＢ社は，株式移転により株式移転設立完全親会社Ｃ社を設立した。

５．株式移転において，Ｃ社は，新株を300千株発行した。Ａ社株主にはＡ社株式１株に対してＣ社株式１株，Ｂ社株主にはＢ社株式１株に対してＣ社株式0.5株が交付された。株式移転日のＡ社株式の時価により算定した，Ｂ社の非支配株主に交付されたＣ社株式の時価は，1,500百万円（１株当たり75千円）であった。

６．Ｃ社は，新株発行に伴う増加すべき株主資本のうち，資本金を6,000百万円，残額をその他資本剰余金とした。

７．株式移転日の直前（X2年12月31日）におけるＡ社およびＢ社の個別貸借対照表は次のとおりである。

個別貸借対照表　（単位：百万円）

資　産	Ａ社	Ｂ社	負債・純資産	Ａ社	Ｂ社
諸資産	11,600	7,000	諸負債	2,000	1,000
Ｂ社株式	2,400		資本金	6,000	3,000
			利益剰余金	6,000	3,000
合計	14,000	7,000	合計	14,000	7,000

８．Ｂ社に関して，資産および負債の簿価と時価との間で重要な差異はない。

９．計算結果に端数が生じる場合には，百万円未満を四捨五入すること。

１．1,200百万円　２．3,600百万円　３．3,900百万円
４．5,100百万円　５．6,000百万円　６．9,300百万円

問題19　次の〔**資料**〕に基づき，Ｐ社が作成する連結財務諸表における連結会社の数として正しいものの番号を一つ選びなさい。（８点）

〔**資料**〕

1．Ｐ社は，Ａ社の議決権の40％を保有している。また，Ａ社は，Ｂ社の議決権の30％を保有し，Ｂ社はＡ社の議決権の15％を保有している。

2．Ｐ社は，Ｃ社の議決権の45％を保有し，かつ，Ｃ社の取締役会に対して自社の役員等から派遣しその構成員の60％を占めている。また，Ｃ社は，Ｄ社の議決権の15％を保有し，かつ，技術提供の関係を通じてＤ社の財務および営業または事業の方針の決定に対して重要な影響を与えることができる。

3．Ｐ社は，Ｅ社の議決権の60％を保有し，かつ，Ｆ社の議決権の40％を保有している。Ｅ社は，Ｆ社の議決権の15％を保有し，Ｇ社の議決権の60％を保有している。Ｆ社は，Ｇ社の議決権の40％を保有している。一方で，Ｇ社は，Ｐ社およびＥ社の主導のもとで清算手続が進められているため，継続企業とは認められない。

4．Ｐ社は，特別目的会社であるＨ社の議決権の100％を保有している。Ｈ社は，Ｐ社から適正な価額で譲り受けた資産から生ずる収益を自らが発行する証券の保有者に享受させることを目的として設立されており，その事業は当該目的に従って適切に遂行されている。

5．Ｐ社は，投資事業組合であるＩ社(組合)の業務執行の権限の30％を有しており，かつ，Ｉ社(組合)への出資額総額の半分の額を拠出している。

1．3社　　2．4社　　3．5社　　4．6社　　5．7社　　6．8社

問題20 次の〔**資料**〕に基づき，共用資産に配分される減損損失の金額として正しいものの番号を一つ選びなさい。なお，共用資産の減損損失の認識と測定に当たっては，より大きな単位で資産をグルーピングする方法によること。（8点）

〔**資料**〕

1．当社は，資産グループAおよびBを保有しており，それぞれの帳簿価額は，750,000千円および650,000千円であった。

2．当社は，資産グループAおよびBとは別に，全社的なキャッシュ・フローの生成に貢献する共用資産Cを保有しており，その帳簿価額は350,000千円であった。

3．資産グループAおよび共用資産Cに減損の兆候が認められた。

4．資産グループAの経済的残存使用年数は20年であり，各年1年間の割引前将来キャッシュ・フローと20年後の正味売却価額は次のとおりである。

	1～10年の 各1年間	11～20年の 各1年間	20年経過時点の 正味売却価額
キャッシュ・フロー	40,000千円	24,000千円	10,000千円

5．当社が用いる割引率は年率3％（税引前）であり，同割引率による現価係数および年金現価係数は次のとおりである。

	10年	20年
現価係数	0.7441	0.5537
年金現価係数	8.5302	14.8775

6．資産グループAの当期における正味売却価額は，450,000千円である。

7．共用資産Cを含む保有する資産全体の割引前将来キャッシュ・フローは1,650,000千円，その回収可能価額は1,230,000千円とする。

8．計算の過程で千円未満の端数が生じる場合には，端数が生じる都度，千円未満を四捨五入する。

9．税効果は考慮しない。

1．49,195千円　2．77,500千円　3．187,500千円
4．220,000千円　5．250,920千円　6．269,080千円

問題21　次の〔資料〕に基づき，X2年度（X2年４月１日～X3年３月31日）のＰ社連結包括利益計算書に計上されるその他の包括利益（為替換算調整勘定によるもの）の金額として正しいものの番号を一つ選びなさい。（８点）

〔資料〕

1．Ｐ社は，X1年度末（X2年３月31日）に米国にあるＳ社の発行済株式総数の80％を5,000千ドルで取得して，Ｓ社の支配を獲得した。Ｐ社の連結子会社は，Ｓ社のみである。

2．X1年度末におけるＳ社の株主資本項目は，資本金4,000千ドル，利益剰余金1,500千ドルであった。

3．X2年度末におけるＳ社の株主資本項目は，資本金4,000千ドル，利益剰余金1,850千ドルであった。

4．利益剰余金の増加は全て当期純利益であり，剰余金の配当は行われていない。

5．為替レートの推移は次のとおりである。財務諸表項目の換算は「外貨建取引等会計処理基準」における原則的方法による。

年度	期中平均レート	決算時レート
X1年度	115円	120円
X2年度	125円	130円

6．のれんが生じる場合には，発生年度の翌期より10年間にわたり定額法で償却する。

7．税効果は考慮しない。

1．45,400千円　　2．49,250千円　　3．51,100千円
4．56,750千円　　5．58,550千円　　6．62,450千円

問題22　企業結合および事業分離の会計に関する次の記述のうち，正しいものの組合せとして最も適切な番号を一つ選びなさい。（8点）

ア．現金等の財産と分離先企業の株式を受取対価とする事業分離によって，分離先企業が関連会社となる場合がある。その場合，分離元企業は，個別財務諸表上，受け取った現金等の財産を原則として時価により計上する。この結果，当該時価が移転した事業に係る株主資本相当額を上回る場合には，原則として，当該差額は，移転利益として認識され，下回る場合には，当該差額を受け取った分離先企業の株式の取得原価とされる。

イ．持分法を適用している関連会社を分離先企業として現金等の財産のみを受取対価とする事業分離をする場合，分離元企業は，個別財務諸表上，受け取った現金等の財産を原則として時価により計上する。この結果，当該時価と移転した事業に係る株主資本相当額との差額は，原則として，移転損益として認識される。

ウ．連結財務諸表上，取得とされた企業結合に直接要した支出のうち，外部のアドバイザーに支払った特定の報酬や手数料等は，取得原価に含める。これは，取得はあくまで等価交換取引であるとの考え方を重視し，取得企業が等価交換の判断材料として考慮した支出額に限って取得原価に含めるとしたためである。

エ．連結財務諸表上，共同支配企業の形成において，共同支配企業に事業を移転した共同支配投資企業は，共同支配企業に対する投資については持分法を適用するほかに，個別財務諸表の各項目を持分比率に応じて連結する比例連結の方法が認められている。これは，共同支配の実態にある合弁企業などに適用を容認するものである。

1．アイ　　2．アウ　　3．アエ　　4．イウ　　5．イエ　　6．ウエ

問題23～28　P社の連結財務諸表作成に関する次の〔**資料Ⅰ**〕～〔**資料Ⅲ**〕に基づき，問題23～問題28に答えなさい。

〔**資料Ⅰ**〕　前提条件

1．P社(公開会社)の企業集団は，P社およびS社の2社のみで構成されている。
2．P社およびS社の会計期間は，いずれも12月31日を決算日とする1年である。
3．P社とS社との間には〔**資料Ⅱ**〕に示されたもの以外の取引はない。また，P社について，〔**資料Ⅱ**〕に示されたもの以外の資本取引はないものとする。
4．のれんは，発生した年度の翌年度から10年間にわたり定額法により償却する。
5．税効果については考慮しないものとする。
6．計算結果に端数が生じる場合，千円未満を四捨五入すること。

〔資料Ⅱ〕

1．P社は，X1年12月31日にS社の発行済株式総数の60％を450,000千円で取得し子会社とした。S社に関して，資産および負債に簿価と時価との間で重要な差異はなかった。

2．P社のX2年度(X2年１月１日～12月31日)の個別損益計算書における当期純利益は，200,000千円であった。また，X3年度(X3年１月１日～12月31日)の当期純利益は，500,000千円であった。なお，X3年度の当期純利益には，抱合せ株式消滅差益の金額は反映されていない。

3．S社のX2年度およびX3年度の当期純利益は，それぞれ300,000千円，200,000千円であった。

4．P社は，X2年12月31日にS社の発行済株式総数の20％を150,000千円で追加取得した。この日のS社の個別貸借対照表に計上されている全ての資産および負債は，適正な帳簿価額で計上されていた。

5．P社は，X3年１月１日にS社の研究開発部門を受け入れた。同日における当該部門に負債はなく，資産の帳簿価額は350,000千円であり，時価は380,000千円であった。

6．P社は，S社研究開発部門受入の対価として，S社に対して新株10,000株を発行し，S社は受け取った当該P社株式をその取得と同時に配当した(分割型の会社分割)。この配当の内訳は，S社の非支配株主に2,000株，P社に8,000株であった。なお，分割期日(X3年１月１日)のP社株式の時価は，１株当たり39千円である。

7．P社は，新株発行に伴う増加すべき株主資本の全額を，個別貸借対照表において資本剰余金として計上した。また，S社は，研究開発部門移転に伴う当該部門の資産の減少に対応して，個別貸借対照表上の利益剰余金を減少させた。

8．分割に係る抱合せ株式の適正な帳簿価額のうち，受け入れた資産と引き換えられたものとみなされる額の算定は，関連する帳簿価額の比率で按分する方法を採用した。

〔**資料Ⅲ**〕 X1年度およびX2年度のＰ社個別貸借対照表とＳ社個別貸借対照表は以下のとおりである。

Ｐ社個別貸借対照表					（単位：千円）
資　　産	X1年度	X2年度	負債・純資産	X1年度	X2年度
諸　資　産	850,000	1,000,000	諸　負　債	100,000	200,000
Ｓ社株式	450,000	600,000	資　本　金	1,000,000	1,000,000
			利益剰余金	200,000	400,000
合　　計	1,300,000	1,600,000	合　　計	1,300,000	1,600,000

Ｓ社個別貸借対照表					（単位：千円）
資　　産	X1年度	X2年度	負債・純資産	X1年度	X2年度
諸　資　産	300,000	650,000	諸　負　債	150,000	200,000
研究開発部門事業資産	350,000	350,000	資　本　金	400,000	400,000
			利益剰余金	100,000	400,000
合　　計	650,000	1,000,000	合　　計	650,000	1,000,000

問題23　X2年度のＰ社連結貸借対照表における非支配株主持分の金額として最も適切なものの番号を一つ選びなさい。（４点）

１． 80,000千円　２．160,000千円　３．240,000千円
４．260,000千円　５．320,000千円　６．480,000千円

問題24　X2年度のＰ社連結貸借対照表における利益剰余金の金額として最も適切なものの番号を一つ選びなさい。（４点）

１．165,000千円　２．565,000千円　３．625,000千円
４．665,000千円　５．685,000千円　６．765,000千円

問題25　X2年度のＰ社連結貸借対照表における資産合計の金額として最も適切なものの番号を一つ選びなさい。（４点）

１．1,770,000千円　２．2,000,000千円　３．2,030,000千円
４．2,135,000千円　５．2,150,000千円　６．2,180,000千円

問題26　X3年度のＰ社個別損益計算書における抱合せ株式消滅差益の金額として最も適切なものの番号を一つ選びなさい。(４点)

１．17,500千円　２．35,000千円　３．75,301千円
４．83,125千円　５．126,875千円　６．262,500千円

問題27　X3年度のＰ社連結貸借対照表における資本剰余金の金額として最も適切なものの番号を一つ選びなさい。(４点)

１．30,625千円　２．70,000千円　３．80,000千円
４．88,000千円　５．120,000千円　６．337,500千円

問題28　X3年度のＰ社連結損益計算書における親会社株主に帰属する当期純利益の金額として最も適切なものの番号を一つ選びなさい。(４点)

１．382,500千円　２．445,000千円　３．518,125千円
４．627,500千円　５．645,000千円　６．662,500千円

CERTIFIED PUBLIC ACCOUNTANT

'23

第Ⅱ回

解答・解説編

令和５年第Ⅱ回　公認会計士短答式試験　正解一覧

科　目	問　題	正　解	難易度		問　題	正　解	難易度
企業法	1	4	B		11	5	A
	2	6	B		12	3	B
	3	5	C		13	5	B
	4	4	A		14	3	A
	5	4	A		15	6	B
	6	1	A		16	2	B
	7	3	A		17	6	A
	8	1	B		18	2	A
	9	3	B		19	2	A
	10	1	C		20	1	B
科　目	問　題	正　解	難易度		問　題	正　解	難易度
管理会計論	1	4	B		9	5	A
	2	1	B		10	3	A
	3	2	A		11	4	B
	4	5	A		12	6	A
	5	4	A		13	5	A
	6	6	A		14	2	C
	7	1	A		15	1	C
	8	3	B		16	3	A
科　目	問　題	正　解	難易度		問　題	正　解	難易度
監査論	1	1	B		11	2	A
	2	4	B		12	5	A
	3	6	C		13	6	A
	4	3	C		14	3	A
	5	4	B		15	5	A
	6	1	B		16	1	A
	7	2	B		17	3	A
	8	6	B		18	1	A
	9	2	A		19	4	A
	10	5	A		20	4	A
科　目	問　題	正　解	難易度		問　題	正　解	難易度
財務会計論	1	2	A		15	6	A
	2	5	A		16	2	C
	3	2	C		17	4	A
	4	4	B		18	2	B
	5	3	B		19	3	C
	6	2	B		20	6	A
	7	1	A		21	6	A
	8	6	B		22	1	A
	9	2	A		23	2	A
	10	2	A		24	2	A
	11	1	A		25	4	A
	12	5	B		26	1	C
	13	3	A		27	3	C
	14	3	A		28	5	C

難易度

Ａ：基本的で必ず正解に達すべき問題

Ｂ：通常の理解をしていれば正解となり得る問題

Ｃ：細かい知識を要する難しい問題

2023年第Ⅱ回

データリサーチ(Ⅰ)

科目	問題	正解	選択肢別解答率(%)					
			1	2	3	4	5	6
財務会計論	1	2	3%	92%	2%	1%	0%	0%
	2	5	2%	0%	3%	5%	81%	6%
	3	2	13%	25%	27%	17%	12%	3%
	4	4	57%	4%	5%	26%	2%	2%
	5	3	14%	3%	69%	6%	5%	1%
	6	2	1%	55%	23%	3%	4%	11%
	7	1	78%	7%	3%	7%	1%	1%
	8	6	12%	0%	1%	17%	1%	65%
	9	2	12%	67%	4%	10%	1%	3%
	10	2	13%	60%	7%	10%	3%	4%
	11	1	73%	3%	1%	15%	5%	0%
	12	5	27%	3%	21%	8%	33%	4%
	13	3	1%	5%	76%	11%	2%	2%
	14	3	3%	3%	86%	1%	3%	2%
	15	6	1%	3%	5%	4%	9%	75%
	16	2	7%	45%	17%	21%	5%	4%
	17	4	17%	12%	3%	59%	3%	3%
	18	2	9%	19%	35%	16%	12%	7%
	19	3	19%	27%	30%	16%	6%	1%
	20	6	1%	3%	7%	10%	4%	71%
	21	6	2%	2%	18%	5%	3%	67%
	22	1	68%	3%	6%	6%	12%	2%
	23	2	1%	90%	2%	0%	4%	0%
	24	2	1%	87%	5%	2%	2%	1%
	25	4	3%	17%	6%	68%	4%	0%
	26	1	20%	11%	33%	16%	13%	4%
	27	3	5%	6%	49%	20%	8%	10%
	28	5	5%	6%	31%	18%	22%	15%
管理会計論	1	4	7%	13%	4%	35%	15%	23%
	2	1	27%	10%	32%	11%	18%	0%
	3	2	5%	72%	12%	3%	1%	5%
	4	5	4%	2%	25%	15%	51%	1%
	5	4	4%	9%	33%	47%	5%	0%
	6	6	1%	24%	11%	6%	2%	54%
	7	1	57%	12%	17%	5%	5%	2%
	8	3	4%	27%	29%	10%	27%	1%
	9	5	12%	3%	9%	13%	53%	7%
	10	3	3%	19%	58%	2%	4%	11%
	11	4	3%	13%	34%	31%	13%	4%
	12	6	12%	9%	15%	8%	11%	41%
	13	5	7%	4%	19%	6%	52%	10%
	14	2	12%	18%	42%	19%	5%	2%
	15	1	20%	15%	29%	17%	11%	5%
	16	3	13%	6%	62%	2%	12%	3%

データリサーチ(Ⅱ)

科目	問題	正解	選択肢別解答率（%）					
			1	2	3	4	5	6
監査論	1	1	59%	9%	7%	13%	7%	2%
	2	4	2%	1%	0%	93%	1%	0%
	3	6	4%	0%	7%	1%	41%	43%
	4	3	5%	13%	41%	5%	11%	22%
	5	4	6%	1%	1%	66%	21%	2%
	6	1	62%	6%	13%	4%	13%	1%
	7	2	14%	61%	1%	19%	1%	1%
	8	6	0%	8%	52%	0%	1%	36%
	9	2	3%	64%	4%	10%	2%	14%
	10	5	19%	6%	7%	14%	47%	4%
	11	2	1%	93%	1%	2%	0%	1%
	12	5	7%	0%	2%	1%	88%	0%
	13	6	2%	9%	21%	4%	10%	51%
	14	3	1%	2%	94%	0%	0%	0%
	15	5	23%	4%	14%	6%	45%	5%
	16	1	48%	8%	1%	33%	6%	2%
	17	3	2%	2%	86%	1%	4%	3%
	18	1	90%	1%	2%	2%	3%	0%
	19	4	5%	3%	0%	83%	3%	3%
	20	4	6%	22%	4%	56%	3%	6%
企業法	1	4	11%	11%	14%	20%	24%	18%
	2	6	2%	7%	32%	3%	8%	45%
	3	5	10%	1%	0%	68%	17%	1%
	4	4	2%	10%	8%	35%	9%	34%
	5	4	4%	2%	0%	87%	3%	1%
	6	1	90%	1%	1%	2%	3%	0%
	7	3	4%	8%	66%	4%	6%	9%
	8	1	70%	7%	11%	2%	7%	0%
	9	3	17%	16%	38%	10%	9%	9%
	10	1	63%	2%	24%	1%	6%	1%
	11	5	8%	1%	4%	3%	80%	1%
	12	3	2%	22%	66%	2%	2%	4%
	13	5	2%	1%	2%	13%	73%	6%
	14	3	3%	1%	82%	0%	7%	4%
	15	6	1%	4%	2%	33%	15%	42%
	16	2	7%	55%	14%	8%	4%	10%
	17	6	1%	4%	1%	20%	6%	65%
	18	2	9%	71%	9%	5%	3%	2%
	19	2	3%	85%	4%	1%	1%	3%
	20	1	39%	6%	22%	8%	19%	4%

	配点	平均得点比率
財務会計論	200	45.5%
管理会計論	100	34.5%
監査論	100	54.8%
企業法	100	45.4%
総　合	500	45.6%

企　業　法

【科目別講評】

今回の令和５年第Ⅱ回短答式試験は，20問中A評価が９問，B評価が９問，C評価が２問である。「A」評価というのは「必ず正解に達すべき問題」，「B」評価は「通常の理解をしていれば正解となり得る問題」で，半分は正解する必要がある問題，「C」評価は「細かい知識を要する難問」で，落としても合否に影響しない問題である。よって，企業法の合格ラインは67.5点となる。

（本講評は，令和５年第Ⅱ回試験終了時のものです。）

	【配点】	【難易度】	【出題内容】
問題１	５点	B	商行為
問題２	５点	B	会社の登記
問題３	５点	C	発起人
問題４	５点	A	株式会社の設立
問題５	５点	A	株式の分割及び株式無償割当て
問題６	５点	A	自己株式
問題７	５点	A	新株予約権
問題８	５点	B	株主総会における書面による議決権の行使
問題９	５点	B	電子提供措置
問題10	５点	C	株主総会の決議の効力を争う訴え
問題11	５点	A	社外取締役
問題12	５点	B	内部統制システム
問題13	５点	B	監査役会設置会社における取締役会
問題14	５点	A	剰余金の配当等
問題15	５点	B	持分会社の種類の変更及び会社の組織変更
問題16	５点	B	社債
問題17	５点	A	持分会社の組織変更，吸収合併及び組織に関わる訴え
問題18	５点	A	新設合併，吸収分割，株式交換，株式移転
問題19	５点	A	公衆縦覧の期間
問題20	５点	B	有価証券の募集

問題1　正解　4　難易度　B

★本問のポイント

商行為

解　説

ア．**誤　り**。鉱業を営む自然人が自ら採掘して取得した鉱物の譲渡を目的とする行為は，絶対的商行為ではない(商法501条)。なお，鉱業を営む者は，商行為を行うことを業としない者であっても，商人とみなされる(擬制商人，商法4条2項)。

イ．**正しい**。商業証券とは，商取引の目的とされる有価証券のことで，約束手形・為替手形・小切手・株券・社債券・貨物引換証・倉庫証券等がこれにあたる。したがって，自然人である商人が小切手を振り出す行為は，手形その他の商業証券に関する行為に該当するため，絶対的商行為である(商法501条4号)。

ウ．**正しい**。取次ぎに関する行為は，自己の名で他人の計算において法律行為をすることを引き受ける行為(取次ぎ契約を締結すること)であり，営業的商行為に該当する(502条11号)。したがって，自然人である問屋が問屋契約に基づき他人のために物品の買入れをすることは，問屋にとって附属的商行為となる。

エ．**誤　り**。商行為によって生じた債務の履行をすべき場所がその行為の性質又は当事者の意思表示によって定まらないときは，特定物の引渡しはその行為の時にその物が存在した場所において，その他の債務の履行は債権者の現在の営業所(営業所がない場合にあっては，その住所)において，それぞれしなければならない(商法516条)。

以上より，正しいものはイとウであることから，正解は4となる。

問題２　正解　６　難易度　B

★本問のポイント

会社の登記

解　説

ア．**誤　り**。合資会社において，社員の氏名又は名称及び住所は登記事項である(913条５号)。

イ．**誤　り**。合同会社において，資本金の額は登記事項である(914条５号)。

ウ．**正しい**。判例によれば，「株式会社の取締役または監査役の任期満了または辞任による退任により法律または定款に定める取締役または監査役の員数を欠くに至つた場合においては，右退任による変更登記は，あらたに選任された取締役または監査役の就職するまで許されない。」とされている(最判昭和43年12月24日)。

エ．**正しい**。会社において登記事項に変更が生じたときは，２週間以内に，その本店の所在地において，変更の登記をしなければならない(915条１項)。ただし，新株予約権の行使による変更の登記は，毎月末日現在により，当該末日から法定の期間(２週間)以内にすれば足りる(915条３項１号)。

以上より，正しいものはウとエであることから，正解は６となる。

問題３　正解　５　難易度　Ｃ

★本問のポイント

発起人

解　説

ア．**誤　り**。発起人の員数に関する規定はない。設立しようとする株式会社が公開会社である場合でも発起人は１人でもよい。

イ．**正しい**。発起設立において，発行可能株式総数を定款で定めている場合でも，会社成立の時までに，発起人全員の同意によって定款に記載された発行可能株式総数を変更できる(37条２項)。

ウ．**誤　り**。株式会社の設立の無効の訴えの提訴権者は，設立する株式会社の株主等である(828条２項１号)。したがって，株式会社の成立後に株主の地位を失った発起人は，提訴時点では「株主等」に該当しないため，当該株式会社の設立の無効の訴えを提起することができない(なお，828条２項６号以下参照)。

エ．**正しい**。発起人がその引き受けた設立時発行株式につき，その出資に係る金銭の払込みを仮装した場合において，当該発起人が株式会社に対し払込みを仮装した出資に係る金銭の全額の支払の義務を履行したときは，その他資本剰余金の額は，当該義務の履行により支払われた金銭の額が増加する(会社計算規則21条２号)。

以上より，正しいものはイとエであることから，正解は５となる。

問題４　正解　４　難易度　A

★本問のポイント

株式会社の設立

解　説

ア．**誤　り**。発起設立の場合において，定款で設立時取締役又は設立時監査役として定められた者は，出資の履行が完了した時に，それぞれ設立時取締役又は設立時監査役に選任されたものとみなされる（38条４項）。

イ．**正しい**。発起設立の場合において，裁判所が，検査役の報告に基づき，現物出資に関する定款の定めを不当と認め，当該事項を変更する決定をした場合，発起人は，当該決定の確定後１週間以内に限り，設立時発行株式の引受けに係る意思表示を取り消すことができる（33条８項）。

ウ．**正しい**。招集された創立総会では，事前に決められた議題以外は，定款の変更又は設立の廃止を除いて，決議できない（73条４項）。

エ．**誤　り**。その発行する全部の株式の内容として譲渡による当該株式の取得について当該株式会社の承認を要すること旨の定めを設ける定款の変更をする場合，反対株主には株式買取請求権が認められている（116条１項１号）。しかし，募集設立により設立された株式会社において，創立総会の決議により上記の定款の定めを設ける場合，創立総会において当該決議に反対した者に株式買取請求権は認められていない。

以上より，正しいものはイとウであることから，正解は４となる。

問題5　正解　4　難易度　A

★本問のポイント

株式の分割及び株式無償割当て

解　　説

ア．**誤　り**。株式の分割・株式無償割当てともに1株に満たない端数が生じることがある(234条1項3号，235条1項)。

イ．**正しい**。株式の分割の場合は，同一種類の株式の数が増加するだけである(184条1項)。一方，株式無償割当ての場合は，同一または異なる種類の株式を取得させることができる(186条1項1号)。

ウ．**正しい**。株式の分割の場合は，分割割合に応じて自己株式の数も増加する。一方，株式無償割当ての場合は，自己株式には株式を割り当てることができない(186条2項)。

エ．**誤　り**。株式の分割の場合は，基準日の採用が強制される(183条2項1号)。一方，株式無償割当ての場合は，採用は任意である。

以上より，正しいものはイとウであることから，正解は4となる。

問題６　正解　１　難易度　Ａ

★本問のポイント

自己株式

解　　説

ア．**正しい**。株式会社は，自己株式について新株予約権無償割当てをすることができない(278条２項)。

イ．**正しい**。株式会社は，保有している自己株式について，剰余金配当請求権を有しない(453条かっこ書)。

ウ．**誤　り**。株式会社は，自己株式の取得価額を貸借対照表の純資産の部の株主資本に計上しなければならない(会社計算規則76条２項５号)。

エ．**誤　り**。株式会社が自己株式を消却した場合，発行済株式総数は減少するが，発行可能株式総数は減少しない。

以上より，正しいものはアとイであることから，正解は１となる。

問題7　正解　3　難易度　A

★本問のポイント

新株予約権

解　説

ア．**正しい**。新株予約権者は，会社の承諾を得て，金銭による払込みに代えて，払込金額に相当する金銭以外の財産を給付(代物弁済)することができる(246条2項)。

イ．**誤　り**。譲渡制限新株予約権の新株予約権者は，譲渡承認請求を拒否された場合には，株式会社・指定買取人による買取りの制度は設けられていないので，株式会社に対し，自己の有する新株予約権を公正な価格で買い取ることを請求することができない。

ウ．**誤　り**。株式会社が割り当てた募集新株予約権について，申込者は，割当日に，新株予約権者となる(245条1項1号)。

エ．**正しい**。新株予約権を行使した新株予約権者は，当該新株予約権を行使した日に，当該新株予約権の目的である株式の株主となる(282条1項)。

以上より，正しいものはアとエであることから，正解は3となる。

問題8　正解　1　難易度　B

★本問のポイント

株主総会における書面による議決権の行使

解　説

ア．**正しい**。1人の株主が同一の議案につき書面と電磁的方法により重複して議決権の行使をした場合において，当該同一の議案に対する議決権の行使の内容が異なるものであるときにおける当該株主の議決権の行使の取扱いに関する事項を，取締役会は，株主総会の招集の決定に際して定めることができる(298条1項3号4号，会社法施行規則63条4号ロ)。

イ．**正しい**。書面投票制度の採用は原則として任意であるが，株主(株主総会決議事項の全部について議決権を行使できない株主を除く)の数が1000人以上の会社は，書面投票制度の採用が原則として強制される(298条2項本文)。ただし，当該会社が金商法2条16項に規定する金融商品取引所に上場されている株式を発行している会社(上場会社)であって法務省令で定めるもの(株主の全部に対して金商法の規定に基づき委任状勧誘をした会社)である場合は，例外的に書面投票制度の採用は強制されない(同条項ただし書，会社法施行規則64条，金商法194条，同法施行令36条の2)。

ウ．**誤　り**。議決権行使書面には，各議案について，棄権を記載する欄を設けることができる(301条1項，会社法施行規則66条1項1号)。

エ．**誤　り**。議決権行使書面の閲覧謄写請求権は株主には認められるが(311条4項)，会社債権者には認められない。

以上より，正しいものはアとイであることから，正解は1となる。

問題９　正解　３　難易度　Ｂ

★本問のポイント

電子提供措置

解　説

ア．**正しい**。電子提供措置をとる必要がある株式会社の取締役は，株主総会の日の３週間前の日または株主総会の招集通知を発した日のいずれか早い日から株主総会の日後３ヶ月を経過する日までの間，電子提供措置事項(株主総会の目的事項等)について継続して電子提供措置をとる必要がある(325条の３第１項柱書１号)。

イ．**誤　り**。取締役が株主総会の招集通知に際して株主に対し議決権行使書面を交付する場合は，議決権行使書面に記載すべき事項に係る情報については，電子提供措置をとることを要しない(325条の３第２項)。

ウ．**誤　り**。電子提供措置をとる場合における株主総会の招集通知(299条１項)の発出期限は，株主総会の日の２週間前までである(325条の４第１項)。

エ．**正しい**。株主が電子提供措置事項を記載した書面の交付を受けるには，株主総会の招集通知が発出されるまでに書面交付請求をしなければならないが，株主総会において議決権を行使できる者を定めるための基準日を定めた場合は基準日までに書面交付請求をしなければならない(325条の５第２項)。

以上より，正しいものはアとエであることから，正解は３となる。

問題10　正解　1　難易度　C

★本問のポイント

株主総会の決議の効力を争う訴え

解　　説

ア．**正しい**。判例によれば，取締役又は監査役の解任又は選任を内容とする株主総会決議不存在確認の訴えの係属中に，その株式会社が破産手続開始決定を受けても，訴えの利益は当然には消滅しない(最判平成21年４月17日)。

イ．**正しい**。判例によれば，株主総会が取締役会決議に基づかないで招集され，その招集通知が法定期間に２日足りない12日前になされたときは重大な瑕疵があり，その瑕疵が決議の結果に影響を及ぼさないと認められる場合でも，裁判所は決議取消の請求を認容すべきであって，棄却することは許されない(最判昭和46年３月18日)。

ウ．**誤　り**。判例によれば，株主は自己に対する株主総会招集手続に瑕疵がなくとも，他の株主に対する株主総会招集手続に瑕疵がある場合には，株主総会決議取消の訴えを提起できる(最判昭和42年９月28日)。

エ．**誤　り**。判例によれば，ある議案を否決する株主総会の決議の取消しを請求する訴えは不適法である(最判平成28年３月４日)。

以上より，正しいものはアとイであることから，正解は１となる。

問題11　正解　5　難易度　A

★本問のポイント

社外取締役

解　説

ア．**誤　り**。取締役は，いつでも，理由のいかんを問わず，原則として株主総会の普通決議で解任できる(339条1項，341条)。社外取締役の解任も同様である。なお，累積投票で選任された取締役の解任は，株主総会の特別決議が必要である(342条6項，309条2項7号)。

イ．**正しい**。監査等委員会は監査等委員全員で組織され，監査等委員は取締役でなければならない(399条の2第1項2項)。そして，監査等委員である取締役は，3人以上で，その過半数は社外取締役でなければならない(331条6項)。

ウ．**誤　り**。監査役会設置会社(公開大会社に限る)で金融商品取引法24条1項の規定により，発行株式について有価証券報告書を内閣総理大臣に提出しなければならない会社では，社外取締役の設置が義務付けられている(327条の2)。

エ．**正しい**。指名委員会等設置会社と執行役との利益が相反するとき，その他執行役が業務執行することにより株主の利益を損なうおそれがあるときは，会社は，その都度，取締役会の決議により，業務執行を社外取締役に委託できる(348条の2第1項2項)。

以上より，正しいものはイとエであることから，正解は5となる。

問題12　**正解**　3　**難易度**　B

★本問のポイント

内部統制システム

解　　説

ア．**正しい**。内部統制システムの整備についての決定は，大会社であれば，取締役会の設置の有無を問わず，義務づけられている（348条４項，362条５項）。なお，監査等委員会設置会社と指名委員会等設置会社も義務づけられている（399条の13第１項１号ハ２項，416条１項１号ホ２項３項）。

イ．**誤　り**。指名委員会等設置会社の取締役会は，内部統制システムの整備について決定しなければならず，執行役には委任できない（416条１項１号ホ２項）。

ウ．**誤　り**。監査役設置会社において，内部統制システムの整備について決定する際には，取締役及び会計参与・使用人が監査役に報告するための体制その他の監査役への報告に関する体制を，内部統制システムに含まなければならない（362条４項６号，会社法施行規則100条１項３項４号イ）。監査役に報告するためであって，株主に報告するためではない。

エ．**正しい**。監査役設置会社において，事業報告を受領した監査役は，事業報告に内部統制システムの整備についての決定または決議の内容等がある場合に，内容が相当でないときは，その旨およびその理由を内容とする監査報告を作成しなければならない（会社法施行規則129条１項５号）。

以上より，正しいものはアとエであることから，正解は３となる。

問題13　正解　5　難易度　B

★本問のポイント

監査役会設置会社における取締役会

解　説

ア．**誤　り**。監査役設置会社，監査等委員会設置会社及び指名委員会等設置会社を除く，取締役会設置会社の株主は，取締役が取締役会設置会社の目的の範囲外の行為その他法令若しくは定款に違反する行為をし，又はこれらの行為をするおそれがあると認めるときは，取締役会の招集を請求することができる(367条)。

イ．**正しい**。取締役会は，取締役(監査役設置会社にあっては，取締役及び監査役)の全員の同意があるときは，招集の手続を経ることなく開催することができる(368条2項)。

ウ．**誤　り**。取締役会設置会社は，定款に定めを置けば，取締役が取締役会決議の目的である事項について提案をした場合において，当該事項について議決に加わることができる取締役全員が書面・電磁的記録によって当該提案に同意(提案内容に賛成)する意思表示をした場合(監査役設置会社では監査役が当該提案に異議を述べた場合を除く)は，当該提案を可決する旨の取締役会決議があったものとみなすことができる(370条)。監査役は異議を述べることができるだけである。

エ．**正しい**。取締役，会計参与，監査役又は会計監査人が取締役(監査役設置会社にあっては，取締役及び監査役)の全員に対して取締役会に報告すべき事項を通知したときは，当該事項を取締役会へ報告することを要しない(372条1項)。

以上より，正しいものはイとエであることから，正解は5となる。

問題14　正解　3　難易度　A

★本問のポイント

剰余金の配当等

解　説

ア．**正しい**。株式会社は，当該株式会社の株式，社債，新株予約権を配当財産とすることができない(454条１項１号)。

イ．**誤　り**。会計監査人設置会社は法定の要件を満たせば，剰余金の配当を取締役会が定めることができる旨を定款で定めることができる(459条１項柱書４号)が，当該定款の定めがあるだけでは，株主総会の決議によって剰余金の配当ができる余地は残る。なお，この定款の定めがある場合に，さらに，剰余金の配当を株主総会の決議によっては定めない旨を定款で定めることができる(460条１項)。

ウ．**誤　り**。株式会社は，純資産額が300万円を下回る場合には，剰余金の配当はできない(458条)。

エ．**正しい**。株式会社が剰余金の配当をしようとする場合は，その都度，原則として株主総会の普通決議によって，一定事項を定めなければならない(454条１項柱書)。ただし，現物配当で，かつ，株主に金銭分配請求権を与えない場合は，株主総会特別決議が必要である(454条４項，309条２項10号)。

以上より，正しいものはアとエであることから，正解は３となる。

問題15　正解　6　難易度　B

★本問のポイント

持分会社の種類の変更及び会社の組織変更

解　説

ア．**誤　り**。合資会社の有限責任社員が退社したことにより当該合資会社の社員が無限責任社員のみとなった場合には，当該合資会社は，合名会社となる定款の変更をしたものとみなされる(639条１項)。よって，定款変更をするまで合資会社の規定が適用されるわけではない。

イ．**誤　り**。合資会社の無限責任社員が退社したことにより当該合資会社の社員が有限責任社員のみとなった場合には，当該合資会社は，合同会社となる定款の変更をしたものとみなされる(639条２項)。よって，債権者異議手続きが完了しなくても合同会社となる定款の変更をしたものとみなされる。

ウ．**正しい**。持分会社が組織変更をする場合，組織変更をする旨及び債権者が一定の期間(ただし，１か月を下らない期間)内に異議を述べることができる旨を官報に公告し，かつ，知れている債権者には各別にこれを催告しなければならない(779条２項，781条２項)。

エ．**正しい**。株式会社が組織変更をする場合，組織変更をする旨，当該株式会社の計算書類に関する事項及び債権者が一定の期間(ただし，１か月を下らない期間)内に異議を述べることができる旨の公告を，官報のほか，時事に関する事項を掲載する日刊新聞紙又は電子公告のうち定款で定める公告方法によりするときには，知れている債権者に対する各別の催告を要しない(779条２項３項)。

以上より，正しいものはウとエであることから，正解は６となる。

問題16　正解　2　難易度　B

★本問のポイント

社債

解　説

ア．**正しい**。社債権者は，原則として，いつでも，その記名式の社債券を無記名式とし，又はその無記名式の社債券を記名式とすることを請求することができる(698条)。

イ．**誤　り**。社債権者と社債管理補助者との利益が相反する場合において，社債権者のために裁判上又は裁判外の行為をする必要があるときは，裁判所は，社債権者集会の申立てにより，特別代理人を選任しなければならない(707条，714条の７)。したがって，この場合，社債管理補助者は解任されない。

ウ．**正しい**。社債が２以上の者の共有に属するときは，共有者は，社債発行会社が社債権者に対してする通知又は催告を受領する者一人を定め，当該社債発行会社に対し，その者の氏名又は名称を通知しなければならない(685条３項)。ただし，共有者からの通知がないときは，そのうちの１人に対して通知催告をすれば足りる(685条４項)。

エ．**誤　り**。社債については，当該社債が信託財産に属する旨を社債原簿に記載し，又は記録しなければ，当該社債が信託財産に属することを社債発行会社その他の第三者に対抗することができない(695条の２第１項)。しかし，社債券を発行する旨の定めがある社債については，上記の規定は適用されない(同条４項)。したがって，社債券を発行する定めがある社債(記名社債及び無記名社債)に信託を設定した場合は，社債券の所持(占有)が会社その他の第三者に対する対抗要件となる(695条の２第４項。687条，689条１項参照)。

以上より，正しいものはアとウであることから，正解は２となる。

問題17　正解　6　難易度　A

★本問のポイント

持分会社の組織変更，吸収合併及び組織に関わる訴え

解　説

ア．**誤　り**。株式会社の組織変更の効力が生じた場合は，清算開始原因に該当しない(475条参照)。

イ．**誤　り**。解散した場合は，清算開始原因に該当する(475条1号)。しかし，合併によって解散した会社は，清算手続を経ることなく当然に消滅する(475条1号かっこ書)。

ウ．**正しい**。株式会社の設立の無効に係る請求を認容する判決が確定した場合は，清算開始原因に該当する(475条2号)。

エ．**正しい**。株式移転の無効の訴えに係る請求を認容する判決が確定した場合は，清算開始原因に該当する(475条3号)。

以上より，正しいものはウとエであることから，正解は6となる。

問題18　正解　2　難易度　A

★本問のポイント

新設合併，吸収分割，株式交換，株式移転

解　説

ア．**正しい**。株式会社は，持分会社が新設合併設立会社となる新設合併をする事ができる(755条)。

イ．**誤　り**。合名会社は，無限責任の包括承継に問題が生じるので，吸収分割をする事ができない(757条)。

ウ．**正しい**。合同会社は，株式交換完全親会社となることができる(767条)。

エ．**誤　り**。合同会社は，株式移転設立完全親会社となることはできない(773条１項１号)。

以上より，正しいものはアとウであることから，正解は２となる。

問題19　正解　2　難易度　A

★本問のポイント

公衆縦覧の期間

解　説

ア．**正しい**。有価証券報告書の公衆縦覧期間は，5年間である（金商法25条1項1号）。

イ．**誤　り**。発行登録書の公衆縦覧期間は，効力を失うまでの期間である（金商法25条1項3号）。なお，当該期間は，発行登録の効力が生じた日から起算して2年を超えない範囲内で内閣府令で定める期間とされ（23条の6第1項），開示府令14条の6は，発行登録をしようとする者の選択により，1年間または2年間とする旨を定めている。

ウ．**正しい**。内部統制報告書の公衆縦覧期間は，5年間である（金商法25条1項6号）。

エ．**誤　り**。半期報告書の公衆縦覧期間は，3年間である（金商法25条1項8号）。

以上より，正しいものはアとウであることから，正解は2となる。

問題20　正解　1　難易度　B

★本問のポイント

有価証券の募集

解　説

ア．**正しい**。新たに発行される第二項有価証券の取得勧誘のうち，その取得勧誘に係る第二項有価証券を500名以上の者が所有することとなるものは，有価証券の募集に該当する（金商法２条３項３号，金商法施行令１条の７の２）。

イ．**正しい**。新たに発行される有価証券の取得勧誘のうち，有価証券の募集に該当しないものは，有価証券の私募に該当する（金商法２条３項柱書）。

ウ．**誤　り**。会社法上の公開会社は，取締役会の決議によって募集事項を定めた場合において，募集株式と引換えにする金銭の払込みの期日（期間を定めた場合であっては，その期間の初日）の２週間前までに，当該募集事項を株主に通知していたとしても，有価証券の募集に関しては内閣総理大臣に届出をしなければならない（会社法201条５項参照）。

エ．**誤　り**。有価証券の募集の届出は，内閣総理大臣が特に期間を指定しない限り，内閣総理大臣が当該有価証券の募集に係る有価証券届出書を受理した日から15日を経過した日に，その効力を生じる（金商法８条１項）。

以上より，正しいものはアとイであることから，正解は１となる。

管理会計論

【科目別講評】

今回は，問題総数は16問，計算（融合含む）8問および理論8問であり，構成は前回と同様であった。計算については管理会計分野の難度が非常に高く，問題12以外は正答が厳しかったと思われる。理論については正答可能な問題が多く，高得点が望まれる。何とか6割を確保したい。

（本講評は，令和5年第Ⅱ回試験終了時のものです。）

	【配点】	【難易度】	【出題内容】
問題1	5点	B	理論（正誤）　原価計算総論，費目別計算，ABC／ABM
問題2	7点	B	計算　費目別計算（労務費の計算）
問題3	5点	A	理論（正誤）　部門別計算，個別原価計算
問題4	7点	A	計算　個別原価計算（仕損と作業屑の会計処理）
問題5	8点	A	計算　総合原価計算（累加法，組別）
問題6	5点	A	理論（正誤）　個別原価計算，総合原価計算
問題7	5点	A	理論（正誤）　標準原価計算
問題8	8点	B	融合　標準原価計算（仕損・減損の発生と標準原価計算）
問題9	5点	A	理論（正誤）　管理会計総論
問題10	5点	A	理論（正誤）　財務情報分析，CVP分析
問題11	7点	B	計算　資金管理（キャッシュ・サイクル）
問題12	7点	A	計算　CVP分析（公式，感度分析，安全余裕率）
問題13	5点	A	理論（正誤）　原価管理
問題14	8点	C	計算　業務的意思決定（受注可否の意思決定）
問題15	8点	C	計算　設備投資意思決定（正味現在価値法）
問題16	5点	A	理論（正誤）　分権組織とグループ経営

問題１　正解　４　難易度　Ｂ

★本問のポイント

理論(正誤)　原価計算総論，費目別計算，ABC／ABM

解　説

ア．**誤　り**。「原価計算基準」によると，直接賃金等であって，作業時間又は作業量の測定を行う労務費は，実際の作業時間又は作業量に賃率を乗じて計算する。直接工の直接作業時間は，作業時間報告書によって把握される。まず勤務時間から定時休憩時間，現場離脱時間を差し引いて就業時間を計算する。その就業時間から手待時間を差し引いた実働時間が間接作業時間と直接作業時間から構成されることになる。(基準12(1))

イ．**正しい**。(基準８(2)，10)

ウ．**正しい**。(基準６(1)４，７)

エ．**誤　り**。原価管理に役立つために，原価計算は，原価の標準の設定，指示から原価の報告に至るまでのすべての計算過程を通じて，原価の物量を測定表示することに重点をおく。製造現場における原価管理のためには，物量の計算が不可欠だからである。原価計算担当者にとっては物量の計算は金額計算の前提であって，その計算過程の一部に過ぎないが，現場にとっては物量こそが管理すべき変数となる。(基準６(2)７)

以上より，正しい記述はイ，ウであり，正解は４となる。

問題2　正解　1　難易度　B

★本問のポイント

計算　費目別計算(労務費の計算)

解　説

1．割増賃金

基本賃金@1,120円×25％＝@280円

2．直接工の就業時間の整理

	4/21～4/30	5/1～5/20	5/21～5/31
定時	4,258h	8,615h	4,080h
残業	1,180h	2,347h	1,108h
合計	5,438h	10,962h	5,188h

	給与計算期間 4/21～5/20	原価計算期間 5/1～5/31
定時	12,873h	12,695h
残業	3,527h	3,455h
合計	16,400h	16,150h

3．原価計算期間(5/1～5/31)の就業時間内訳

直接作業時間 *1)	13,542h	*1) 就業16,150h－間接作業*2)1,901h－手待*3)707h
間接作業時間 *2)	1,901h	*2) 1,293h＋608h
手待時間 *3)	707h	*3) 488h＋219h
	16,150h	

4．間接工の消費賃金(要支払額)

支払額2,045,040円＋当月未払額600,900円－前月未払額666,450円

＝1,979,490円

5．賃金勘定の記入

賃　金　（単位：円）

当月支払額	（ア　＊1）　21,400,600）	前月未払額	（エ　＊4）　7,087,410）
当月未払額	（イ　＊2）　6,721,700）	仕　掛　品	（オ　＊5）　15,167,040）
		製造間接費	（カ　＊6）　5,867,850）
	（ウ　＊3）　28,122,300）		（キ　＊7）　28,122,300）

＊1）基本賃金@1,120円×就業（給与）16,400h＋割増賃金@280円×残業（給与）3,527h＋間接工支払額2,045,040円

＊2）基本賃金@1,120円×就業（5/21～31）5,188h＋割増賃金@280円×残業（5/21～31）1,108h＋間接工当月未払額600,900円

＊3）借方合計

＊4）基本賃金@1,120円×就業（4/21～30）5,438h＋割増賃金@280円×残業（4/21～30）1,180h＋間接工前月未払額666,450円

＊5）基本賃金@1,120円×原価計算期間の直接作業時間13,542h

＊6）基本賃金@1,120円×{原価計算期間の間接作業時間・手待時間（1,901h＋707h）}＋割増賃金@280円×原価計算期間の残業時間3,455h＋間接工要支払額1,979,490円

または，

貸借差額

＊7）貸方合計，または借方合計と同額を記入。

問題3　正解　2　難易度　A

★本問のポイント

理論(正誤)　部門別計算，個別原価計算

解　説

ア．**正しい**。(基準32)

イ．**誤　り**。期待実際操業度は，一年又は一会計期間において予期される操業度であり，この期間における生産ならびに販売事情を考慮して定めた操業度である。(基準33(5))

ウ．**正しい**。

エ．**誤　り**。準固定費又は準変動費は，実際値の変化の調査に基づき，これを固定費又は変動費とみなして，そのいずれかに帰属させるか，もしくはその固定費部分および変動費率を測定し，これを固定費と変動費とに分解する。(基準33(4))

以上より，正しい記述はア，ウであり，正解は2となる。

問題4　正解　5　難易度　A

★本問のポイント

計算　個別原価計算（仕損と作業屑の会計処理）

解　説

1．指図書別原価計算表

（単位：円）

	＃401	＃402	＃403	＃411	＃413	合計
直接材料費	＊1）479,700	600,000	420,000	—	480,000	1,979,700
加　工　費	＊3）175,000	200,000	125,000	60,000	150,000	710,000
小　計	654,700	800,000	545,000	60,000	630,000	2,689,700
仕　損　品	—	△40,000	△85,000	—	—	△125,000
作　業　屑	—	—	△900	—	—	△900
仕　損　費	60,000	—	—	△60,000	—	0
合　計	714,700	760,000	459,100	0	630,000	2,563,800
備　考	売上原価	仕掛品	異常仕損	＃401へ	売上原価	—

＊1）予定消費価格120円/kg×直接材料消費量4,000kg

－作業屑評価額＊2）300円

＊2）作業屑評価額30円/kg×作業屑10kg

＊3）加工費予定配賦率＊4）500円/時間×実際機械稼働時間350時間

＊4）当月加工費予算800,000円÷当月予算操業度（機械稼働時間）1,600時間

2．正誤判断

1．**誤　り**。＃411の仕損費60,000円は＃401に振り替える。

2．**誤　り**。仕掛品の次月繰越額は760,000円である。

3．**誤　り**。＃403に起因する異常仕損費の額は459,100円である。

4．**誤　り**。当月に生じた仕損品と作業屑の評価額を合計すると＊）126,200円である。

＊）仕損品125,000円＋作業屑1,200円（＝300円＋900円）

5．**正しい**。当月に完成した製品の売上原価は＊）1,344,700円である。

＊）＃401（714,700円）＋＃413（630,000円）

問題5　正解　4　難易度　A

★本問のポイント

計算　総合原価計算(累加法，組別)

解　説

1．第一工程(A原料)

B原料費

合計　300,000kg	完成　220,000kg
	602,800千円
＊1) 822,000千円	
(@2.74千円)	月末　80,000kg

加工費

合計　260,000kg	完成　220,000kg
	382,800千円
＊2) 452,400千円	
(@1.74千円)	月末　40,000kg

＊1)　月初250,000千円＋当月572,000千円

＊2)　月初 82,000千円＋当月370,400千円

第一工程完成品原価：原料費602,800千円＋加工費382,800千円＝985,600千円

2．第二工程①(X製品)

前工程費

合計　∴3,000個	完成　＊1)2,200個
	492,800千円
＊3) 672,000千円	
(@224千円)	月末　800個

加工費

合計　∴2,600個	完成　2,200個
	59,400千円
＊4) 70,200千円	
(@27千円)	月末　400個

＊1)　月初360個＋当月＊2)2,640個－月末800個

＊2)　〔資料〕3．(3)より，第一完成220,000kg×X投入分60％÷50kg/個

＊3)　月初80,640千円＋当月591,360千円(＝第一完成985,600千円×X投入分60％)

＊4)　月初12,400千円＋＊5)当月57,800千円

＊5)　X直接労務費29,800千円＋X製造間接費＊6)28,000千円

＊6)　$製造間接費40,000千円 \times \frac{X直接作業時間140,000時間}{直接作業時間合計200,000時間}$

X製品完成品原価：前工程費492,800千円＋加工費59,400千円＝552,200千円

3．X製品の完成品単位原価

X製品完成品原価552,200千円÷X製品完成量2,200個＝**251,000円**

問題6　正解　6　難易度　A

★本問のポイント

理論(正誤)　個別原価計算，総合原価計算

解　　説

ア．**誤　り**。製品別計算のためには，原価を集計する一定の製品単位すなわち原価単位を定める。(基準19)

イ．**誤　り**。単純総合原価計算，等級別総合原価計算，組別総合原価計算は，原価集計の単位が期間生産量であることを特質とするのに対して，個別原価計算は，原価集計の単位が特定製造指図書であることを特質とする。(基準20，24，31)

ウ．**正しい**。(基準23)

エ．**正しい**。(基準23)

以上より，正しい記述はウ，エであり，正解は6となる。

問題7　**正解**　1　**難易度**　A

★本問のポイント

理論(正誤)　標準原価計算

解　説

ア．**正しい。**

イ．**正しい。**

ウ．**誤　り。**標準原価による原価管理とは実際原価を標準原価に近似させることを意味し，このような原価管理を原価統制という。

エ．**誤　り。**我が国の「原価計算基準」では現実的標準原価又は正常原価を標準原価計算制度における標準原価としているが，現実的標準原価は通常生ずると認められる程度の仕損等の余裕率を含み，比較的短期における予定操業度や予定価格を前提として決定される原価である。(基準4(1)2)

以上より，正しい記述はア，イであり，正解は1となる。

問題8　正解　3　難易度　B

★本問のポイント

融合　標準原価計算（仕損・減損の発生と標準原価計算）

解　説

1．第1法

(1)　標準原価カード

原　料　費	500円／kg　×＊1)	5kg	=	2,500　円	
直接労務費	1,500円／時間×＊2)	3.125時間	=	4,687.5円	加工費11,250円
製造間接費	2,100円／時間×	3.125時間	=	6,562.5円	
1単位当たり総標準製造原価				13,750　円	

＊1)　SQ（正常減損費組込み前）@4.8kg÷正常歩留率96％

＊2)　SLH（正常減損費組込み前）@3時間÷正常歩留率96％

(2)　数量差異

SP500円×（SQ＊1)15,000kg－AQ15,100kg）＝**－50,000円（不利差異）**

＊1)　SQ@5kg×当月投入＊2)3,000単位

＊2)　完成3,000単位＋月末100単位－月初100単位

(3)　時間差異

SLR1,500円×（SLH＊1)9,218.75時間－ALH9,324時間）

＝**－157,875円（不利差異）**

＊1)　SLH@3.125時間×当月加工＊2)2,950単位

＊2)　完成3,000単位＋月末25単位（＝100単位×25％）

－月初75単位（＝100単位×75％）

(4)　仕掛品原価

月初仕掛品原価：原料費（2,500円×100単位）

＋加工費（11,250円×75単位）＝**1,093,750円**

月末仕掛品原価：原料費（2,500円×100単位）

＋加工費（11,250円×25単位）＝**531,250円**

2．第2法

(1)　標準原価カード

正常減損費は1．～5．の計算に影響しないため，1単位当たり正味標準製造原価まで示す。

原　料　費	500円／kg	×4.8kg	＝	2,400円
直接労務費	1,500円／時間	×３時間	＝	4,500円
製造間接費	2,100円／時間	×３時間	＝	6,300円
１単位当たり正味標準製造原価				13,200円

（直接労務費＋製造間接費：加工費10,800円）

⑵　正常減損量および異常減損量の把握

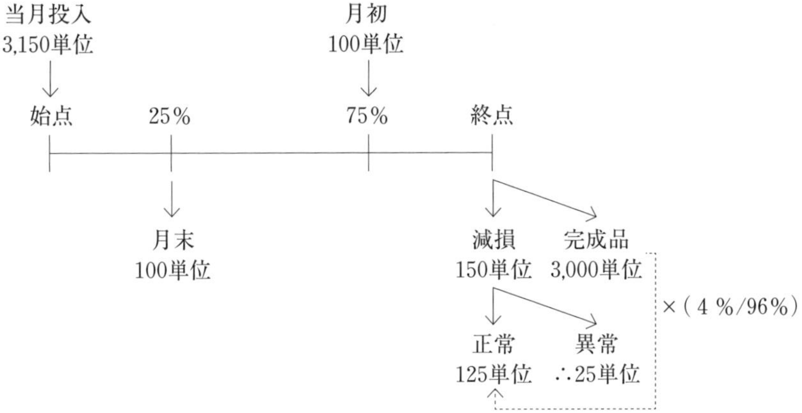

⑶　数量差異

SP500円×（SQ＊1）15,120kg－AQ15,100kg）＝**10,000円（有利差異）**

＊1）SQ@4.8kg×当月投入＊2）3,150単位

＊2）完成3,000単位＋減損150単位＋月末100単位－月初100単位

⑷　時間差異

SLR1,500円×（SLH＊1）9,300時間－ALH9,324時間）＝**－36,000円（不利差異）**

＊1）SLH@３時間×当月加工＊2）3,100単位

＊2）完成3,000単位＋減損150単位（＝150単位×100％）
＋月末25単位（＝100単位×25％）－月初75単位（＝100単位×75％）

⑸　仕掛品原価および異常減損費

月初仕掛品原価：原料費（2,400円×100単位）＋加工費（10,800円×75単位）
＝**1,050,000円**

月末仕掛品原価：原料費（2,400円×100単位）＋加工費（10,800円×25単位）
＝**510,000円**

異常減損費：１単位当たり正味標準製造原価13,200円×異常減損25単位
＝**330,000円**

3．正誤判断

1．**誤　り**。数量差異は，第１法が50,000円の不利差異，第２法が10,000円の有利差異となり，第２法がより適切な計算方法である。

2．**誤　り**。時間差異は，第１法が157,875円の不利差異，第２法が36,000円の不利差異となり，第２法がより適切な計算方法である。

3．**正しい**。

4．**誤　り**。月末仕掛品原価は，第１法が531,250円，第２法が510,000円であり，第２法がより適切な計算方法である。

5．**誤　り**。第２法にて異常減損費を求める場合，正常減損費を含めなければ異常減損費は330,000円である。

問題９　正解　５　難易度　A

★本問のポイント

理論(正誤)　管理会計総論

解　説

ア．**誤　り**。管理会計を意思決定会計と業績管理会計に体系化した場合，個別計画を策定するための会計が意思決定会計であり，期間計画の策定およびその実行を統制するための会計が業績管理会計である。

イ．**正しい**。

ウ．**誤　り**。中長期経営計画は，将来の企業経営の方向性を示す大綱的な計画であり，１年を超える期間を対象として設定される。この中期経営計画が設定される前に，企業戦略や事業戦略が検討される。

エ．**正しい**。

以上より，正しい記述はイ，エであり，正解は５となる。

問題10　正解　3　難易度　A

★本問のポイント

理論(正誤)　財務情報分析，CVP分析

解　説

ア．**正しい。**

イ．**誤　り。**安全余裕率は，実際の売上高と損益分岐点売上高との差額を実際の売上高で除して求められ，その値が高いほど収益性が高いことを意味する。

ウ．**誤　り。**自己資本がプラスの企業において，固定長期適合率が100％を上回る場合，固定比率が100％以下となる場合はない。

エ．**正しい。**

以上より，正しい記述はア，エであり，正解は3となる。

問題11　正解　4　難易度　B

★本問のポイント

計算　資金管理(キャッシュ・サイクル)

解　説

1．売上債権回転期間(金額単位：百万円)

$$\frac{(\text{当期末}2{,}000+\text{次期末}2{,}000)\div 2}{\text{次期売上高}20{,}000}\times 365\text{日}=36.5\text{日}$$

2．棚卸資産回転期間(金額単位：百万円)

$$\frac{(\text{当期末}2{,}000+\text{次期末}_{*1)}500)\div 2}{\text{次期売上原価}16{,}000}\times 365\text{日}=28.515625\text{日}$$

＊1)　単純平均棚卸資産＊2)1,250×2－当期末棚卸資産2,000

＊2)　次期売上原価16,000÷次期棚卸資産回転率＊3)12.8回

＊3)　当期棚卸資産回転率＊4)10回×次期目標設定1.28

＊4)　$$\frac{\text{当期売上原価}16{,}000}{(\text{前期末}1{,}200+\text{当期末}2{,}000)\div 2}$$

3．仕入債務回転期間(金額単位：百万円)

$$\frac{(\text{当期末}_{*1)}1{,}500+\text{次期末}_{*2)}1{,}200)\div 2}{\text{次期仕入高}_{*3)}14{,}500}\times 365\text{日}=33.982\cdots\text{日}$$

＊1)　当期末売上債権2,000＋当期末棚卸資産2,000
－当期末正味運転資本2,500

＊2)　次期末売上債権2,000＋次期末棚卸資産500
－次期末正味運転資本1,300

＊3)　次期売上原価16,000＋次期末棚卸資産500－当期末棚卸資産2,000

4．キャッシュ・コンバージョン・サイクルの計算

棚卸資産回転期間28.515625日＋売上債権回転期間36.5日
－仕入債務回転期間33.982…日＝31.032…→**31.03日**

問題12　正解　6　難易度　A

★本問のポイント

計算　CVP分析（公式，感度分析，安全余裕率）

解　説

1．当期の費用データの整理（単位：千円）

	変動費	固定費	合計
直接材料費	105,000	—	＊）105,000
直接労務費	105,000	—	105,000
製造間接費	∴ 50,000	90,000	140,000
販売費	∴ 30,000	40,000	70,000
一般管理費	—	40,000	40,000

＊）$\text{売上原価350,000千円} \times \dfrac{\text{直接材料費}\,3}{\text{直接材料費}\,3 + \text{直接労務費}\,3 + \text{製造間接費}\,4}$

2．次期の収益・費用データの整理（単位：千円）

売上高	＊1）	540,000
変動費		292,950
直接材料費	＊2）	113,400
直接労務費	＊3）	103,950
変動製造間接費	＊4）	47,250
変動販売費	＊5）	28,350
限界利益		∴ 247,050
固定費		176,800
固定製造原価	＊6）	93,600
固定販売費		40,000
一般管理費	＊7）	43,200

＊1）当期500,000千円×（1＋値上20％）×（1－販売量10％）

＊2）当期105,000千円×（1＋単価20％）×（1－販売量10％）

＊3）当期105,000千円×（1＋単価10％）×（1－販売量10％）

＊4）当期50,000千円×（1＋単価5％）×（1－販売量10％）

＊5）当期30,000千円×（1＋単価5％）×（1－販売量10％）

＊6）当期90,000千円×（1＋増加4％）

＊7）当期40,000千円×（1＋増加8％）

3．限界利益率（ア）

$$\frac{\text{限界利益}247{,}050\text{千円}}{\text{売上高}540{,}000\text{千円}} \times 100 = \mathbf{45.75\%}$$

4．安全余裕率（イ）

$$\frac{\text{売上高}540{,}000\text{千円} - {*)}\text{損益分岐点売上高}386{,}448.0\cdots\text{千円}}{\text{売上高}540{,}000\text{千円}} \times 100 = 28.435\cdots \rightarrow \mathbf{28.44\%}$$

$$*)\ \frac{\text{固定費}176{,}800\text{千円}}{\text{限界利益率}45.75\%}$$

問題13	正解	5	難易度	A

★本問のポイント

理論（正誤）　原価管理

解　　説

ア．**誤　り**。標準原価管理における標準原価とは，製品単位当たりの目標となる原価であり，完成品の標準原価は，原価標準に実際生産量を乗じて求める。

イ．**正しい**。

ウ．**誤　り**。原価企画におけるすり合わせ方式（折衷方式）による目標原価は，まず許容原価を求め，次にその許容原価と成行原価をすり合わせて求める。

エ．**正しい**。

以上より，正しい記述はイ，エであり，正解は５となる。

問題14　正解　2　難易度　C

★本問のポイント

計算　業務的意思決定（受注可否の意思決定）

解　説

1．（　ア　）：特別注文量の推定

製品単位当たりの変動製造原価は一定であるため，特別注文を引き受けることにより変化する製品単位当たりの製造原価は固定製造原価部分のみである。したがって，製品単位当たりの固定製造原価について次式が成り立つ。

$$\text{引受前}\frac{\text{固定製造原価3,390千円}}{\text{製造販売数量5,000個}}-\text{引受による低下0.113千円}$$

$$=\text{引受後}\frac{\text{固定製造原価3,390千円}}{\text{製造販売数量5,000個}+\text{特別注文量(ア)個}}\quad\therefore\quad \textbf{(ア)=1,000個}$$

2．（　イ　）：注文を引き受けることにより新たに生じる営業利益

(1)　製品単位当たりの変動製造原価の推定

製品単位当たりの変動製造原価をｖ（千円）とおくと，注文引受前後の売上総利益は次のように示すことができる。

	引受前	引受後
売　上　高	＊1)25,000千円	＊2)27,500千円
変動製造原価	ｖ×5,000個	ｖ×(5,000個＋1,000個)
固定製造原価	3,390千円	3,390千円
売上総利益	21,610千円－5,000ｖ	24,110千円－6,000ｖ

＊1)　販売価格５千円×製造販売数量5,000個

＊2)　引受前25,000千円＋特別注文分(販売価格５千円×50%×1,000個)

また，売上総利益率について次式が成り立つ。

$$\text{引受前}\frac{\text{売上総利益(21,610千円}-5{,}000\,v)}{\text{売上高25,000千円}}-\text{引受による低下1.04\%}$$

$$=\text{引受後}\frac{\text{売上総利益(24,110千円}-6{,}000\,v)}{\text{売上高27,500千円}}\quad\therefore\quad v=1.25\text{(千円)}$$

(2)　注文を引き受けることにより新たに生じる営業利益

「新たに生じる」営業利益は，注文を引き受ける場合の差額利益と等しいため，次のように算定できる。

販売価格５千円×50%×1,000個－変動製造原価@1.25千円×1,000個

＝**（イ）1,250千円**

問題15　**正解**　1　**難易度**　C

★本問のポイント

計算　設備投資意思決定(正味現在価値法)

解　　説

1．正味運転資本(金額単位：千円)

	現時点	20X4年度末	20X5年度末	20X6年度末	20X7年度末
売上債権残高	—	＊1)6,500	7,300	5,900	—
仕入債務残高	—	＊2)2,520	2,800	2,170	—
正味運転資本	—	＊3)3,980	4,500	3,730	—

＊1)　売上高65,000千円×10%　＊2)　仕入高36,000千円×7%

＊3)　売上債権残高6,500千円－仕入債務残高2,520千円

2．正味現在価値(金額単位：千円)

	現時点	20X4年度末	20X5年度末	20X6年度末	20X7年度末
売　上　高	—	65,000	73,000	59,000	—
仕　入　高	—	36,000	40,000	31,000	—
その他現金支出費用	—	9,000	10,000	8,000	—
減価償却費	—	＊1)14,000	14,000	14,000	—
税引前営業利益	—	6,000	9,000	6,000	—
設備売却益	—	—	—	4,000	—
税引前利益	—	6,000	9,000	10,000	—
税引後利益	—	＊2)3,600	5,400	**(ア)6,000**	—
税引後CF	—	＊3)17,600	19,400	20,000	—
正味運転資本投資額	—	＊4)－3,980	－520	770	3,730
設備投資額	－42,000	—	—	—	—
正味CF	－42,000	13,620	18,880	20,770	3,730
現価係数	1	0.909	0.826	0.751	0.683
現在価値	－42,000	12,380.58	15,594.88	15,598.27	2,547.59

正味現在価値4,121.32千円→**4,121千円(イ)**

＊1)　設備投資額42,000千円÷耐用年数3年

＊2)　税引前利益6,000千円×(1－税率40%)

＊3)　税引後利益3,600千円＋減価償却費14,000千円

＊4)　現時点正味運転資本0千円－20X4年度末正味運転資本3,980千円

問題16　正解　3　難易度　A

★本問のポイント

理論(正誤)　分権組織とグループ経営

解　　説

ア．**正しい。**

イ．**誤　り。**ミニ・プロフィット・センターの代表例であるアメーバ組織といわれる分権化組織の特徴には，各アメーバ組織が製品開発，生産，販売，管理などの全ての機能を持たない独立採算制や時間当たり採算による業績管理がある。

ウ．**誤　り。**インベストメント・センターとして事業部長の業績を，各事業部の投下資本の収益性により評価する場合，管理可能利益を用いた事業部投下資本利益率や残余利益が用いられる。

エ．**正しい。**

以上より，正しい記述はア，エであり，正解は3となる。

監　査　論

【科目別講評】

前回試験と比較すると，特に前半部分で文章量が減少する一方で，これまで余り試される機会も多くなかった知識の応用を求める傾向が見られ，受験生としては解きづらさを感じたものと思われる。しかし，後半部分は，比較的正答を導きやすい出題から構成されており，典型論点の記述も相当数含まれている。結果，全体としては前回試験と比較して平均点は高くなると予想され，合格を目指す上では，少なくとも15問正答する必要があると考えられる。

（本講評は，令和５年第Ⅱ回試験終了時のものです。）

	【配点】	【難易度】	【出題内容】
問題１	５点	B	公認会計士監査
問題２	５点	B	虚偽表示に該当する状況
問題３	５点	C	精神的独立性の欠如が直接的に認められる状況
問題４	５点	C	公認会計士法
問題５	５点	B	会社法における一時会計監査人
問題６	５点	B	監査事務所の品質管理
問題７	５点	B	監査業務の品質管理
問題８	５点	B	内部統制の不備の報告
問題９	５点	A	内部統制監査
問題10	５点	A	保証業務
問題11	５点	A	守秘義務
問題12	５点	A	職業的懐疑心
問題13	５点	A	監査計画
問題14	５点	A	不正による重要な虚偽表示リスク
問題15	５点	A	リスク評価手続
問題16	５点	A	リスク対応手続
問題17	５点	A	監査の過程で識別した虚偽表示の評価
問題18	５点	A	グループ監査
問題19	５点	A	監査報告書
問題20	５点	A	監査報告

問題1　正解　1　難易度　B

★本問のポイント

公認会計士監査

解　説

ア．正しい。

イ．正しい。

ウ．誤　り。公認会計士法28条の2参照
就職の制限に関する規定は，上場会社の監査を担当するかどうかを問わず適用される。

エ．誤　り。金融商品取引法193条の2第4項参照
新規上場企業(資本金100億円以上又は負債1,000億円以上である会社を除く)は，上場後3年までは提出する内部統制報告書について監査証明を受けないことができ，内部統制監査の実施は必須とされていない。

以上より，正しい記述はア，イであり，正解は1となる。

問題2　正解　4　難易度　B

★本問のポイント

虚偽表示に該当する状況

解　説

ア．**虚偽表示に該当しない。**

得意先の経営状態が悪化したのは監査報告書日後であるため，計上していた貸倒引当金の見積りが不合理であったことを意味するものではなく，虚偽表示に該当しない。

イ．**虚偽表示に該当する。**

子会社が策定した将来の業績予測が現実的な予測よりも大幅に利益を高く見積もっている以上，当該業績予測を利用して子会社株式を評価することは不適切であり，虚偽表示に該当する。

ウ．**虚偽表示に該当する。**

開示すべき重要な注記事項について，必要な開示が漏れていることは虚偽表示に該当する。

エ．**虚偽表示に該当しない。**

直接的に開示を求める規定がない場合において，追加的に注記事項としての開示を行うことは認められており，当該開示を行うことは虚偽表示に該当しない。

以上より，虚偽表示に該当する状況を示した記述はイ，ウであり，正解は4となる。

問題3　正解　6　難易度　C

★本問のポイント

精神的独立性の欠如が直接的に認められる状況

解　説

精神的独立性とは，職業的専門家としての判断を危うくする影響を受けることなく，結論を表明できる精神状態を保持することをいう。

この定義に照らせば，まず，ウについては，子会社への往査について，経営者から合理的な理由がないにもかかわらず拒否されたことを受け入れて往査を実施していないことから，職業的専門家としての判断について影響を受けており，精神的独立性の欠如が直接的に認められる。

また，エについては，当年度の利益目標を達成するために一部の費用を次年度に繰り延べることは虚偽表示に当たる以上，被監査会社からの相談を受けてこれを容認することには，精神的独立性の欠如が直接的に認められる。

以上より，精神的独立性の欠如が直接的に認められる状況を示した記述はウ，エであり，正解は6となる。

問題4　正解　3　難易度　C

★本問のポイント

公認会計士法

解　説

ア．**正しい**。公認会計士法4条1号参照

イ．**誤　り**。同法34条の17第4号，34条の19第1項参照

監査法人の合併と監査法人の社員の脱退は，ともに総社員の同意が必要となる。

ウ．**誤　り**。同法34条の5第2号参照

監査法人は，その業務に支障のない限り，定款で定めるところにより，公認会計士試験に合格した者に対する実務補習をすることができるとされるにとどまり，実務補習の実施が義務とされるわけではない。

エ．**正しい**。同法18条，同法34条の10の9参照

以上より，正しい記述はア，エであり，正解は3となる。

問題5　正解　4　難易度　B

★本問のポイント

会社法における一時会計監査人

解　説

ア．**誤　り**。会社法346条４項，６項～８項参照

一時会計監査人を選任するのは，株主総会ではなく，監査役等である。

イ．**正しい**。同法337条２項，346条５項参照

ウ．**正しい**。同法911条３項20号参照

エ．**誤　り**。同法399条１項参照

取締役は，一時会計監査人の報酬等を定める場合には，監査役(監査役が二人以上ある場合にあっては，その過半数)の同意を得なければならないとされ，全員の同意を得ることは求められない。

以上より，正しい記述はイ，ウであり，正解は４となる。

問題６　正解　１　難易度　B

★本問のポイント

監査事務所の品質管理

解　説

ア．**正しい**。監査に関する品質管理基準の設定前文二参照

イ．**正しい**。監査における不正リスク対応基準の設定前文二４⑷参照

ウ．**誤　り**。品質管理基準報告書第１号「監査事務所における品質管理」34－２JP項参照

金融商品取引法に基づく監査において，審査を要しないとすることはできない。

エ．**誤　り**。同報告書第２号「監査業務に係る審査」F25－２JP項参照

修正後の監査計画及び監査手続の妥当性について，監査事務所としての審査が行われるよう，審査に関する方針及び手続を定めなければならないのは，不正による重要な虚偽表示を示唆する状況が識別された場合ではなく，不正による重要な虚偽表示の疑義があると判断された場合である。

以上より，正しい記述はア，イであり，正解は１となる。

問題7 正解 2 難易度 B

★本問のポイント

監査業務の品質管理

解　説

ア．**正しい**。監査基準報告書220「監査業務における品質管理」12項(4)，A17項参照

イ．**誤　り**。品質管理基準報告書第1号「監査事務所における品質管理」34項(2)参照

独立性の保持が要求される全ての専門要員から，独立性の保持のための方針及び手続の遵守に関する確認書を入手しなければならないのは，監査責任者ではなく，監査事務所であり，監査責任者自ら当該確認書が入手されているかどうかを確認することは求められていない。

ウ．**正しい**。監査基準報告書220 A91項参照

エ．**誤　り**。品質管理基準報告書第2号「監査業務に係る審査」A30-2JP項参照

公認会計士法上の大会社等の監査の審査において検討され評価される事項には，経営者及び監査役等に伝達する事項が含まれることがあり，その検討及び評価が必要ないわけではない。

以上より，正しい記述はア，ウであり，正解は2となる。

問題8　正解　6　難易度　B

★本問のポイント

内部統制の不備の報告

解　説

ア．**誤　り**。監査基準報告書265「内部統制の不備に関するコミュニケーション」9項(1)参照

重要な不備であっても，経営者に直接報告することが適切でない場合には，適切な階層の経営者に報告することは求められていない。

イ．**誤　り**。同報告書8項，A14項参照

監査人は，監査の過程で識別した重要な不備を，適時に，書面又は電磁的記録により監査役等に報告しなければならない。この場合，監査人は，当該不備について，まず口頭で経営者に報告する場合があるが，これによって，重要な不備の書面又は電磁的記録により報告する責任が免除されるわけではない。

ウ．**正しい**。同報告書A26項参照

エ．**正しい**。同報告書A24項参照

以上より，正しい記述はウ，エであり，正解は6となる。

問題 9　正解　2　難易度　A

★本問のポイント

内部統制監査

解　　説

ア．**正しい**。

イ．**誤　り**。財務報告に係る全社的な内部統制の評価の妥当性を検討するに当たっては，監査役等が行った業務監査の中身を検討することは求められていない。

ウ．**正しい**。内部統制の基準Ⅲ 2 参照

エ．**誤　り**。同基準Ⅲ 4 ⑹③参照

開示すべき重要な不備が期末日までに是正された場合に，内部統制監査報告書において当該是正措置について追記情報として記載することは求められていない。

以上より，正しい記述はア，ウであり，正解は 2 となる。

問題10　正解　5　難易度　A

★本問のポイント

保証業務

解　説

ア．**誤　り**。財務情報等に係る保証業務の概念的枠組みに関する意見書二2⑵参照

合理的保証業務を行う場合，保証業務リスクは限定的保証業務の場合よりも「低い」水準に維持することになる。

イ．**正しい**。同意見書八2⑵参照

ウ．**誤　り**。同意見書二4⑴①参照

合意された手続は保証業務に該当するものではなく，限定的保証業務である財務情報のレビューは，合意された手続によって行われるものではない。

エ．**正しい**。同意見書二2⑴参照

以上より，正しい記述はイ，エであり，正解は5となる。

問題11　正解　2　難易度　A

★本問のポイント

守秘義務

解　　説

ア．**正しい**。公認会計士法27条，52条参照

イ．**誤　り**。同法2条，27条参照
非監査証明業務に従事することによって知り得た秘密も，守秘義務の対象となる。

ウ．**正しい**。監査基準報告書900「監査人の交代」20項参照

エ．**誤　り**。同法34条の10の16参照
特定社員の守秘義務は，特定社員でなくなった後であっても解除されない。

以上より，正しい記述はア，ウであり，正解は2となる。

問題12　正解　5　難易度　A

★本問のポイント

職業的懐疑心

解　　説

ア．**誤　り**。監査における不正リスク対応基準の設定前文二４(2)参照

監査基準の職業的懐疑心においては，経営者が誠実であるとも不誠実であるとも想定しないという中立的な観点が採られており，監査における不正リスク対応基準の設定によっても，この想定は変更されていない。

イ．**正しい**。監査基準報告書240「財務諸表監査における不正」12項，同報告書500「監査証拠」８項参照

ウ．**誤　り**。同報告書200「財務諸表監査における総括的な目的」A21項参照

被監査会社の経営者の誠実性を疑う理由がないと判断する場合であっても，職業的懐疑心を保持する必要性は軽減されない。

エ．**正しい**。同設定前文二４(2)参照

以上より，正しい記述はイ，エであり，正解は５となる。

問題13　正解　6　難易度　A

★本問のポイント

監査計画

解　説

ア．**誤　り**。監査基準報告書300「監査計画」8項参照

リスク評価手続は，監査の基本的な方針ではなく，詳細な監査計画に含まれる。

イ．**誤　り**。同報告書320「監査の計画及び実施における重要性」8項(2)，9項，A8項参照

重要性の基準値は，特定の財務諸表項目(取引種類，勘定残高又は注記事項)に対して設定されることもある。

ウ．**正しい**。実施基準一3，監査基準の平成17年改訂前文二5参照

エ．**正しい**。監査基準の平成14年改訂前文三8(1)参照

以上より，正しい記述はウ，エであり，正解は6となる。

問題14　正解　3　難易度　A

★本問のポイント

不正による重要な虚偽表示リスク

解　説

ア．**正しい**。監査基準報告書240「財務諸表監査における不正」《付録１》1(1)4参照

イ．**誤　り**。同報告書28項参照

財務諸表全体に関連する不正による重要な虚偽表示リスクを識別した場合には，監査計画に，企業が想定しない要素を組み込まなければならず，組み込むことは禁じられていない。

ウ．**誤　り**。同報告書16項(1)参照

監査人は，財務諸表に不正による重要な虚偽表示が行われるリスクに関する経営者の評価について質問しなければならず，質問することは禁じられていない。

エ．**正しい**。同報告書30項参照

以上より，正しい記述はア，エであり，正解は３となる。

問題15　正解　5　難易度　A

★本問のポイント

リスク評価手続

解　説

ア．**誤　り。**監査基準報告書200「財務諸表監査における総括的な目的」12項(15)参照

財務諸表に生じた重要な虚偽表示を，監査人が監査手続を実施しても看過してしまうリスクは，監査リスクではなく，発見リスクである。

イ．**正しい。**実施基準二5，同報告書315「重要な虚偽表示リスクの識別と評価」11項(10)①参照

ウ．**誤　り。**同報告書11項(5)参照

特定のアサーションが，関連するアサーションであるかどうかの判断は，関連する内部統制を考慮する前に行われ，固有リスクの評価のみに基づき判断することになる。

エ．**正しい。**同報告書15項参照

以上より，正しい記述はイ，エであり，正解は5となる。

問題16　**正解** 1　**難易度** A

★本問のポイント

リスク対応手続

解　説

ア．**正しい**。監査基準報告書330「評価したリスクに対応する監査人の手続」5項，A5項参照

イ．**正しい**。同報告書20項参照

ウ．**誤　り**。同報告書22項参照

監査人は，期中に，当初のリスク評価において予期しなかった虚偽表示を発見した場合には，関連するリスク評価並びに残余期間に対して計画された実証手続の種類，時期及び範囲を変更する必要があるかどうかを評価することが求められるが，「不正による重要な虚偽表示リスクを識別するとともに，当該リスクに応じたリスク対応手続の実施」は求められない。

エ．**誤　り**。同報告書17項参照

監査人は，重要性のある取引種類，勘定残高又は注記事項については，重要な虚偽表示リスクを識別していないとしても，実証手続を立案し実施することが求められている。

以上より，正しい記述はア，イであり，正解は1となる。

問題17　正解　3　難易度　A

★本問のポイント

監査の過程で識別した虚偽表示の評価

解　説

ア．**正しい**。監査基準報告書450「監査の過程で識別した虚偽表示の評価」4項，A2項参照

イ．**誤　り**。同報告書5項(2)参照

監査の過程で集計した虚偽表示の合計が重要性の基準値に近似している場合には，その範囲内であるとしても，監査人は，当初策定した監査計画の修正を検討しなければならない。

ウ．**誤　り**。同報告書10項(2)参照

監査人は，当年度の未修正の虚偽表示が重要であるかの判断においては，たとえ過年度に重要性がないと判断されていたとしても，過年度の未修正の虚偽表示が当年度の財務諸表に与える影響を考慮しなければならない。

エ．**正しい**。同報告書11項参照

以上より，正しい記述はア，エであり，正解は3となる。

問題18　正解　1　難易度　A

★本問のポイント

グループ監査

解　説

ア．**正しい**。監査基準報告書600「グループ監査」（最終改正：2022年10月13日）２項参照

イ．**正しい**。同報告書18項(1)参照

ウ．**誤　り**。同報告書41項，42項参照

グループ監査チームは，構成単位の監査人からの報告事項を評価するとともに，構成単位の監査人の作業の妥当性を評価する必要がある。

エ．**誤　り**。同報告書20項(3)参照

構成単位の重要性の基準値は，グループ財務諸表全体としての重要性の基準値より低くなければならない。

以上より，正しい記述はア，イであり，正解は１となる。

問題19　正解　4　難易度　A

★本問のポイント

監査報告書

解　説

ア．**誤　り**。監査基準報告書800「特別目的の財務報告の枠組みに準拠して作成された財務諸表に対する監査」A16項参照

特別目的の財務諸表に対する監査報告書においても，法令により要求されている場合，又は任意で契約条件により合意した場合には，監査上の主要な検討事項を報告することが要求されることになり，当該事項の記載は禁じられていない。

イ．**正しい**。同報告書701「独立監査人の監査報告書における監査上の主要な検討事項の報告」15項参照

ウ．**正しい**。報告基準六４，同報告書570「継続企業」20項参照

エ．**誤　り**。報告基準三(3)，同報告書700「財務諸表に対する意見の形成と監査報告」31項(2)参照

財務諸表において継続企業の前提に関する開示があるかどうかにかかわらず，監査報告書上の経営者及び監査役等の責任の区分には，経営者には継続企業の前提に関する評価及び開示を行う責任がある旨の記載が必要とされる。

以上より，正しい記述はイ，ウであり，正解は４となる。

問題20　正解　4　難易度　A

★本問のポイント

監査報告

解　　説

ア．**誤　り**。報告基準七１，監査基準報告書701「独立監査人の監査報告書における監査上の主要な検討事項の報告」８項，９項参照

監査人は，監査の過程で監査役等と協議した事項の中から決定した「特に注意を払った事項」をそのままに監査上の主要な検討事項として記載するのではなく，その中からさらに，「特に重要であると判断した事項」を監査上の主要な検討事項として決定して記載することが求められる。

イ．**正しい**。同報告書700「財務諸表に対する意見の形成と監査報告」39項参照

ウ．**正しい**。報告基準五４，同報告書705「独立監査人の監査報告書における除外事項付意見」９項参照

エ．**誤　り**。報告基準十，同報告書800「特別目的の財務報告の枠組みに準拠して作成された財務諸表に対する監査」13項参照

特別目的の財務諸表(特別の利用目的に適合した会計の基準により作成される財務諸表)に対する監査報告書に記載が求められているのは，他の目的で利用できる場合がある旨ではなく，他の目的には適合しないことがある旨である。

以上より，正しい記述はイ，ウであり，正解は４となる。

財務会計論

【科目別講評】

2023年第Ⅱ回短答式試験は，計算分野は8点の問題が12問，総合問題が1問(設問数6問)であった。理論分野は，8点の問題が10問であり，前回の短答式試験と比較して，理論問題が1問減少(計算問題が1問増加)した。計算分野は8点問題，総合問題ともに難易度の高い問題が多く，前回から難化した。理論分野は，得点しやすい問題が多く，概ね前回と同程度の難易度であった。計算分野で61％程度，理論分野で80％程度が目標であり，ケアレスミス等を考慮すると，全体で69％程度を目標としてもらいたい。

(本講評は，令和5年第Ⅱ回試験終了時のものです。)

	【配点】	【難易度】	【出題内容】
問題1	8点	A	【理論】財務会計の機能と制度
問題2	8点	A	【理論】関連当事者の開示・キャッシュ・フロー計算書等
問題3	8点	C	【計算】現金，小口現金
問題4	8点	B	【計算】有価証券
問題5	8点	B	【計算】有形固定資産(圧縮記帳)
問題6	8点	B	【計算】繰延資産
問題7	8点	A	【理論】資産除去債務
問題8	8点	B	【計算】自己株式
問題9	8点	A	【理論】財務諸表の表示
問題10	8点	A	【計算】個別キャッシュ・フロー計算書
問題11	8点	A	【理論】金融商品会計
問題12	8点	B	【理論】ストック・オプション
問題13	8点	A	【計算】リース取引
問題14	8点	A	【理論】退職給付会計
問題15	8点	A	【計算】退職給付会計
問題16	8点	C	【計算】収益認識
問題17	8点	A	【理論】税効果会計
問題18	8点	B	【計算】共通支配下の取引等の会計処理(株式移転)
問題19	8点	C	【理論】連結会計
問題20	8点	A	【計算】固定資産の減損

問題21	8点	A	【計算】連結財務諸表における包括利益(在外子会社)
問題22	8点	A	【理論】企業結合・事業分離等
問題23	4点	A	【計算】連結財務諸表(非支配株主持分)
問題24	4点	A	【計算】連結財務諸表(利益剰余金)
問題25	4点	A	【計算】連結財務諸表(資産合計)
問題26	4点	C	【計算】個別財務諸表(抱合せ株式消滅差益)
問題27	4点	C	【計算】連結財務諸表(資本剰余金)
問題28	4点	C	【計算】連結財務諸表(親会社株主に帰属する当期純利益)

問題１　正解　２　難易度　Ａ

★本問のポイント

財務会計の機能と制度

解　説

ア．**正しい**。「会計上の見積りの開示に関する会計基準」４参照。

イ．**誤　り**。「財務諸表等規則」第８条の５参照。

新型コロナウイルス感染症に関する情報が企業の財政状態および経営成績，キャッシュ・フローの状況に関する適正な判断を行うために必要と解される場合には，注記として開示を求める感染症に関する会計基準が存在していなくとも，開示する必要がある。

ウ．**正しい**。「企業会計原則」注１－２，注１－３,「財務諸表等規則」第８条の２，第８条の４参照。

エ．**誤　り**。「討議資料　財務会計の概念フレームワーク」第１章３参照。

財務諸表において表示される利益情報は，投資の成果を示すものであることから基本的に過去の情報であるが，企業価値の評価の基礎となる将来キャッシュ・フローの予測に広く用いられている。

以上より，正しい記述はア，ウであり，正解は２となる。

問題2　正解　5　難易度　A

★本問のポイント

関連当事者の開示・キャッシュ・フロー計算書・金融商品会計・会計方針の開示，会計上の変更及び誤謬の訂正

解　説

ア．**誤　り**。「財務諸表等の用語，様式及び作成方法に関する規則」第8条17項，「関連当事者の開示に関する会計基準」5(3)参照。

「関連当事者」には，財務諸表提出会社の親会社，子会社，関連会社およびその他の関係会社に加え，財務諸表提出会社の主要株主，役員およびそれらの近親者が含まれる。

イ．**正しい**。「財務諸表等の用語，様式及び作成方法に関する規則」第8条18項，第8条19項，「連結キャッシュ・フロー計算書等の作成基準」第二・一参照。

ウ．**誤　り**。「財務諸表等の用語，様式及び作成方法に関する規則」第8条22項，「金融商品に関する会計基準」18参照。

「その他有価証券」とは，「売買目的有価証券，満期保有目的の債券，子会社株式，関連会社株式」以外の有価証券をいう。

エ．**正しい**。「財務諸表等の用語，様式及び作成方法に関する規則」第8条49項，第8条51項参照，「会計方針の開示，会計上の変更及び誤謬の訂正に関する会計基準」4(7)，(9)。

以上より，正しい記述はイ，エであり，正解は5となる。

問題3　正解　2　難易度　C

★本問のポイント

現　金（小口現金）

解　　説（単位：円）

Ⅰ．小口現金

1．補給後の処理

（借）	旅費交通費	40,000	（貸）	小口現金	40,000
（借）	小口現金	5,000	（貸）	仮払金	5,000
（借）	消耗品費	31,500	（貸）	小口現金	31,500
（借）	雑費	2,500	（貸）	小口現金	2,500
（借）	消耗品費	15,500	（貸）	小口現金	15,500

（注）用度係から会計係に支払報告をした時点及び補給した時点で会計係は仕訳を行う。本問では毎週月曜日に支払報告及び資金補給をするため，3月31日（金曜日）時点ではその週の報告を行っていない。そのため，前T/B小口現金150,000円は小口現金出納帳の3月27日「本日補給」後の金額となる。したがって，それより後に行われた小口現金の出納は会計係に報告をしていないことから未処理（小口現金出納帳上は処理しているが仕訳は行っていない）であり，決算にあたって3月27日に補給した後の小口現金出納帳に記帳された取引の仕訳を行う必要がある。

（注）ＩＣカードへの入金につき，小口現金出納帳より旅費交通費として処理しているが，入金時は仮払金等で処理することも考えられる。

（注）交通費の仮払い精算の誤りによる5,000円（＝10,000円－5,000円）の返金は，実際の小口現金有高の減少であり，小口現金出納帳上は受入5,000円と正しく処理されていることから，帳簿上は特段考慮する必要はない。

2．自動販売機（仮払金処理）

（借）	小口現金	9,500	（貸）	仮払金	7,500
				売上	2,000（＊1）

（＊1）自動販売機売上金等9,500－仮払金7,500＝2,000

（注）自動販売機の売上金は「雑収入」で処理することも考えられる。

3．不渡小切手

(1)　誤処理

①　実際に行った仕訳

（借）	小口現金	12,000	（貸）	売掛金	12,000

② あるべき仕訳

(借)	現金	12,000	(貸)	売掛金	12,000

③ 修正仕訳(②－①)

(借)	現金	12,000	(貸)	小口現金	12,000

(2) 不渡小切手

(借)	不渡小切手	12,000	(貸)	現金	12,000

(注)得意先から振り出された小切手が不渡りになった場合には，現金勘定から不渡小切手勘定に振り替え，投資その他の資産に計上する。

(注)(1)と(2)をまとめて以下のように仕訳を行ってもよい。

(借)	不渡小切手	12,000	(貸)	小口現金	12,000

Ⅱ．貸借対照表に計上される現金(解答数値の算定)

現金(前T/B3,658,000＋12,000－12,000)

＋小口現金(前T/B150,000－40,000＋5,000－31,500－2,500－15,500

＋9,500－12,000)＝**3,721,000**

	帳簿残高			実際有高
前T/B	150,000		実査金額	∴70,500
ICカード入金	△40,000		仮払精算返金	△ 5,000
交通費精算	＋ 5,000			
コピー用紙	△31,500			
茶菓子代	△ 2,500			
事務用筆記用具	△15,500			
売上金等	＋ 9,500		売上金等	＋ 9,500
不渡小切手	△12,000		不渡小切手	△12,000
	63,000	←→ 一致		63,000

問題４　**正解**　4　**難易度**　B

★本問のポイント

有価証券(保有目的区分の変更，有価証券の減損処理，外貨建有価証券)

解　　説（単位：千円）

Ⅰ．A社株式(その他有価証券→関係会社株式)

１．X1年12月１日

(借) 投資有価証券	2,000(＊1)	(貸) 現金預金	2,000

(＊1)　@1,000円×2,000株＝2,000

(注)X2年３月31日に時価評価が行われるが，本問では前期末時価が不明であるため，当該時価評価及び期首の振戻を省略している。

２．X2年５月１日

(借) 投資有価証券	3,900(＊2)	(貸) 現金預金	3,900

(＊2)　@1,300円×3,000株＝3,900

３．X2年９月30日

(1)　追加取得

(借) 関係会社株式	3,000(＊3)	(貸) 現金預金	3,000

(＊3)　@1,500円×2,000株＝3,000

(2)　振　替

(借) 関係会社株式	5,900	(貸) 投資有価証券	5,900(＊4)

(＊4)　2,000(＊1)＋3,900(＊2)＝5,900

(注)本問では，特に指示がないことから全部純資産直入法か部分純資産直入法かは不明である。部分純資産直入法かつ前期末評価損の場合は前期取得分は前期末時価で振り替えるが，前期末評価益の場合は全部純資産直入法でも部分純資産直入法でも簿価振り替えとなる。本問では前期末時価が不明であるため，前期末は評価益であると考える。したがって簿価により振り替える。

４．X3年３月31日(決算整理)

仕　訳　な　し

◎　A社株式(関係会社株式，投資その他の資産)：8,900(＊5)

(＊5)　3,000(＊3)＋5,900(＊4)＝8,900

Ⅱ．Ｂ社株式(その他有価証券)

1．X1年３月１日

(借) 投資有価証券	40,000(＊1)	(貸) 現金預金	40,000

(＊1) @2,000円×20,000株＝40,000

2．X3年３月31日(決算整理)

(借) その他有価証券評価差額金	10,000	(貸) 投資有価証券	10,000(＊2)

(＊2) 40,000(＊1)－30,000(＊3)＝10,000

(＊3) 当期末の時価@1,500円×20,000株＝30,000

◎　Ｂ社株式(その他有価証券，投資その他の資産)：30,000(＊3)

(注)政策保有目的で取得した株式はその他有価証券に分類されるが，その後の状況変化で当該株式の保有目的を転売目的に変更し，１年以内に売却することを決定したとしても，それはトレーディング目的に変更されたものではないため，売買目的有価証券に分類し直して流動資産の有価証券に振り替えることは認められない。したがって，一年基準によって流動分類せず，固定資産(投資その他の資産)に計上する。なお，親会社株式のうち一年内に処分されると認められるものを流動資産とする点と混同しないこと。

Ⅲ．Ｃ社株式(その他有価証券→関係会社株式，有価証券の減損処理)

1．X1年８月１日

(借) 投資有価証券	3,300(＊1)	(貸) 現金預金	3,300

(＊1) @1,100円×3,000株＝3,300

2．X2年４月１日

(借) 投資有価証券	5,200(＊2)	(貸) 現金預金	5,200

(＊2) @1,300円×4,000株＝5,200

3．X2年10月30日

(1) 追加取得

(借) 関係会社株式	2,400(＊3)	(貸) 現金預金	2,400

(＊3) @1,200円×2,000株＝2,400

(2) 振　替

(借) 関係会社株式	8,500	(貸) 投資有価証券	8,500(＊4)

(＊4) 3,300(＊1)＋5,200(＊2)＝8,500

4．X3年３月31日(決算整理)

(借) 関係会社株式評価損	6,400(＊5)	(貸) 関係会社株式	6,400

(＊5)　取得原価10,900(＊6)×50％＝5,450＞当期末時価4,500(＊7)→減損処理を行う

∴　取得原価10,900(＊6)－当期末時価4,500(＊7)＝6,400

(＊6)　2,400(＊3)＋8,500(＊4)＝10,900

(＊7)　@500円×(3,000株＋4,000株＋2,000株)＝4,500

◎　Ｃ社株式(関係会社株式，投資その他の資産)：4,500(＊7)

Ⅳ．Ｄ社株式(その他有価証券)

１．X2年４月１日

(借) 投資有価証券	10,450(＊1)	(貸) 現金預金	10,450

(＊1)　95,000ドル×110円／ドル＝10,450

２．X3年３月31日(決算整理)

(借) 投資有価証券	2,290(＊2)	(貸) その他有価証券評価差額金	2,290

(＊2)　12,740(＊3)－10,450(＊1)＝2,290

(＊3)　当期末時価98,000ドル×当期CR130円／ドル＝12,740

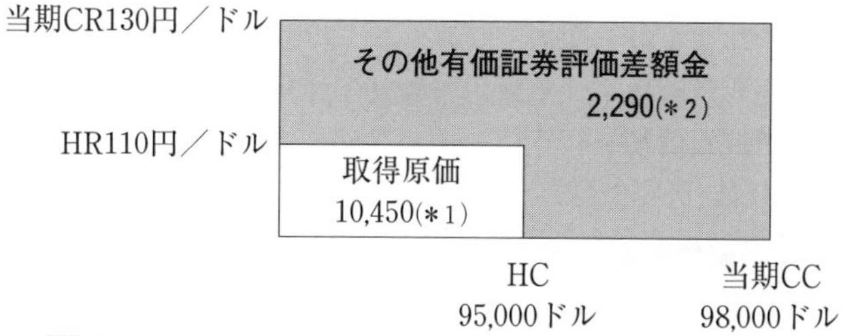

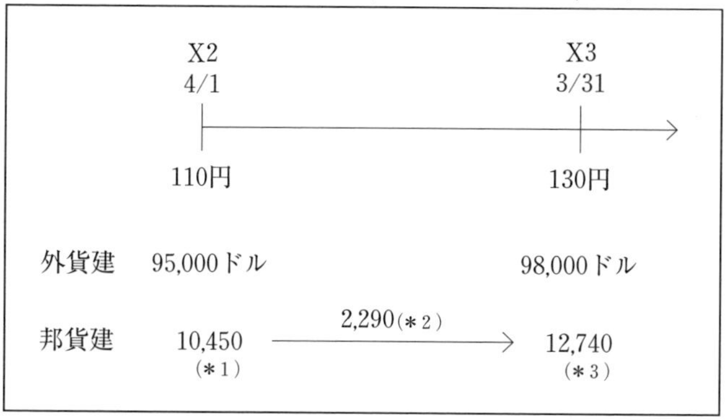

◎　Ｄ社株式(その他有価証券，投資その他の資産)：12,740(＊3)

Ⅴ．解答数値の算定

Ａ社株式8,900＋Ｂ社株式30,000＋Ｃ社株式4,500＋Ｄ社株式12,740＝**56,140**

問題5　正解　3　難易度　B

★本問のポイント

有形固定資産(圧縮記帳)

解　　説(単位：千円)

Ⅰ．機械装置A(圧縮記帳，直接減額方式)

1．X1年4月1日(取得時)

(借)	現金預金	30,000	(貸)	国庫補助金受贈益	30,000
(借)	機械装置	50,000	(貸)	現金預金	50,000
(借)	機械装置圧縮損	30,000(＊1)	(貸)	機械装置	30,000

(＊1) 国庫補助金受贈益相当額

2．X2年3月31日(決算整理)

(借)	機械装置減価償却費	4,000(＊2)	(貸)	機械装置減価償却累計額	4,000

(＊2) (取得原価50,000－圧縮損30,000(＊1))÷5年＝4,000

(注)直接減額方式による場合，圧縮額等を直接減額した後の帳簿価額に基づいて減価償却費を計上する。

(注)会計上は法人税法に基づく耐用年数10年ではなく，経済的使用可能予測期間5年で減価償却を行う。

3．X3年3月31日(決算整理)

(借)	機械装置減価償却費	4,000(＊2)	(貸)	機械装置減価償却累計額	4,000

4．X4年3月31日(決算整理)

(借)	機械装置減価償却費	4,000(＊2)	(貸)	機械装置減価償却累計額	4,000

5．X5年3月31日(決算整理)

(借)	機械装置減価償却費	4,000(＊2)	(貸)	機械装置減価償却累計額	4,000

Ⅱ．土地B及び建物C(圧縮記帳，積立金方式)

1．X2年3月31日

(1)　収用時

(借)	現金預金	70,000	(貸)	土地	30,000
				土地売却益	40,000
(借)	建物	70,000	(貸)	現金預金	70,000

(2)　決算整理

(借)	繰越利益剰余金	40,000	(貸)	建物圧縮積立金	40,000

２．X3年３月31日(決算整理)

(借) 建物減価償却費	3,500(＊3)	(貸) 建物減価償却累計額	3,500
(借) 建物圧縮積立金	2,000	(貸) 繰越利益剰余金	2,000(＊4)

(＊3) 取得原価70,000÷20年＝3,500

(注)積立金方式による場合，取得原価に基づいて減価償却費を計上する。

(＊4) 圧縮積立金40,000÷20年＝2,000

３．X4年３月31日(決算整理)

(借) 建物減価償却費	3,500(＊3)	(貸) 建物減価償却累計額	3,500
(借) 建物圧縮積立金	2,000	(貸) 繰越利益剰余金	2,000(＊4)

４．X5年３月31日(決算整理)

(借) 建物減価償却費	3,500(＊3)	(貸) 建物減価償却累計額	3,500
(借) 建物圧縮積立金	2,000	(貸) 繰越利益剰余金	2,000(＊4)

Ⅲ．当期末における有形固定資産の貸借対照表の合計額(解答数値の算定)

機械装置Ａ(50,000－30,000(＊1)－4,000(＊2)×４年)＋建物Ｃ(70,000－3,500(＊3)×３年)＝**63,500**

問題6　正解　2　難易度　B

★本問のポイント

繰延資産，研究開発費とソフトウェア

解　　説(単位：千円)

(注)問題文に「当社は選択可能な会計処理の方法がある場合，最も当期の費用が少なくなるような方法を選択している。」とあるため，繰延資産として計上可能な費用は繰延資産として計上し，最長償却期間にわたって月割償却を行う。

Ⅰ．X3年度末の貸借対照表の資産の部に計上される繰延資産(解答数値の算定)

株式交付費5,500(＊1)＋開発費7,140(＊2)＋社債発行費480(＊3)＝**13,120**

(＊1)　$$6{,}000 \times \frac{\text{36ヶ月－経過期間3ヶ月(X4.1〜X4.3)}}{\text{36ヶ月(X4.1〜X6.12)}} = 5{,}500$$

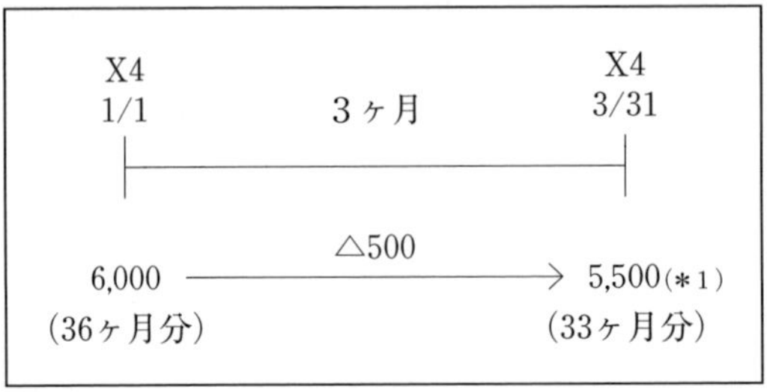

(注)繰延資産に該当する株式交付費は，繰延資産の性格から，企業規模の拡大のためにする資金調達等の財務活動(組織再編の対価として株式を交付する場合を含む)に係る費用を前提としているため，株式の分割や株式の無償割当等に係る費用(本問における株式の分割に係る支出2,400)は繰延資産に該当しない。

(＊2)　$$8{,}400 \times \frac{\text{60ヶ月－経過期間9ヶ月(X3.7〜X4.3)}}{\text{60ヶ月(X3.7〜X8.6)}} = 7{,}140$$

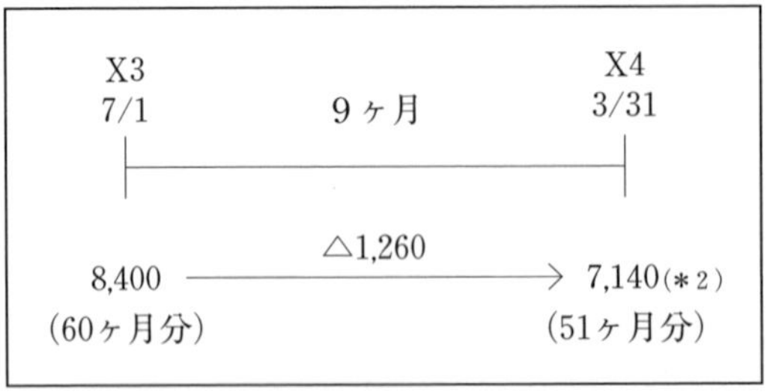

（注）開発費のうち，「研究開発費等に係る会計基準」の対象となる研究開発費については，発生時に費用として処理しなければならない。製品の著しい改良のための支出5,500は発生時に「研究開発費」として処理するため，繰延資産に該当しない。

（＊３）　$720(＊4)\times\dfrac{36\text{ヶ月}-\text{経過期間}12\text{ヶ月}(\text{X}3.4\sim\text{X}4.3)}{36\text{ヶ月}(\text{X}3.4\sim\text{X}6.3)}=480$

（注）支出の効果が期待されなくなった繰延資産は，その未償却残高を一時に償却しなければならない。よって，買入消却した半額分の社債に係る社債発行費は全額償却される。

（注）問題文に「繰延資産の償却は期末の決算手続において実施しており，」とあるため，決算整理前残高試算表の社債発行費の金額は前期末残高であると判断する。

（＊４）　$\text{前T/B}1{,}440\times\dfrac{1}{2}=720$

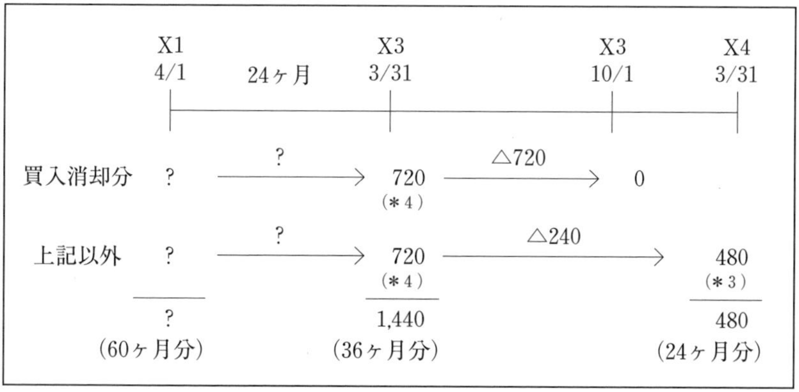

（注）上記「？」について，前T/Bの金額より逆算することが可能であるが，解答上不要のため，「？」としている。

<table>
<tr><th></th><th>償却開始時期</th><th colspan="2">最長償却期間</th><th>償却方法</th><th>P/L計上区分</th></tr>
<tr><td>① 創　立　費</td><td>会社成立時</td><td colspan="2" rowspan="3">5 年</td><td rowspan="4">定額法</td><td>営　業　外　費　用</td></tr>
<tr><td>② 開　業　費</td><td>開　業　時</td><td>原則　営業外費用
容認　販売費及び一般管理費</td></tr>
<tr><td>③ 開　発　費</td><td>支　出　時</td><td>売　上　原　価
又は
販売費及び一般管理費</td></tr>
<tr><td>④ 株式交付費</td><td>株式交付時</td><td colspan="2">3 年</td><td rowspan="3">営　業　外　費　用</td></tr>
<tr><td rowspan="2">⑤ 社債発行費等</td><td>社債発行時</td><td>社　　債</td><td>償還期間</td><td>原則　利息法
容認　定額法</td></tr>
<tr><td>新株予約権発行時</td><td>新株予約権</td><td>3 年</td><td>定額法</td></tr>
</table>

問題７　正解　1　難易度　A

★本問のポイント

資産除去債務

解　説

ア．**正しい**。「資産除去債務に関する会計基準」26参照。

イ．**正しい**。「資産除去債務に関する会計基準」６⑴参照。

ウ．**誤　り**。「資産除去債務に関する会計基準」13，14参照。

時の経過による資産除去債務の調整額は，損益計算書上，当該資産除去債務に関連する有形固定資産の減価償却費と同じ区分に含めて計上する。

エ．**誤　り**。「資産除去債務に関する会計基準」11参照。

割引前の将来キャッシュ・フローに重要な見積りの変更が生じ，当該キャッシュ・フローが増加する場合，その時点の割引率を適用する。これに対し，当該キャッシュ・フローが減少する場合には，負債計上時の割引率を適用する。

以上より，正しい記述はア，イであり，正解は１となる。

問題8　正解　6　難易度　B

★本問のポイント

自己株式(自己株式の処分と新株の発行を同時に行った場合)

解　　説(単位：百万円)

Ⅰ．仕訳処理(解答数値の算定)

(借)	現金預金	100(*1)	(貸)	**資本金**	**0**(*3)
	その他資本剰余金	40(*4)		自己株式	140(*2)

(*1) 募集株式の払込金額

(*2) 帳簿価額

(*3) 新株に対する払込金額30(*5)－自己株式処分差損相当額70(*6)＝△40＜0
→∴資本金等増加限度額0

(注)資本金等増加限度額は「募集株式に関わる払込金額に株式発行割合を乗じた金額」から「処分する自己株式の帳簿価額から募集株式に関わる払込金額に自己株式処分割合を乗じた金額を減じた額」を減じて算定した金額とする。

つまり，資本金等増加限度額は「新株に対する払込金額から自己株式処分差損相当額を控除した金額(**ゼロ未満の場合にはゼロ**)」となる。

(*4) 新株に対する払込金額30(*5)－自己株式処分差損相当額70(*6)＝△40
又は，100(*1)－140(*2)＝△40

(注)当該差額は「その他資本剰余金」として処理する。

(*5) $100(*1) \times \frac{新株発行\ 30株}{募集株式100株} = 30$

(*6) 140(*2)－自己株式処分の対価70(*7)＝自己株式処分差損相当額70

(*7) $100(*1) \times \frac{自己株式\ 70株}{募集株式100株} = 70$

問題9　正解　2　難易度　A

★本問のポイント

財務諸表の表示

解　説

ア．**正しい**。「包括利益の表示に関する会計基準」4参照。

イ．**誤　り**。「株主資本等変動計算書に関する会計基準」6，8，21参照。

株主資本等変動計算書において，株主資本以外の各項目は，当期変動額について主な変動事由ごとにその金額を表示することができる。

ウ．**正しい**。「企業会計原則注解」12参照。

エ．**誤　り**。「企業会計原則注解」16参照。

たな卸資産のうち恒常在庫品として保有するもの，もしくは余剰品として長期間にわたって所有するものは固定資産とせず流動資産に含めて表示する。

以上より，正しい記述はア，ウであり，正解は2となる。

問題10　正解　2　難易度　A

★本問のポイント

個別キャッシュ・フロー計算書

解　　説（単位：百万円）

Ⅰ．直接法における商品の仕入による支出の算定

商　品

期　　首　38,240	売上原価　124,350
当期仕入高　∴126,670	
	期　　末　40,560

買掛金

現及現同　∴125,880	期　　首　15,680
	当期仕入高　126,440（＊1）
期　　末　16,240	

前渡金

期　　首　350	当期仕入高　∴230
現及現同　0	
	期　　末　120

（注）前渡金の当期支払額は問題文より不明であるため，ゼロと仮定している。

（＊1）商品の当期仕入高合計126,670－前渡金による仕入高230
　　　＝買掛金による仕入高126,440

◎　①商品の仕入による支出：△**125,880**

（参考）直接法と間接法（Ⅱ．参照）の関係を示すと以下のようになる。

間接法		**直接法**
P/L	関連する資産・負債の増減	C/S
売上原価　△124,350	棚卸資産の増加額　△2,320	**仕入支出　△125,880**
	仕入債務の増加額　560	
	前渡金の減少額　230	

Ⅱ．間接法によるキャッシュ・フロー計算書（一部）

Ⅰ　営業活動によるキャッシュ・フロー

税引前当期純利益	×××
受取利息及び受取配当金	△　240（＊1）
支払利息	**810**（＊1）
棚卸資産の増加額	△2,320（＊2）
仕入債務の増加額	560（＊3）
前渡金の減少額	230（＊4）
小計	×××
利息及び配当金の受取額	235（＊5）
利息の支払額	△　860（＊6）
営業活動によるキャッシュ・フロー	×××

（＊1）P/Lより

（＊2）B/S商品（当期末40,560－前期末38,240）＝2,320

（＊3）B/S買掛金（当期末16,240－前期末15,680）＝560

（＊4）B/S前渡金（前期末350－当期末120）＝230

（注）増減額として調整される経過勘定項目は「営業活動に係る」資産及び負債の増減であるので，営業外損益に係る経過勘定（本問においては，未収収益及び未払費用）は含まれない点に注意すること。

（＊5）P/L受取利息240＋前期B/S未収収益15－当期B/S未収収益20＝235

受取利息

前期末未収	15	**現及現同**	**∴235**
P/L受取利息	240		
		当期末未収	20

（＊6）P/L支払利息810＋前期B/S未払費用210－当期B/S未収費用160＝860

支払利息

現及現同	**∴860**	前期末未払	210
		P/L受取利息	810
当期末未払	160		

◎　②加算される項目として表示される金額のうち最大のもの：**810**

問題11　正解　1　難易度　A

★本問のポイント

金融商品会計

解　説

ア．**正しい**。「金融商品に関する会計基準」注10参照。

イ．**正しい**。「金融商品に関する会計基準」32参照。

ウ．**誤　り**。「金融商品に関する会計基準」38参照。

転換社債型新株予約権付社債以外の新株予約権付社債の発行に伴う払込金額を，社債の対価部分と新株予約権の対価部分に区分することなく，普通社債の発行に準じて処理する方法は認められていない。

エ．**誤　り**。「金融商品に関する実務指針」69，281参照。

取得時にその他有価証券に分類された債券を，取得後に保有目的を変更し，変更時点における時価をもって，満期保有目的の債券に振り替える方法は認められていない。

以上より，正しい記述はア，イであり，正解は１となる。

問題12　正解　5　難易度　B

★本問のポイント

ストック・オプション

解　説

ア．**誤　り**。「ストック・オプション等に関する会計基準」５～７参照。

ストック・オプションを付与し，これに応じて企業が従業員等から取得するサービスに対して計上する費用総額は，権利不確定による失効の見積数に重要な変動が生じた場合には見直される。

イ．**正しい**。「ストック・オプション等に関する会計基準」２(15)，「ストック・オプション等に関する会計基準の適用指針」４参照。

ウ．**誤　り**。「ストック・オプション等に関する会計基準」10参照。

新たな条件のストック・オプションの付与と引換えに，当初付与したストック･オプションを取り消す場合には，実質的に当初付与したストック･オプションの条件変更と同じ経済実態を有すると考えられる限り，ストック・オプションの条件変更とみなして会計処理を行う。

エ．**正しい**。「ストック・オプション等に関する会計基準の適用指針」17，18参照。

以上より，正しい記述はイ，エであり，正解は５となる。

問題13　正解　3　難易度　A

★本問のポイント

リース取引（残価保証）

解　　説（単位：千円）

Ⅰ．仕訳処理（リース債務の流動・固定分類は省略する）

1．X1年度

(1)　リース取引開始時（X1年４月１日）

（借）リ　ー　ス　資　産	11,604(＊1)	（貸）**リ　ー　ス　債　務**	**11,604**

(＊1)　リース料総額の割引現在価値11,604(＊2)＜見積現金購入価額12,000

→∴　11,604

(＊2)　$\frac{2{,}400(*3)}{1+0.06}+\frac{2{,}400(*3)}{(1+0.06)^2}+\frac{2{,}400(*3)}{(1+0.06)^3}+\frac{2{,}400(*3)}{(1+0.06)^4}+\frac{2{,}400(*3)+\text{残価保証}2{,}000}{(1+0.06)^5}$

＝11,604.189…→11,604（四捨五入）

(＊3)　リース料月額200×12ヶ月＝リース料年額2,400

（注）リース契約上に残価保証の取決めがある場合は，割引現在価値の算定に当たり，残価保証額をリース料総額に含める。

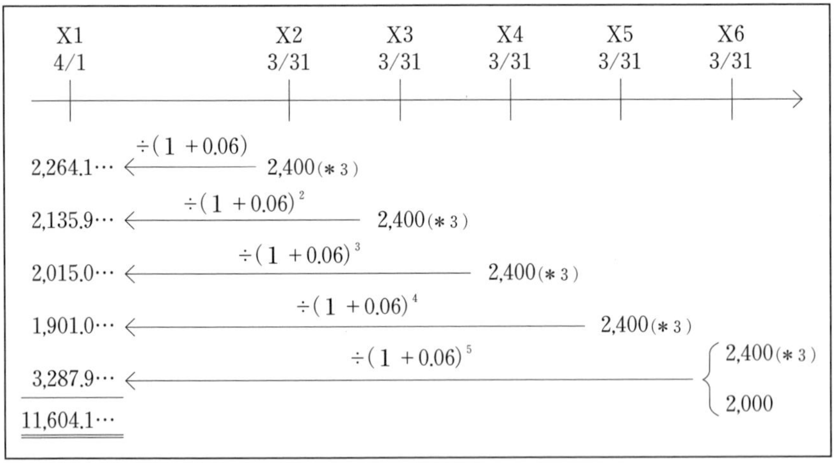

＜リース資産及びリース債務の算定＞

	当該リース物件の貸手の購入価額等が	
	明らかな場合	**明らかでない場合**
所有権移転ファイナンス・リース取引	**貸手の購入価額等** (＝リース料総額の割引現在価値)	**・見積現金購入価額** **・リース料総額の割引現在価値** **→ いずれか低い価額**
所有権移転外ファイナンス・リース取引	**・貸手の購入価額等** **・リース料総額の割引現在価値** **→ いずれか低い価額**	

(注)当該ファイナンス・リース契約に所有権移転条項はなく，割安購入選択権もない。また，リース物件は特別仕様でもないため，当該リース取引は所有権移転外ファイナンス・リース取引に該当する。

(2) リース料支払時(X2年3月31日)

(借) 支払利息	696(＊4)	(貸) 現金預金	2,400(＊3)
リース債務	**1,704**(＊5)		

(＊4) 11,604(＊1)× 6 %＝696.24→696(四捨五入)
(＊5) リース料年額2,400(＊3)－696(＊4)＝1,704

(3) 減価償却(決算整理)

(借) 減価償却費	1,921	(貸) **減価償却累計額**	**1,921**(＊6)

(＊6) (11,604(＊1)－残価保証2,000)÷リース期間5年＝1,920.8→1,921(四捨五入)

(注)残価保証の取決めがある場合には原則として，残価保証額を残存価額として減価償却を行う。

(注)所有権移転外ファイナンス・リース取引の場合，耐用年数はリース期間として減価償却を行う。

2．X2年度

(1) リース料支払時(X3年3月31日)

(借) 支払利息	594(＊7)	(貸) 現金預金	2,400(＊3)
リース債務	**1,806**(＊8)		

(＊7) 9,900(＊9)× 6 %＝594
(＊8) リース料年額2,400(＊3)－594(＊7)＝1,806
(＊9) 11,604(＊1)－1,704(＊5)＝9,900

(2) 減価償却(決算整理)

(借) 減価償却費	1,921	(貸) **減価償却累計額**	**1,921**(＊6)

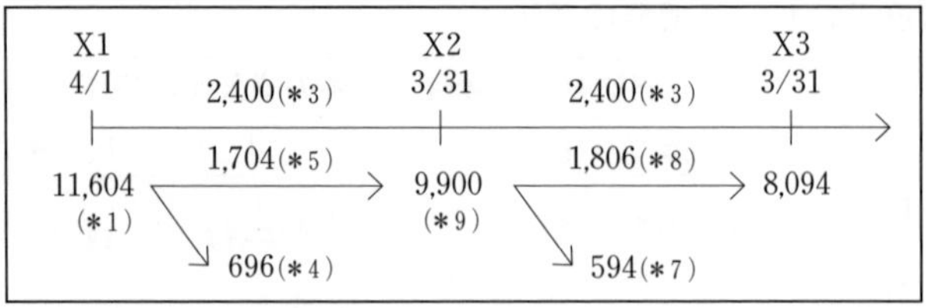

Ⅱ．解答数値の算定

リース債務：11,604(＊1)－1,704(＊5)－1,806(＊8)＝**8,094**

減価償却累計額：1,921(＊6)×経過年数2年＝**3,842**

問題14　**正解** 3　**難易度** A

★本問のポイント

退職給付会計

解　説

ア．**正しい**。「退職給付に関する会計基準」注７参照。

イ．**誤　り**。「退職給付に関する会計基準」注１参照。
　複数の退職給付制度を採用している場合において，１つの退職給付制度に係る年金資産が当該退職給付制度に係る退職給付債務を超えるときは，当該年金資産の超過額を他の退職給付制度に係る退職給付債務から控除してはならない。

ウ．**誤　り**。「退職給付に関する会計基準」注５参照。
　退職給付見込額の見積りにおいて合理的に見込まれる退職給付の変動要因には，予想される昇給等が含まれる。

エ．**正しい**。「退職給付に関する会計基準」31参照。

以上より，正しい記述はア，エであり，正解は３となる。

問題15　正解　6　難易度　A

★本問のポイント

退職給付会計(数理計算上の差異，過去勤務費用)

解　　説(単位：百万円)

Ⅰ．ワークシート(解答数値の算定)

	実際 X4年 3月31日	退職給付 費用	過去勤務 費用	年金・掛金 支払額	予測 X5年 3月31日	数理計算 上の差異	実際 X5年 3月31日
退職給付債務	(1,400)	S (250) I (21) (＊1)	(125)	P 300	(1,496)	0	(1,496)
年金資産	900	R 23 (＊2)		P (300) C 200	823	20 (＊5)	843
未積立退職給付債務	(500)				(673)		(653)
未認識数理計算上の差異							
前期発生分	180	A (18) (＊3)			162		162
当期発生分						(20)	(20)
未認識過去勤務費用		A (8) (＊4)	125		117		117
退職給付引当金	(320)	**(274)**	0	200	(394)	0	**(394)**

(注)S：勤務費用　I：利息費用　R：期待運用収益　P：年金・掛金支払額
C：掛金拠出額　A：過去勤務費用及び数理計算上の差異の費用処理額

(＊1)　X4年3月31日実際退職給付債務1,400×割引率1.5％＝21

(注)本問では，当期末に過去勤務費用が発生しているため，利息費用は，期首の退職給付債務に割引率を乗じて算定する。

(＊2)　X4年3月31日実際年金資産900×長期期待運用収益率2.56％
＝23.04→23(四捨五入)

(＊3)　未認識数理計算上の差異前期発生額180÷10年＝18

(注)本問では，数理計算上の差異は発生年度の翌期より費用処理する方法を採用しているため，前期において費用処理はなされておらず，当期より費用処理する。

(注)前期に発生した数理計算上の差異は，割引率が引き下げられたことにより生じた差異であり，退職給付債務が増加するため借方差異と判断する。

(＊4)　未認識過去勤務費用の当期発生額125÷15年＝8.333…→8(四捨五入)

(注)当期に発生した過去勤務費用は，退職給付水準を従来よりも引き上げた事により生じた差異であり，退職給付債務が増加するため，借方差異と判断する。

(注)未認識過去勤務費用は，発生年度より費用処理を開始する点に注意すること。

(＊5)　実際運用収益43(＊6)－期待運用収益23(＊2)＝20

(＊6)　X4年３月31日実際年金資産900×実際運用収益率4.75％＝42.75

→43(四捨五入)

(注)当期に発生した数理計算上の差異は，期待運用収益を実際運用収益が上回ったことにより生じた差異であり，年金資産が増加するため貸方差異と判断する。

Ⅱ．仕訳処理(参考)

１．退職給付費用(過去勤務費用の費用処理を除く)

(借) 退職給付費用	266(＊7)	(貸) 退職給付引当金	266

(＊7)　勤務費用250＋利息費用21(＊1)－期待運用収益23(＊2)

＋数理計算上の差異費用処理額18(＊3)＝266

２．年金資産からの年金給付支払

仕　訳　な　し

３．掛金拠出

(借) 退職給付引当金	200	(貸) 現　金　預　金	200

４．過去勤務費用の発生

仕　訳　な　し

５．過去勤務費用の費用処理

(借) 退職給付費用	8(＊4)	(貸) 退職給付引当金	8

６．数理計算上の差異の発生

仕　訳　な　し

問題16　正解　2　難易度　C

★本問のポイント

収益認識(取引価格の算定)

解　説 (単位：千円)

Ⅰ．契約No.101-1及びNo.101-2(製品X，製品Y及び製品Z)

1．3月20日(製品Xの引渡時)

(借)	売　掛　金	1,100	(貸)	売　上　高	1,100(＊1)

(＊1) 固定対価の配分額1,000(＊2)＋変動対価100＝1,100

(注)変動対価を履行義務の両方(製品Xの引き渡し及び製品Yの引き渡し)ではなく一方に配分することを要求する以下の(1)及び(2)の要件に該当する。したがって，変動対価100について，変動対価のすべてを1つの履行義務(製品Xの引き渡し)に配分する。

(1) 変動性のある支払の条件が，当該履行義務を充足するための活動や当該別個の財又はサービスを移転するための活動(あるいは当該履行義務の充足による特定の結果又は当該別個の財又はサービスの移転による特定の結果)に個別に関連していること。

(2) 契約における履行義務及び支払条件のすべてを考慮した場合，変動対価の額のすべてを当該履行義務あるいは当該別個の財又はサービスに配分することが，企業が権利を得ると見込む対価の額を描写すること。

(＊2) $$\text{固定対価}2{,}000\times\frac{\text{製品Xまたは製品Yの独立販売価格}1{,}100(＊3)}{\text{独立販売価格の合計(製品X}1{,}100(＊3)+\text{製品Y}1{,}100(＊3))}=1{,}000$$

(＊3) 各製品の独立販売価格@11×100個＝1,100

(注)製品X及び製品Yの独立販売価格はそれぞれ1,100(＊3)と同額であるため，取引価格2,000(固定対価)は，独立販売価格の比率に基づき，製品Xに係る履行義務と製品Yに係る履行義務に1,000(＊2)ずつ均等に配分する。

2．3月25日(契約変更時)

仕　訳　な　し

(注)製品Y及び製品Zの独立販売価格は1,100(＊3)と同額である。条件変更後の契約の取引価格は1,400(＊4)であり，当社は，独立販売価格の比率に基づき当該金額を製品Yに係る履行義務と製品Zに係る履行義務に，700(＊5)ずつ均等に配分する。

(＊4) 製品Ｙに配分された取引価格1,000(＊2)
＋条件変更により増額された固定対価400＝1,400

(＊5) $1{,}400(＊4)\times\dfrac{\text{製品Ｙまたは製品Ｚの独立販売価格}1{,}100(＊3)}{\text{独立販売価格の合計（製品Ｙ}1{,}100(＊3)+\text{製品Ｚ}1{,}100(＊3)\text{）}}=700$

3．4月30日（製品Ｙの引渡時，①の解答）

（借）売掛金	700	（貸）**売上高**	**700**(＊5)

4．5月31日（製品Ｚの引渡時）

（借）売掛金	700	（貸）売上高	700(＊5)

◎　契約変更による取引価格の増加

製品	No.101-1（1月20日）		No.101-2（3月25日）	
製品Ｘ	変動対価100 →	100		
	固定対価2,000 →	1,000(＊2)		
製品Ｙ	固定対価2,000 →	1,000(＊2) →	1,000(＊2) ＋400 1,400(＊4)	700(＊5)
製品Ｚ			1,400(＊4) →	700(＊5)

Ⅱ．契約No.102-1（4月15日，製品Ｐの引渡時，②の解答）

（借）売掛金	4,000	（貸）**売上高**	**4,000**(＊6)

(＊6) 5,000×（1－最頻値法による引下幅20％）＝4,000

（注）最頻値法とは，生起する可能性の最も高い単一の金額（最頻値）を見積る方法である。本問では，引下幅20％となる確率は70％であり，生起する可能性が最も高いことから引下幅20％を見積る。

問題17　**正解** 4　**難易度** A

★本問のポイント

税効果会計

解　説

ア．**誤　り**。「税効果会計に係る会計基準の適用指針」18，19参照。

資本連結手続において，子会社の資産を時価評価して評価増が生じた場合で，その後，当該資産を連結企業集団外に売却した場合には，売却した年度において，評価差額に係る一時差異の解消に応じて，繰延税金負債を法人税等調整額を相手勘定として取り崩す。

イ．**正しい**。「税効果会計に係る会計基準の適用指針」34，137，138参照。

ウ．**正しい**。「税効果会計に係る会計基準の適用指針」32参照。

エ．**誤　り**。「『税効果会計に係る会計基準』の一部改正」２参照。

連結企業集団内において，個別貸借対照表に繰延税金資産を計上する子会社と繰延税金負債を計上する子会社とがそれぞれ存在する場合には，繰延税金資産と繰延税金負債は，双方を相殺せずに表示する。

以上より，正しい記述はイ，ウであり，正解は４となる。

問題18　正解　2　難易度　B

★本問のポイント

共通支配下の取引等の会計処理(株式移転)

解　　説(単位：百万円)

(株式の単位：千株)

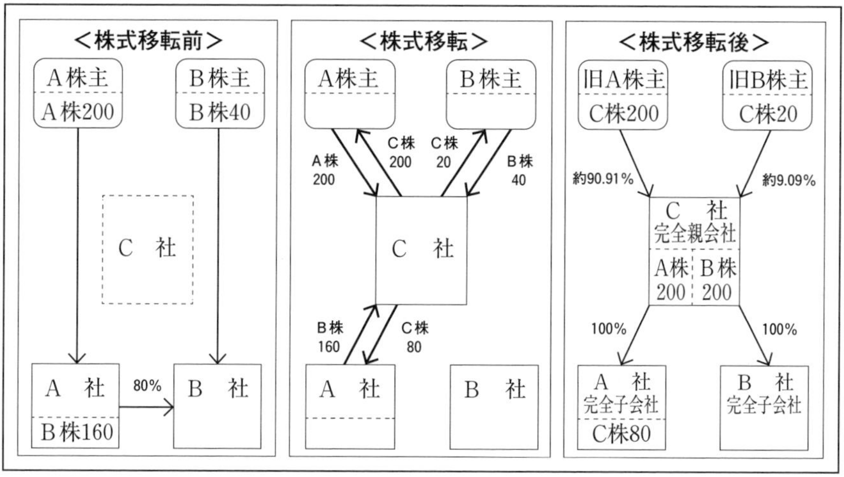

Ⅰ．個別上の処理

1．C社における株式移転の仕訳

(借)	A　社　株　式	12,000(＊1)	(貸)	資　　本　　金	6,000
	B　社　株　式 (A　社　保　有　分)	4,800(＊2)		その他資本剰余金	12,300
	B　社　株　式 (非支配株主保有分)	1,500(＊3)			

(＊1)　資本金6,000＋利益剰余金6,000＝A社株主資本12,000

(注)株式移転完全子会社株式(旧親会社A社の株式)の取得原価は，株式移転日の前日における適正な帳簿価額による株主資本の額に基づいて算定する。

(＊2)　(資本金3,000＋利益剰余金3,000)×株式移転前A社持分比率80%

＝連結上の簿価4,800

又は，取得原価2,400＋支配獲得後利益剰余金親会社持分2,400

＝連結上の簿価4,800

(注)旧親会社持分相当額は，株式移転完全子会社(旧子会社B社)の株式移転日の前日における適正な帳簿価額による株主資本の額に基づいて算定

する。

(＊3) 株式移転日のＡ社株式の時価により算定したＢ社の非支配株主に交付されたＣ社株式時価，又は株式移転日のＡ社株価により算定したＣ社の株価@75×20千株(＊4)＝1,500

(＊4) (Ｂ社発行済株式数200千株－Ｂ社株式Ａ社保有分160千株)
×株式移転比率0.5＝株式移転前Ｂ社株主への株式交付数20千株

(注)非支配株主持分相当額は，取得の対価(旧子会社Ｂ社の非支配株主に交付した株式移転設立完全親会社Ｃ社の株式の時価相当額)として算定する。なお，完全親会社(Ｃ社)は株式移転日に設立される会社であるため，株式移転日における株式の時価は存在しない。

2．Ａ社における株式移転の仕訳

(借)	Ｃ　社　株　式 (親 会 社 株 式)	2,400(＊5)	(貸)	Ｂ　社　株　式 (子 会 社 株 式)	2,400

(＊5) Ｂ社株式取得原価

(注)Ａ社は株式移転設立完全親会社(Ｃ社)の株式を取得するが，当該取引は共通支配下の取引として処理する。すなわち，Ａ社が取得するＣ社株式の取得原価は，Ｂ社株式の適正な帳簿価額とする。

3．株式移転後個別貸借対照表

資　産	Ｃ　社	Ａ　社	Ｂ　社	負債・純資産	Ｃ　社	Ａ　社	Ｂ　社
諸 資 産	―	11,600	7,000	諸 負 債	―	2,000	1,000
Ｃ社株式	―	2,400	―	資 本 金	6,000	6,000	3,000
Ａ社株式	12,000	―	―	資本剰余金	12,300	―	―
Ｂ社株式	6,300	―	―	利益剰余金	―	6,000	3,000
合　計	18,300	14,000	7,000	合　計	18,300	14,000	7,000

Ⅱ．Ｃ社連結上の処理

１．Ａ　社

⑴　タイム・テーブル

X3
1／1

\+100％

資　本　金	6,000
利益剰余金	6,000
合　　計	12,000
取 得 持 分	12,000
取 得 原 価	12,000（＊1）
の　れ　ん	0

⑵　投資と資本の相殺消去

（借）	資　本　金	6,000	（貸）	Ａ 社 株 式	12,000（＊1）
	利 益 剰 余 金	6,000			

（注）株式移転完全子会社（旧親会社Ａ社）の株式の取得原価と株式移転完全子会社（旧親会社Ａ社）の株主資本を相殺する。なお，消去差額は生じない。

⑶　利益剰余金の引継

（借）	資 本 剰 余 金	6,000	（貸）	利 益 剰 余 金	6,000（＊6）

（＊6）Ａ社個別B/S利益剰余金

（注）連結財務諸表上，完全親会社（Ｃ社）は旧親会社（Ａ社）の利益剰余金を引き継ぐ。

⑷　Ｃ社株式の自己株式への振替

（借）	自 己 株 式	2,400	（貸）	Ｃ 社 株 式 （親 会 社 株 式）	2,400（＊5）

（注）株式移転完全子会社（旧親会社Ａ社）が株式移転完全子会社（旧子会社Ｂ社）の株式との交換により取得した株式移転設立完全親会社（Ｃ社）株式は，子会社が保有する親会社株式となるため，連結上，「自己株式」に振り替える。

2．B　社

(1)　タイム・テーブル

	X1 12/31		X3 1／1	
	80% →			
	＋80%		＋20%	
資本金	3,000		3,000	
利益剰余金	0	2,400 → 600	3,000	
合計	3,000		6,000	
取得持分	2,400		1,200	
取得原価	2,400		1,500	(＊3)
資本剰余金			△300	
のれん	0			

(2)　投資と資本の相殺消去

(借)	資本金	3,000	(貸) B社株式	6,300
	利益剰余金	3,000		
	資本剰余金	300(＊7)		

(＊7)　1,500(＊3)－T/T資本合計6,000×非支配株主持分比率20％＝300

(注)上記仕訳は，以下のように分解して考えてもよい。

①　A社(旧親会社)持分(共通支配下の取引として扱う部分)

(借)	資本金	2,400(＊8)	(貸) B社株式	4,800(＊2)
	利益剰余金	2,400(＊9)	(A社保有分)	

(＊8)　B社個別資本金3,000×A社持分比率80％＝2,400

(＊9)　B社個別利益剰余金3,000×A社持分比率80％＝2,400

②　非支配株主持分(非支配株主との取引として扱う部分)

(借)	資本金	600(＊10)	(貸) B社株式	1,500(＊3)
	利益剰余金	600(＊11)	(非支配株主保有分)	
	資本剰余金	300(＊7)		

(＊10)　B社個別資本金3,000×非支配株主持分比率20％＝600

(＊11)　B社個別利益剰余金3,000×非支配株主持分比率20％＝600

(3)　株主資本項目の調整

(借)	資本剰余金	2,400	(貸) 利益剰余金	2,400(＊12)

(＊12)　A社に帰属する支配獲得後利益剰余金

(注)A社がB社を連結することにより生じた利益剰余金について，これを引き継ぐ。

3．株式移転後Ｃ社連結貸借対照表（解答数値の算定）

Ｃ社連結貸借対照表

資　産	金　額	負債・純資産	金　額
諸　資　産	18,600	諸　負　債	3,000
		資　本　金	6,000 (＊13)
		資本剰余金	**3,600** (＊14)
		利益剰余金	8,400 (＊15)
		自己株式	△2,400 (＊16)
合　計	18,600	合　計	18,600

(＊13)　Ｃ社資本金

(＊14)　Ｃ社資本剰余金12,300－6,000(＊６)－2,400(＊12)－追加取得300(＊７)＝3,600

(＊15)　Ａ社6,000(＊６)＋Ｂ社T/T2,400＝8,400

(＊16)　株式移転前Ａ社個別B/S　B社株式

問題19　正解　3　難易度　C

★本問のポイント

連結会計

解　説

P社が作成する連結財務諸表における連結会社の数は，P社，C社，E社，F社及びG社の5社であり，正解は3となる(「連結財務諸表に関する会計基準」5～8，「連結財務諸表における子会社及び関連会社の範囲の決定に関する適用指針」4～10，16，20，28，「投資事業組合に対する支配力基準及び影響力基準の適用に関する実務上の取扱い」Q1参照)。

「連結会社」とは，親会社及び連結される子会社をいう。ここで，親会社とは，他の企業の財務及び営業又は事業の方針を決定する機関(意思決定機関)を支配している企業をいい，子会社とは，当該他の企業をいう。「他の企業の意思決定機関を支配している企業」とは，次の企業をいう。ただし，財務上又は営業上若しくは事業上の関係からみて他の企業の意思決定機関を支配していないことが明らかであると認められる企業は，この限りではない。

(1)　他の企業(更生会社，破産会社その他これらに準ずる企業であって，かつ，有効な支配従属関係が存在しないと認められる企業を除く。下記(2)及び(3)においても同じ。)の議決権の過半数を自己の計算において所有している企業

(2)　他の企業の議決権の100分の40以上，100分の50以下を自己の計算において所有している企業であって，かつ，次のいずれかの要件に該当する企業

①　自己の計算において所有している議決権と，自己と出資，人事，資金，技術，取引等において緊密な関係があることにより自己の意思と同一の内容の議決権を行使すると認められる者及び自己の意思と同一の内容の議決権を行使することに同意している者が所有している議決権とを合わせて，他の企業の議決権の過半数を占めていること

②　役員若しくは使用人である者，又はこれらであった者で自己が他の企業の財務及び営業又は事業の方針の決定に関して影響を与えることができる者が，当該他の企業の取締役会その他これに準ずる機関の構成員の過半数を占めていること

③　他の企業の重要な財務及び営業又は事業の方針の決定を支配する契約等が存在すること

④　他の企業の資金調達額(貸借対照表の負債の部に計上されているもの)の総額の過半について融資(債務の保証及び担保の提供を含む。)を行っていること(自己と出資，人事，資金，技術，取引等において緊密な関係のある者が行う融資の額を合わせて資金調達額の総額の過半となる場合を含む。)

⑤　その他他の企業の意思決定機関を支配していることが推測される事実が存在すること

⑶　自己の計算において所有している議決権（当該議決権を所有していない場合を含む。）と，自己と出資，人事，資金，技術，取引等において緊密な関係があることにより自己の意思と同一の内容の議決権を行使すると認められる者及び自己の意思と同一の内容の議決権を行使することに同意している者が所有している議決権とを合わせて，他の企業の議決権の過半数を占めている企業であって，かつ，上記⑵の②から⑤までのいずれかの要件に該当する企業

ここで，行使し得る議決権の総数は，株主総会において行使し得るものと認められている総株主の議決権の数である。したがって，次の株式に係る議決権については，いずれも行使し得る議決権の総数には含まれないこととなる。

ⅰ　自己株式
ⅱ　完全無議決権株式（株主総会のすべての事項について議決権を行使することができない株式）
ⅲ　会社法第308条第１項による相互保有株式

また，緊密な者（自己と出資，人事，資金，技術，取引等において緊密な関係があることにより自己の意思と同一の内容の議決権を行使すると認められる者）及び同意している者（自己の意思と同一の内容の議決権を行使することに同意していると認められる者）が存在している場合には，他の会社が子会社又は関連会社に該当するかどうかの判定について用いられる他の会社の議決権の所有割合は，原則として，次の算式によって算定する。

$$\text{議決権の所有割合}=\frac{\text{所有する議決権の数＋緊密な者及び同意している者が所有する議決権の数}}{\text{行使し得る議決権の総数}}$$

Ａ　社：**連結会社に該当しない。**

株式会社が当該株式会社の株主である会社等の議決権の総数の４分の１以上を有する場合，当該株主であるものは，当該株式会社の株主総会において議決権を有しない。

Ｐ社は，Ａ社の議決権のうち約47％（≒40÷（100－15））を所有しているに過ぎない。したがって，Ａ社は，Ｐ社の子会社に該当しない。

Ｂ　社：**連結会社に該当しない。**

Ｐ社はＢ社の議決権を所有しておらず，Ｐ社の関連会社であるＡ社（緊密な者）はＢ社の議決権のうち30％を所有しているに過ぎない。したがって，Ｂ社は，Ｐ社の子会社に該当しない。

C　社：**連結会社に該当する。**

上記⑵②に該当する。したがって，C社は，P社の子会社に該当する。

D　社：**連結会社に該当しない。**

C社は，D社の財務および営業または事業の方針の決定に対して重要な影響を与えることができるが，D社の議決権のうち15％を所有しているに過ぎない。したがって，D社は，P社の子会社に該当しない。

E　社：**連結会社に該当する。**

上記⑴に該当する。したがって，E社は，P社の子会社に該当する。

F　社：**連結会社に該当する。**

上記⑴に該当する。したがって，F社は，P社の子会社に該当する。

G　社：**連結会社に該当する。**

更生会社，破産会社その他これらに準ずる企業であって，かつ，有効な支配従属関係が存在しないと認められる企業は，子会社に該当しない。一方で，清算株式会社のように，継続企業と認められない企業であっても，その意思決定機関を支配していると認められる場合には，子会社に該当することとなる。

E社及びF社は，G社の議決権の100％を所有しており，G社は，P社及びE社の主導のもとで清算手続が進められているため，P社の子会社に該当する。

H　社：**連結会社に該当しない。**

特別目的会社については，適正な価額で譲り受けた資産から生ずる収益を当該特別目的会社が発行する証券の所有者に享受させることを目的として設立されており，当該特別目的会社の事業がその目的に従って適切に遂行されているときは，当該特別目的会社に資産を譲渡した企業から独立しているものと認められる。

P社は，特別目的会社H社の議決権の100％を所有しているが，H社は，P社から適正な価額で譲り受けた資産から生ずる収益を自らが発行する証券の保有者に享受させることを目的として設立されており，その事業は当該目的に従って適切に遂行されている。したがって，H社は，P社の子会社に該当しない。

Ｉ組合：**連結会社に該当しない。**

出資者（出資以外の資金の拠出者を含む。）が投資事業組合の業務執行の権限の100分の40以上を有していない場合でも，出資額（又は資金調達額）の総額の半分を超える多くの額を拠出している場合や投資事業から生ずる利益又は損失の半分を超える多くの額を享受又は負担する場合等には，当該投資事業組合の業務執行の権限の過半の割合を有する者が当該出資者の緊密な者に該当することが多いと考えられ，この場合には，当該投資事業組合は当該出資者の子会社に該当する（ただし，当該業務執行の権限の過半の割合を有する者が当該投資事業組合の財務及び営業又は事業の方針を決定していないことが明らかであると認められる場合を除く。）。

Ｐ社は，Ｉ社（組合）の業務執行の権限の30％を有しており，Ｉ社（組合）への出資総額の半分の額を拠出しているに過ぎない。したがって，Ｉ社（組合）は，Ｐ社の子会社に該当しない。

問題20　正解　6　難易度　A

★本問のポイント

固定資産の減損(共用資産の取り扱い，より大きな単位でグルーピングを行う方法，割引前将来CFの総額の見積)

解　説(単位：千円)

Ⅰ．各資産グループごとの減損損失の認識の判定及び測定

(注)資産グループＢについては減損の兆候が認められないことから検討は不要である。

1．減損損失の認識の判定

資産グループＡ：割引前将来CF650,000(＊1)＜帳簿価額750,000

→減損処理を行う

(＊1)　1～10年の各1年間のCF40,000×10年
　＋11～20年の各1年間のCF24,000×10年
　＋20年経過時点の正味売却価額10,000＝650,000

2．資産グループＡに係る減損損失の測定

帳簿価額750,000－回収可能価額499,080(＊2)＝減損損失250,920

(＊2)　当期における正味売却価額450,000＜使用価値499,080(＊3)→499,080

(＊3)　1～10年の各1年間のCF40,000×年金現価係数(10年)8.5302
　＋11～20年の各1年間のCF24,000
　×(年金現価係数(20年)14.8775－年金現価係数(10年)8.5302)
　＋20年経過時点の正味売却価額10,000
　×現価係数(20年)0.5537＝499,080.2→499,080(四捨五入)

Ⅱ．より大きな単位での減損損失の認識の判定及び測定

1．減損損失の認識の判定

割引前将来CF1,650,000＜帳簿価額1,750,000(＊4)→減損処理を行う

(＊4)　資産グループＡ750,000(減損損失控除前)＋資産グループＢ650,000
＋共用資産Ｃ350,000＝1,750,000

2．減損損失の測定

帳簿価額1,750,000(＊4)－回収可能価額1,230,000
＝より大きな単位での減損損失520,000

3．共用資産を加えることによる減損損失の増加額

より大きな単位での減損損失520,000
－資産グループＡに係る減損損失250,920＝269,080

Ⅲ．減損損失増加額の共用資産への配分（解答数値の算定）

共用資産の帳簿価額350,000 ＞ 共用資産を加えることによる減損損失増加額269,080

→269,080を共用資産に配分するため，超過額は0となる。

（注）問題文において共用資産の回収可能価額が示されていないことから，帳簿価額350,000を限度として減損損失を配分すると考える。

Ⅳ．仕訳処理

（借）	減　損　損　失	520,000	（貸）	**共　用　資　産　C**	**269,080**
				資産グループA	250,920

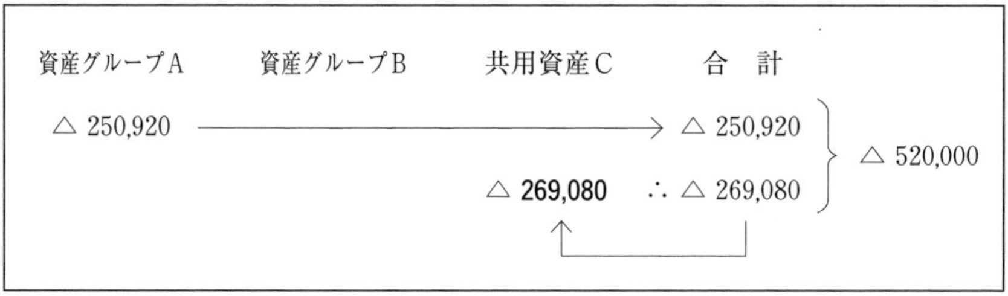

問題21　正解　6　難易度　A

★本問のポイント

在外子会社（その他の包括利益）

解　　説（単位：千円）

Ⅰ．在外子会社の財務諸表項目の換算

株主資本等変動計算書

自X2年４月１日　至X3年３月31日

科　　目	外　貨（千ドル）	為替相場（円／ドル）	円　貨（千　円）	科　　目	外　貨（千ドル）	為替相場（円／ドル）	円　貨（千　円）
資本金当期末残高	4,000	120(＊1)	480,000	資本金当期首残高	4,000	120(＊1)	480,000
利益剰余金当期末残高	1,850	—	223,750	利益剰余金当期首残高	1,500	120(＊1)	180,000
				当期純利益	∴ 350	125(＊2)	43,750
為替換算調整勘定当期末残高	—	—	56,750(＊3)	為替換算調整勘定当期首残高	—	—	—
				為替換算調整勘定当期変動額	—	—	∴56,750

(＊1)　支配獲得時レート

(＊2)　X2年度AR

(＊3)　（資本金4,000千ドル＋利益剰余金1,850千ドル）×X2年度CR130円／ドル
－円貨建資本合計（資本金480,000＋利益剰余金223,750）＝56,750

Ⅱ．タイム・テーブル

	X2 3/31	80%	X3 3/31
	120円 ＋80%	AR125円	130円
資本金	480,000		480,000
利益剰余金	180,000	35,000 → 8,750	223,750
為替換算調整勘定	—	45,400 → 11,350	56,750 (*3)
合計	660,000		760,500 (*4)
取得持分	528,000		
取得原価	600,000 (*5)		
CR換算前のれん (外貨建のれん償却額)	72,000	△ 7,500(*6) (△60千ドル)	64,500
為替換算調整勘定	—	5,700(*8) →	5,700 (*8)
のれん (外貨建のれん)	72,000 (600千ドル)		70,200 (*7) (540千ドル)

(*4) (資本金4,000千ドル＋利益剰余金1,850千ドル)

×X2年度CR130円／ドル＝760,500

(*5) 5,000千ドル×支配獲得時レート120円／ドル＝600,000

(*6) 外貨建のれん償却額60千ドル×X2年度AR125円／ドル＝7,500

(*7) 外貨建のれん当期末残高540千ドル×X2年度CR130円／ドル＝70,200

(*8) 70,200(*7)－(72,000－7,500(*6))＝5,700

Ⅲ．解答数値の算定

資本合計に係る為替換算調整勘定56,750(*3)

＋のれんに係る為替換算調整勘定5,700(*8)＝**62,450**

(注)連結包括利益計算書におけるその他の包括利益には，親会社株主に係る部分と非支配株主に係る部分が含まれる点に注意すること。

Ⅳ．連結修正仕訳(参考)

1．開始仕訳

(借)	資本金当期首残高	480,000	(貸)	S社株式	600,000(＊5)
	利益剰余金当期首残高	180,000		非支配株主持分当期首残高	132,000(＊9)
	のれん	72,000			

(＊9) T/T資本合計660,000×非支配株主持分比率20％＝132,000

2．当期純利益の按分

(借)	非支配株主に帰属する当期純損益	8,750	(貸)	非支配株主持分当期変動額	8,750

3．のれんの償却

(借)	のれん償却額	7,500(＊6)	(貸)	のれん	7,500

4．のれんに係る為替換算調整勘定

(借)	のれん	5,700(＊8)	(貸)	為替換算調整勘定当期変動額	5,700

(注)上記仕訳は以下のように２つに分けて考えても良い。

(1) のれん償却額に係る為替換算調整勘定

(借)	のれん	300(＊10)	(貸)	為替換算調整勘定当期変動額	300

(＊10) 外貨建のれん償却額60千ドル
×(X2年度AR125円／ドル－支配獲得時レート120円／ドル)＝300

(2) のれん当期末残高に係る為替換算調整勘定

(借)	のれん	5,400(＊11)	(貸)	為替換算調整勘定当期変動額	5,400

(＊11) 外貨建のれん当期末残高540千ドル
×(X2年度CR130円／ドル－支配獲得時レート120円／ドル)＝5,400

5．資本合計に係る為替換算調整勘定

(借)	為替換算調整勘定当期変動額	11,350	(貸)	非支配株主持分当期変動額	11,350

問題22　正解　1　難易度　A

★本問のポイント

企業結合・事業分離等

解　説

ア．**正しい**。「事業分離等に関する会計基準」25参照。

イ．**正しい**。「事業分離等に関する会計基準」15参照。

ウ．**誤　り**。「企業結合に関する会計基準」26参照。

連結財務諸表上，取得とされた企業結合に直接要した支出のうち，外部のアドバイザーに支払った特定の報酬や手数料等は，発生した事業年度の費用として処理する。

エ．**誤　り**。「企業結合に関する会計基準」39，117参照。

連結財務諸表上，共同支配投資企業は，共同支配企業に対する投資について持分法を適用することとされ，比例連結の適用は認められていない。

以上より，正しい記述はア，イであり，正解は１となる。

問題23	正解	2	難易度	A
問題24	正解	2	難易度	A
問題25	正解	4	難易度	A
問題26	正解	1	難易度	C
問題27	正解	3	難易度	C
問題28	正解	5	難易度	C

★本問のポイント

連結財務諸表(追加取得，分割型の会社分割により子会社が親会社に事業を移転する場合)

解　説（単位：千円）

Ⅰ．X2年度

1．タイム・テーブル

	X1 12/31	60%	X2 12/31
	+60%		+20%
資本金	400,000		400,000
利益剰余金	100,000	180,000 → 120,000	400,000
合計	500,000		800,000
取得持分	300,000		160,000
取得原価	450,000		150,000
資本剰余金			10,000
のれん	150,000	△15,000	135,000

2．開始仕訳

（借）	資本金	400,000	（貸）S社株式	450,000
	利益剰余金	100,000	非支配株主持分	200,000（＊1）
	のれん	150,000		

（＊1）T/T資本合計500,000×非支配株主持分比率40％＝200,000

3．当期純利益の按分

（借）	非支配株主に帰属する当期純損益	120,000	（貸）非支配株主持分	120,000

4．のれんの償却

（借）	のれん償却額	15,000	（貸）のれん	15,000

5．追加取得

（借）	非支配株主持分	160,000（＊2）	（貸）S社株式	150,000（＊3）
			資本剰余金	10,000（＊4）

（＊2）T/T資本合計800,000×追加取得比率20％＝160,000

（＊3）追加投資額

（＊4）非支配株主持分減少額160,000（＊2）－個別上の取得原価150,000（＊3）
＝10,000

6．X2年度P社連結貸借対照表（問題23～問題25の解答）

連結貸借対照表

資　産	金　額	負債・純資産	金　額
諸資産	1,650,000	諸負債	400,000
研究開発部門事業資産	350,000	資本金	1,000,000
のれん	135,000	資本剰余金	(＊4)10,000
		利益剰余金	(＊5)**565,000**
		非支配株主持分	(＊6)**160,000**
合　計	(＊7)**2,135,000**	合　計	2,135,000

(＊5)　P社400,000＋T/T（支配獲得後利益剰余金180,000
－のれん償却額15,000）＝565,000

(＊6)　T/T資本合計800,000×非支配株主持分比率20％＝160,000

(＊7)　P社諸資産1,000,000＋S社（諸資産650,000
＋研究開発部門事業資産350,000）＋のれん135,000＝2,135,000

又は，資産合計（P社1,600,000＋S社1,000,000）－S社株式600,000
＋のれん135,000＝2,135,000

Ⅱ．X3年度

1．個別上の処理(X3年１月１日，分割型の会社分割)

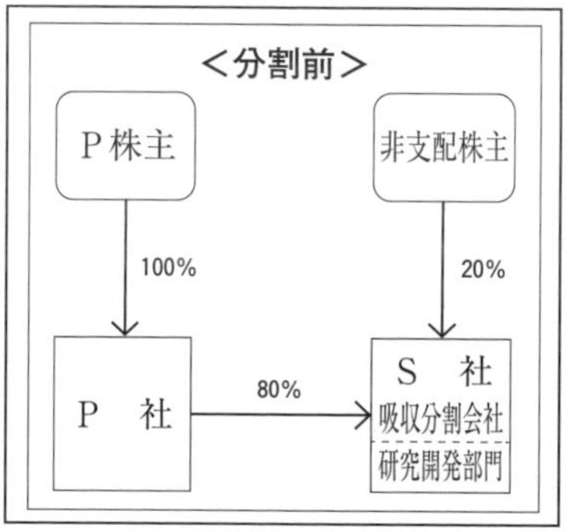

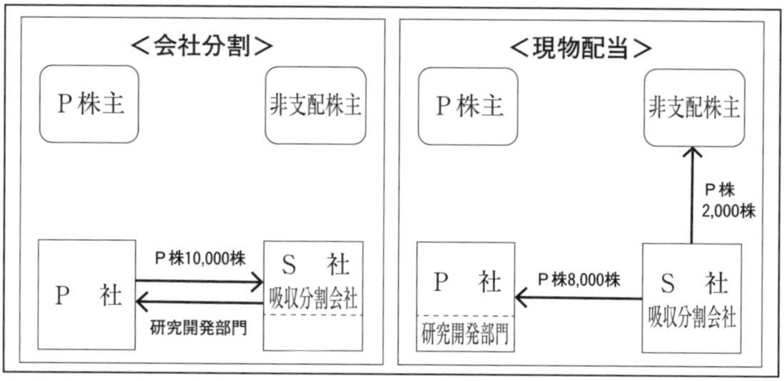

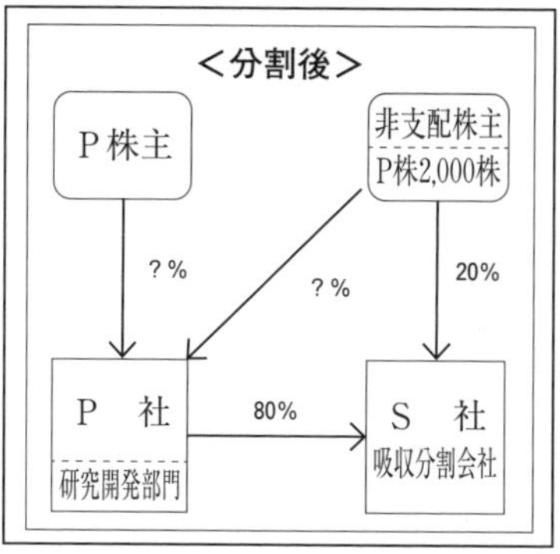

(1)　P　社(共通支配下の取引等)

①　P社持分(共通支配下の取引として扱う部分)

(借) 研究開発部門事業資産	280,000(＊1)	(貸) S　社　株　式	262,500(＊2)
		抱合せ株式消滅差益 (利　益　剰　余　金)	17,500(＊3)

(＊1)　350,000×P社持分比率80%＝280,000

(注)Ｐ社がＳ社から受け入れた研究開発部門事業資産は，分割期日前日に付された適正な帳簿価額350,000により計上する。また，受け入れた研究開発部門に係る，資産及び負債の差額(純資産)のうち株主資本額350,000については，親会社持分相当額と非支配株主持分相当額に按分する。

(＊2)　Ｓ社株式の帳簿価額600,000×43.75％(＊4)＝262,500

(＊3)　280,000(＊1)－262,500(＊2)＝17,500

(注)受け入れた資産と負債の差額のうち株主資本の親会社持分相当額280,000(＊1)と，分割に係る抱合せ株式の帳簿価額のうち，受け入れた資産及び負債と引き換えられたものとみなされる額262,500(＊2)との差額17,500(＊3)を「抱合せ株式消滅差益」として，特別損益に計上する。

(＊4)　研究開発部門に係る株主資本相当額の適正な帳簿価額350,000 ／ Ｓ社の分割直前の株主資本の適正な帳簿価額(資本金400,000＋利益剰余金400,000)

＝43.75％

(注)問題文の指示より，分割に係る抱合せ株式の帳簿価額のうち，受け入れた資産と引き換えられたものとみなされる額の算定を，関連する帳簿価額の比率(研究開発部門に係る株主資本相当額の適正な帳簿価額350,000とＳ社の分割直前の株主資本の適正な帳簿価額800,000との比率)で按分する。

(注)親会社が子会社から会社分割により受け入れる資産及び負債は，原則として適正な帳簿価額により計上することになるが，親会社が作成する連結財務諸表において，当該子会社の資産及び負債の帳簿価額を修正しているときは，個別財務諸表上も，連結財務諸表上の金額である修正後の帳簿価額(のれんを含む)により資産及び負債を受け入れる。

なお，本問では，連結財務諸表上ののれんを受け入れた場合の解答がないため，当該のれんの受け入れは考慮外としている。

② 非支配株主持分(非支配株主との取引として扱う部分)

(借)	研究開発部門事業資産	70,000(＊5)	(貸)	資　本　剰　余　金	78,000(＊6)
	資　本　剰　余　金	8,000(＊7)			

(＊5)　350,000×非支配株主持分比率20％＝70,000

(＊6)　分割期日のＰ社株式の時価@39

×非支配株主に交付した株式数2,000株＝78,000

(注)問題文の指示より，全額を資本剰余金として計上している。

(＊7)　78,000(＊6)－70,000(＊5)＝8,000

(注)非支配株主に係る増加すべき株主資本は非支配株主に交付したＰ社株式の時価78,000(＊6)で算定し，非支配株主持分相当額70,000(＊5)との差額8,000(＊7)は資本剰余金として処理する。

③　分割仕訳(①＋②，**問題26**の解答)

(借)	研究開発部門事業資産	350,000	(貸)	S　社　株　式	262,500(＊2)
	資　本　剰　余　金	8,000(＊7)		抱合せ株式消滅差益 (利　益　剰　余　金)	**17,500**(＊3)
				資　本　剰　余　金	78,000(＊6)

④　Ｐ社が取得する自己株式に係る処理

仕　訳　な　し

(注)当該組織再編において，Ｐ社は，Ｓ社に対して新株を発行すると同時に，Ｓ社から当該株式を配当として受け取ることとなるため，Ｐ社は発行した新株を自己株式として保有することになる。会計上，Ｐ社による新株の発行と当該自己株式の取得は一体の取引とみて，Ｐ社が受け入れた自己株式の帳簿価額はゼロとする。

(2)　Ｓ　社

(借)	Ｐ　社　株　式	350,000(＊8)	(貸)	研究開発部門事業資産	350,000
(借)	利　益　剰　余　金	350,000	(貸)	Ｐ　社　株　式	350,000(＊8)

(＊8)　研究開発部門に係る株主資本相当額

(注)Ｐ社株式の取得価額は，研究開発部門に係る株主資本相当額に基づいて算定する。

(注)Ｓ社は受け取ったＰ社株式の取得価額により，株主資本を減少させる。本問においては，問題文の指示より利益剰余金を減少させる。

(注)上記仕訳は，次のように分解して考えると分かり易いであろう。

①　Ｐ社持分(共通支配下の取引として扱う部分)

(借)	Ｐ　社　株　式	280,000(＊1)	(貸)	研究開発部門事業資産	280,000
(借)	利　益　剰　余　金	280,000	(貸)	Ｐ　社　株　式	280,000(＊1)

②　非支配株主持分(非支配株主との取引として扱う部分)

(借)	Ｐ　社　株　式	70,000(＊5)	(貸)	研究開発部門事業資産	70,000
(借)	利　益　剰　余　金	70,000	(貸)	Ｐ　社　株　式	70,000(＊5)

2．分割後各社個別貸借対照表(参考)

Ｐ社個別貸借対照表

資　産	金　額	負債・純資産	金　額
諸　資　産	1,000,000	諸　負　債	200,000
研究開発部門事業資産	350,000	資　本　金	1,000,000
Ｓ　社　株　式	337,500	資本剰余金	70,000
		利益剰余金	417,500
合　計	1,687,500	合　計	1,687,500

S社個別貸借対照表

資　産	金　額	負債・純資産	金　額
諸　資　産	650,000	諸　負　債	200,000
		資　本　金	400,000
		利益剰余金	50,000
合　計	650,000	合　計	650,000

3．連結上の処理

(1)　タイム・テーブル

当　期（X2 12/31 〜 X3 12/31）

	X1 12/31	60%	X2 12/31	80%	X3 1/1	80%	X3 12/31
	+60%		+20%				
資　本　金	400,000		400,000		400,000		400,000
利益剰余金	100,000	180,000 →	400,000	△350,000 (＊8) →	50,000 (＊9)	160,000 →	250,000 (＊10)
		120,000				40,000	
合　計	500,000		800,000		450,000		650,000
取得持分	300,000		160,000	−280,000 (＊1)			
取得原価	450,000		150,000	−262,500 (＊2)			
抱合株式消滅差益の取消				−17,500 (＊3)			
資本剰余金			10,000				
の　れ　ん	150,000	△15,000	135,000			△15,000	120,000

(＊9)　X2年度末利益剰余金400,000－350,000(＊8)＝50,000

(＊10)　50,000(＊9)＋X3年度当期純利益200,000＝250,000

(2)　開始仕訳

(借)	資　本　金	400,000	(貸) S　社　株　式	600,000
	利益剰余金	235,000(＊11)	資本剰余金	10,000
	の　れ　ん	135,000	非支配株主持分	160,000(＊12)

(＊11)　100,000＋120,000＋15,000＝235,000

又は，400,000－T/T(180,000－15,000)＝235,000

(＊12)　T/T資本合計800,000×非支配株主持分比率20%＝160,000

⑶　会社分割

①　Ｐ社持分

ⅰ　個別上の仕訳

ａ　Ｐ　社

(借)	研究開発部門事業資産	280,000(＊1)	(貸)	Ｓ　社　株　式	262,500(＊2)
				抱合せ株式消滅差益 (利　益　剰　余　金)	17,500(＊3)

ｂ　Ｓ　社

(借)	Ｐ　社　株　式	280,000(＊1)	(貸)	研究開発部門事業資産	280,000
(借)	利　益　剰　余　金	280,000	(貸)	Ｐ　社　株　式	280,000(＊1)

ⅱ　連結上あるべき仕訳

仕　訳　な　し

ⅲ　連結修正仕訳(ⅱ－ⅰ)

(借)	Ｓ　社　株　式	262,500(＊2)	(貸)	利　益　剰　余　金	280,000(＊1)
	抱合せ株式消滅差益 (利　益　剰　余　金)	17,500(＊3)			

(注)Ｐ社が減少させたＳ社株式の帳簿価額及び抱合せ株式消滅差益は内部取引として消去する。

②　非支配株主持分

ⅰ　個別上の仕訳

ａ　Ｐ　社

(借)	研究開発部門事業資産	70,000(＊5)	(貸)	資　本　剰　余　金	78,000(＊6)
	資　本　剰　余　金	8,000(＊7)			

ｂ　Ｓ　社

(借)	Ｐ　社　株　式	70,000(＊5)	(貸)	研究開発部門事業資産	70,000
(借)	利　益　剰　余　金	70,000	(貸)	Ｐ　社　株　式	70,000(＊5)

ⅱ　連結上あるべき仕訳

(借)	非支配株主持分	70,000(＊5)	(貸)	資　本　剰　余　金	78,000(＊6)
	資　本　剰　余　金	8,000(＊7)			

ⅲ　連結修正仕訳(ⅱ－ⅰ)

(借)	非支配株主持分	70,000	(貸)	利　益　剰　余　金	70,000(＊5)

(注)移転した事業に係る持分の追加取得に伴う非支配株主持分の減少(親会社持分の増加)について振替処理を行う(一種の非支配株主への配当(Ｓ社によるＰ社株式の現物分配)が生じていると考えることができるた

め，非支配株主持分を調整する）。

③　連結修正（①＋②）

（借）S　社　株　式	262,500(＊2)	（貸）利　益　剰　余　金	350,000(＊8)
抱合せ株式消滅差益 （利　益　剰　余　金）	17,500(＊3)		
非支配株主持分	70,000(＊5)		

④　分割後連結貸借対照表

連結貸借対照表

資　産	金　額	負債・純資産	金　額
諸　資　産	1,650,000	諸　負　債	400,000
研究開発部門事業資産	350,000	資　本　金	1,000,000
の　れ　ん	135,000	資本剰余金	(＊13)80,000
		利益剰余金	565,000
		非支配株主持分	(＊14)90,000
合　計	2,135,000	合　計	2,135,000

(＊13)　P社個別（78,000(＊6)－8,000(＊7)）＋追加取得10,000＝80,000

(＊14)　T/T資本合計450,000×非支配株主持分比率20％＝90,000

（注）当該分割型会社分割の実態は，P社における研究開発部門（株主資本相当額350,000）の20％追加取得（対価P社株式2,000株）である。したがって，上記分割後連結貸借対照表はX2年度P社連結貸借対照表に下記仕訳（当該研究開発部門の20％追加取得における連結上あるべき仕訳（3.⑶②ⅱ参照））を反映させたものと同一の結論になる。

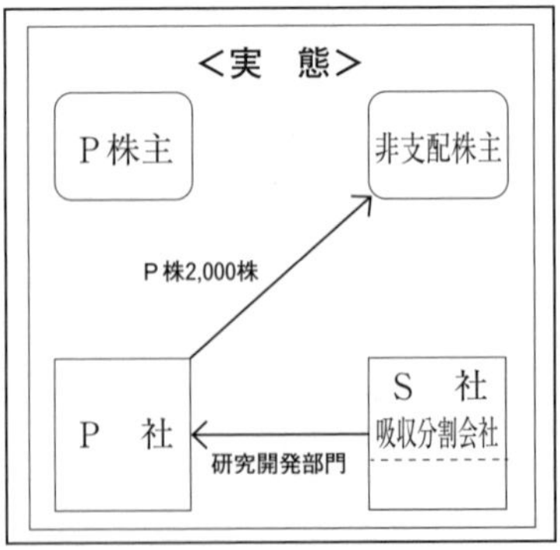

ⅰ　X2年度P社連結貸借対照表

連結貸借対照表

資　産	金　額	負債・純資産	金　額
諸　資　産	1,650,000	諸　負　債	400,000
研究開発部門事業資産	350,000	資　本　金	1,000,000
の　れ　ん	135,000	資本剰余金	10,000
		利益剰余金	565,000
		非支配株主持分	160,000
合　計	2,135,000	合　計	2,135,000

ⅱ　研究開発部門の20％追加取得

(借) 非支配株主持分	70,000(*5)	(貸) 資本剰余金	78,000(*6)
資本剰余金	8,000(*7)		

(4)　当期純利益の按分

(借) 非支配株主に帰属する当期純損益	40,000	(貸) 非支配株主持分	40,000

(5)　のれんの償却

(借) のれん償却額	15,000	(貸) の　れ　ん	15,000

4．解答数値の算定

◎　X3年度P社連結B/S資本剰余金（問題27の解答）：**80,000**(*13)

◎　X3年度P社連結P/L親会社株主に帰属する当期純利益（問題28の解答）：**645,000**(*15)

(*15)　P社(500,000＋17,500(*3))＋T/T(160,000－のれん償却額15,000－17,500(*3))＝645,000

（注）抱合せ株式消滅差益17,500(*3)は，内部取引として消去するため，以下の式で算定することもできる。

P社500,000＋T/T(160,000－のれん償却額15,000)＝645,000

2025年《ねん》度《ど》版《ばん》　公《こう》認《にん》会《かい》計《けい》士《し》試《し》験《けん》　短《たん》答《とう》式《しき》試《し》験《けん》　過《か》去《こ》問《もん》題《だい》集《しゅう》

（1997年度版　1997年 2 月20日　初版 第 1 刷発行）

2024年 8 月 25 日　初　版　第 1 刷発行

編 著 者　Ｔ Ａ Ｃ 株 式 会 社
（公認会計士講座）

発 行 者　多 田 敏 男

発 行 所　ＴＡＣ株式会社　出版事業部
（TAC出版）

〒101-8383
東京都千代田区神田三崎町3-2-18
電話　03（5276）9492（営業）
FAX　03（5276）9674
https://shuppan.tac-school.co.jp

印　　刷　株式会社　光　邦

製　　本　株式会社　常　川　製　本

ISBN 978-4-300-11268-7
N.D.C. 336

公認会計士講座のご案内

スクール選びで合否が決まる！

業界初
TAC×会計士
1万人突破！

実績で選ぶならTAC！

新試験制度制定後
2006年～2023年
公認会計士論文式試験
TAC本科生合格者
累計実績※

10,062名※

2006年633名＋2007年1,320名＋2008年1,170名＋2009年806名＋2010年885名＋2011年554名＋2012年550名＋2013年458名＋2014年415名＋2015年372名＋2016年385名＋2017年352名＋2018年357名＋2019年360名＋2020年401名＋2021年289名＋2022年410名＋2023年345名

※　TAC本科生合格者とは、目標年度の試験に合格するために必要と考えられる講義・答案練習・公開模試・試験委員対策・法令改正等をパッケージ化したTACのコースにおいて、合格に必要な科目を全て受講し、かつ最終合格された方を指します。なお、過年度の科目合格者が最終合格された場合、①合格に必要な科目をTACで全て受講し、かつ②受講した年度に科目合格している方は合格者に含めています。
※　写真は2022年合格祝賀パーティーのものです。

公認会計士試験対策書籍のご案内

TAC出版では、独学用およびスクール学習の副教材として、各種対策書籍を取り揃えています。
学習の各段階に対応していますので、あなたのステップに応じて、合格に向けてご活用ください!

短答式試験対策

・財務会計論【計算問題編】
・財務会計論【理論問題編】
・管理会計論
・監査論
・企業法

『ベーシック問題集』シリーズ A5判

● 短答式試験対策を本格的に始めた方向け、苦手論点の克服、直前期の再確認に最適!

・財務会計論【計算問題編】
・財務会計論【理論問題編】
・監査論
・企業法

『アドバンスト問題集』シリーズ A5判

● 『ベーシック問題集』の上級編。より本試験レベルに対応しています

『財務会計論会計基準早まくり条文別問題集』

B6変型判

● ○×式の一問一答で会計基準を早まくり
◎ 論文式試験対策にも使えます

論文式試験対策

・財務会計論【計算編】
・管理会計論

『新トレーニング』シリーズ B5判

● 基本的な出題パターンを網羅。効率的な解法による総合問題の解き方を身に付けられます!
◎ 各巻数は、TAC公認会計士講座のカリキュラムにより変動します
◎ 管理会計論は、短答式試験対策にも使えます

過去問題集

『短答式試験 過去問題集』
『論文式試験必修科目 過去問題集』
『論文式試験選択科目 過去問題集』

A5判

● 直近3回分の問題を、ほぼ本試験形式で再現。TAC講師陣による的確な解説付き

書籍の正誤に関するご確認とお問合せについて

書籍の記載内容に誤りではないかと思われる箇所がございましたら、以下の手順にてご確認とお問合せをしてくださいますよう、お願い申し上げます。
なお、正誤のお問合せ以外の**書籍内容に関する解説および受験指導などは、一切行っておりません。**
そのようなお問合せにつきましては、お答えいたしかねますので、あらかじめご了承ください。

1 「Cyber Book Store」にて正誤表を確認する

TAC出版書籍販売サイト「Cyber Book Store」の
トップページ内「正誤表」コーナーにて、正誤表をご確認ください。

CYBER BOOK STORE TAC出版書籍販売サイト

URL:https://bookstore.tac-school.co.jp/

2 1の正誤表がない、あるいは正誤表に該当箇所の記載がない ⇒ 下記①、②のどちらかの方法で文書にて問合せをする

★ご注意ください★

お電話でのお問合せは、お受けいたしません。
①、②のどちらの方法でも、お問合せの際には、「お名前」とともに、
「対象の書籍名(○級・第○回対策も含む)およびその版数(第○版・○○年度版など)」
「お問合せ該当箇所の頁数と行数」
「誤りと思われる記載」
「正しいとお考えになる記載とその根拠」
を明記してください。
なお、回答までに1週間前後を要する場合もございます。あらかじめご了承ください。

① ウェブページ「Cyber Book Store」内の「お問合せフォーム」より問合せをする

【お問合せフォームアドレス】

https://bookstore.tac-school.co.jp/inquiry/

② メールにより問合せをする

【メール宛先　TAC出版】

syuppan-h@tac-school.co.jp

※土日祝日はお問合せ対応をおこなっておりません。
※正誤のお問合せ対応は、該当書籍の改訂版刊行月末日までといたします。

乱丁・落丁による交換は、該当書籍の改訂版刊行月末日までといたします。なお、書籍の在庫状況等により、お受けできない場合もございます。
また、各種本試験の実施の延期、中止を理由とした本書の返品はお受けいたしません。返金もいたしかねますので、あらかじめご了承くださいますようお願い申し上げます。

(2022年7月現在)